DE HONDERD GEHEIME ZINTUIGEN

Vertaald door Peter Abelsen

AMY TAN

DE
HONDERD
GEHEIME
ZINTUIGEN

1996   Uitgeverij Bert Bakker   Amsterdam

Voor Faith

DEEL

I

1

Het meisje met yin-ogen

Mijn zuster Kwan gelooft dat ze yin-ogen heeft. Ze ziet hen die gestorven zijn en nu in de Yin-Wereld vertoeven – geesten, die af en toe de nevelen verlaten voor een bezoek aan de keuken van haar huis in Balboa Street.

'Libby-ah,' zegt ze soms tegen me, 'raden wie ik gisteren zie. Jij raden!' En dan kan ik één ding wel raden, namelijk dat het om iemand gaat die dood is.

In feite is Kwan slechts mijn halfzuster, al roep ik dat niet van de daken. Dat zou niet eerlijk zijn; alsof onze familie haar maar voor vijftig procent hoefde lief te hebben. Maar goed, voor alle genetische duidelijkheid: Kwan en ik werden door dezelfde man verwekt, en dat is alles. Zij werd in China geboren. Ik zag, net als mijn broers Kevin en Tommy, het levenslicht in San Francisco – waar onze vader, Jack Yee, zich als immigrant gevestigd had en getrouwd was met onze moeder, Louise Kenfield.

Ma omschrijft zichzelf altijd als 'een typisch Amerikaanse hap: veel wit vlees, vet en goed doorbakken'. Zij sleet haar jeugd in Moscow, Idaho, waar ze grote faam genoot als majorette en ooit een prijs won op de jaarlijkse *county fair* met een aardappel die hetzelfde profiel had als Jimmy Durante. Ze vertelde me eens dat ze er als meisje van droomde op te groeien tot iets heel speciaals – dun en exotisch wilde ze worden, en net zo gracieus als Luise Ranier, die een Oscar had gekregen voor haar rol van O-lan in *The Good Earth*. Maar toen ze na haar verhuizing naar San Francisco inzag dat ze tot onbeduidendheid was voorbestemd, vond ze een andere manier om van het leven te genieten: ze sloeg mijn vader aan de haak. Ma denkt dat ze door dit huwelijk met een niet-blanke automatisch tot de vooruitstrevende elite toetrad. 'Toen Jack en ik elkaar leerden kennen,' houdt ze iedereen voor, 'waren er nog wetten tegen gemengde huwelijken. Wij overtraden de wet in naam van de liefde.' En altijd weer verzwijgt ze dat de betreffende wetten in Californië nooit gegolden hebben.

Kwan was al achttien toen ze zich bij ons voegde. Daarvoor had niemand van ons zelfs maar van haar gehoord. Haar bestaan kwam pas aan het licht toen mijn vader stervende was aan een nierziekte. Ik was nog geen vier jaar oud toen hij overleed, maar kan me toch momenten met hem herinneren. Hoe hij onder aan een lange glijbaan klaarstond om me op te vangen. Hoe ik door het pierenbadje waadde op zoek naar de muntjes die hij erin had gegooid. Ook herinner ik me die laatste dag in het ziekenhuis, toen hij iets zei wat me jarenlang in angst zou houden.

Kevin, vijf jaar oud, was er ook bij. Maar Tommy was nog een baby, dus die zat in de wachtkamer bij de nicht van mijn moeder, Betty Dupree, die wij tante moesten noemen en die ook van Idaho naar San Francisco was getrokken. Ik zat op een plakkerige plastic stoel met het schaaltje aardbeienpudding dat mijn vader bij zijn lunch had gekregen. Hij zat rechtop in een stapel kussens te hijgen. Ma zat afwisselend te huilen en luchtig te doen. Ik snapte maar niet wat hier loos was. En toen kwam het moment waarop mijn vader begon te fluisteren en mijn moeder zich naar hem toe boog om te kunnen horen wat hij zei. Haar mond die steeds verder openzakte. Dan haar hoofd dat met een ruk in mijn richting draaide, de ogen vol ontzetting. En ik verlamd van schrik. Hoe wist hij het? Hoe kon mijn vader nu weten dat ik die ochtend mijn schildpadjes, Slowpoke en Fastpoke, door de wc had gespoeld? Ik had willen zien hoe ze er zonder jas uitzagen, en die nieuwsgierigheid had ertoe geleid dat ik ze allebei de kop had afgetrokken.

'Je dochter?' hoorde ik mijn moeder zeggen. 'Terug?' Ik begreep dat ze opdracht had gekregen om me naar het asiel te brengen. Daar had onze hond Buttons ook naar terug gemoeten toen hij de sofa kapot had geknauwd. De rest herinner ik me nog slechts in flarden. Het schaaltje pudding dat op de grond uiteenspat, ma die naar een foto staart, Kevin die de foto pakt en in lachen uitbarst, en dan krijg ik die foto ook te zien. Een zwart-wit kiekje van een magere baby met piekhaar. Mijn moeder die schreeuwt: 'Olivia, geen gemaar nu, je moet hier weg!' En ik huilen: 'Maar ik zal het nooit meer doen!'

Korte tijd later kwam ma met een mededeling: 'Papa is niet meer bij ons.' En ze deelde ook mee dat papa's andere dochtertje, uit China, hier zou komen wonen. Ze zei niet dat ze mij naar het asiel zou brengen, maar ik huilde niettemin. Alles hing op de een of andere manier met elkaar samen: de koploze schildpadjes die in de diepten van de wc waren verdwenen, mijn vader die ons in de steek had gelaten en het andere meisje dat weldra mijn plaats kwam innemen. Nog voor ik Kwan ooit had gezien, was ik al doodsbang voor haar.

Pas toen ik tien was, werd me uitgelegd dat de dood van mijn vader aan diens nieren te wijten was. Ma zei dat hij met vier stuks geboren was in plaats van de gebruikelijke twee, maar dat ze allemaal ondeugdelijk waren geweest. Tante Betty had hier een theorie over. Tante Betty had altijd overal een theorie over, meestal ontleend aan een bron als de *Weekly World News*. Volgens haar was mijn vader voorbestemd geweest een Siamese tweeling te worden, maar had hij in de moederschoot zijn tegenpool overweldigd en verorberd. Zo was hij aan die twee extra nieren gekomen. 'Misschien had hij ook wel twee harten, twee magen, wie weet.' Tante Betty kwam tot haar hypothese nadat *Life Magazine* een reportage had gewijd aan een Siamese tweeling uit Rusland. Ik had de foto's bij dat artikel ook gezien: twee meisjes, Tasha en Sasha, bij de heup aaneengeklonken. Veel te mooi om samen een wangedrocht te vormen. Hartverscheurend. Het moet zo rond het midden van de jaren zestig zijn geweest, de tijd dat ik op school breuken kreeg. Want ik weet nog hoe ik wenste dat we Kwan voor die Siamese tweeling konden ruilen. Dan zou ik twee halfzusters hebben, die samen een hele vormden. En bovendien zouden alle kinderen uit de buurt vriendjes met ons willen worden, in de hoop dat ze mochten kijken hoe wij touwtje sprongen of hinkelden.

Tante Betty wist trouwens ook te vertellen hoe Kwan op de wereld was gekomen. Dit verhaal was niet hartverscheurend, eerder gênant. In de oorlogsjaren was mijn vader student aan de universiteit van de Zuidchinese stad Guilin geweest. Voor zijn avondeten kocht hij altijd levende kikkers op de markt bij een jonge vrouw die Li Chen heette. Later trouwde hij met haar en in 1944 schonk ze hem een dochter, de magere baby van het kiekje, Kwan.

Ook over dat huwelijk had tante Betty een theorie. 'Jullie vader was erg knap, voor een Chinees. Hij had een universitaire graad en sprak net zo goed Engels als ik of jullie moeder. Tja, waarom zou zo'n man met een plattelandsmeisje trouwen? Omdat hij móest, natuurlijk!' Ik hoorde dit toen ik al oud genoeg was om te weten wat dat 'móest' betekende.

Maar hoe dan ook, in 1948 stierf die eerste vrouw van mijn vader aan een longziekte. TBC wellicht. Mijn vader trok naar Hong Kong om werk te zoeken en liet de verzorging van Kwan over aan de jongere zuster van zijn overleden vrouw, Li Bin-bin, die in een klein bergdorpje met de naam Changmian woonde. Uiteraard stuurde hij regelmatig geld voor haar levensonderhoud. Welke vader zou dat niet doen? Maar in 1949 namen de communisten de macht over en mijn vader kon niet meer terug naar zijn inmiddels vijfjarige dochtertje. Wat moest hij? Met een bezwaard gemoed emigreerde hij naar Amerika om een nieuw leven te beginnen en niet meer te hoeven denken aan de ellende die hij had achtergelaten. Elf jaar later, toen hij zelf op sterven lag in dat ziekenhuis, verscheen de geest van zijn eerste vrouw aan het voeteind van zijn bed. 'Eis je dochter weer op,' had de geest gewaarschuwd, 'anders wacht je een vreselijke straf in het hiernamaals!' Dus dat was het verhaal dat ma door mijn vader in het oor gefluisterd had gekregen – althans in de versie van tante Betty.

Inmiddels kan ik begrijpen hoe mijn moeder zich gevoeld moet hebben toen ze dit alles voor het eerst hoorde. Een eerder huwelijk? Een dochter in China? Wij vormden een modern Amerikaans gezin, spraken alleen Engels en woonden in een groot, vrijstaand huis in Dale City. Goed, we aten wel eens Chinees, maar dat haalden we gewoon bij een restaurant. Mijn vader werkte als accountant voor de staat Californië. Ma bezocht bijeenkomsten van de *Parent Teacher Association*. Ze had mijn vader nog nooit begrippen uit het Chinese volksgeloof horen bezigen; als echtpaar hadden ze hun vertrouwen altijd in regelmatig kerkbezoek en een goede levensverzekering gesteld.

Na de dood van mijn vader werd ma niet moe te vertellen hoe hij haar altijd als een Chinese keizerin had behandeld. In haar verdriet zwoer ze de ene eed na de andere. Tijdens de begrafenis zwoer ze, volgens tante Betty, nooit te zullen hertrouwen. Ze nam zich plechtig voor haar kinderen te leren dat ze de familienaam Yee kost wat kost in ere moesten houden. En ze beloofde mijn vaders eerstgeboren kind, Kwan, te vinden en naar de Verenigde Staten te halen.

Die laatste belofte was de enige die ze gestand zou doen.

•

Mijn moeder lijdt haar hele leven al aan een extreme vorm van groothartigheid, bij tijd en wijle verergerd door aanvallen van vrijwilligersdrift. Ooit was ze één zomer lang pleegmoeder voor een stichting tot hulp aan thuisloze Yorkshire terriërs; haar huis stinkt nog altijd een beetje naar hondepis. Twee Kerstmissen serveerde ze in *St. Anthony's Dining Room* maaltijden aan daklozen; tegenwoordig brengt ze de kerstdagen door op Hawaï, met wat voor vriendje ze op dat moment ook hebben mag. Ze heeft zich ingezet voor talloze petities en inzamelingen, en zat in de besturen van diverse groepen voor alternatieve gezondheid. Haar bevlogenheid is altijd weer groot en oprecht, maar nooit onuitputtelijk – uiteindelijk moet ze weer op zoek naar een nieuw goed doel. Ik vermoed dat ze Kwan destijds ook gezien heeft als een soort van uitwisselingsstudente die ze een jaartje mocht verwennen, een Chinese stumperd die na verloop van niet al te lange tijd op eigen benen zou leren staan en dan een heerlijk Amerikaans leven zou gaan leiden.

Ma trachtte mijn broers en mij als een echte *cheerleader* tot groot enthousiasme over Kwans komst op te zwepen. Tommy was echter te klein om meer te doen dan knikken als ze hem weer eens vroeg hoe blij hij wel niet zou zijn met zijn nieuwe grote zus. En Kevin haalde alleen maar verveeld zijn schouders op. Ik was de enige die als een overambitieuze rekruut in het rond sprong, al kwam dat vooral doordat ik ondertussen begreep dat Kwan een uitbreiding van ons gezin zou zijn, en niet mijn vervangster.

Hoewel ik een eenzaam kind was, had ik eigenlijk liever een nieuw schildpadje of een pop gehad, en niet iemand met wie ik moest wedijveren om de toch al verdeelde aandacht van mijn moeder. Nog een zuster erbij zou de spoeling wel erg dun maken. Ik ontving wel degelijk liefde van mijn moeder, maar altijd in afgemeten porties. Het ontging me niet dat ze meer tijd doorbracht met anderen, wildvreemden zelfs, dan met mij. En elke keer dat ik dit vaststelde, voelde ik me verder wegzakken op haar ranglijst – het was een gestage, pijnlijke val. Haar afspraakjes met mannen, of de etentjes met 'de meiden' (haar vriendinnen) werden steevast zorgvuldig gepland. Ik kon minder goed op haar rekenen. Beloften van bioscoop of zwembad werden achteloos tenietgedaan met de bekentenis van vergeetachtigheid of, wat veel erger was, gedraai met woorden. 'Pruil niet zo, Olivia,' zei ze op een keer. 'Ik heb niet gezegd dat ik met je naar de zwemclub gíng, ik heb alleen maar gezegd dat ik met je naar de zwemclub wílde.' Wat vermocht mijn kinderwens tegen zo veel volwassen taalbeheersing?

Ik leerde mezelf aan dergelijke dingen niet erg te vinden, leerde een deksel op mijn verlangens te schroeven en ze op de hoogste plank weg te zetten, buiten bereik. En door mezelf wijs te maken dat die verlangens om te beginnen al weinig inhielden, voorkwam ik dat de teleurstelling over hun veronachtzaming diepe wonden kon slaan. Gaandeweg was de pijn niet erger meer dan die van een inenting op school. Maar al met al, nu ik eraan terugdenk, voel ik toch weer verdriet. Hoe kon ik als kind weten dat ik meer liefde verdiende dan ik kreeg? Of is het verlangen van ieder kind bodemloos?

Hoe dan ook, eigenlijk wilde ik Kwan niet als zuster. Integendeel. En juist daarom deed ik zo verheugd over haar komst. Het was de logica van de verminkte hoop: als wat je wilt nooit gebeurt, hoop dan op wat je niet wilt.

Zoals ma erover sprak, zou die grote zuster een grotere uitvoering van mezelf zijn, net zo lief en mooi, alleen een beetje meer Chinees, en altijd paraat om allerlei leuke dingen met me te doen. Dus stelde ik me geen oudere zuster voor, maar mezelf op latere leeftijd: een meisje dat altijd danste en nauwsluitende kleding droeg, en een droevig maar fascinerend leven leidde – het oriëntaalse equivalent van Natalie Wood in *West Side Story*, die ik gezien had toen ik vijf jaar oud was. Pas nu zie ik de overeenkomst met mijn moeder: als jong meisje wilden we allebei lijken op een actrice met een vreemd accent!

Toen mijn moeder me op een avond naar bed bracht, vroeg ze me of ik niet eens wilde bidden. Ik wist dat bidden neerkwam op het prevelen van lieve dingen die andere mensen graag wilden horen, want dat was de manier waarop mijn moeder bad. Dus vroeg ik aan God en Jezus of ze me wilden helpen een braaf meisje te zijn, en voor de volledigheid voegde ik er nog aan toe te hopen dat mijn grote zus nu snel zou komen. Ma had het even tevoren nog over haar gehad. Toen ik 'amen' had gezegd, zat ma trots te glimlachen, met betraande ogen. Opgezweept door dit succes bracht ik de dagen die volgden door met het verzamelen van welkomstgeschenken voor Kwan. De sjaal die tante Betty me voor mijn verjaardag had gegeven, het flesje oranjebloesemparfum dat ik met Kerstmis had gehad, het snoepgoed dat nog over was van *Halloween* – al deze beduimelde en verschaalde kostbaarheden plaatste ik liefdevol in een doos waarop ma 'Voor Olivia's grote zus' had geschreven. Ik vond dit zo lief van mezelf dat ma volgens mij spoedig zou inzien dat we helemaal geen nieuwe zus meer nodig hadden.

Mijn moeder zal nooit vergeten hoe moeilijk het was om Kwan bij ons te krijgen. 'In die tijd,' zei ze eens, 'kon je niet volstaan met een brief naar Changmian. Ik moest door een rijstebrijberg van formaliteiten, tientallen paperassen invullen. De bereidheid om iemand uit een communistisch land te helpen was hier niet bepaald groot. Zelfs Betty versleet me voor gek. Ze zei: "Hoe kun je nu zo'n opgeschoten meid in huis nemen die geen woord Engels spreekt? Dat kind zal hier nooit haar draai kunnen vinden!"'

Bureaucratie vormde niet het enige obstakel voor Kwans overkomst. Twee jaar na de dood van mijn vader trouwde ma met Bob Laguni, een man die Kevin tegenwoordig omschrijft als 'het enige beoordelingsfoutje dat ma ooit maakte bij het kiezen van importmannen – en dan nog alleen omdat ze dacht dat Laguni een Mexicaanse naam was in plaats van een Italiaanse'. Ma nam Bobs achternaam aan, en zo werden mijn broers en ik ook met 'Laguni' opgescheept. Ik was blij dat ik daar 'Bishop' van kon maken toen ik zelf trouwde. Bob, *Daddy Bob*, zag Kwans komst eigenlijk niet zo zitten. En ma was doorgaans erg gevoelig voor zijn wensen. Na hun scheiding (ik studeerde inmiddels) vertelde ma hoe Bob op haar had ingepraat om te stoppen met haar pogingen Kwan naar Amerika te halen. Ik vermoed dat ze hem wel wilde gehoorzamen maar puur uit de macht der gewoonte doorging met haar verzoekschriften. Dit is echter haar eigen lezing: 'Ik kon dat gebed van jou niet vergeten. Je zag er zo lief en treurig uit toen je God vroeg om je grote zus uit China.'

Toen Kwan uiteindelijk naar Amerika kwam, was ik al bijna zes. We stonden haar op te wachten bij de douane op *San Francisco Airport*. Tante Betty was er ook. Mijn moeder was zo nerveus en opgewonden dat ze niet ophield met ratelen: 'Luister, kinderen, ze zal wel heel erg verlegen zijn, dus doe niet te wild met haar... En ze is vast zo mager als een bonestaak, maar jullie mogen niet om haar lachen...'

Toen een douanebeambte eindelijk met Kwan de foyer in kwam lopen, waar wij stonden te wachten, wees tante Betty en zei: 'Daar heb je haar. Ik zweer het je, dat is Kwan!' Ma schudde ongelovig haar hoofd. Dit was een raar, ouwelijk vrouwtje. Klein en mollig. Bepaald niet de uitgehongerde wees die ma had verwacht, of de jonge filmster die ik me had voorgesteld. Ze was gekleed in een soort pyjama van smoezelige grijze stof, en haar hoofd was aan weerszijden met twee dikke vlechten getooid.

Wat Kwan ook was, verlegen was ze niet. Ze liet haar reistas vallen, zwaaide wild met haar armen en brulde: 'Hall-oo! Hall-oo!' Uitzinnig en luidruchtig als een jonge hond stormde ze op ons af. Ze besprong ma, dan Daddy Bob. Ze greep Kevin en Bobby bij hun schouders en schudde hen wild heen en weer. Maar toen ze mij zag, viel ze stil. Ze hurkte neer en spreidde haar armen. Ik trok aan mijn moeders rok. 'Is dát mijn grote zus?'

Ma zei: 'Kijk eens, ze heeft hetzelfde dikke zwarte haar als je vader.'

Ik heb nog altijd de foto die tante Betty nam: ma met haar krullenkapsel en mohair mantelpak, met een gejaagd glimlachje; onze Italiaans-Amerikaanse stiefvader Bob, verbijsterd; Kevin en Tommy met hun cowboyhoeden; en ik in mijn frivole feestjurkje, met een vinger in mijn mond en hartstochtelijk huilend.

Ik huilde omdat Kwan me even daarvoor een cadeau had gegeven. Een klein kooitje van gevlochten stro dat ze uit haar wijde mouw te voorschijn toverde en trots voor me ophield. Ik nam het aan en tuurde door het stro naar binnen – waar ik een zespotig monster zag, giftig groen met kaken als zaagbladen, uitpuilende ogen en venijnige zwepen in plaats van wenkbrauwen. Gillend gooide ik het van me af.

Thuis, in de slaapkamer die we van dan af zouden delen, hing Kwan het kooitje met de nu nog maar vijfpotige sprinkhaan aan de muur. Zodra het donker werd, ging het beest tekeer als de bel van een fietser met grote haast.

Mijn leven veranderde op slag. Voor ma bleek Kwan een ideale babysitter: altijd bereid en immer beschikbaar. Elke keer dat mijn moeder zich opmaakte voor een middagje schoonheidssalon, of een winkelsafari met de meiden, droeg ze me op in Kwans buurt te blijven. 'Wees een lief zusje voor haar en leg alles uit wat ze niet begrijpt. Beloof je dat?' Zodra ik uit school kwam, was daar Kwan, elke dag weer, die zich aan me vastklonk en overal met me mee naar toe ging. Nog voor ik de eerste klas doorlopen had, wist ik alles van schaamte en publieke vernedering. Kwan stelde zulke stomme vragen, dat alle kinderen uit de buurt dachten dat ze van Mars kwam. 'Wat M&M?' 'Wat *kaagum?*' 'Wie *Popeye Sailor Man?* Waarom één oog? Is boef?' Zelfs Kevin en Tommy lachten zich een bult.

Met Kwan erbij kon ma zich zonder een centje wroeging aan haar nieuwe man Bob wijden. Als de schoolzuster naar huis belde om te melden dat ik koorts had, was het Kwan die me op kwam halen. Als ik een smak maakte met rolschaatsen, was het Kwan die een pleister op mijn elleboog deed. Ze vlechtte mijn haar. Ze maakte lunchpakketjes voor mijn broers en mij. Ze probeerde me Chinese kinderliedjes te leren. Ze troostte me bij elke tand die uit mijn melkgebit viel. Als ik in bad zat, was zij het die een washandje over mijn rug haalde.

Ik had haar dankbaar moeten zijn. Op haar kon ik bouwen. Al wat ze wilde, was bij me zijn. Maar meestentijds verfoeide ik haar omdat ze de plaats van mijn moeder had ingenomen.

Ik herinner me de eerste dag dat ik ernaar begon te snakken van Kwan verlost te worden. Het was zomer, een paar maanden na haar aankomst. Kwan, Kevin, Tommy en ik zaten op het gazon voor ons huis te niksen. Een paar vriendjes van Kevin slopen naar de zijkant van ons huis en draaiden de kraan van de sproeier open. Mijn broers en ik herkenden het geruis van het water in de leidingen en maakten ons uit de voeten voor het grasveld in een woud van fonteintjes veranderde. Maar Kwan bleef waar ze was. Kletsnat stond ze om zich heen te kijken, hogelijk verbaasd over (de verschijning van) al dat water uit de grond. Kevin en zijn vriendjes rolden over de grond van het lachen, maar ik riep: 'Wat een rotstreek!'

Daarop kwam het oudste vriendje van Kevin, een stoere tweedeklasser waar alle meisjes verliefd op waren, bij me staan en zei: 'Is die stomme Chinees jouw zuster? Hé, Olivia, ben jij dan zelf ook een stomme Chinees?'

In paniek riep ik uit: 'Ze is niet mijn zuster! Ik haat haar! Ik wou dat ze terugging naar China!' Later, aan tafel, vertelde Tommy aan Daddy Bob wat ik had gezegd, en Daddy Bob zei: 'Louise, daar moet je wat aan doen.' Dus schudde mijn moeder haar hoofd en keek me bedroefd aan. 'Olivia,' zei ze, 'wij haten niemand. Haat is iets vreselijks. Het doet jou net zo veel pijn als de ander.' Waardoor ik Kwan natuurlijk alleen nog maar meer ging haten.

Het ergste was nog wel dat ik mijn slaapkamer met haar moest delen. Ze had de gewoonte om 's nachts de gordijnen open te schuiven, zodat het licht van de straatlantaarn de kamer in gloed zette. In het licht van deze 'mooie Amerikaanse maan' lag ze urenlang in het Chinees tegen me te babbelen terwijl ik me slapende hield. Als ik 's ochtends wakker werd, lag ze nog steeds te zwetsen. Zo kwam het dat ik als enige van ons gezin Chinees leerde spreken. Kwan besmette me ermee. In mijn slaap nam ik haar taal op door mijn poriën. Ze implanteerde haar Chinese geheimen in mijn hoofd en veranderde daarmee mijn ervaringswereld. Zelfs mijn nachtmerries kregen Chinese trekjes.

Kwan leerde op haar beurt Engels van mij – wat de reden moet zijn dat ze het nooit behoorlijk heeft leren spreken. Ik was geen toegewijde lerares. Toen ik zeven was, haalde ik eens een flauw grapje met haar uit. Het was al laat en we lagen in bed.

'Libby-ah,' vroeg ze in haar vertrouwde Chinees. 'Die heerlijke peren die we bij het avondeten kregen, wat is daar de Amerikaanse naam van?'

'Kots,' antwoordde ik, en ik verborg mijn gezicht in mijn kussen zodat ze me niet kon horen giechelen.

Ze ging meteen aan de slag met dit nieuwe woord, 'kot-zu, kot-zu', en vervolgde dan in het Chinees: 'Wah! Wat een gek woord voor zo'n heerlijke smaak. Ik had nog nooit zo'n heerlijke vrucht gegeten. Jij boft toch maar, Libby-ah. Leefde mijn moeder nog maar.' Dat deed ze wel vaker – van elk willekeurig onderwerp zomaar overschakelen op haar tragische leven in China, telkens beschreven in onze onderlinge geheimtaal, het Chinees.

Zoals die keer dat ik een massa Valentijnskaarten over het bed had uitgespreid. Ze kwam bij me staan en pakte een kaart. 'Wat is deze vorm?'

'Een hart. Dat betekent liefde. Zie je wel, op al deze kaarten staat een hart. Ik moet iedereen uit mijn klas zo'n kaart geven. Maar dat wil niet zeggen dat ik van iedereen houd, hoor.'

Ze ging op haar eigen bed liggen. 'Libby-ah,' zei ze, 'was mijn moeder maar niet aan hartziekte gestorven.' Ik slaakte een zucht. Kregen we dat weer.

Even bleef ze stil, maar dan: 'Weet je wat hartziekte is?'

'Nou, wat?'

'Eerst warm je je nog aan je familie, maar dan wordt het strooien dak weggeblazen en neemt de wind je mee.'

'O.'

'Weet je, ze stierf niet aan zieke longen of zoiets.'

Ze ging verder met de onthulling dat onze vader in diens Chinese tijd de ziekte van de mooie dromen had gehad. Hij had steeds maar moeten denken aan rijkdom en luxe. Hierdoor was hij op drift geraakt en uit het leven van Kwan en haar moeder weggedreven zonder ooit nog aan hen te denken.

'Ik zeg niet dat onze vader een slecht mens was,' fluisterde Kwan met een hese stem. 'Nee, nee. Maar zijn trouw was niet sterk. Libby-ah, weet je wat trouw is?'

'Nou, wat?'

'Trouw is dat je iemand vraagt zijn hand af te hakken om te voorkomen dat jij samen met het dak wordt weggeblazen, en dat hij dan allebei zijn handen afhakt om te laten zien hoe graag hij je helpen wil.'

'O.'

'Maar zo was onze vader niet. Hij verdween toen mijn moeder een tweede kind verwachtte. Ik vertel je geen leugens, Libby-ah, dit is waar. Ik was toen vier jaar oud. Chinese leeftijd. Ik zal nooit vergeten hoe ik naast mijn moeder lag en haar buik aaide. Zo groot als een watermeloen.' Ze spreidde haar armen zo ver als ze kon. 'En toen liep al het water in haar buik opeens door haar ogen weg, als tranen. Ze was heel verdrietig.' Kwan liet haar armen slap neervallen. 'Die arme baby in de buik van mijn moeder had zo'n honger dat hij van haar hart begon te eten, en toen gingen ze allebei dood.'

Kwan zal het allemaal figuurlijk bedoeld hebben. Maar op dat moment was ik nog een klein kind en ik hield alles wat ze zei voor de letterlijke waarheid. Afgehakte handen die uit een kapotgewaaid huis wegvlogen, mijn vader op drift op de Chinese zee, een baby die zijn tanden in het hart van zijn moeder zette. Al die beelden beheksten me. Ik keek ernaar zoals je naar een griezelfilm kijkt, met mijn handen voor mijn gezicht geslagen, tussen mijn vingers door glurend. Kwan gijzelde me met de schrikbeelden die ze opriep, omdat zij immers ook de enige was die me ertegen kon beschermen.

Ze sloot haar verhalen altijd af met dezelfde woorden: 'Alleen jij weet dit. Vertel het aan niemand. Nooit. Beloof je dat, Libby-ah?'

En altijd schudde ik eerst van nee, maar knikte uiteindelijk toch van ja. Ik moest wel – ik was bang en tegelijk verguld met het voorrecht dit alles als enige verteld te krijgen.

Op een avond, mijn ogen vielen al bijna dicht, zette ze weer eens haar Chinese gemurmel in: 'Libby-ah, ik moet je iets vertellen. Een groot geheim. Maar ik kan het niet langer voor me houden.'

Ik gaapte zo hard mogelijk, bij wijze van hint.

'Ik heb yin-ogen.'

'Wat voor ogen?'

'Het is waar, hoor. Ik heb yin-ogen. Ik kan yin-mensen zien.'

'Wat bedoel je?'

'Goed dan, ik zal het je vertellen. Maar eerst moet je beloven dat je het aan niemand doorvertelt. Nooit. Beloof je, ah?'

'Oké, beloofd.'

'Yin-mensen, dat zijn zij die niet meer leven.'

Mijn ogen schoten wijd open. 'Kan jij dode mensen zien? … Spóken?'

'Aan niemand zeggen. Nooit. Beloofd, Libby-ah?'

Mijn adem stokte. 'Zijn er spoken hier, nu?' fluisterde ik vol afgrijzen.

'O ja, veel. Vele vele goede vrienden.'

Ik trok de dekens over mijn hoofd. 'Zeg ze dat ze weggaan,' smeekte ik.

'Niet bang zijn, Libby-ah. Ze zijn ook jouw vrienden. Ah zie, ze lachen je uit omdat je zo bang bent.'

Ik begon te huilen. Na een poosje slaakte Kwan een zucht en zei op teleurgestelde toon: 'Stop maar met huilen. Ze zijn weg.'

Het was de eerste keer dat ze doden en geesten ter sprake bracht. Toen ik eindelijk weer onder de dekens vandaan durfde te komen, zat ze rechtop, in het schijnsel van haar mooie Amerikaanse maan, naar het raam te staren alsof ze haar vrienden de nacht in zag trekken.

De volgende morgen ging ik naar mijn moeder en deed wat ik beloofd had nooit te zullen doen: ik vertelde haar van Kwans yin-ogen.

Inmiddels ben ik oud genoeg om in te zien dat het niet mijn schuld was dat Kwan naar een inrichting werd gestuurd. Dat ze het in wezen aan zichzelf te wijten had. Ik was een kind van zeven, halfgek van angst. Natuurlijk vertelde ik mijn moeder wat Kwan gezegd had, al wilde ik alleen maar dat het Kwan verboden werd me nog met zulke praatjes te plagen. Maar toen Daddy Bob van Kwans geesten hoorde, sprong hij uit zijn vel. Ma stelde voor met haar naar *Old St. Mary's* te gaan, voor een gesprek met de pastoor. Maar Daddy Bob vond een biecht volstrekt ontoereikend. Hij liet Kwan opnemen op de psychiatrische afdeling van *Mary's Help*.

Toen ik Kwan daar een week later bezocht, fluisterde ze tegen me: 'Libby-ah, ik geheim. Niemand zeggen, ah?' En ze vervolgde in het Chinees: 'Als de dokters en zusters me iets vragen, doe ik net of het Amerikaanse geesten zijn – ik zie ze niet, hoor ze niet en zeg niets tegen ze. Zo zullen ze er gauw achter komen dat ze me niet kunnen veranderen en dat ze me moeten laten gaan.' Ik zie nog haar gezicht voor me: onbewogen als dat van een gebeeldhouwde hond.

Haar Chinese stiltestrategie werd geen succes, en dat is zacht uitgedrukt. De artsen dachten dat ze catatonisch was geworden. Volgens de psychiatrie van de vroege jaren zestig kon Kwans geesteszienerij maar één ding betekenen: dat ze ernstig geestesziek was. Bij een volgend bezoek hoorde ik waar dit toe geleid had. Ze hadden haar een elektrische schok in haar hoofd gegeven, vertelde ze, en toen nog een, huilde ze, en toen weer een, en weer een. Ik krijg nog altijd kippevel als ik bedenk wat ze moet hebben doorgemaakt.

'Al die elektriciteit maakte mijn tong los, zodat ik niet langer stil kon zijn als een vis. Ik werd een eend, *kwa-kwa-kwa*, vertelde alles over de Yin-Wereld. Maar toen werd ik door vier boze geesten bezocht. "Hoe durf je onze geheimen te verraden!" schreeuwden ze, en ze legden me een *yin-yang tou* op – ik moest voor straf de helft van mijn haren uitrukken. Daarom hebben de zusters me kaalgeschoren; ik kon niet ophouden met aan mijn haren te trekken tot één kant van mijn hoofd zo glad als een meloen was, en de andere helft nog zo harig als een kokosnoot. Zo straften de geesten me ervoor dat ik twee gezichten had getoond: dat van een vertrouweling en dat van een verrader. Maar ik ben geen verrader! Kijk naar me, Libby-ah. Ik heb toch zeker geen verradersgezicht? Zeg me wat je ziet.'

Wat ik zag, verlamde me van angst. Het leek wel alsof ze haar hoofd met een grasmaaier bewerkt hadden. Haar aanblik gaf je het gevoel dat je krijgt als je een platgereden dier op de weg ziet liggen, zo verminkt dat niet meer valt uit te maken wat het ooit geweest is. Maar dan was dit eigenlijk nog erger, want ik wist heel goed hoe Kwans haar er ooit had uitgezien. Als het los hing, had het in een vloeiende cascade tot aan haar middel gereikt. Ik had de gewoonte gehad mijn vingers door dat uitbundige zwarte satijn te laten glijden, en haar hoofd dan bij die sluike manen achterover te trekken en te roepen: '*Giddyap*, Kwan, *hee-haw!*'

Ze greep mijn hand en veegde ermee over haar hoofdhuid. Het raspte als schuurpapier – gefluister over verre vrienden en vijanden in China. Ze bleef mijn hand maar over haar hoofd bewegen, alsof de shockbehandeling haar van alle zelfcontrole beroofd had en ze uit zichzelf nooit meer zou kunnen ophouden. Ik was als de dood dat ik besmet zou raken met de ziekte die haar al die bizarre dingen liet zeggen.

Tot op de dag van vandaag weet ik niet waarom Kwan me nooit iets verweten heeft. Ze moet geweten hebben dat ze door mijn toedoen in die inrichting was beland. Toen ze ten slotte weer thuiskwam, gaf ze mij haar plastic identificatie-armband als souvenir. Ze vertelde over de zondagsschoolkinderen die naar het ziekenhuis waren gekomen om 'Silent Night' te zingen, en hoe ze gegild hadden toen een ouwe man geschreeuwd had dat ze hun bekken moesten houden. Ze wist zeker dat een aantal patiënten in *Mary's Help* door geesten bezeten was, en dat die in geen enkel opzicht leken op de lieve yin-mensen die zij kende, en dat dit heel zielig was. Maar niet één keer zei ze: 'Libby-ah, waarom heb je mijn geheim verklapt?'

Maar toch, hoe ik ook redeneer en hoe volwassen ik ook op deze periode terug zou moeten zien, gevoelsmatig ben ik altijd blijven vinden dat ik haar verraden heb, en dat mijn verraad de oorzaak van haar gekte is. Het is mijn schuld dat ze die elektroshocks kreeg – waardoor de geesten in haar hoofd voorgoed onbeteugelbaar werden.

•

Het is nu meer dan dertig jaar geleden, allemaal, maar Kwan treurt nog altijd: 'Mijn haar zóóó mooi, glanzen glimmen als waterval, glad koud als aal. Nu zien! Shocktherapie als goedkoop permanent, slecht spul te lang erop. Alle kleur dof. Zachtheid nu als borstel. Haren stijf als ijzer, prikken boodschap naar mijn hersens: niet meer praten yin! Ik niet luisteren. Dokters dit bij mij gedaan, hah, ik niet anders! Zie? Ik sterk, nog altijd!'

En inderdaad, toen haar haar weer uitgroeide, was het grof als van een terriër. Als ze het borstelt, gaan hele plukken overeind staan, knetterend van de statische elektriciteit. 'Al dat elektriciteit dokters in mijn hoofd hebben gedaan, gaat nu door mijn lichaam als paard op renbaan.' Dat is de reden, houdt ze vol, dat haar televisietoestel gaat tikken en ruisen als zij erbij in de buurt komt. De walkman die ze van haar man George kreeg, gebruikt ze amper – ze moet de ontvanger aarden door hem tegen haar heup te drukken, anders hoort ze, welke zender ze ook kiest, alleen maar 'vreselijke muziek, *boom-pah-pah, boom-pah-pah*'. Horloges zijn onbruikbaar. Ooit won ze een digitaal model als bingoprijs, maar toen ze het omdeed, begonnen de cijfertjes rond te tollen als was het een fruitautomaat. Twee uur later gaf het horloge de geest. 'Ik heb jackpot,' zei ze monter. 'Acht acht acht acht. Nummers goed. Klokje slecht.'

Hoewel Kwan in technisch opzicht een volslagen leek is, weet ze in één tel waar de storing zit als er iets mis is met een elektrisch apparaat, of welk stopcontact de schuldige is bij kortsluiting. Die gave heb ik haar meermaals zien tonen. Ik ben een professionele reclamefotografe, zij kan nog geen *instamatic* bedienen, maar als er iets aan mijn apparatuur defect is, kan zij precies aanwijzen in welk deel van de camera of de voeding het euvel zit. Als ik de camera laat repareren bij *Cal Precision* in Sacramento, blijkt uit het schaderapport altijd dat ze het bij het rechte eind had. Ook heb ik haar eens een uitgeputte draadloze telefoon tot leven zien wekken door simpelweg haar vingers tegen de oplaadmodule te drukken. Ze zou niet kunnen uitleggen hoe ze dit soort dingen doet, en ik ook niet. Ik kan alleen maar zeggen dat ik het met mijn eigen ogen aanschouwd heb.

Haar vreemdste gave, vind ik, betreft het vaststellen van kwalen. Als ze een volstrekte vreemdeling een hand geeft, kan ze zeggen of die ooit een botbreuk heeft gehad; ook als dat al heel lang geleden was. Ze weet in een oogwenk of iemand artritis heeft, een pees- of slijmbeursontsteking, ischias – alles wat met spieren of beenderen te maken heeft – afwijkingen waarvoor zij namen heeft als brandende botten, koortsarmen, boze gewrichten of slangebenen, en waarvan de oorzaak volgens haar gezocht moet worden in het door elkaar eten van heet en koud voedsel, teleurstellingen aftellen op je vingers, te vaak bedroefd je hoofd schudden, of zorgen ophopen tussen je vuisten en je onderkaak. Ze kan niemand genezen, is geen wandelende grot van Lourdes, maar toch zijn er velen die beweren dat ze helende krachten heeft. Zoals de klanten van *Spencer's*, een apotheek in de *Castro*-buurt, waar ze achter de toonbank staat. De meeste klanten daar zijn homoseksuele mannen – 'vrijgezellen' noemt Kwan ze. En omdat ze er al meer dan twintig jaar werkt, heeft ze velen van hen aids zien krijgen. Als zo'n klant binnenkomt, krijgt hij een snelle schoudermassage en medisch advies in deze trant: 'Jij drinken bier, nog steeds, en eten heet? Gelijk, zelfde tijd? Wah! Wat heb ik gezegd tegen jou? Tst! Tst! Hoe beter worden, zo? Ah?' Alsof ze een ondeugend kind toespreekt. Sommige klanten komen elke dag, ook als ze hun medicijnen gratis thuisbezorgd kunnen krijgen. Ik weet waarom. Als Kwan haar handen op een pijnlijke plek legt, krijg je daar een tintelend gevoel, alsof er duizenden elfjes overheen dansen, en dan de gewaarwording van een warme gloed die door je aderen stroomt. Je wordt er niet beter van, maar je voelt je zorgen wegtrekken, je wordt kalm alsof je op een spiegelgladde zee dobbert.

Kwan zei me ooit: 'Als dood yin-vrijgezellen komen bij me. Noemen mij dókter Kwan. Is grapje.' En toen, op verlegen toon: 'Misschien ook wel voor dank. Wat jij denken, Libby-ah?' Dat vraagt ze me altijd. 'Wat jij denken?'

In familiekring wordt nooit over Kwans ongewone gaven gesproken. Waarom zouden we ook onze aandacht vestigen op iets wat iedereen al weet: dat Kwan een zeer vreemde vogel is, zelfs naar Chinese maatstaven, zelfs naar de maatstaven van San Francisco. Misschien zouden alleen bepaalde sekteleden of gebruikers van antipsychotica uit de voeten kunnen met wat zij zoal zegt en doet.

Toch geloof ik niet dat mijn zuster krankzinnig is. Ze is in elk geval niet gevaarlijk – zolang je de dingen die ze zegt maar niet serieus neemt. Ze loopt niet krijsend over straat, zoals die vent in *Market Street* met zijn profetie dat Californië binnenkort in zee zal schuiven om één grote oesterbank te worden. Evenmin kun je haar met die New Age-profiteurs vergelijken. Zij vraagt geen honderdvijftig dollar per uur voor een opsomming van alles wat in je vorige leven verkeerd is gegaan. Dat vertelt ze je gratis, zelfs als je er niet om vraagt.

Over het algemeen is Kwan een heel gewoon mens; iemand die in drukke winkels netjes op haar beurt wacht, altijd op koopjes uit is en haar succes hierbij in kleingeld kan uittellen. 'Libby-ah,' zei ze bij ons telefoongesprek vanochtend, 'gisteren kocht ik twee schoenen prijs één. Raden hoeveel ik niet betalen. Jij raden.'

Kwan is raar, zoveel staat vast. Soms werkt ze op mijn lachspieren. Soms irriteert ze me. Maar meestal raak ik van streek, word zelfs kwaad – niet op haar, maar om het feit dat alles altijd anders loopt dan je zou willen. Waarom kreeg ik Kwan als zuster? Waarom kreeg zij mij?

Af en toe vraag ik me af wat voor relatie Kwan en ik zouden hebben gehad als zij wat normaler was geweest. Maar ach, wat is normaal? In sommige delen van China, Hong Kong of Taiwan zou zij wellicht vereerd worden. Misschien is er ergens op de wereld wel een land waar iedereen een zuster met yin-ogen heeft.

Kwan is nu bijna vijftig. Ik ben ruim twaalf jaar jonger; een leeftijdsverschil waar ze altijd glunderend op wijst als iemand uit beleefdheid vraagt wie van ons beiden de oudste is. Ze vindt het heerlijk om in mijn wang te knijpen waar andere mensen bij zijn, en dan te zeggen dat mijn huid 'veel rimpelen gaat' omdat ik rook en te veel wijn en koffie drink – slechte gewoonten die zij zelf niet heeft. 'Niet beginnen, hoef niet stoppen', is een van haar lijfspreuken. Kwan is diepzinnig noch subtiel, bij haar ligt alles aan de oppervlakte waar iedereen het zien kan. Je zou werkelijk niet zeggen dat wij zusters waren.

Kevin heeft wel eens gegrapt dat de communisten ons zomaar een willekeurig kind gestuurd hebben. Omdat Amerikanen de ene Chinees toch niet van de andere kunnen onderscheiden. Sindsdien heb ik vaak gefantaseerd dat we een brief uit China zouden krijgen: 'Sorry mensen, we hebben destijds een foutje gemaakt.' Eigenlijk is Kwan nooit bij ons gaan horen. Onze jaarlijkse kerstfoto's doen allemaal denken aan dat spelletje op de kinderpagina: 'Wat klopt er niet aan dit plaatje?' Op elke foto zit Kwan vooraan in het midden, in felgekleurde zomerkleren, met twee enorme vlindervormige plastic haarspelden en een grijns van oor tot oor. Op zeker moment wist ma een baantje voor haar te versieren als serveerster in een Chinees-Amerikaans restaurant. Kwan kon maar niet begrijpen dat het eten daar voor Chinees werd aangezien. Ze is nooit iets van Amerika gaan begrijpen, laat staan dat ze Amerikaanse trekjes ontwikkelde. Noch ging ze op onze vader lijken, in welk opzicht ook.

Ik word daarentegen altijd met mijn vader vergeleken, zowel qua uiterlijk als qua persoonlijkheid. 'Kijk eens hoeveel Olivia eten kan, zonder een grammetje aan te komen,' zegt tante Betty vaak. 'Precies Jack!' Mijn moeder zei eens: 'Olivia analyseert alles tot in het kleinste detail, dezelfde boekhoudersmentaliteit als haar vader. Geen wonder dat ze zo'n goeie fotografe is geworden.' Door dit soort opmerkingen heb ik mezelf menigmaal afgevraagd wat ik nog meer aan de genen van mijn vader te danken heb. Mijn sombere buien? Dat ik het lekker vind om zout op mijn fruit te strooien? Mijn microbenfobie?

Kwan is totaal anders. Een krachtcentrale van krap anderhalve meter; een miniatuur-olifant in de porseleinkast. Alles aan haar is bont en lawaaiig. Ze trekt zonder dralen een felpaars jasje aan op een lichtblauwe broek. Ze fluistert o zo luidruchtig met een schorre stem, alsof ze chronische keelontsteking heeft, terwijl ze nooit ziek is. Ze strooit vrijelijk met waarschuwingen voor je gezondheid, onder het noemen van kruidendrankjes waarmee het onheil afgewend kan worden. Ze weet altijd hoe je kapot huisraad kunt repareren, of je huwelijk. Van onderwerp naar onderwerp stuitert ze, zichzelf onderbrekend met koopjestips. Tommy vindt haar de belichaming van de vrijheid van meningsuiting.

In dertig jaar tijd is Kwan nauwelijks beter Engels gaan spreken, alleen maar veel sneller. Toch denkt ze zelf dat haar beheersing van de Engelse taal vlekkeloos is, en ze corrigeert haar man om de haverklap. 'Niet gepíkt,' zegt ze bestraffend, 'maar gestééld.'

Ondanks onze levensgrote verschillen vindt Kwan dat zij en ik identiek zijn. Ze ziet ons verbonden door een kosmische Chinese navelstreng die ons dezelfde karaktertrekken en ambities schenkt, hetzelfde lot en hetzelfde fortuin. 'Ik en Libby-ah,' zegt ze tegen elke nieuwe wederzijdse kennis, 'wij zelfde hier.' En dan tikt ze tegen de zijkant van mijn hoofd. 'Allebei geboren jaar van aap. Wie de oudste? Jij raden. Wie?' En dan drukt ze haar wang tegen de mijne.

Kwan heeft nooit geleerd mijn naam, Olivia, correct uit te spreken. Voor haar zal ik altijd Libby-ah zijn. Niet eens Libby, maar Libby-ah. Als het land van Moammar Khaddafi. De consequentie hiervan is dat haar man George, de twee zoons uit zijn eerste huwelijk en alle anderen van die kant van de familie me eveneens Libby-ah noemen. Met name dat 'ah' irriteert me mateloos. Dat is namelijk het Chinese equivalent van 'hé', als in: 'Hé, Libby, kom eens hier!' Ik heb haar wel eens gevraagd hoe ze het zou vinden als ik haar aan iedereen voorstelde als 'Hé, Kwan!' Ze gaf me een pets op mijn bovenarm, sloeg dubbel van het lachen en zei, nog nahijgend: 'Leuk! Leuk!' Libby-ah is het en Libby-ah zal het blijven.

Denk niet dat ik niet van haar houd. Hoe zou ik niet van mijn eigen zuster kunnen houden? In tal van opzichten is ze als een moeder voor me geweest, in meer opzichten dan mijn moeder. Maar hoezeer het me ook spijt, ik kan geen echte band met haar voelen. We kennen elkaar natuurlijk wel door en door – zoals je verwachten mag als je twaalf jaar lang van alles met elkaar gedeeld hebt; dezelfde klerenkast, dezelfde tandpasta, dezelfde cornflakes, en alle gewoontetjes en eigenaardigheden die ons gezin kenmerkten. Ik heb nooit aan Kwans liefheid getwijfeld, of aan haar trouw, haar immense trouw. Ze zou iedereen die iets onaardigs over mij zegt onmiddellijk een oor afrukken. En dat is belangrijk om te weten. Maar een band, als met een zuster die tegelijk je beste vriendin is, kan en wil ik niet met haar hebben. Ik ben nooit openhartig tegen haar, en dat terwijl zij mij onbevangen de meest intieme details uit haar leven vertelt. Zoals vorige week, over haar man. 'Libby-ah,' zei ze, 'ik gezien moedervlek groot als neusgat op... hoe heet ding tussen benen man... in Chinees *yinnang*, rond en vele rimpelen en twee ballen...'

'Scrotum.'

'Ja ja, grote moedervlek op scrotum! Nu elke dag altijd bij Georgie-ah kijken, scrotum, zien of moedervlek groeit.'

Volgens Kwan kunnen er binnen een familie geen scheidslijnen bestaan. Alles kan openlijk en met rigoureuze eerlijkheid besproken en nagevraagd worden – hoeveel geld je tijdens je vakantie hebt uitgegeven, wat er mis is met je huid, waarom je een gezicht trekt als van een vis in het aquarium van een visrestaurant. En dan vraagt ze zich nog af waarom ik haar liever niet in de omgang met mijn vrienden betrek.

Op haar beurt nodigt ze mij minstens eenmaal per week uit om te komen eten, alsook voor elke bijeenkomst van haar schoonfamilie – hoe onbenullig ook. Zo werd ik vorige week nog gevraagd voor een feestje ter ere van een tante van George die na vijftig jaar eindelijk een Amerikaans paspoort toegewezen had gekregen. Kwan gelooft dat alleen een ramp me van zoiets weg zou kunnen houden. Dus toen ik niet was komen opdagen, belde ze me de volgende dag op.

'Waarom jij niet komen, gisteren? Iets niet goed?'

'Alles is goed.'

'Voel ziek?'

'Nee, hoor.'

'Ik bij jou komen, sinaasappel brengen? Heb veel, goeie prijs, zes voor één dollar!'

'Heus, ik voel me prima!'

Zo is ze altijd geweest. Sinaasappels voor me pellen, snoep voor me kopen, mijn schoolrapporten bewonderen en zeggen hoe slim ik wel niet was, veel slimmer dan zij – zonder dat ik ooit iets deed om zulke liefdeblijken te verdienen. Als kind weigerde ik keer op keer met haar te spelen. Ik schold haar uit, zei dat ik me voor haar schaamde. Ontelbaar vaak heb ik gelogen om maar niet met haar samen te hoeven zijn.

En altijd weer vat ze mijn uitbarstingen op als welgemeende adviezen, mijn slappe smoezen als oprechte ontboezemingen en mijn koele vriendelijkheden als blijken van trouw zusterschap. Soms kan ik er niet meer tegen en bijt ik haar toe dat ze gek is. En nog voor ik mijn woorden kan terugnemen, geeft ze me een tikje op mijn bovenarm, met een glimlach die in gegrinnik overgaat. De wond die ik haar heb toegebracht, is genezen voordat ik mijn excuses zou kunnen aanbieden. Zodat ik met een bezwaard gemoed rond moet blijven lopen.

De laatste tijd is Kwan lastiger dan ooit. Voorheen kon ik meestal wel met drie weigeringen volstaan als ze me iets aanbood. Nu blijft ze maar doorgaan, alsof haar geest op *automatic rewind* staat. Volgens Kevin is het gewoon de menopauze, maar ik voel dat er meer aan de hand is. Ze is bezetener dan ooit, heeft het steeds vaker over haar geesten. In bijna elk gesprek heeft ze het over China, zegt ze dat ze erheen moet voor alles verandert en het te laat zal zijn. Te laat waarvoor? Dat weet ze niet.

Ook mijn huwelijk houdt haar dag en nacht bezig. Ze weigert te

accepteren dat Simon en ik uit elkaar zijn. Ik merk zelfs dat ze doelbe-
wust probeert onze scheiding te verhinderen. Vorige week gaf ik een
verjaardagsfeestje voor Kevin en nodigde ook de man uit met wie ik de
laatste tijd een paar keer ben uitgeweest, Ben Apfelbaum. Toen hij met
Kwan in gesprek raakte en vertelde dat hij als talentenjager werkt voor
een reclamebureau, zei ze: 'Ah, Libby-ah en ik ook veel talent, voor
onze zin krijgen! Is waar, Libby-ah?' Ze bewoog guitig haar wenkbrauwen op en neer. 'Jouw man, Simon, hij met mij eens, ah?'

'Mijn aanstaande ex-man, bedoel je.' Nu was ik gedwongen Ben iets
te vertellen waar ik anders liever geen woorden aan vuil had gemaakt.
'Onze scheiding wordt over vijf maanden officieel, op vijftien december.'

'Misschien niet, misschien niet,' zei Kwan en ze kneep guitig lachend
in mijn bovenarm, waarna ze zich weer tot Ben richtte: 'Jij Simon kennen?'

Ben schudde zijn hoofd en zei: 'Olivia en ik hebben elkaar...'

'O, heel heel knap,' viel Kwan hem monter in de rede. 'Simon lijken
tweelingbroer Olivia. Ook helft Chinees!'

'Hij is half Hawaïaans,' verbeterde ik haar. 'En we lijken totaal niet
op elkaar.'

'Wat jouw moeder vader doen?' vroeg Kwan met een monsterende
blik op Bens dure kasjmieren jasje.

'Die zijn na hun pensionering buiten de stad gaan wonen.'

'Buiten wonen? Tst! Tst!' Ze keek mij aan. 'Zo zíelig!'

Iedere keer dat Kwan over Simon begint, vrees ik dat mijn hoofd zal
ontploffen van wanhopige ergernis. Omdat ik de scheiding heb aange-
vraagd, denkt ze dat ik hem ook eenzijdig weer af kan blazen.

'Waarom niet vergeven?' zei ze na afloop van het feestje. Ze plukte
de dode blaadjes van een kamerplant. 'Koppig en boos, is slecht en
slecht, is héél slecht.' Toen ik haar negeerde, gooide ze het over een
andere boeg: 'Ik denk jij nog sterk voelen voor hem. Hmm. Hmm.
Heel sterk voelen. Ah, zie! Jouw gezicht rood! Is liefde uit jouw hart.
Ik gelijk? Jij zeggen, ik gelijk?'

Ik zei niets en raapte een stapel post op. Op elke envelop voor Simon
schreef ik 'verhuisd'. Ik heb het nooit met Kwan over de redenen voor
onze scheiding gehad. Te ingewikkeld. Er is niet één gebeurtenis of één
ruzie aan te wijzen. Dat Simon en ik uit elkaar zijn, heeft vele redenen:

verkeerd begonnen, slecht getimed, en vervolgens jarenlang stilte en routine voor intimiteit aangezien. Na zeventien jaar had ik eindelijk door dat ik méér verlangde, terwijl Simon juist minder leek te willen. O, zeker, ik hield van hem – veel te veel zelfs. En hij hield van mij – alleen niet genoeg. Ik wil gewoon iemand voor wie ik nummer één ben. Ik heb geen zin meer in kruimels.

Maar dat zou Kwan nooit kunnen begrijpen. Ze heeft er geen benul van dat mensen je onherstelbaar kunnen bezeren. Ze gelooft klakkeloos in elke spijtbetuiging – zoals ze ook gelooft dat in elk reclamespotje op tv de waarheid en niets dan de waarheid wordt gesproken. Daarom is haar huis ook tot de nok toe gevuld met handige dingen: diepvriesmessen, groentehakkers, sapautomaten en frietsnijders. Je kan het zo gek niet bedenken of zij heeft het gekocht, 'voor maar negentienvijfennegentig, nu bestellen, kan maar tot middernacht!'

'Libby-ah,' zei Kwan me vandaag bij ons telefoongesprek, 'ik heb iets jou moet vertellen, nieuws is heel belangrijk. Vanochtend ik praten met Lao Lu. Wij beslissen jij en Simon niet mogen scheiden!'

'O, wat fijn dat jullie dat even voor ons besloten hebben,' zei ik. Ik werd niet eens kwaad omdat ik amper aandacht had voor wat ze zei – toen ze belde was ik net begonnen mijn huishoudboekje op orde te brengen, en ik bleef ondertussen gewoon rekensommetjes maken.

'Ik en Lao Lu. Jij kennen hem nog.'

'Die neef van George.' Een veilige gok, want de familie van haar man beslaat zowat de hele Chinese gemeenschap van San Francisco.

'Nee nee! Lao Lu niet neef. Hoe kan jij vergeten? Heel veel keren ik jou al verteld. Oude man, kaal hoofd. Eén sterke arm, één sterk been, ook sterke wil. Verliest vaak geduld. Is ook hoofd verloren! Afgehakt. Lao Lu zeggen…'

'Wacht eens even. Iemand zonder hoofd wil míj vertellen wat ik met mijn huwelijk aan moet?'

'Tst! Afgehakt meer dan honderd jaar terug. Hoofd nu weer terug, alles goed. Lao Lu zeggen jij, ik, Simon, wij drie naar China gaan. Alles goedmaken. Oké, Libby-ah?'

Ik zuchtte. 'Kwan, ik heb hier nu echt geen tijd voor. Ik ben druk met iets bezig.'

'Lao Lu zeggen boekje niet alles. Geld moet kloppen, maar leven ook.'

Hoe kon ze in vredesnaam weten wat ik zat te doen?

Zo gaat het altijd met Kwan. Net als ik haar echt niet meer serieus kan nemen, komt ze met een stunt waar ik me een ongeluk van schrik en die me weer haar gevangene maakt. Zolang zij er is, zal ik nooit helemaal mijn eigen gang kunnen gaan.

Waarom blijf ik altijd haar teerbeminde zusje? Waarom ben ik het belangrijkste in haar leven? Waarom zegt ze keer op keer dat ze daar ook zo over zou denken als we geen zusters waren? 'Libby-ah, ik jou nooit kunnen verlaten.'

Alsjeblieft! wil ik dan uitroepen. Ik heb je niets misdaan! Hou op met dat te zeggen! Want elke keer dat ze het zegt, verandert ze de talloze keren dat ik haar voorgelogen en verraden heb in één enorme liefdesschuld die ik ooit zal moeten aflossen. We weten het allebei: zij is mij altijd trouw gebleven en ooit zal ik haar mijn trouw moeten bewijzen.

Maar al hakte ik mijn beide handen af, het zou niet genoeg zijn. Want het is zoals Kwan zegt: ze zal me nooit kunnen verlaten – nooit kunnen vrijlaten. Op een dag zal de wind huilen en zal ze zich wanhopig aan het strooien dak vasthouden, bang dat de storm haar naar de Yin-Wereld zal voeren.

'Komen snel! Haasten!' zal haar schorre gefluister het rumoer van de wind doen verstommen. 'Maar niemand zeggen. Jij beloven, Libby-ah?'

2

Mensenvissers

Het is nog geen zeven uur in de ochtend als de telefoon gaat. Dat moet Kwan zijn. Wie anders zou er op zo'n onchristelijk uur durven bellen? Ik laat mijn antwoordapparaat aanslaan. 'Libby-ah,' hoor ik haar hese fluisterstem. 'Libby-ah, jij daar? Dit jouw zuster Kwan. Ik iets belangrijks vertellen moet... Jij willen horen?... Vannacht ik droom jou en Simon. Rare droom. Jij naar bank, spaargeld halen. Opeens, boef rennen door deur. Snel! Jij verstoppen handtas. Hij stelen geld van iedereen niet van jou. Later, jij thuis steek hand in tas... Ah!... Waar is?... Weg! Niet geld maar jouw hart. Weg! Nu jij geen hart hoe kan leven? Geen kracht, geen wangenkleur, wit, verdrietig, moe. Jij gaan bankdirecteur. Hij zeggen: "Ik leen jou mijn hart". Geen rente. Houden zolang nodig. Jij goed kijken, zien zijn gezicht... Weten wie, Libby-ah? Jij raden... Simon! Ja ja, geef jou zijn hart. Zie! Nog houden van jou. Libby-ah, jij geloven? Niet zomaar droom... Libby-ah, jij luisteren?'

Dankzij Kwan kan ik mijn dromen onthouden, elke droom die ik 's nachts gehad heb – acht, tien, soms wel twaalf. Dat heb ik geleerd nadat Kwan terug was uit *Mary's Help*. Iedere ochtend als ik wakker werd, vroeg ze: 'Vannacht, Libby-ah, wie ontmoet? Wat jij gezien?'

En dan klampte ik me met mijn half-ontwaakte geest vast aan de flarden van een vervagende wereld en trok mezelf daar weer naar binnen. In die toestand kon ik haar alle details geven van het leven dat ik zojuist achter me gelaten had – mijn versleten schoenen, de steen die ik had losgewrikt, het gezicht van mijn ware moeder die in de diepte stond te roepen. Als ik uitverteld was, vroeg Kwan: 'Waar jij gaan daarvoor?' Deze aansporing deed me teruggaan naar mijn voorlaatste droom van die nacht en dan die dáárvoor, enzovoort – elke ochtend een stuk of tien levens en soms de einden daarvan. Vooral die momenten vergeet ik sindsdien nooit meer: de momenten vlak voor de dood.

In al die jaren van droomlevens heb ik koude as geproefd, neerdwarrelend in een dampige nacht. Ik heb honderden speerpunten zien blinken in het maanlicht. Mijn vingertoppen hebben langs een korrelige stenen muur gestreeld terwijl ik oog in oog stond met mijn beulen. Ik heb mijn eigen dierlijke angst geroken terwijl het touw om mijn hals werd strakgetrokken. Ik heb mezelf loom door gewichtloze lucht voelen zweven. Ik heb het vochtige kraken van mijn eigen stem gehoord, op het moment van sterven.

'Wat jij zien na doodgaan?' vroeg Kwan altijd.

En dan schudde ik mijn hoofd. 'Weet ik niet. Ik was dood. Mijn ogen waren dicht.'

'Volgende keer, ogen open!'

Als kind heb ik steeds geloofd dat mensen zich hun dromen herinnerden als andere levens van zichzelf. Immers, zo herinnerde Kwan zich haar dromen. Ze begon erover te vertellen nadat ze was teruggekeerd van de psychiatrische afdeling. Verhaaltjes voor het slapen gaan, over yin-mensen: een jonge vrouw die Banner heette, een man met de naam Cape, een bandietenmeisje met één oog, een halve man. Ze deed het voorkomen alsof al die spoken onze vrienden waren. Ik hield er mijn mond over tegen ma en Daddy Bob. Ik wist inmiddels wat de gevolgen zouden zijn als ik er wél iets over zei.

Toen ik ging studeren en eindelijk verlost was van Kwans permanente aanwezigheid, was het te laat. Toen had ze haar fantasieën al in mij overgeplant, en haar geesten weigerden nog uit mijn dromen te verdwijnen.

'Libby-ah,' kan ik Kwan nog altijd in het Chinees horen zeggen, 'heb ik je ooit verteld wat Juffrouw Banner me beloofde, vlak voor we stierven?'

En ik maar doen alsof ik slaap.

En zij toch doorpraten: 'Ik kan natuurlijk niet precies zeggen hoe lang het geleden is. Tussen je levens is er een ander soort tijd. Maar ik

33

denk dat het in 1864 was, al weet ik weer niet of dat een Chinees maan-jaar was of een jaar volgens de westerse tijdrekening...'

Uiteindelijk sliep ik toch altijd in, maar achteraf kon ik me nooit herinneren hoe ver ze op dat moment met haar verhaal was. Dus wist ik nooit waar haar droomverhaal geëindigd was en het mijne begon-nen. Op welk punt gingen onze dromen in elkaar over? Elke nacht weer, vertelde ze me haar verhalen en lag ik stil in het bed naast haar, hulpeloos, wensend dat ze haar bek zou houden.

•

Ja,ja, het was 1864. Nu weet ik het weer, want de naam van dat jaar klonk zo vreemd. *Yi-ba-liu-shi.* Volgens Juffrouw Banner betekende dat: geef de hoop op, daal af in de dood. Maar ik zei dat je het anders uit moest spreken, zodat de betekenis werd: vat hoop, wie sterft zal blijven. Chinese woorden zijn altijd goed of slecht op die manier, zo veel betekenissen, afhankelijk van je eigen gemoed.

In elk geval was het dat jaar waarin ik Juffrouw Banner de thee gaf. En zij gaf mij de speeldoos die ik eerst van haar gestolen had en toen weer had teruggegeven. Ik herinner me de nacht nog goed dat we die doos tussen ons in hielden, met alle dingen erin die we nooit wilden vergeten. We waren met z'n tweeën die nacht, alleen wij twee in het huis van het Koopmansspook – dat we zes jaar lang gedeeld hadden met de Jezusaanbidders. We stonden bij de heilige struik, de struik met de speciale blaadjes waarvan ik die thee had gemaakt. Alleen was die struik nu gerooid, en Juffrouw Banner zei hoe erg ze het vond dat ze Generaal Cape de struik had.laten doden. Wat een treurige en hete nacht was het. Onze gezichten waren nat van ons zweet en onze tranen, en de cicades hadden eerst steeds harder geschreeuwd maar waren op-eens stilgevallen. En later stonden we in de tunnel, heel erg bang. Maar ook blij. We waren blij omdat we ontdekt hadden dat we om dezelfde reden bedroefd waren. Het was dat jaar waarin zowel haar hemel als de mijne in vlammen zou opgaan.

Zes jaar eerder hadden we elkaar voor het eerst gezien. Toen ik veer-tien was en zij zesentwintig, of ouder, of jonger – ik kon nooit de leef-tijd van buitenlanders schatten. Ik kwam uit een klein gehucht ten zuiden van Changmian, in de streek die naar de Distelberg vernoemd was. Wij waren geen *Punti's*, de Chinezen die beweerden dat zij het meeste Han-bloed van de Gele Rivier in hun aderen hadden, zodat alles eigenlijk aan hen toebehoorde. Noch waren we een van de *Zhuang*-stammen, die elkaar altijd bevochten, dorp tegen dorp, clan tegen clan. Wij waren *Hakka*, het Gastvolk – hmm! – dat wil zeggen: het volk dat overal slechts te gast is en in de goede plaatsen nooit lang geduld wordt. Dus leefden we in één van de Hakka-kampen in een bar gedeelte van deze bergstreek, waar je je akker tussen de rotsen moest aanleggen, zo behendig als een klipgeit moest zijn en honderden stenen moest uitgraven om een handvol rijst te kunnen verbouwen.

De vrouwen werkten even hard als de mannen, en iedereen deed hetzelfde werk – stenen sjouwen, houtskool maken en 's nachts het gewas tegen rovers beschermen. Alle Hakka-vrouwen waren sterk. We bonden onze voeten niet af zoals de Han-meisjes die rond moesten waggelen op stompjes, beurs en zwart als ouwe bananen. Want we moesten de berg op kunnen om te werken. Voor ons geen voetwindsels, zelfs geen schoenen. We liepen blootsvoets door de distels waaraan onze berg zijn naam ontleende.

Onze huwbare meisjes hadden dikke lagen eelt onder hun voeten en mooie gezichten met hoge jukbeenderen. Er woonden andere Hakka in de omgeving van de grote steden van Yongan, in de bergen, en Jintian, bij de rivier. En de moeders van de arme families onder die Hakka koppelden hun zoons het liefst aan de mooie, sterke meisjes van de Distelberg. Als er een koppelfeest was, moesten die jongens de berg oplopen naar onze hooggelegen dorpen, en dan zongen onze meisjes de oude bergliedjes die ons volk duizend jaar eerder uit het noorden had meegenomen. Wilde zo'n jongen een van onze meisjes trouwen, dan moest hij een antwoord zingen op iedere regel van haar lied. Als zijn stem dan te zacht was, of zijn antwoorden dom – jammer, geen huwelijk! Daarom zijn Hakka niet alleen heel sterk, maar hebben ze ook welluidende stemmen en zijn ze slim genoeg om alles te krijgen wat ze hebben willen.

We hadden een gezegde: Wie een meisje van de Distelberg trouwt, krijgt geen vrouw maar drie ossen: één om mee te fokken, één om mee te ploegen en één die je ouwe moeder voor je draagt. Zo sterk was een Hakka-meisje. Ze zou nooit klagen, zelfs niet als ze door een vallende steen geraakt werd en een oog verloor.

Dat gebeurde mij namelijk, toen ik zeven was. Ik was reuze trots op mijn verwonding en huilde maar eventjes. Toen mijn grootmoeder het gat dichtnaaide dat eerst mijn oog was geweest, vertelde ik haar dat die steen was losgetrapt door een spookpaard. En dat paard was bereden geworden door het beroemde spookmeisje Nunumu – van *nu*, dat 'meisje' betekent, en *numu*: 'een blik die priemt als een dolk'. Nunumu, het meisje met de dolkenblik. Ook zij was als kind een oog verloren. Ze had gezien hoe een Punti zout stal van een ander, en voor ze weg had kunnen rennen, had die man zijn dolk in haar oog gestoten. Over dat blinde oog had ze sindsdien haar hoofddoek geslagen, en haar andere oog was veel groter en sterker geworden; zo scherp als dat van een katuil. Ze werd een bandiet, maar beroofde alleen Punti's. En als die haar dolkenoog zagen, o wat waren ze dan bang.

Alle Hakka van de Distelberg bewonderden haar, en niet alleen omdat ze Punti's beroofde. Ze was de eerste Hakka geweest die deelnam aan de Taiping-revolutie, de strijd voor de Grote Vrede, toen onze hulp hierbij was ingeroepen door de Hemelse Koning. In de lente voerde ze een leger van Hakka-meisjes aan in een veldtocht op Guilin, maar ze werd door de Mantsjoes gevangengenomen. Nadat ze haar het hoofd hadden afgeslagen, bleven haar lippen bewegen, en ze sprak de vloek uit dat ze terug zou keren en hun families honderd generaties lang zou dwarsbomen. Dat was de zomer waarin ik mijn oog verloor. En toen ik de mensen vertelde dat ik Nunumu op haar spookpaard had zien galopperen, zeiden ze dat dit een teken was dat Nunumu mij had verkozen als haar boodschapper. Net zoals de God van de christenen een Hakka-man tot Hemelse Koning had gemaakt. Nu noemden ze mij Nunumu. En soms, 's avonds laat, dacht ik dat ik het Bandietenmeisje werkelijk zien kon. Niet erg duidelijk, natuurlijk, want ik had nog maar één yin-oog.

Kort daarna zag ik voor het eerst in mijn leven een buitenlander. Altijd als er buitenlanders verschenen in onze provincie, werd er in de wijde omtrek, van Nanning tot Guilin, door iedereen over gesproken. Veel westerlingen kwamen hier voor de wondermodder, de opium die hun wilde dromen van China bezorgde. Maar er waren er ook die wapens kwamen verkopen. Kanonnen, kruit, geweren – niet die nieuwe snelle, maar de trage oude soort die door middel van een lont moest worden afgevuurd; overblijfselen van reeds lang verloren veldslagen. En dan waren er de zendelingen, die naar onze provincie kwamen omdat ze vernomen hadden dat de Hakka Godaanbidders waren. Ze kwamen om te helpen meer van ons naar de hemel te krijgen. Ze wisten niet dat een Godaanbidder niet hetzelfde was als een Jezusaanbidder. Wij wisten dat zelf eerst ook niet. Later zagen we pas in dat wij naar een andere hemel gingen.

Maar de buitenlander die ik zag, was geen zendeling. Hij was een Amerikaanse generaal. De Hakka noemden hem Cape, omdat hij daarin altijd gehuld was – een grote, donkere cape. Ook droeg hij zwarte handschoenen en laarzen, geen hoed, en een korte, grijze jas met knopen als glimmende munten, van zijn middel tot aan zijn kin. In zijn hand had hij altijd een lange, rotan wandelstok met een zilveren punt en een ivoren knop in de vorm van een naakte vrouw.

Toen hij naar Distelberg kwam, stroomden alle dorpjes op de berghelling leeg; iedereen kwam naar het groene dal om hem te kunnen zien. Hij arriveerde op een groot, parmantig paard, en voerde vijftig Cantonese soldaten aan – die vroeger allemaal visser of bedelaar waren geweest, maar nu pony's bereden en felgekleurde legeruniformen droegen. Dit waren geen Chinese of Mantsjoerijse uniformen, hoorden we, maar restanten van een oorlog in Frans-Afrika. 'Godaanbidders,' riepen die soldaten ons toe, 'wij zijn ook Godaanbidders!'

Sommigen van ons dachten dat Cape Jezus was, of een jongere broer van hem, net als de Hemelse Koning. Hij was erg lang, met een grote snor en een korte baard en golvend zwart haar tot op zijn schouders. Hakka-mannen droegen hun haar ook zo – niet meer in een staart, want de Hemelse Koning had gezegd dat we de wetten van de Mantsjoes niet meer moesten gehoorzamen. Omdat ik nog nooit een buitenlander had gezien, kon ik slechts raden naar zijn leeftijd. Maar hij leek me wel oud. Zijn huid had de kleur van een knolraap en zijn ogen waren troebel als ondiep water. Hij had allemaal putten en stippen in zijn gezicht, alsof hij aan een slepende ziekte leed. Hij glimlachte nooit, maar lachte vaak. En hij sprak zijn rauw klinkende woorden uit met de stem van een balkende ezel. Er stond altijd een man aan zijn zijde die als zijn middelaar fungeerde en alles wat hij zei op elegante toon vertaalde.

Bij mijn eerste blik op deze middelaar dacht ik dat hij een Chinees was. Even later leek hij eerder een buitenlander. En ten slotte leek hij nergens meer op. Hij was als een van die hagedissen die de kleur aannemen van de takken en bladeren rondom hen. Later kreeg ik te horen dat deze man het moederbloed van een Chinese vrouw en het vaderbloed van een Amerikaanse man in zich had. Hij was tweekleurig. Generaal Cape noemde hem *yiban-ren*, de halve man.

Yiban vertelde ons dat Cape uit Canton kwam, waar hij bevriend was geraakt met de Hemelse Koning van de Grote Vredesrevolutie. We waren verbluft, want de Hemelse Koning was een heilig man die als Hakka geboren was, maar door God was uitverkoren om de jongere broer van Jezus te worden. Met grote aandacht luisterden we naar wat hij nog meer te vertellen had.

Cape, zei Yiban, was een Amerikaans militair leider, een generaal van de allerhoogste rang. De mensen mompelden vol ontzag. Hij was de zee overgestoken om de Godaanbidders te steunen, de volgelingen van de Grote Vrede. 'Goed! Goed!' schreeuwden de mensen. Zelf was hij ook een Godaanbidder en hij had grote bewondering voor ons en onze wetten tegen opium, diefstal en de geneugten van de donkere gedeeltes van het vrouwelijk lichaam. De mensen knikten instemmend en ik keek met mijn ene oog naar de knop van Cape's wandelstok. Hij zei dat hij gekomen was om ons te helpen de overwinning te behalen op de Mantsjoes, en dat die overwinning Gods eigen plan was, meer dan duizend jaar tevoren neergeschreven in de bijbel die hij voor ons omhooghield. De mensen verdrongen elkaar om dat boek beter te kunnen zien. Wij kenden dat plan ook. De Hemelse Koning had ons al gezegd dat de Hakka door God waren uitverkoren om over het Chinese rijk te heersen. Cape deelde mee dat de soldaten van de Grote Vrede al menige stad veroverd hadden en dat de oorlogsbuit al heel veel land en geld bedroeg. En dat de strijd nu in noordelijke richting verplaatst kon worden – als de Godaanbidders van de Distelberg zich tenminste bij hem wilden aansluiten. Zij die wilden vechten, beloofde hij, zouden delen in de oorlogsbuit: warme kleren, meer dan genoeg te eten, wapens en later hun eigen land, een hoog aanzien, scholen en genoeg huizen om de mannen apart van de vrouwen te laten wonen. En de Hemelse Koning zou voedsel sturen voor de achterblijvende familieleden. De mensen riepen nu uit volle borst: 'Grote Vrede! Grote Vrede!'

Toen beukte de generaal met zijn wandelstok op de grond en iedereen werd weer stil. Hij droeg Yiban op ons de geschenken te tonen die de Hemelse Koning voor ons had meegegeven. Vaten vol buskruit! Bundels musketten! Manden vol Frans-Afrikaanse uniformen, sommige met scheuren en bloedvlekken, maar toch nog van uitstekende kwaliteit. Iedereen riep: 'Moet je die knopen zien! Voel die stof eens!' Vele, vele mensen sloten zich die dag bij het leger van de Hemelse Koning aan. Ik mocht niet. Ik was te jong, zeven pas, dus voelde ik me erg bedroefd. Maar toen de Cantonese soldaten de uniformen uitdeelden, zag ik dat ze die alleen aan de mannen gaven, niet aan de vrouwen die zich hadden aangesloten. En dat maakte me alweer een beetje minder droevig.

De mannen trokken hun nieuwe kleren aan. De vrouwen bekeken hun musketten en de lonten en pannen die erbij hoorden. Toen tikte Generaal Cape weer met zijn stok op de grond, en nu droeg hij Yiban op ons het geschenk te tonen dat hijzelf voor ons had meegebracht. We dromden om hen samen, benieuwd naar wat we nu weer zouden krijgen. Yiban haalde een rieten kooi te voorschijn. Er zaten twee witte duiven in. Generaal Cape verkondigde in zijn vreemde Chinees dat hij God had gevraagd om een teken dat wij een onverslaanbaar leger zouden zijn. En God had die twee duiven gezonden. Deze duiven, zei Cape, betekenden dat de Hakka beloond zouden worden met de rijkdom van de Grote Vrede, waar we al duizend jaar naar hunkerden. Vervolgens opende hij de kooi, trok de duiven eruit en gooide ze onder luid gejuich van de mensen in de lucht. Iedereen begon te rennen en te duwen, hoog opspringend om de duiven te vangen voor ze weg zouden vliegen. Een man viel voorover, precies op een kei – zijn hoofd spatte open en zijn hersens stroomden naar buiten. Maar de mensen sprongen over hem heen en bleven die zeldzame en kostelijke vogels achternazitten. Eén duif wist te ontkomen, de ander werd gevangen. Dus had een van ons die avond een feestmaal.

Mijn ouders sloten zich ook aan bij het leger. Zo ook mijn ooms, mijn tantes, mijn oudere broers – vrijwel iedereen boven de dertien, zowel van de Distelberg als van de omliggende dorpen. Vijftig- tot zestigduizend mensen. Grondbezitters en boeren, soepventers en onderwijzers, bandieten en bedelaars, en niet alleen Hakka, maar ook Yao's en Miao's, mensen van de Zhuang-stammen en zelfs arme Punti's. Het was een glorieus moment voor het Chinese volk, zoals we allemaal samenkwamen.

Ik werd onder de hoede van mijn grootmoeder geplaatst. We woonden in een hoogst armzalig dorpje op de berg: een verzameling huisjes gevuld met achterblijvers – babies en kinderen, bejaarden en kreupelen, lafaards en gekken. Toch waren we gelukkig, want zoals beloofd liet de Hemelse Koning ons voedsel brengen; meer soorten dan we geweten hadden dat er bestonden. En de soldaten die het brachten, hadden ook verhalen over grootse overwinningen, en over het nieuwe koninkrijk dat de Hemelse Koning gesticht had in Nanjing, waar de mensen, weldoorvoed als ze waren, meer zilver hadden dan rijst en in prachtige huizen woonden, de mannen apart van de vrouwen. Wat een heerlijk leven hadden zij – op zondag naar de kerk en niet werken, alleen maar rust en tevredenheid. We waren blij te horen dat we nu werkelijk in een tijd van Grote Vrede leefden.

Het jaar daarop kwamen de soldaten met rijst en gezouten vis. En een jaar later met alleen nog maar rijst. De jaren verstreken. Op een dag kwam een man die ooit in ons dorp had gewoond terug uit Nanjing. Hij zei dat de Grote Vrede hem de keel uithing. In tijden van onrust, zei hij, strijden de mensen zij aan zij. Maar als er vrede is, willen de mensen niet langer gelijk zijn. De rijken willen niet meer delen. De minder rijken worden jaloers en gaan uit stelen. In Nanjing, zei hij, was iedereen uit op luxe, genot en de donkere gedeeltes van het vrouwelijk lichaam. Hij vertelde dat de Hemelse Koning nu in een prachtig paleis woonde en vele concubines had. Hij liet het regeren van zijn rijk over aan een man die door de Heilige Geest was aangeraakt. En Generaal Cape, de man die de Hakka ooit tot de strijd had opgeroepen, was naar de Mantsjoes overgelopen – een verrader was hij geworden, bezweken voor het goud van een Chinese bankier en de charmes van diens dochter. Een overmaat aan geluk, zei de man die teruggekeerd was, stroomt altijd weg in tranen van verdriet.

We konden de waarheid van zijn woorden in onze buiken voelen. We hadden honger. De Hemelse Koning was ons vergeten. Onze westerse vrienden hadden ons verraden. We kregen geen voedsel meer, noch grootse berichten. We waren arm. We hadden geen moeders meer, geen vaders, geen zingende meisjes en jongens. Als het winter was, leden we bittere kou.

De volgende ochtend verliet ik ons dorp en daalde de berg af. Ik was inmiddels veertien, oud genoeg om voor mezelf te zorgen. De geest van mijn grootmoeder, die een jaar tevoren gestorven was, verbood me dan ook niet te gaan. Het was de negende dag van de negende maan, weet ik nog. Een dag waarop Chinese mensen juist geacht worden bergen en heuvels te beklimmen en niet af te dalen; een gebruik waarmee ze hun voorouders eren. Maar de Godaanbidders negeerden deze gewoonte, om duidelijk te maken dat ze volgens de westerse kalender van twee-envijftig zondagen wensten te leven en niet volgens de heilige dagen van de Chinese almanak. Dus liep ik de berg af en vervolgens dwaalde ik rond door de dalen. Ik wist niet meer waarin te geloven en wie te vertrouwen. Ik nam me voor een teken af te wachten om te zien wat ik met mijn leven aanmoest.

Uiteindelijk belandde ik in de stad die ze Jintian noemen, bij de rivier. Tegen de Hakka die ik ontmoette, zei ik dat ik Nunumu was – maar geen van hen had ooit van het Bandietenmeisje gehoord. Ze was niet beroemd in Jintian. Evenmin waren de Hakka daar onder de indruk van mijn uitgeslagen oog. Dat vonden ze alleen maar zielig. Ze drukten me een oud rijstballetje in de handen en probeerden een half-blind bedelaresje van me te maken. Maar ik weigerde te worden wat de mensen vonden dat ik zijn moest.

Ik slenterde door de stad en probeerde te bedenken wat voor werk ik kon gaan doen om mezelf te onderhouden. Ik zag Cantonezen die lik-doorns van voeten sneden, Yao's die rotte kiezen trokken, Punti's die naalden in opgezwollen benen staken. Maar ik had nooit geleerd geld te verdienen aan de zieke lichaamsdelen van anderen. Na een poosje kwam ik bij de rivieroever. Daar zag ik Hakka-vissers in kleine bootjes staan en grote netten uitwerpen. Maar ik had geen net of bootje. Noch wist ik hoe je die sluwe, snelle vissen te slim af kon zijn.

Opeens hoorde ik opgewonden geschreeuw. Er was een boot met buitenlanders aangekomen! Ik rende naar de haven en zag dat die boot al had aangemeerd. Een menigte Punti's stond te kijken hoe twee koelies, een jonge en een oude, voetje voor voetje over een smalle loop-plank liepen met een massa dozen, kisten en koffers. De buitenlanders zelf waren nog aan boord – drie, vier, vijf telde ik er. Allemaal in dof-zwarte kleren, op één na: de kleinste, van wie de kleding en de haren glimmend bruin waren als van een boomkever. Dat was Juffrouw Banner, al wist ik dat toen natuurlijk nog niet. Mijn ene oog nam hen alle-maal op. Maar de vijf paar buitenlandse ogen waren alleen maar gericht op de jonge en de oude Chinees die op de lange, smalle plank balanceerden met hun zware last. Over hun schouders lagen twee bamboestokken die in het midden doorbogen onder het gewicht van een enorme hutkoffer aan een dik touw. Plotseling rende de glimmende, bruine buitenlandse achter hen aan de loopplank op, in een opwelling leek het, om hen te waarschuwen dat ze voorzichtiger moesten zijn. En die plank begon meteen te zwiepen, de koffer begon te schommelen, de koelies tolden op hun benen en de buitenlanders aan boord schreeuwden. De mensen aan de wal stonden met rollende ogen toe te kijken hoe de mannen op de plank hun spieren spanden en de glimmende buitenlandse als een kuikentje met haar armen klapwiekte. Het volgende ogenblik slaakte de oudere man, de voorste drager, een scherpe kreet. Ik hoorde een luid gekraak en zag bij zijn schouder een stuk bot door zijn vel steken. Daarop verdwenen twee koelies, één hutkoffer en een in glimmend bruin gestoken buitenlandse dame met grote plonzen in het water van de rivier.

Ik wurmde me door de mensenmassa naar de plaats des onheils. Toen ik er aankwam, kroop de jongere koelie al aan wal. Twee vissers waren in hun kleine bootje op jacht naar de spullen die uit de koffer wegdreven: bonte kleren die opbolden als zeilen in de wind, uitbundig bevederde hoeden die ronddobberden als eenden, lange handschoenen die het water streelden als spookachtige handen. Maar niemand stak een vinger uit naar de gewonde koelie of de buitenlandse dame. De andere buitenlanders niet, omdat ze de plank niet af durfden te lopen. De Punti's aan de wal niet, omdat ze dan in het lot van de drenkelingen zouden ingrijpen en daarmee de verantwoordelijkheid voor de rest van hun levens te dragen kregen. Maar ik dacht niet zo; ik was een Hakka. Hakka waren Godaanbidders. En Godaanbidders waren mensenvissers. Dus greep ik een van de bamboestokken die in het water waren gevallen en hield die boven de hoofden van de koelie en de buitenlandse vrouw – zo, dat ze het draagtouw konden grijpen. Dat deden ze met grote hartstocht, en met inspanning van al mijn krachten trok ik ze op het droge.

Meteen daarna duwden de Punti's me opzij. Ze lieten de gewonde koelie liggen, hijgend en vloekend. Dat was Lao Lu, die later onze poortwachter zou worden, omdat hij met zijn kapotte schouder niet meer als koelie kon werken. De Punti's trokken Juffrouw Banner hoger op de wallekant, waar ze eerst luidkeels overgaf en toen begon te huilen. Toen de andere buitenlanders eindelijk van de boot afkwamen, gingen de Punti's om hen heen staan en schreeuwden: 'Geef ons geld!' Eén van de buitenlanders gooide wat muntjes op de grond en de Punti's doken eropaf als hongerige vogels, waarna ze zich ijlings uit de voeten maakten.

De buitenlanders legden Juffrouw Banner op een wagen en de gewonde koelie op een tweede wagen. Drie andere wagens werden volgeladen met hun dozen en kisten en koffers. En toen ze op weg gingen naar de zendingspost in Changmian rende ik achter hen aan. En zo kwamen wij drieën, Juffrouw Banner, Lao Lu en ik, in hetzelfde huis te wonen. Bij die rivier waren onze lotsbestemmingen verstrengeld geraakt als de haren van een verdronkene.

Het is zo: als Juffrouw Banner die plank niet had laten zwiepen, had Lao Lu zijn schouder niet gebroken. Als Lao Lu zijn schouder niet had gebroken, was Juffrouw Banner niet bijna verdronken. Als ik Juffrouw Banner niet van de verdrinkingsdood had gered, zou zij nooit berouw hebben gevoeld over het breken van Lao Lu's schouder. Als ik Lao Lu niet had gered, zou hij Juffrouw Banner nooit hebben verteld wat ik had gedaan. Als Juffrouw Banner dit niet had geweten, zou ze me nooit hebben gevraagd haar gezelschapsdame te worden. Als ik niet haar gezelschapsdame was geworden, zou ze nooit de man hebben verloren van wie ze hield.

De zendingspost was gevestigd in het huis van het Koopmansspook, in Changmian. Deze plaats lag net als mijn geboortedorp in de streek die naar de Distelberg vernoemd was, maar dan noordelijker. Van Jintian was het normaal gesproken een halve dagreis, maar met wagens die zo zwaar beladen waren met koffers en kreunende mensen, deden we er tweemaal zo lang over. Later werd me verteld dat Changmian 'nooit eindigende liederen' betekent. Achter het dorp, hoger de bergen in, waren namelijk talloze grotten, honderden. En als de wind blies, zongen de openingen van die grotten *woe! woe! woe!* – als waren het bedroefde vrouwen die hun zoons hadden verloren.

In de zendingspost van Changmian bracht ik de laatste zes jaren van mijn leven door. Ik woonde er met Juffrouw Banner, Lao Lu en de zendelingen: twee dames en twee heren, Jezusaanbidders uit Engeland.

In het begin wist ik dit nog niet. Juffrouw Banner vertelde het me pas maanden later, toen we met elkaar konden spreken in een gemeenschappelijke taal. Toen vertelde ze me dat de zendelingen eerst naar Macao waren gekomen, daar een tijdje hadden gepredikt, toen naar Canton waren gereisd, en daar ook een tijdje hadden gepredikt – waar zij haar, Juffrouw Banner, hadden ontmoet. Rond die tijd werd een nieuw verdrag van kracht dat buitenlanders het recht gaf om overal in China te reizen en te wonen. Dus trokken de zendelingen landinwaarts naar Jintian, via de Westelijke Rivier. En Juffrouw Banner had hen vergezeld.

De zendingspost bestond uit een groepje gebouwen: één statig hoofdgebouw en nog drie kleinere, rondom één grote binnenplaats en nog vier kleinere – alles onderling verbonden door een stelsel van gangen, en het geheel omsloten door een hoge muur. Er had al meer dan honderd jaar niemand gewoond, vanwege de verhalen dat het er spookte. Maar de buitenlanders trokken zich hier niets van aan, want zij geloofden niet in Chinese spoken.

De mensen uit de buurt hadden tegen Lao Lu gezegd: 'Ga daar niet wonen. Er waren euvele vossegeesten rond.' Maar Lao Lu had gezegd dat hij nergens bang voor was. Hij was een Cantonese koelie, telg van een oud koeliegeslacht! Hij was sterk genoeg om zichzelf dood te werken en slim genoeg om het antwoord te vinden op elke vraag. Bijvoorbeeld, als je hem vroeg hoeveel kledingstukken de buitenlandse dames bezaten, dan sloeg hij daar niet zomaar een slag naar. Nee, dan sloop hij de kamers van die dames binnen als zij aan tafel zaten, en telde ieder kledingstuk dat hij er aantrof – zonder iets te stelen, uiteraard. Juffrouw Banner, kon hij zodoende vertellen, had twee paar schoenen, zes paar handschoenen, vijf hoeden, drie lange gewaden, twee paar zwarte kousen, twee paar witte kousen, twee witte directoires, één paraplu en nog zeven dingen die misschien wel kledingstukken waren maar waarvan hij niet wist welk lichaamsdeel ze moesten bedekken.

Dankzij Lao Lu kwam ik snel veel dingen over de buitenlanders aan de weet. Maar hij vertelde me pas later waarom het huis volgens de plaatselijke bevolking vervloekt was. Vele jaren eerder was het een zomerverblijf geweest van een rijke koopman die onder geheimzinnige omstandigheden op een vreselijke manier aan zijn eind was gekomen. Daarna waren alle vier zijn vrouwen eveneens gestorven, één voor één, en ook op even raadselachtige als gruwelijke wijze. De jongste eerst en de oudste het laatst, in het bestek van één maan.

Net als Lao Lu was ik niet snel bang. Maar ik moet je eerlijk zeggen, Libby-ah, wat er vijf jaar later allemaal gebeurde, deed me geloven dat die koopman er echt was komen spoken.

3

De hond en de boa

Sinds we apart zijn gaan wonen, kibbelen Simon en ik voortdurend over de omgang met míjn hond, Bubba. Simon eist bezoekrecht en wil zijn zondagse wandelingen blijven maken. In principe mag hij dat, ik misgun hem het genoegen niet om Bubba's poep met een schepje op te ruimen, maar verfoei zijn veel te losse opvattingen over het uitlaten van honden. Van Simon hoeft Bubba niet aan de lijn en mag hij vrijelijk door het struikgewas rond het oude Spaanse fort rennen, of over de zandvlakte bij Chrissy Field – waar een drie pond zware kruising tussen een yorkie en een chihuahua maar al te makkelijk ten prooi kan vallen aan de kaken van een pitbull, rottweiler of overspannen cocker spaniel.

Vanavond zat ik met Simon in zijn nieuwe appartement stapels bonnen en kwitanties uit te zoeken, voor de belastingaangifte van het freelance bedrijfje dat we jarenlang samen gerund hebben en dat we straks bij de scheiding zullen moeten opbreken. Na lang wikken en wegen besloten we gebruik te maken van het feit dat we officieel nog getrouwd zijn – het scheelde aanzienlijk als we een 'gehuwd, gezamenlijke aangifte' zouden doen.

'Bubba is een hond,' begon Simon opeens. 'Hij heeft er recht op om af en toe onbelemmerd rond te banjeren.'

'Ja, en zichzelf aan flarden te laten bijten. Weet je soms niet meer wat er toen met Sarge is gebeurd?'

Simon trok zijn o-nee-niet-dát-weer gezicht. Sarge was Kwans hond, een pekinees-maltezer opdondertje dat op straat iedere reu te lijf wilde. Een jaar of vijf geleden nam Simon hem mee voor een wandeling, niet aangelijnd natuurlijk, en Sarge nam een hap uit de neus van een boxer. De eigenaar van die boxer presenteerde Kwan later de rekening van de dierenarts: achthonderd dollar. Ik vond dat Simon moest betalen. Simon hield vol dat de eigenaar van de boxer zelf moest betalen, omdat diens hond het gevecht zou hebben uitgelokt. Kwan had alleen maar aandacht voor de rekening zelf en belde die arme dierenarts over elke afzonderlijke post.

'Stel dat Bubba een hond als Sarge tegenkomt,' zei ik.

'Die boxer begon toen zelf,' antwoordde Simon kortaf.

'Sarge was een gemene vechtersbaas! En jij was degene die hem liet loslopen. En Kwan moest de rekening betalen!'

'Hoe bedoel je? Die vent van die boxer betaalde.'

'Niks daarvan. Dat zei Kwan maar om het jou niet moeilijk te maken. Weet je niet meer dat ik je dat toen verteld heb?'

Simon trok een mondhoek op. Een grimas die hij altijd maakt om te laten merken dat hij iets niet gelooft. 'Nee, dat weet ik niet meer,' zei hij koeltjes.

'Natuurlijk weet je dat niet meer! Jij onthoudt alleen maar wat je onthouden wílt.'

Simon lachte smalend. 'En ik neem aan dat jij een onfeilbaar geheugen hebt?' Voor ik iets terug kon zeggen, legde hij me met een handgebaar het zwijgen op. 'Ik weet het, jij herinnert je inderdaad alles! Jíj zult nooit iets vergeten! Maar weet je: dat jij nooit iets vergeet, komt niet doordat je zo'n goed geheugen hebt, maar omdat je een rancuneus loeder bent.'

Simons opmerking is me de hele nacht blijven kwellen. Ben ik echt iemand die van wrok aan elkaar hangt? Nee, Simon heeft me alleen maar willen jennen. Kan ik het helpen dat ik de gave heb om me van alles en nog wat te kunnen herinneren?

Tante Betty zei ooit als eerste dat ik een fotografisch geheugen had; nadat ik haar weergave van een bioscoopfilm op een aantal punten gecorrigeerd had, in aanwezigheid van mensen die deze film ook hadden gezien. Van dat moment af aan groeide ik op in de vaste overtuiging dat ik beroepsfotografe zou worden. Maar nu ik al vijftien jaar geld verdien met het maken van foto's weet ik niet meer wat mensen eigenlijk bedoelen als ze het over een fotografisch geheugen hebben. De werking van mijn geheugen verschilt in elk geval flink van het scharrelen door een berg snapshots. Het is een heel wat selectiever proces.

Stel dat iemand me zou vragen op welk adres ik woonde toen ik zeven jaar oud was. Dan zou het betreffende nummer me echt niet zomaar te binnen schieten, maar zou ik eerst een bepaalde gewaarwording uit die tijd moeten herbeleven; de middaghitte, de geur van pas gemaaid gras, het klepperen van de plastic slippers tegen mijn hielen terwijl ik de twee treden van onze betonnen veranda beklim en met kloppend hart in de brievenbus ga staan graaien. Waar is 'ie? Waar is die brief van Art Linkletter met de uitnodiging om in zijn tv-show te komen optreden? De bus is leeg, maar ik geef de hoop niet op. Misschien graai ik wel in de bus van de buren... Maar nee, als ik omhoogkijk, zie ik de koperen huisnummers, 3-6-2-4. Dof en met roestvlekken rond de schroeven.

Dat zijn mijn meest levendige herinneringen. Niet die aan huisnummers, maar aan de momenten van ontgoocheling – die met een brok in mijn keel opkomende overtuiging dat ik op de wereld was om gegriefd en genegeerd te worden. Is dat hetzelfde als wrok? Ik wilde zo vreselijk graag een keertje te gast zijn in *Kinderen zeggen de gekste dingen*, het programma bij uitstek om als kind je eerste stappen naar de roem te zetten. Mij leek het bovendien dé manier om mijn moeder te bewijzen dat ik wel degelijk een heel speciaal meisje was. Ook wilde ik de andere kinderen uit de buurt aftroeven; ze laten zien dat ik in mijn eentje meer plezier had dan zij met z'n allen bij elkaar. Terwijl ik rondje na rondje om het blok fietste, bedacht ik wat ik zeggen zou als ik eindelijk mijn opwachting in die show mocht maken. Ik zou meneer Linkletter over Kwan vertellen. Alleen de grappige dingen, uiteraard, zoals die keer dat ze gezegd had zo genoten te hebben van de film *Southern Pacific*. En dan zou meneer Linkletter zijn wenkbrauwen optrekken en zijn lippen tuiten. 'Maar Olivia,' zou hij zeggen, 'je zus bedoelt toch zeker *Sóuth Pacific*?' En dan sloegen de mensen op de tribune zich op hun dijen van het lachen en keek ik met kinderlijke verbazing allerschattigst in de camera.

De show van ouwe Art was gebaseerd op het idee dat kinderen zo onbevangen en argeloos waren, dat ze nooit doorhadden hoe ze zichzelf of hun familie voor gek zetten met wat ze zeiden. Maar elk kind dat in die show optrad, wist precies wat het zei. Waarom verklapten ze anders nooit hun échte geheimen? Hoever ze gingen met doktertje spelen, en hoe ze snoep gapten, en klappertjes, en bodybuilderboekjes, bij het Mexicaanse winkeltje op de hoek. Ik kende kinderen die dit allemaal deden. Het waren dezelfde kinderen die mij op een keer tegen de grond drukten, met hun knieën op mijn armen gingen zitten en over me heen piesten, onder het uitroepen van: 'Olivia's zus is achterlijk!' Ze bleven net zolang op me zitten, tot ik begon te huilen, vol haat jegens Kwan, en mezelf.

Om me te troosten nam Kwan me mee naar de *Sweet Dreams Shoppe* en even later zaten we ieder met een hoorn vol roomijs op de stoep. Captain, de nieuwste straathond die mijn moeder in haar goedertierenheid uit het asiel had gered en wiens naam door Kwan bedacht was, zat voor ons. In opperste concentratie te wachten op de eerste druppels die van onze ijsjes zouden lekken.

'Libby-ah,' vroeg Kwan, 'wat dit woord achlilik?'

'Ach Terr Lukk,' verbeterde ik haar met overdreven zorgvuldigheid. Ik was nog steeds kwaad op die kinderen en op haar. Ik likte nog maar eens aan mijn ijs en dacht aan de vele achterlijke dingen die Kwan had gedaan. 'Achterlijk is *fantou*,' zei ik. 'Je weet wel, als iemand heel erg dom is en nooit iets begrijpt.' Ze knikte. 'En op de verkeerde momenten de verkeerde dingen zegt.' Ze knikte opnieuw. 'Als de kinderen je uitlachen en je weet niet waarom.'

Kwan bleef ongehoord lang stil, tot ik er een kriebelig gevoel van in mijn borst kreeg. En dan zei ze in het Chinees: 'Libby-ah, denk je dat dit woord mij past, achterlijk? Eerlijk zeggen.'

Ik likte verwoed aan de druppels die langs mijn hoorn liepen, om haar blik te vermijden. Uit mijn ooghoeken zag ik dat Captain me scherp in de gaten zat te houden. Het gekriebel in mijn borst werd alsmaar heviger. Ten slotte slaakte ik een diepe zucht en zei: 'Niet echt, nee.' Kwan grijnsde en gaf me een pets op mijn bovenarm. Daar maakte ze me altijd razend mee. 'Captain,' gilde ik. 'Stoute hond! Zit niet zo te bedelen!' Hij drukte zich plat tegen de grond.

'O, hij niet bedelen,' zei Kwan blij. 'Alleen hopen.' Ze aaide hem en hield dan haar ijsje boven zijn kop. 'Engels praten!' Captain brieste een paar keer en bracht dan een laag 'woefff' voort. Ze stond hem een lik toe. 'Chinees praten! *Jang Zhongwen!*' Twee hoge kefjes volgden en hij mocht nog een keer likken, en toen nog eens, terwijl Kwan hem kozend toesprak in het Chinees. Het irriteerde me mateloos – hoe zo'n stompzinnig spelletje haar en haar hond in verrukking kon brengen.

Later die avond begon Kwan weer over wat die kinderen hadden gezegd. Ze bleef er zo lang over doorzeuren dat ik me ging afvragen of ze misschien écht achterlijk was.

·

Libby-ah, slaap je? Oké, sorry-sorry, ga maar weer slapen. Niet belangrijk... Ik wilde nog wat vragen over dat woord, 'achterlijk'. Ah, maar nu slaap je. Morgen misschien, als je uit school komt...

Weet je, ik bedacht net dat ik zelf ooit meende dat Juffrouw Banner zo was, achterlijk. Zij begreep ook niets... Libby-ah, wist je dat ik Juffrouw Banner heb leren praten? Libby-ah? Sorry-sorry, ga maar weer slapen dan.

Toch is het zo, hoor. Ik heb het haar geleerd. Toen ik haar nog maar net kende, sprak ze als een baby! Soms moest ik erom lachen. Maar dat vond ze niet erg. In het begin hadden we zelfs veel pret met steeds de verkeerde dingen tegen elkaar zeggen. We waren als twee potsenmakers op een tempelfeest, gebruikten onze handen, wenkbrauwen en zelfs onze voeten om elkaar duidelijk te maken wat we bedoelden. Op die manier vertelde ze mij haar levensverhaal. Dit was wat ik dacht dat ze vertelde:

Ze was geboren in een dorp ver, heel ver ten westen van de Distelberg, voorbij een woeste zee zelfs. Voorbij een land waar zwarte mensen leefden en voorbij het land van Engelse soldaten en Portugese zeelui. Maar het dorp waar haar familie woonde, was groter dan al deze landen samen. Haar vader bezat vele schepen die over de woeste zee naar andere landen voeren. In die landen plukte hij geld dat groeide zoals de bloemen, en de geur van dit geld maakte vele mensen heel gelukkig.

Toen Juffrouw Banner vijf was, staken haar kleine broertjes hun hoofden in een gat in de grond en vielen toen helemaal naar de andere kant van de wereld. Hun moeder ging hen natuurlijk zoeken. Vóór zonsopgang en na zonsondergang zette ze een dikke keel op als een haan en riep ze om haar verdwenen zoontjes. Na vele jaren vond de moeder het donkere hol. Ze klom naar binnen en viel toen ook helemaal naar de andere kant van de wereld.

50

De vader zei tegen Juffrouw Banner: we moeten je moeder en broertjes gaan zoeken. Dus voeren ze over de woeste zee. Eerst stopten ze bij een eiland waar veel lawaai was. Haar vader bracht haar onder in het grote paleis van de heersers over dit eiland. Dit waren kleine mensen die op Jezus leken. Maar toen haar vader de velden introk om geldbloemen te plukken, gooiden de Jezusjes stenen naar haar hoofd en knipten haar lange haren af. Twee jaar later kwam haar vader terug en hij nam haar mee naar een ander eiland, dat geregeerd werd door wilde honden. Hij bracht haar opnieuw onder in een groot paleis en trok er weer op uit om geldbloemen te plukken. Toen hij weg was, begonnen de honden Juffrouw Banner achterna te zitten en haar jurk aan flarden te scheuren. Ze rende het hele eiland over, op zoek naar haar vader. Maar in plaats van hem kwam ze een oom tegen. Met deze oom voer ze naar een plaats in China waar vele buitenlanders leefden. Maar haar moeder en broertjes vond ze er niet. Op een dag lag ze met haar oom in bed en werd hij heet en koud tegelijk, steeg op in de lucht en viel vervolgens in zee. Gelukkig voor Juffrouw Banner kwam ze een andere oom tegen, een man die vele pistolen bezat. Hij nam haar mee naar Canton, waar ook buitenlanders woonden. Iedere avond legde deze oom zijn pistolen op het bed en moest zij ze oppoetsen voor ze mocht gaan slapen. Op een dag sneed deze man een stuk van China af, een stuk met vele mooie tempels. Op dit drijvende eiland stak hij de zee over en gaf toen de tempels aan zijn vrouw en het eiland aan zijn koning. Juffrouw Banner, die in China was achtergebleven, kwam een derde oom tegen: een Yankee die ook vele pistolen bezat. Maar deze man borstelde haar haren en gaf haar perziken te eten. Van deze oom hield ze erg veel. Maar op een nacht drongen Hakka-mannen hun kamer binnen en zij namen haar oom mee. Juffrouw Banner rende naar de Jezusaanbidders om hulp. Die zeiden: 'Val op je knieën.' Dus liet ze zich op haar knieën vallen. En toen zeiden ze: 'Bidden.' Dus verzonk ze in gebed. Daarna mocht ze met hen mee, landinwaarts naar Jintian, waar ze in het water viel en begon te bidden om redding. En toen redde ik haar.

Later, toen Juffrouw Banner meer Chinese woorden kende, vertelde ze haar levensverhaal opnieuw. En omdat ze nu anders sprak, verschenen er ook andere beelden in mijn hoofd. Ze was geboren in Amerika, een land voorbij Afrika, Engeland en Portugal. De plaats waar ze geboren werd, was een grote stad die *Nu Ye* heette, wat dus klinkt als Koe

Maan, maar waarschijnlijk New York was. Een maatschappij met de naam Russa of Russo bezat al die schepen. Haar vader dus niet. Die werkte er slechts als expeditieklerk. De scheepvaartmaatschappij kocht opium in India; dat waren de geldbloemen. En ze verkochten de opium weer in China, met als gevolg dat vele Chinese mensen aan de droomziekte gingen lijden.

Toen Juffrouw Banner vijf was, staken haar broertjes hun hoofden niet in een hol. Ze kregen een ziekte aan hun hersens en stierven, waarna ze werden begraven in de achtertuin. Hun moeder zette geen dikke keel op als een haan. Zij stierf aan kroep en werd naast haar zoontjes begraven. Na deze tragedie bracht haar vader haar naar India, dat niet door Jezusjes werd geregeerd. Ze ging er naar een kostschool voor kinderen van Jezusaanbidders. Engelse kinderen, die niet heilig waren, maar juist erg ondeugend en ruw. Later bracht haar vader haar naar Malakka, dat niet door wilde honden werd geregeerd. Ze ging er naar een andere kostschool waar de Engelse kinderen nog veel ruwer waren. Haar vader voer weer naar India om opium te kopen, maar hij keerde nooit weer. Waarom wist ze niet. Dus groeiden er vele soorten droefheid in haar hart. Nu had ze geen vader meer, noch geld, noch een thuis. Toen ze nog een jonge maagd was, ontmoette ze een man die haar meenam naar Macao. In Macao zijn zeer veel muskieten, en de man stierf aan malaria en kreeg een begrafenis op zee. Daarna leefde ze met een andere man, een Engelse legerkapitein ditmaal. Hij vocht aan de zijde van de Mantsjoes tegen de Godaanbidders en kreeg grote sommen geld voor elke stad die hij innam. Later voer hij terug naar huis en de vele kostbaarheden die hij uit de tempels geroofd had, nam hij mee. Hij gaf ze aan Engeland en aan zijn wettige vrouw. Toen ging Juffrouw Banner met een andere soldaat leven, een Yankee. Deze man, zei ze, vocht aan de zijde van de Godaanbidders tegen de Mantsjoes, en werd ook heel rijk door de steden die hij innam te plunderen voor ze door de Godaanbidders werden platgebrand. Deze drie mannen, vertelde Juffrouw Banner, waren geen ooms van haar geweest.

Ik zei: 'Juffrouw Banner-ah, dit is goed nieuws. In hetzelfde bed slapen als je ooms is niet goed voor je tantes.' Daar moest ze om lachen. Dus je ziet, toen hadden we juist weer pret omdat we elkaar zo goed begrepen! Het eelt onder mijn voeten had inmiddels plaatsgemaakt voor een paar nauwsluitende, leren schoenen die Juffrouw Banner niet meer dragen wilde. Maar voorafgaand hieraan had ik haar dus leren praten.

Het eerste wat ik haar leerde, was dat ik Nunumu heette. Sindsdien noemde ze me Juffrouw Moo en gingen we vaak met z'n tweeën op de binnenplaats zitten, waar ik haar de namen van dingen vertelde, alsof ze een klein kind was. En net als een klein kind nam ze alles gretig en snel in zich op. Haar geest was nog niet dichtgeroest. Ze was niet als de zendelingen, die tongen als krakende, oude wielen hadden, steeds maar weer hetzelfde karrespoor volgend. En ze had een heel goed geheugen. Wat ik ook zei, haar oren hoefden het maar één keer op te vangen en dan kon haar mond het uitspreken.

Ik liet haar dingen aanwijzen en zeggen waaruit ze bestonden, zodat ze de vijf elementen van de zichtbare wereld leerde kennen: metaal, hout, water, vuur en aarde.

Ik leerde haar wat de wereld deed leven: zonsopgang en zonsondergang, warmte en kou, stof en hitte, stof en wind, stof en regen.

Ik leerde haar wat in deze wereld prettig was om te horen: wind, donder, paarden die door het stof galopperen, steentjes die in het water vallen. Ik leerde haar wat angstaanjagend was om te horen: snelle voetstappen in de nacht, het scheuren van zachte kleding, hondengeblaf, de stilte van krekels.

Ik leerde haar hoe twee dingen samen tot iets nieuws werden: water en aarde worden tot modder, hitte en water worden tot thee, buitenlanders en opium worden trammelant.

Ik leerde haar de vijf smaken waarin we ons de dingen herinneren: zoet, zuur, bitter, scherp en zout.

Op een dag klopte Juffrouw Banner met haar vuist op de voorkant van haar lichaam en vroeg me welk woord daarbij hoorde. Toen ik haar dit woord geleerd had, zei ze in het Chinees: 'Juffrouw Moo, ik wil alle woorden kennen waarmee ik over mijn borsten kan praten.' Pas toen begreep ik dat ze wilde praten over de gevoelens van haar hart. De volgende dag nam ik haar mee uit wandelen in de stad. We zagen mensen ruzie maken. Woede, zei ik. We zagen een vrouw voedsel op een altaar leggen. Eerbied, zei ik. We zagen een dief met zijn hoofd in een houten schandblok. Schaamte, zei ik. We zagen een jong meisje aan de oever van de rivier, die een oud net vol scheuren uitwierp in het ondiepe water. Hoop, zei ik.

Toen wees Juffrouw Banner op een man die een grote ton door een veel te kleine deuropening wilde duwen. 'Hoop,' zei ze. Maar voor mij was dit geen hoop. Dit was domheid; rijst in plaats van hersenen. En ik vroeg me af wat Juffrouw Banner gezien had toen ik al die andere gevoelens voor haar benoemde. Ik vroeg me af of buitenlanders wel dezelfde gevoelens hadden als Chinezen. Of dachten zij misschien dat onze hoop niet van domheid verschilde?

Toch ging Juffrouw Banner de dingen uiteindelijk bijna door Chinese ogen zien. Bijna. Zo zei ze dat cicades eruit zagen als wapperende dode blaadjes, klonken als een knapperend vuur, aanvoelden als verdroogde boomschors, roken naar opwaaiend stof, en smaakten naar in olie gebakken duiveltjes. Maar ze zei ook dat ze een hekel had aan cicades en dat ze geen enkel doel dienden op deze wereld. Zie je, op vijf manieren zag ze de wereld door Chinese ogen. Maar er was ook altijd een zesde manier, de Amerikaanse manier om van alles het belang te willen zien. En die veroorzaakte later de problemen tussen ons. Omdat ze door haar manier van kijken bepaalde meningen kreeg en door die meningen tot bepaalde oordelen kwam, die soms heel anders waren dan de mijne.

•

Ik heb me mijn hele jeugd lang tot het uiterste moeten inspannen om de wereld níet te gaan zien zoals Kwan. Om niet toe te geven aan haar geklets over geesten, bijvoorbeeld. Toen ik haar na de elektroshocks bezocht in het ziekenhuis zei ik haar dat ze moest gaan doen alsof ze geen geesten zag, omdat de doktoren haar anders niet zouden laten gaan.

'Ah, geheim maken,' zei ze opgetogen. 'Alleen jij ik weten.'

Dus toen ze thuiskwam, moest ik tegenover haar doen alsof die geesten er wél waren, om onze afspraak niet te schenden... Ik ging zo in deze bizarre dubbelrol op dat ik dingen begon te zien die ik helemaal niet kón zien. Nu denken veel kinderen, zelfs wanneer ze geen zuster zoals Kwan hebben, dat er spoken onder hun bed op de loer liggen, klaar om ze bij hun enkels te grijpen. Maar Kwans geesten zaten óp haar bed, ruggelings tegen de plank aan het hoofdeinde. Ik zag ze duidelijk.

Ik heb het niet over witte lakens die 'boe' riepen. Noch waren ze transparant zoals de olijke tv-spoken uit de serie *Topper*, die pennen en aardewerk door de lucht lieten zweven. Kwans geesten waren uitermate levensecht. Ze kletsten over de goeie ouwe tijd. Maakten zich zorgen. Mopperden en zeurden. Ooit zag ik een van hen Captain in zijn nek krabben, waarop hij verlekkerd begon te kwispelstaarten en met zijn poot stampte. Behalve Kwan vertelde ik niemand wat ik zag. Anders stuurden ze mij ook naar het ziekenhuis voor shocktherapie! Maar tegelijkertijd had ik het nare idee dat het geen gewone droombeelden waren, omdat ze zo volkomen vreemd voor me waren, niets met de dingen uit mijn leven te maken hadden. Het was alsof er uit andere mensen gevoelens waren ontsnapt, die vervolgens door mijn ogen van een nieuw lichaam voorzien werden.

Eén keer staat me nog heel goed bij. Ik zal acht geweest zijn en ik zat alleen in mijn kamer mijn Barbiepop in haar mooiste kleertjes te steken. Plotseling hoorde ik de stem van een klein meisje: *'Gei wo kan.'* Ik keek op en zag op Kwans bed een triest Chinees meisje van mijn eigen leeftijd zitten; ze vroeg of ze mijn pop mocht zien. Ik was niet bang. Dat was nog zoiets raars aan het zien van geesten: ik voelde me er altijd volkomen bij op m'n gemak, alsof ik van top tot teen in een kalmerend middel was gedrenkt. Ik vroeg in het Chinees wie ze was, en met een hoge piepstem antwoordde ze: *'Lili-lili, Lili-lili.'*

Toen ik Barbie op Kwans bed gooide, raapte Lili-lili haar op. Ze trok de veren boa van Barbies hals en tilde haar satijnen jurkje op om eronder te kunnen kijken. Daarna draaide ze ruw Barbies armen en benen in het rond. 'Niet stukmaken,' waarschuwde ik. De hele tijd kon ik in mezelf de nieuwsgierigheid van dat meisje voelen, haar verbazing en haar angst dat deze pop dood was. Maar ik vroeg me geen moment af waarom we deze raadselachtige emotionele symbiose hadden – ik was alleen maar bang dat ze Barbie met zich zou meenemen. Dus zei ik: 'Zo is het genoeg, geef nu maar weer terug.' Toen het meisje deed alsof ze me niet hoorde, liep ik naar haar toe en rukte haar de pop uit handen, waarna ik weer op mijn eigen bed ging zitten.

Ik ontdekte dat de roze boa weg was. 'Geef terug!' schreeuwde ik. Maar het meisje was weg – en toen schrok ik pas, want nu was mijn normale waarneming teruggekeerd en besefte ik dat ik een spook had gezien. Ik ging op zoek naar de boa; onder de dekens, tussen het matras en de muur, onder Kwans bed en het mijne. Ik weigerde te geloven dat een spook iets reëels kon pakken en laten verdwijnen, dus bleef ik de hele week zoeken, kamde elke la uit, elke broekzak, alle hoeken en gaten van ons huis. Maar tevergeefs, en uiteindelijk nam ik alsnog aan dat het spookmeisje ermee aan de haal was gegaan.

Nu kan ik meer rationele verklaringen bedenken. Captain pikte wel eens dingen die hij vervolgens in de tuin begroef. En ma was altijd erg roekeloos met stofzuigen. Maar toen was ik nog een kind dat problemen had met het onderscheid tussen fantasie en realiteit – heel specifieke problemen. Kwan zag wat ze geloofde. Ik zag wat ik niet wilde geloven.

Na verloop van tijd gingen Kwans geesten echter toch de weg die alle kinderfantasieën moeten gaan: ze verdwenen in het kielzog van de kerstman en de paashaas. Al hield ik daar mijn mond over tegen Kwan. Anders ging ze misschien weer over de schreef. Voor mezelf verruilde ik haar geesten en de Yin-Wereld voor heiligen met een Vaticaan-keurmerk en een hiernamaals waar de plaatsen volgens een prestatiesysteem verdeeld werden. Ik kon me heel goed vinden in het idee dat je in dit leven punten moest vergaren, net als de zegeltjes van de supermarkt, alleen dan niet voor een broodrooster of weegschaal maar voor een gunstige reisbestemming na je dood. Afhankelijk van de aantallen bonus- en strafpunten, en van wat de mensen over je beweerden, ging je naar de hemel dan wel de hel dan wel het vagevuur. Maar één ding stond nu vast: als je eenmaal in de hemel beland was, hoefde je niet meer als geest terug naar de wereld – tenzij je een heilige was, maar daar hoefde ík niet over in te zitten.

Ik vroeg ma eens hoe de hemel eruitzag en ze beschreef het als een permanent vakantieoord waar alle mensen gelijk waren – koningen en koninginnen, zwervers, onderwijzers, kinderen. 'En filmsterren?' vroeg ik. Ook die zou ik er volgens ma tegenkomen. Althans die welke tijdens hun leven lief genoeg waren geweest om toegelaten te worden. Die nacht telde ik, Kwans spookfeuilleton negerend, op mijn vingers af wie ik allemaal wilde ontmoeten. Ik legde een soort van voorkeurslijst aan, waarbij ik ervan uitging dat ik per dag maar één iemand te spreken zou krijgen. Je kon er natuurlijk niet onderuit om God, Jezus en Maria boven aan je lijst te zetten. Na hen zou ik om mijn vader vragen, en om de andere naaste familieleden die er tegen die tijd zouden vertoeven. Maar niet om Daddy Bob. Die hoefde ik pas na een jaar of honderd te zien. Al met al ging de eerste week op aan verplichte kost, maar daarna kon ik me vermaken met allemaal beroemdheden, als ze tenminste eerder dood waren gegaan dan ik: de Beatles, Hayley Mills, Shirley Temple, Dwayne Hickman. En misschien vroeg ik die engerd van een Art Linkletter ook wel te spreken, want die zou tegen die tijd wel inzien dat hij me voor zijn stomme show had moeten vragen.

Toen ik naar *junior high* ging, waren mijn ideeën over het hiernamaals al soberder. Ik stelde me een oord van alwetendheid voor waar elk raadsel ontsluierd zou worden – zoiets als de bibliotheek, maar dan veel groter. Met luidsprekers waaruit vrome stemmen schalden die voortdurend alle geboden en verboden herhaalden. En als je niet echt hopeloos slecht was geweest, hoefde je misschien niet naar de hel, maar kon je met een flinke boete volstaan. Zwaardere gevallen gingen naar een soort van opvoedingsgesticht, net als in dit leven de jongelui die van huis waren weggelopen, winkeldiefstallen hadden gepleegd of zwanger waren geraakt. Maar als je je gewoon aan de regels hield en niemand tot last was, ging je in één keer door naar de hemel. Waar je alsnog de antwoorden kreeg op de vragen die de mensen van de zondagsschool altijd stelden:

'Wat heeft de mens tijdens zijn aards bestaan te leren?'

'Waarom moeten wij minder bedeelde medemensen bijstaan?'

'Hoe kunnen wij oorlogen voorkomen?'

Maar ook zou ik eindelijk te weten komen waar bepaalde dingen waren gebleven die ik ooit was kwijtgeraakt. Zoals de roze boa van Barbie en, meer recent, mijn halskettinkje met de nepdiamanten – waarvan ik dacht dat Tommy het gejat had, al hield hij bij hoog en bij laag vol van niet. Bovendien zou ik er vragen hoe het zat met een aantal beroemde mysteries. Had Lizzie Borden echt haar ouders vermoord? Wie was de man in het ijzeren masker? Wat was er nu echt gebeurd met Amelia Earhart? En van alle mensen die ooit ter dood waren gebracht, wie daarvan waren nu echt schuldig geweest en wie niet? En wat was trouwens erger, hangen, gas of de stoel? En dan zou ik tussen de bedrijven door ook nog ontdekken dat mijn vader destijds de waarheid had verteld over de dood van Kwans moeder, en Kwan zelf dus niet.

Toen ik naar *college* ging, waar ik Simon leerde kennen, geloofde ik helemaal niet meer in hemel of hel. Al die metaforen voor beloning en straf, gebaseerd op de gedachte dat goed en kwaad reëel bestaande en volmaakt gescheiden grootheden waren, ik zag er niets meer in. Wel vonden Simon, ik en onze vrienden het hiernamaals een goed gespreks-onderwerp om stoned bij te worden: 'Het slaat gewoon nergens op, weet je... Ik bedoel, je leeft nog geen honderd jaar en dan maakt ie-mand de rekening op en bóem, mag je miljarden jaren op het strand liggen of als een hot dog boven een vuurtje roosteren.' En dat Jezus de enige weg zou zijn, ging er bij ons ook niet meer in. Dat betekende immers dat boeddhisten, hindoes, joden en Afrikaanse mensen die gewoon nog nooit van Onze Here gehoord hadden allemaal tot de hel gedoemd waren, en leden van de Ku Klux Klan niet. Tussen twee halen door, en proberend niet te veel uit te ademen, riepen we dan: '*Wow*, wat is dát voor rechtvaardigheid, weet je? Dat zou gewoon één grote flip zijn!'

De meesten van ons geloofden dat er helemaal niets was na de dood – lichten uit, geen pijn, geen beloning, geen straf. Eén jongen, Dave, zei dat je alleen maar voortleefde inzoverre de mensen aan je bleven denken. Plato, Confucius, Boeddha, Jezus, die waren inderdaad onster-felijk. Hij zei dit nadat Simon en ik de begrafenis hadden bijgewoond van onze vriend Eric, die als dienstplichtige naar Vietnam had gemoe-ten en was omgekomen.

'Zelfs als ze hele andere mensen waren dan wij nu denken?' ging Si-mon op Dave's stelling in.

Dave dacht even na en antwoordde bevestigend.

'En Eric dan?' vroeg ik. 'Als de mensen zich Hitler wel blijven herin-neren en Eric niet, wil dat dan zeggen dat Hitler onsterfelijk is en Eric niet?'

Dave dacht opnieuw na, maar voor hij kon antwoorden, zei Simon: 'Eric was te gek. Niemand zal Eric ooit vergeten. En als er een paradijs bestaat, dan is hij daar nu.' En ik keek liefhebbend naar hem op, want ik dacht er zelf precies zo over.

Hoe ben ik dat soort gevoelens voor Simon kwijtgeraakt? Verdwenen ze net als die roze boa, toen ik even niet oplette? Had ik meer mijn best moeten doen om ze terug te vinden?

Het zijn niet alleen maar rancuneuze herinneringen waaraan ik vasthoud. Ik herinner me een meisje op Kwans bed. Ik herinner me Eric. Ik herinner me de kracht van een vlekkeloze liefde. Al deze geesten koester ik nog steeds.

4

Het huis van het Koopmansspook

Mijn moeder heeft weer eens een nieuw vriendje, Jaime Jofré heet hij. Ik ben nog niet aan hem voorgesteld, maar dat is ook niet nodig om nu al te weten dat hij over veel charme, zwart haar en een verblijfsvergunning beschikt. Bij onze ontmoeting zal hij een zwaar accent blijken te hebben en mijn moeder zal me achteraf toefluisteren dat ze het zo'n 'gepassioneerde man' vindt. Heeft een man namelijk de grootste moeite om de juiste woorden te vinden, dan hebben die woorden des te meer zeggingskracht voor haar. Bovendien zegt *amor* haar veel meer dan het banale *liefde.*

Maar haar romantische inborst belet haar niet zich in liefdesaangelegenheden praktisch op te stellen. Ze wenst concrete bewijzen van de liefde die een man zegt te voelen – als hij die liefde tenminste beantwoord wil zien. Een boeket, danslessen, de belofte van eeuwige trouw, dat mag hij zelf uitmaken, zolang hij maar ergens mee komt. Ook vindt Louise dat op elk liefdesoffer van haar een tegenoffer van hem hoort te volgen. Stopt ze op zijn verzoek met roken, dan is het wel zo gepast dat hij haar een weekje naar een luxe kuuroord stuurt; de *Calistoga Mud Baths* of de *Sonoma Mission Inn.* Dit voor-wat-hoort-wat principe wordt volgens haar het best begrepen door mannen uit 'opkomende landen' – een term als 'derde wereld' zul je haar niet horen bezigen. Landen die nog altijd onder het koloniale juk zuchten, hebben haar voorkeur, maar Ierland, India of Iran zijn eventueel ook goed als land van herkomst van een minnaar. Ze gelooft stellig dat mannen die zijn opgegroeid met onderdrukking en een zwarte-markteconomie beter inzien wat er op het spel staat als ze haar het hof maken. Zij zullen harder hun best doen en tot duidelijke afspraken bereid zijn. Met deze opvattingen als richtlijn heeft mijn moeder al even vaak de ware liefde leren kennen als dat ze met roken gestopt is.

Het kan zijn dat ik hatelijk klink, maar ik ben dan ook razend op ma! Vanmorgen kwam ze langs. Om me op te beuren, zei ze. En vervolgens heeft ze twee uur lang mijn mislukte huwelijk zitten vergelijken met haar eigen jaren met Bob. Niet toegewijd, niet offervaardig, nooit geven en alleen maar nemen – die fouten hebben Simon en Bob volgens haar gemeen. Terwijl zij en ik 'alleen maar gaven, gaven, gaven, en steeds van ganser harte'. Ze bietste een sigaret bij me, en toen een lucifer.

'Ik heb het aan zien komen,' zei ze en ze nam een diepe haal. 'Tien jaar geleden al. Weet je nog dat Simon toen in z'n eentje naar Hawaï ging en jou hier met griep achterliet?'

'Ik was degene die zei dat hij moest gaan. We hadden niet-inruilbare vliegtickets en hij kon er maar één verkopen.' Waarom zat ik hem te verdedigen?

'Jij was ziek. Hij had kippesoep voor je moeten maken in plaats van op het strand rond te dartelen.'

'Hij dartelde rond met zijn grootmoeder die net een beroerte had gehad.' Ik hoorde mijn stem drenzerig worden, als van een verongelijkt kind.

Ze schonk me een begripvolle glimlach. 'Lieverd, de tijd is voorbij dat je de dingen mooier voor moest stellen dan ze waren. En vergeet niet dat ik precies weet wat je voelt. Ik ben je moeder!' Ze drukte haar sigaret uit en verruilde haar liefhebbende toon voor die van een welzijnswerkster: 'Dat Simon niet genoeg van je hield, was een tekortkoming van hém, niet van jou. Jij bent beminnelijk en begeerlijk als geen ander. *Er is niets mis met jou.*'

Ik gaf haar een stram knikje. 'Ma, ik moet nu echt eens aan het werk.'

'Ga gerust je gang, kind. Ik schenk mezelf gewoon nog een kop koffie in.' Toen keek ze op haar horloge en zei: 'Die mannen van de ongediertebestrijding waren om tien uur klaar met hun vlooienpoeder. Als ik nog een uurtje wacht, is alles neergeslagen en kan ik naar huis om te stofzuigen.'

En nu zit ik aan mijn bureau, niet tot werken in staat, helemaal leeg.

Wat weet zij in godsnaam af van mijn behoefte aan liefde? Zou ze enig idee hebben hoe vaak ze me teleurgesteld en gegriefd heeft? Ze beklaagt zich erover dat al haar tijd met Bob verspilde tijd was. Zou ze ooit kunnen beseffen wat dat voor mij betekent? Zou het ooit bij haar kunnen opkomen dat ze mij dan al die jaren voor niets verwaarloosd heeft? En de belangrijkste vraag: Waarom maak ik me nu, na al die jaren, weer druk om die verwaarlozing? Ik ben weer een verdrietig meisje van twaalf, lig op mijn buik met een hoek van het kussen tussen mijn tanden geklemd, opdat Kwan me niet zal horen snikken.

'Libby-ah,' fluistert Kwan, 'iets niet goed? Jij misselijk? Gegeten te veel kerstkoekies? Volgende keer ik niet meer zo veel suiker erin doen... Libby-ah, jij vinden mijn cadeau leuk? Niet, eerlijk zeggen. Oké, ik maken nieuwe trui. Jij zeggen welke kleur. Breien maar één week. Als ik klaar, inpakken, helemaal opnieuw cadeau... Libby-ah, ik denken ma en Daddy Bob terug van Yosemite Park komen met heel mooi cadeau, en foto's. Mooie sneeuw, bergtop... Niet huilen! Nee! Nee! Jij niet menen. Hoe jij kan háten eigen moeder?... O? Daddy Bob ook? *Ah, zemma zaogao...*'

•

Libby-ah? Mag het licht even aan? Ik wil je iets laten zien...

Oké-oké! Niet boos worden! Sorry. Ik knip het alweer uit, zie je? Nu is het weer donker. Ga maar weer slapen... Ik wilde je de pen laten zien die uit de broekzak van Daddy Bob was gevallen... Als je hem één kant op houdt, zie je een meisje in een blauwe jurk. Maar als je hem omdraait, wah! Haar jurk schuift omlaag. Ik lieg het niet, hoor. Kijk zelf maar. Ik zal het licht wel weer even aanknippen.... O, Libby-ah, je ogen zijn helemaal dik. Net pruimen!... Leg er een natte handdoek op. Anders jeuken ze morgen de hele dag... Die pen? Die zag ik uit zijn broekzak kruipen toen we bij de mis zaten. Hij merkte het zelf niet, want hij deed alsof hij in gebed was. Ik wist dat hij niet echt aan het bidden was, mm-hmm, want zijn hoofd hing helemaal schuin, en hij snurkte. Mmmmmm! Echt waar! Ik gaf hem een klein duwtje en hij werd niet wakker, maar zijn neus maakte niet meer van die geluiden. Ah, vind je dat leuk? Waarom lig je dan te lachen?

Na een poosje ging ik naar de kerstbloemen zitten kijken, en naar de kaarsen en het gekleurde glas. Ik keek hoe de priester met die rokende lantaren stond te zwaaien. En opeens zag ik Jezus door die rook heen komen lopen! Ja, Jezus! Ik dacht dat hij zijn verjaardagskaarsjes uit kwam blazen. Eindelijk, dacht ik bij mezelf, nu krijg ik hem te zien... nu ben ik een echte katholiek! O, wat was ik blij. En daarom schrok Daddy Bob wakker en trok me weer omlaag.

Ik bleef naar Jezus kijken, maar toen drong het plotseling tot me door... ah, die man was niet Jezus, maar mijn oude vriend Lao Lu. Hij is ook jouw vriend. Hij wees naar me en lachte. 'Ik had je mooi beet,' zei hij. 'Ik ben Jezus helemaal niet! Nee zeg, denk je soms dat hij net zo'n kale kop heeft als ik?' Lao Lu kwam naar me toe. Hij wuifde met zijn hand voor het gezicht van Daddy Bob. Die merkte niets. Toen duwde hij zijn vingertop even heel licht, zo licht als een vlieg, tegen Daddy Bobs voorhoofd. En Daddy Bob gaf zichzelf een klap. Toen trok Lao Lu die vieze pen langzaam nog verder uit zijn broekzak en legde hem in een vouw van mijn rok.

'Waarom ga jij nog steeds naar kerken voor buitenlanders?' vroeg Lao Lu me. 'Denk je soms dat je eelt op je reet moet hebben om Jezus te kunnen zien?'

Niet lachen, Libby-ah. Wat Lao Lu zei, was heel onbeleefd. Ik denk dat hij terugdacht aan ons vorige leven samen, toen we elke zondag twee uur naast elkaar moesten zitten op die houten bank. Elke zondag! Juffrouw Banner ook. Al die jaren gingen we naar de kerk en nooit kregen we God of Jezus te zien, of Maria, al was het toen nog niet zo belangrijk haar te zien. In die tijd was zij al wel de moeder van Jezus, maar alleen nog maar de concubine van zijn Vader. Tegenwoordig is het Maria voor en Maria na! *Old St. Mary's, Mary's Help, Mary Mother of God, forgiving me my sins.* Ik ben wel blij voor haar, natuurlijk, dat ze promotie heeft gemaakt. Maar toentertijd hadden de Jezusaanbidders het bijna nooit over haar. Het enige dat telde, was dat ik God en Jezus zou zien. Elke zondag weer vroegen de zendelingen: 'Ben je tot het geloof gekomen?' En dan zei ik dat het nog niet zover was. Ik wilde uit beleefdheid wel ja zeggen, maar dan had ik gelogen. En dan zou ik na mijn dood misschien wel twee straffen opgelegd krijgen van de geest die de buitenlanders Satan noemden; één omdat ik niet geloofd had, en één omdat ik gedaan had alsof ik wél geloofde. Ik dacht eerst dat ik Jezus nooit zag omdat ik nu eenmaal Chinese ogen had. Maar op een dag vertelde Juffrouw Banner dat zij God en Jezus ook nooit zag. Ze zei dat ze niet gelovig was.

Ik vroeg: 'Waarom niet, Juffrouw Banner?'

En ze zei: 'Ik heb tot God gebeden om mijn broertjes te sparen. Ik heb tot Hem gebeden om mijn moeder te sparen. Ik heb gebeden dat ik mijn vader zou terugzien. Ze zeggen dat door het geloof je hoop in vervulling gaat. Maar ik hoop nergens meer op, dus waarom zou ik nog geloven?'

'Ai!' zei ik. 'Wat erg! Hoopt u echt nergens meer op?'

'Niet meer op dingen die een gebed waard zijn,' zei ze.

'Maar de man van uw hart dan?'

Ze zuchtte diep. 'Nee, die vind ik ook geen gebed meer waard. Hij bekommert zich niet meer om mij. Van een Amerikaanse marineofficier in Shanghai vernam ik dat hij daar een tijdlang verbleven heeft. En in Canton was hij ook. Zelfs in Guilin is hij geweest. Hij weet waar ik ben. Waarom heeft hij me niet opgezocht?'

Het deed me verdriet dit te horen. Op dat moment wist ik nog niet dat haar geliefde Generaal Cape was. 'Ik hoop nog steeds van harte dat ik mijn familie ooit terugvind,' zei ik. 'Misschien zou ik er goed aan doen Jezusaanbidder te worden.'

'Om een echte gelovige te zijn,' zei ze, 'moet je je hele lichaam aan Jezus schenken.'

'Hoeveel heeft u hem geschonken?'

Ze stak haar duim op. Ik was verbijsterd. Elke zondag stond ze in die kerk de preek te houden; dat was toch op z'n minst twee benen waard! Nu was het wel zo dat ze tot dat preken gedwongen werd. Wij konden de andere buitenlanders namelijk even slecht verstaan als zij ons. Hun Chinees was zo slecht, dat ze ons net zo goed in het Engels konden aanspreken. Dus moest Juffrouw Banner op de preekstoel komen staan om te vertalen wat de dominee zei. Dit had de dominee haar niet gevraagd. Hij had gezegd dat ze het moest doen, anders mocht ze niet langer bij hen in het huis van het Koopmansspook wonen.

Dus stond ze elke zondag naast de dominee bij de voordeur van de kapel. Hij riep dan: 'Welkom, welkom!' En Juffrouw Banner vertaalde dit in het Chinees: 'Snel kom, snel kom in het huis van God! Na de dienst rijst eten!' Dit huis was ooit de familietempel geweest van de koopman, gewijd aan zijn voorouders en hun goden. Lao Lu vond het zeer onbeleefd van de buitenlanders dat ze juist dit gebouw hadden uitgekozen als het huis van God. 'Een klap in ons gezicht,' vond hij. 'Op een dag zal de oorlogsgod alles onder de paardestront bedelven, wacht maar af!' Zo iemand was Lao Lu – als je hem kwaad maakte, pakte hij je terug.

De zendelingen gingen altijd het eerst naar binnen, en daarna Juffrouw Banner, dan Lao Lu en ik, en na ons de andere Chinese mensen die in het huis van het Koopmansspook werkten – de kok, de twee dienstmeiden, de stalknecht, de timmerman, de rest ben ik vergeten. De bezoekers van de dienst gingen als laatsten het huis van God binnen. De meesten van hen waren zwervers en bedelaars, een paar waren Hakka-Godaanbidders en ik herinner me ook nog een oude vrouw die altijd haar handen tegen elkaar drukte en drie buigingen maakte voor het altaar, al werd haar elke keer weer gezegd dat dit niet toegestaan was. Mensen die nooit eerder waren geweest, gingen altijd op de achterste rij zitten – voor het geval, denk ik, dat het Koopmansspook plotseling op zou doemen en ze de vlucht moesten nemen. Lao Lu en ik moesten vooraan zitten, naast de andere zendelingen, en hard 'Amen!' roepen als de dominee ons daarvoor het teken gaf door zijn wenkbrauwen op te trekken. Daarom noemden we hem Dominee Amen, al deden we dat ook omdat zijn echte naam als Amen klonk. Hammond of Halliman of zoiets. Zodra we ons achterwerk op die harde banken hadden geplet, mochten we niet meer bewegen. Alleen Mevrouw Amen sprong af en toe op, om een bestraffende vinger te heffen tegen mensen die lawaai maakten. Zo leerden we gaandeweg wat er allemaal verboden was: op je kop krabben om luizen te vangen; je neus snuiten in je handpalm; vloeken als er muggen in je oren zoemden, zoals Lao Lu altijd deed als iets zijn slaap verstoorde.

Dat was nog een regel: niet in slaap vallen. En daarom hield Lao Lu zo van het gedeelte waarin Dominee Amen zijn lange, saaie gebeden tot God richtte. Want als de Jezusaanbidders dan hun ogen sloten, kon hij dat ook doen en lekker wegdoezelen. Ik hield mijn ene oog juist altijd open, strak op Dominee Amen gericht, om te zien of God of Jezus uit de hemel zou neerdalen. Dat had ik wel eens zien gebeuren bij een tempelfeest van de Godaanbidders. God drong het lichaam van een gewone man binnen, die van schrik op de grond viel. Toen die man weer opstond, bleek hij grote krachten te hebben. De scherpste zwaarden bogen krom tegen zijn buik. Maar Dominee Amen overkwam zoiets nooit. Hoewel, op een keer stond hij te bidden en zag ik een bedelaar in de deuropening verschijnen. Ik wist dat de Chinese goden dat soms deden om te zien wat er op de wereld gaande was, of de mensen hen nog wel voldoende eer bewezen. En ik vroeg me af of die bedelaar misschien een god was, die zich dan wel boos zou maken nu hij al die buitenlanders zag staan bij het altaar dat ooit aan hem gewijd was geweest. Toen ik even later weer keek, was de bedelaar verdwenen. Dus wie weet, misschien was hij wel degene die zes jaar later al dat onheil over ons deed komen.

Als het gebed voorbij was, begon de preek. Dominee Amen sprak een minuut of vijf, een eeuwigheid! Allemaal klanken waar alleen de andere buitenlanders iets van begrepen. En dan kwam Juffrouw Banner vijf minuten aan het woord om te vertalen wat Dominee Amen gezegd had. Waarschuwingen voor Satan. Amen! Regels voor hoe je in de hemel kon komen. Amen! Neem gerust je vrienden mee. Amen! Om en om spraken ze, alsof ze met elkaar aan het bekvechten waren. Zo vervelend! Twee uur lang moesten we stil blijven zitten, terwijl onze konten en onze hoofden langzaam gevoelloos werden.

Aan het eind van elke preek werd er gezongen, bij de muziek uit de speeldoos van Juffrouw Banner. Iedereen was dol op dit gedeelte. Niet omdat het zingen erg mooi was, maar omdat we wisten dat het er bijna op zat. Dominee Amen hief zijn armen op en zei dat we moesten gaan staan. En dan stond Mevrouw Amen op en kwam voor ons staan. Ze werd gevolgd door de zenuwachtige zendelinge die Lasher heette. Wat klonk als *laoshu*, muis, zodat we haar Juffrouw Muis noemden. De laatste buitenlander was een dokter met de naam Swan, wat klonk als *suan-le*, te laat. Geen wonder dat zieke mensen bang werden als hij hen bezocht! Dokter Te Laat was altijd degene die de speeldoos van Juffrouw Banner opende en met de sleutel opwond. Als de muziek begon, gingen zij met z'n drieën staan zingen. Soms liepen bij Mevrouw Amen de tranen over haar wangen. De ouderen onder de bezoekers vroegen vaak of er misschien kleine buitenlandertjes in die wonderbaarlijke doos zaten.

Juffrouw Banner vertelde me eens dat ze die speeldoos ooit van haar vader had gekregen. Het was haar enige aandenken aan hem. Ze bewaarde er een klein album in, waarin ze haar gedachten noteerde. De muziek, zei ze, was eigenlijk van een Duits lied over bier, dansen en het zoenen van mooie meisjes. Maar Mevrouw Amen had er nieuwe woorden voor geschreven. Honderden keren heb ik die woorden aangehoord, terwijl het toen alleen maar klanken voor me waren: 'Wij volgen Jezus op willige voeten, want na onze dood zal de Heer ons begroeten.' Zo ging het ongeveer. Vreemd, om me dat lied nu weer te herinneren, nu ik weet wat de woorden betekenen. Hoe dan ook, dat was het lied dat we elke week weer te horen kregen. Waarna ons verteld werd dat we buiten een kom rijst zouden krijgen. Een geschenk van Jezus. Velen van ons dachten dat Jezus een grondbezitter met uitgestrekte rijstvelden was.

Op een zondag sprak Dominee Amen vijf minuten, maar Juffrouw Banner daarna slechts drie. Toen Dominee Amen weer vijf minuten, en Juffrouw Banner slechts één. Het Chinese deel werd korter en korter, en die zondag konden de vliegen zich maar anderhalf uur aan ons zweet te goed doen. Een week later duurde het zelfs nog maar een uur. De maandag erop had Dominee Amen een lang gesprek met Juffrouw Banner. En die volgende zondag sprak Dominee Amen vijf minuten, en Juffrouw Banner even lang, en hij weer vijf minuten, en zij ook weer. Maar nu had ze het niet langer over de regels die je volgen moest om in de hemel te komen. Ze zei dingen als: 'Er was eens een land, hier ver vandaan, waar een reus woonde die verliefd was op de dochter van een arme timmerman die eigenlijk een koning was...' Steeds als het spannend werd, was haar tijd om en zei ze: 'Nu gaat de dominee weer vijf minuten praten. Vragen jullie je ondertussen maar vast af: stierf het prinsesje, of kwam de reus op tijd om haar te redden?' Aan het eind van de preek zei ze tegen de mensen dat ze het woord 'amen' moesten roepen als ze een lekkere kom gratis rijst wilden eten. Groot rumoer!

Van toen af aan werden de zondagse preken heel populair. Tal van bedelaars kwamen naar de verhaaltjes van Juffrouw Banner luisteren. De Jezusaanbidders waren gelukkig. De rijsteters waren gelukkig. Juffrouw Banner was gelukkig. Alleen ik maakte me zorgen. Stel dat Dominee Amen merkte wat ze deed? Zou hij haar dan slaan? Of zouden de Godaanbidders mij met hete kolen bekogelen omdat ik een buitenlandse had geleerd Chinees te praten om te kunnen liegen? Zou Dominee Amen zich zo beschaamd voelen dat hij zichzelf ophing? Zouden de mensen die naar de kerk kwamen voor rijst en sprookjes, en niet voor Jezus, naar de hel van de buitenlanders gaan?

Toen ik Juffrouw Banner over mijn zorgen vertelde, lachte ze en zei ze dat niets van dat al gebeuren zou. Ik vroeg haar waarom ze dit zo zeker wist. Ze zei: 'Als iedereen gelukkig is, waarom zou er dan narigheid komen?' Maar ik herinnerde me wat die man had gezegd die naar de Distelberg was teruggekeerd: 'Een overmaat aan geluk stroomt altijd weg in tranen van verdriet.'

Vijf jaar lang waren we gelukkig. Juffrouw Banner en ik werden heel goede vriendinnen. De zendelingen bemoeiden zich nooit met me, maar toch bleven het geen vreemden voor me. Ik lette op elke kleine verandering in hun levens en kon daar veel uit opmaken. Bovendien vertelde Lao Lu me over de schandelijke dingen die hij zag als hij door hun ramen naar binnen keek en over de vreemde dingen die hij ontdekte als hij in hun kamers was. Dat Juffrouw Muis vaak zat te huilen met een medaillon in haar handen waar een plukje haar in zat van iemand die dood was. Dat Dokter Te Laat opiumpillen slikte tegen de pijn in zijn maag. Dat Mevrouw Amen in een lade stukjes brood van het Avondmaal bewaarde, voor als de wereld verging. Dat Dominee Amen bij elke keer dat iemand zich bekeerde aan de leiding van zijn Kerk liet weten dat hij hónderd bekeerlingen had gemaakt.

In ruil vertelde ik Lao Lu over wat ik zelf had ontdekt. Dat Juffrouw Muis sterke gevoelens had voor Dokter Te Laat, maar dat hij daar niets van merkte. Dat Dokter Te Laat sterke gevoelens had voor Juffrouw Banner, maar dat zij deed alsof ze er niets van merkte. Maar ik vertelde hem niet dat Juffrouw Banner nog altijd sterke gevoelens had voor een man die Wa-ren heette, haar derde liefde. Dat hield ik voor mezelf.

Vijf jaar lang bleef ons leven zo gaan: alles steeds hetzelfde op wat kleine veranderingen na, een beetje hoop, wat kleine geheimpjes.

En ja, ik had ook zo mijn geheimen. Mijn eerste geheim was dit. Op een nacht droomde ik dat ik Jezus zag; een buitenlander met lang haar en vele volgelingen. Ik vertelde het Juffrouw Banner, maar vergat erbij te zeggen dat het maar een droom was geweest. Dus ging zij Dominee Amen zeggen dat ik Jezus had gezien en telde hij me meteen als een bekeerlinge – wat dus betekende, wist ik, dat hij een bericht ging versturen over honderd nieuwe bekeringen. Daarom vroeg ik Juffrouw Banner maar niet om hem te gaan zeggen dat er een misverstand was geweest. Hij zou zich vast al erg genoeg schamen voor zijn overdrijvingen, dus wat zou het zielig zijn als hij nu hoorde dat er zelfs niet één nieuwe bekeerling was voor de honderd die hij had gemeld.

Mijn tweede geheim was veel pijnlijker.

Het gebeurde kort nadat Juffrouw Banner me verteld had dat ze al haar hoop kwijt was. Op een dag zei ik dat ik zelf nog zo veel hoop had, dat er wel wat overbleef om voor haar te wensen dat de man van haar hart zich zou bedenken en terugkomen. Toen ik zag hoe dankbaar dit haar maakte, besloot ik zelfs alleen nog maar daarvoor te bidden. Wel honderd dagen achtereen ging mijn gebed alleen nog maar over de terugkeer van haar geliefde man.

Op een avond zat ik op een kruk in haar kamer, druk met haar te praten als altijd. Toen we alle gebruikelijke klachten hadden uitgesproken, vroeg ik of ik haar speeldoos eens mocht laten spelen. Ja, ja, zei ze. Ik maakte de doos open. Geen sleutel. Die kon ik in de lade vinden, zei ze. Ah! Wat is dit? Ik haalde een stuk ivoor uit de lade, uitgesneden in de vorm van een naakte vrouw. Heel ongewoon, maar ik kon me vaag herinneren dat ik zoiets al eens eerder had gezien. Ik vroeg haar waar het kleine beeldje vandaan kwam.

'Het behoorde aan mijn laatste geliefde toe,' zei ze. 'Het was de knop van zijn wandelstok. Toen die op een dag afbrak, gaf hij hem aan mij.'

Wah! Toen wist ik dat de man van haar hart Generaal Cape was, de verrader! Al die tijd had ik gebeden dat hij terug zou komen. Ik kreeg jeuk op mijn hoofd bij de gedachte!

Dus dat was mijn tweede geheim: dat ik wist wie hij was. En mijn derde geheim was dit: ik begon te bidden dat hij weg zou blijven.

Heus, Libby-ah, ik besefte niet hoe erg ze naar liefde snakte. Wat voor liefde ook. De zoete soort bleef niet en was moeilijk te vinden. Maar rotte liefde was er te over, genoeg om elke honger te stillen! Dus daar wilde ze graag genoegen mee nemen – en dat deed ze dan ook zodra de gelegenheid zich voordeed.

5

Wasdag

Het is weer zover – acht uur, en de telefoon gaat. Dit is nu de derde achtereenvolgende ochtend dat Kwan net belt als ik mijn eerste geroosterde boterham besmeer. Nog voor ik hallo kan zeggen, begint ze te ratelen: 'Libby-ah, jij vragen Simon... naam winkel stereo maken, wat is?'

'Is je stereo-installatie kapot?'

'Kapot? Ahhh... veel lawaai. Ja-ja, ik aanzetten radio, gaat *hissssssss.*'

'Heb je de afstemknop al geprobeerd?'

'Ja-ja, veel gedraaid!'

'En als je nu eens wat verder van je installatie af gaat staan? Misschien ben je vandaag extra statisch. Het zou gaan regenen.'

'Oké-oké, misschien eerst proberen. Maar voor zekerheid jij Simon bellen en vragen naam winkel.'

Ze treft het. Ik heb vanochtend een goed humeur en wil wel eens zien hoelang ze deze malle vertoning kan volhouden. 'Ik weet zelf ook wel hoe die winkel heet,' zeg ik, en ik bedenk inderhaast een naam. '*Bogus Boomboxes* heten ze, in Market Street.' Het is net of ik Kwans hersenen hoor piepen en knarsen terwijl ze zoekt naar de juiste reactie op mijn tegenzet.

Ze vindt er geen en begint te lachen. 'Hé, stoute meid jij. Liegen! Naam niet bestaan.'

'Evenmin als jouw stereoprobleem,' gnuif ik.

'Oké-oké. Jij Simon bellen, zeggen Kwan feliciteert verjaardag.'

'Eerlijk gezegd stond ik net op het punt hem te bellen, en ik was ook al van plan hem namens jou te feliciteren.'

'O, jij gemeen! Waarom jij mij plagen zo? Heel verlegen.' Er volgt nog een hees lachje, maar dan zucht ze en zegt: 'O, en Libby-ah, jij na Simon ma bellen.'

'Waarom? Is er iets met haar stereo-installatie?'

'Niet grappen. Haar hart veel pijn.'

Ik schrik. 'Wát heeft ze? Is het ernstig?'

'Mm-hmm. Zo zielig. Nieuwe vriendje dol op trouwen.'

'O, is dat het... Tja,' zeg ik. 'Ma is oud en wijs genoeg om te kunnen beslissen of ze met hem wil trouwen.'

'Nee-nee, jij niet begrijpen. Hij echte vrouwenman. Was al getrouwd. Vrouw Chili. Zij gekomen hem bij oor pakken, mee naar huis genomen.'

'Néé!' Ik voel een verrukte lach in me opwellen, maar kan me nog net goed houden.

'Ja-ja, ma zo boos! Vorig week zij kopen twee tickets *Loveboat*-cruise. Gaile zeggen zij Visa-kaart gebruiken, hij straks terugbetalen. Nu weg, cruise weg. Tickets kan niet terugbrengen. Ah, ma zo zielig! Altijd foute man... Hé, misschien ik koppelen. Ik betere man kiezen zij. Goeie man voor haar kiezen mijzelf ook geluk.'

'En als hij tegenvalt?'

'Dan ik beter maken. Is plicht.'

Als we hebben opgehangen blijf ik nadenken over die plicht. En opeens dringt het tot me door: het is geen wonder dat Kwan zich onze aanstaande scheiding zo aantrekt. Ze gelooft nog steeds dat zij onze spirituele *mei-po* was, onze kosmische koppelaarster. En ik ben wel de laatste om haar te mogen zeggen dat ze zich vergist. Ik heb haar destijds zelf gevraagd Simon ervan te overtuigen dat hij en ik voor elkaar bestemd waren, door het lot aan elkaar verbonden waren.

Het is zeventien jaar geleden dat Simon Bishop en ik met elkaar in aanraking kwamen. We waren beiden op een leeftijd dat we op de meest belachelijke dingen durfden te vertrouwen: de heilzame krachten van piramiden, Braziliaanse *figa*-amuletten, ja zelfs het advies van Kwan en haar geesten. We waren beiden bedwelmd door de liefde. Ik hield van hem, hij van iemand anders. Die ander was al niet meer in leven toen hij en ik elkaar leerden kennen, maar dat wist ik toen nog niet.

71

Ik zag hem voor het eerst bij een college linguïstiek op de universiteit van Berkeley, in het voorjaarskwartaal van 1976. Hij viel me gelijk op, omdat hij net als ik een uiterlijk had dat niet bepaald met zijn naam overeenstemde. Studenten van Aziatische afkomst waren toen nog niet zo talrijk als tegenwoordig. Hoe langer ik naar hem zat te staren, hoe meer ik het gevoel kreeg dat ik een mannelijke dubbelganger van mezelf zag. Ik begon te mijmeren over het uiterlijk van mensen van gemengd ras. Waarom overheersten bepaalde raciale kenmerken bij de één, terwijl ze bij een ander met dezelfde achtergrond vrijwel ontbraken? Ik had ooit een meisje ontmoet wier achternaam Chan was. Ze had blond haar en blauwe ogen, en nee, had ze op vermoeide toon gezegd, ze was niet geadopteerd. Haar vader was Chinees. Sommige voorouders van die vader moesten het goed hebben kunnen vinden met de Britten of Portugezen van Hong Kong. Met dat meisje had ik één ding gemeen, namelijk dat mijn achternaam altijd vragen uitlokte; waarom ik er niet als een Laguni uitzag. Mijn broers komen daarentegen een heel eind aan hun Italiaanse achternaam tegemoet. Hun gezichten zijn hoekiger dan het mijne en hun haar is minder zwart en ietwat krullend.

Bij Simon overheerste niets. Hij was een uitgebalanceerde raciale melange; half Hawaïaans-Chinees, half Anglo. Een synthese van genetische eigenschappen in plaats van een vermenging.

Toen onze klas zich in studiegroepjes opdeelde, kwamen Simon en ik in hetzelfde groepje terecht. Geen van ons beiden zei iets over datgene wat we zo duidelijk gemeen hadden.

De eerste keer dat hij zijn vriendin ter sprake bracht, staat me nog goed bij – omdat ik gehoopt had dat hij geen vriendin zou hebben. We zaten ons met z'n vijven voor te bereiden op een tussentijdse overhoring en ik dreunde de kenmerken van het Etruskisch op: een dode taal, zonder verwantschappen met andere talen... Opeens onderbrak Simon me: 'Mijn vriendin, Elza, heeft op haar rondreis door Italië die te gekke Etruskische tomben gezien.'

We keken hem ietwat korzelig aan. Let wel, hij had er niet bij gezegd: 'Mijn vriendin is overigens even dood als het Etruskisch.' Het was een terloops klinkende opmerking geweest, alsof zijn meisje nog altijd springlevend door Europa toerde met haar Eurail-pas en hem dagelijks ansichtkaarten stuurde. Na een paar pijnlijk stille seconden kreeg hij een schaapachtige grijns op zijn gezicht en mompelde nog wat onverstaanbaars zoals mensen doen als ze merken dat ze op straat in zichzelf hebben lopen praten. Ik was zeer vertederd...

Al snel trakteerden Simon en ik elkaar na elk college op een kop koffie in de *Bear's Lair*, en leverden onze bijdragen aan het nimmer eindigende geroezemoes van gesprekken en discussies. We bespraken het typisch westerse trekje om andere culturen primitief te achten, vonden allebei dat een wereldwijde bastaardering de enige remedie tegen racisme zou zijn en kwamen tot de slotsom dat ironie en satire de hoogste vormen van waarheid waren. Hij kwam met zulke ontboezemingen als dat hij op een eigen filosofie uit was, een denkwijze die hem op ieder vlak door het leven zou leiden en hem in staat zou stellen substantieve veranderingen in de wereld teweeg te brengen. En dan zocht ik 's avonds in mijn woordenboek op wat 'substantief' betekende, en stelde vast dat ik ook een substantief leven wilde leiden. In zijn gezelschap kreeg ik altijd weer het gevoel dat een onbekend en vooral béter deel van mezelf opbloeide. Ik had al enkele vriendjes versleten, maar daarmee had ik alleen het vluchtige soort plezier gekend dat bij nachtelijke feestjes, stonede gesprekken en haastige seks hoort. Als ik met Simon was, lachte ik harder, dacht ik dieper na en trok ik me meer aan van de wereld buiten mijn eigen holletje. We bekogelden elkaar met ideeën als waren het sneeuwballen, stoeiden naar hartelust met elkaars geest, kamden met psychoanalytische geestdrift elkaars verleden uit.

Ik vond het ronduit griezelig, zoveel als we gemeen hadden. We waren allebei voor ons vijfde jaar een ouder kwijtgeraakt; hij zijn moeder, ik mijn vader. We hadden allebei een schildpadje gehad als huisdier; Simon had de zijne gedood door het per ongeluk in een gechloreerd zwembad te laten vallen. We waren allebei eenzame kinderen geweest, overgeleverd aan de goede zorgen van plaatsvervangers; twee ongetrouwde tantes in zijn geval, Kwan in het mijne.

'Mijn moeder vertrouwde me toe aan iemand die de hele tijd met spoken praatte!' zei ik.

'Goh, dan ben je dus lang niet zo geschift als je had moeten zijn!' En we lachten allebei, al voelde het wel vreemd dat we lol maakten om iets dat me ooit zo veel pijn had gedaan.

'Ma,' ging ik verder, 'had de beste welzijnswerkster aller tijden kunnen worden. Altijd op de bres voor anderen, maar dan ook alleen maar voor anderen. Een afspraak met haar manicure afzeggen vond ze erger dan haar kinderen teleurstellen. Over schone schijn gesproken! Ik wil niet zeggen dat ze een slechte moeder is geweest, maar, weet je…'

En dan viel Simon me in de rede: 'Ja, ook onopzettelijke verwaarlozing blijft je je leven lang pijn doen.'

Wat exact datgene was wat ik had willen zeggen, maar waarvoor ik nooit de woorden had kunnen vinden. Waarna hij vervolgde: 'Maar misschien heb je aan haar gebrek aan aandacht wel je sterke persoonlijkheid te danken.' En toen ik gretig knikte: 'Dat denk ik omdat mijn vriendin – je weet wel, Elza – die verloor haar beide ouders toen ze nog maar een baby was. En een wilskracht… tjonge!'

Zo gingen we met elkaar om. Zo intiem als het maar kon, op één ding na dan… We voelden ons wel tot elkaar aangetrokken, maar bij mij had de aantrekking een sterke seksuele lading die bij Simon ontbrak, of te zwak was om hem ergens toe te bewegen. 'Hé, Laguni,' kon hij zeggen terwijl hij zijn hand kameraadschappelijk op mijn schouder legde. 'Ik moet ervandoor. Maar als je dit weekend aantekeningen wilt vergelijken, bel me dan op.' Waarop ik naar mijn kamer sjokte. Niets te doen op een vrijdagavond, omdat ik een uitnodiging had afgeslagen in de hoop dat Simon me zou vragen. Ik was inmiddels smoorverliefd op hem – vochtige ogen, trillende stem, licht in mijn hoofd, volledig behekst. Avond aan avond lag ik in bed te draaien, vol ergernis over de begeerte die zich niet negeren liet, en vroeg ik me af: Ben ik nou gek? Ben ik de enige die de kriebels heeft? Goed, hij heeft een vriendin. Nou én? We zijn jong, we veranderen elke dag van mening over van alles en nog wat, dus dat vriendinnetje kan morgen zijn ex zijn.

Simon scheen mijn verleidingspogingen echter nooit in de gaten te hebben. 'Weet je wat ik zo leuk vind aan jou?' zei hij. 'Dat we echte maatjes zijn. Dat we over alles kunnen praten zonder afgeleid te worden door dat ene…'

'Welk ene?'

'Het feit dat we… je weet wel… dat gedoe over het andere geslacht.'

'Ach, werkelijk?' deed ik verbaasd, 'je wilt zeggen dat ik een meisje ben, maar jij een… asjemenou!' En lachte zo vrolijk mogelijk met hem mee.

's Nachts lag ik woedend te huilen en mezelf voor te houden dat ik niet goed bij m'n hoofd was. Telkens weer besloot ik alle hoop op Simon te laten varen. Alsof het mogelijk was te kunnen beslissen dat je niet verliefd bent... Wat me wél goed afging was de schijn op te houden en de joviale kameraad te blijven spelen. Bij elk gesprek luisterde ik naar hem met een glimlach die de pijn vanbinnen camoufleerde. En altijd weer bracht hij op een gegeven moment Elza ter sprake, alsof hij wist dat ik net zo hard aan haar zat te denken als hij.

In drie martelende maanden kwam ik alles over haar aan de weet. Dat ze in Salt Lake City woonde, waar Simon en zij samen waren opgegroeid; op de lagere school waren ze al onafscheidelijk geweest. Dat ze een drie centimeter lang litteken in haar linker knieholte had, in de kleur en vorm van een aardworm; een mysterieus aandenken uit de tijd dat ze nog maar een baby was. Dat ze heel sportief was; aan kajakvaren deed, trektochten maakte en een uitstekende cross-country skiester was. Dat ze muzikaal heel begaafd was, een componiste in de dop, en ooit les van Arthur Balsam had gehad op een zomerkamp voor muziektalentjes in Blue Hill, Maine. Ze had zelfs een eigen thematische variatie geschreven op de Goldberg Variaties. En op alles zei ik: 'Echt waar? Goh!'

Het gekke is dat hij altijd in de tegenwoordige tijd over haar sprak, waardoor ik niet anders denken kon dan dat ze ook in de tegenwoordige tijd bestónd. Op een keer maakte hij me erop attent dat er een veeg lipstick op mijn voortanden zat, en toen ik die ijverig wegpoetste, zei hij: 'Elza draagt nooit make-up, zelfs geen lipstick. Ze gelooft er niet in.' Ik kon het wel uitschreeuwen: wat valt er te geloven, je draagt make-up of niet, punt uit! Ik was nu zo ver dat ik haar wel kon wurgen, die rechtschapen trut met haar onbesproken gedrag en haar kunstlederen schoenen waar geen dier voor had hoeven lijden. Maar eerlijk gezegd, als ze niet zo misselijkmakend integer was geweest, had ik ook wel een hekel aan haar gehad.

Ik vond dat ze gewoon geen récht had op Simon. Waarom moest hij een van haar trofeeën zijn? Iemand als zij verdiende een gouden Olympische medaille te winnen bij het discuswerpen voor amazones. Ze verdiende de Nobelprijs voor de vrede te krijgen voor het redden van invalide dwergwalvissen. Ze verdiende organiste van het *Mormon Tabernacle Choir* te worden.

Simon echter had recht op iemand als ik, die hem helpen kon de krochten van zijn geest te verkennen, de geheime doorgangen te vinden die Elza alleen maar barricaderen kon met haar constante kritiek en afkeuring. Als ik Simon een compliment maakte over iets diepzinnigs dat hij gezegd had, antwoordde hij steevast: 'Echt? Elza vind juist dat ik te oppervlakkig ben en altijd alleen maar de voor de hand liggende oplossingen zie. Dat ik niet diep genoeg nadenk over de dingen.'

'Je moet niet alles geloven wat Elza zegt.'

'Ja, dat zegt zij ook altijd! Ze vindt dat ik de mening van anderen veel te makkelijk accepteer. Zij gelooft dat je je eigen intuïtie moet volgen, zoals die man die *Walden* schreef, hoe heet 'ie ook weer. Thoreaux, geloof ik. Nou ja, in elk geval vindt ze dat je met elkaar argumenteren moet om door te dringen tot wat je eigenlijk gelooft en te weten te komen waarom je dat gelooft.'

'Ik heb een hekel aan argumenteren.'

'O, ik bedoel niet argumenteren in de zin van bekvechten of zo. Maar meer als een debat, wat jij en ik ook altijd doen.'

Waaruit ik tot mijn afschuw kon opmaken dat hij zijn omgang met mij afmat aan die met Elza. Ik vroeg zo luchtig als ik kon: 'En waar debatteren jullie zoal over?'

'Bijvoorbeeld of beroemdheden verantwoordelijkheden hebben als symbool en niet alleen maar als mens. Weet je nog hoe Muhammad Ali destijds dienst weigerde?'

'Natuurlijk,' loog ik.

'Dat vonden Elza en ik fantastisch, dat hij op die manier stelling nam tegen de oorlog in Vietnam. Maar dan herovert hij de wereldtitel en nodigt president Ford hem uit op het Witte Huis, en hij gaat. Elza zei: "Hoe kan hij dat nou doen?" En ik zei: "Hoezo? Op zo'n invitatie was ik ook ingegaan." En zij weer: "De invitatie van een republikéinse president? In een verkiezingsjaar?" Ze schreef hem een brief.'

'President Ford?'

'Nee, Muhammad Ali.'

'O ja, natuurlijk.'

'Elza vindt dat je niet alleen maar moet praten over politiek, of het op de tv moet volgen. Je moet zelf iets doen, anders ben je gewoon een onderdeel van het systeem.'

'Waarom dan?'

'Nou, hypocrisie, weet je. Dat is hetzelfde als corruptie.'

Ik stelde me Elza voor als Patty Hearst, met een baret en een camouflagepak, een machinegeweer in de aanslag.

'Ze vindt dat iedereen tot een morele bewustwording moet komen en die actief uit moet dragen. Anders is het over hooguit dertig jaar gedaan met de wereld. Veel vrienden van ons noemen dat een pessimistische visie. Maar ik vind haar juist een optimiste bij uitstek, want zij wil iets dóen om de wereld te verbeteren. Als je erover nadenkt, moet je haar wel gelijk geven.'

En zo liet hij zich steeds weer meeslepen door de belachelijke ideeën van zijn vriendinnetje, terwijl ik steeds dromeriger naar hem zat te kijken, me zat te verbazen over het kameleonachtige van zijn uiterlijk. Zijn gezicht veranderde voor mijn ogen van Hawaïaans naar Azteeks, van Perzisch naar Sioux, van Bengaals naar Balinees.

'Waar komt die naam Bishop vandaan?' vroeg ik hem eens.

'Van de missionarissen in het voorgeslacht van mijn vader. Ik stam af van dé Bishops, weet je. De beroemde Bishops van het eiland Oahu. Die streken in het begin van de negentiende eeuw op Hawaï neer om melaatsen te helpen en heidenen te bekeren, trouwden zich naar verloop van tijd de familie van de koning binnen en bezaten op een gegeven moment de helft van het eiland.'

'Je meent 't!'

'Helaas behoor ik tot de arme tak van de familie, die nooit iets geërfd heeft en nog geen ananasboomgaard of golfbaan bezit. Mijn familie van moeders kant is Hawaïaans-Chinees, met zo links en rechts ook wat prinsessen in de stamboom. Maar ook die kant bezit nog niet eens een privéstrandje.' Hij schoot in de lach en vervolgde: 'Elza zegt dat ik van die missionarissen de luiheid van het blinde geloof heb, en van de Hawaïaanse vorsten de neiging om anderen voor me te laten ploeteren.'

'Volgens mij slaat dat nergens op, al dat gepraat over het erven van karaktereigenschappen. Alsof de ontwikkeling van onze persoonlijkheid voorgeprogrammeerd zou zijn. Ik bedoel, heeft Elza nog nooit van het determinisme gehoord?'

Simon leek even van zijn stuk gebracht. 'Hmmm,' peinsde hij. En voor even had ik het aangename gevoel mijn rivale met een elegante degenstoot buiten gevecht te hebben gesteld.

Maar toen zei hij: 'Het determinisme stelt toch juist dat alles in de wereld, zelfs het menselijk gedrag door natuurwetten bepaald wordt? Nou, de overdracht van genen verloopt ook wetmatig, dus ik zie niet hoe dit aan Elza's ideeën afdoet.'

'Wat ik bedoel is,' hakkelde ik terwijl ik me uit alle macht probeerde te herinneren wat ik op het college filosofie had gehoord. 'Ik bedoel: hoe definieer je het begrip "natuur"? Wie kan zeggen wat natuurlijk is en wat niet?' Nu wist ik me echt geen raad meer, spartelde maar wat rond in mijn eigen onkunde. 'Trouwens, wat is haar achtergrond?'

'Haar ouders zijn mormoons, maar zij hebben haar geadopteerd toen ze één jaar oud was en noemden haar Elsie. Elsie Marie Vandervort. Haar oorspronkelijke naam kent ze niet en ze weet ook niet wie haar biologische ouders waren. Maar toch is ze achter haar afkomst gekomen. Vanaf haar zesde, nog voor ze muziek leerde lezen, was ze in staat om liedjes die ze slechts één keer gehoord had noot voor noot na te spelen. En ze was vooral dol op muziek van Chopin, Paderewski, Mendelssohn, Gershwin, Copland... de rest is me ontschoten. En op een gegeven moment ontdekte ze dat al die componisten óf joods óf Pools waren. Vreemd, hè? Toen wist ze dat ze van Pools-joodse afkomst was en is ze zichzelf Elza gaan noemen in plaats van Elsie.'

'Ik hou van Bach, Beethoven en Schumann,' zei ik vinnig, 'maar dat maakt me nog geen Duitse.'

'O, maar dat was ook niet alles. Toen ze tien was, overkwam haar iets wat je heel bizar zult vinden, maar ik zweer je dat het echt gebeurd is. Ik heb het voor een deel zelf gezien. Het gebeurde in de schoolbibliotheek. We zaten door de encyclopedie te bladeren en stuitten op de foto van een gezin met een huilend kind, dat door soldaten werd meegevoerd. Het onderschrift zei dat het joden waren die naar Auschwitz werden afgevoerd. Elza was nog veel te jong om te weten waar Auschwitz lag of wat het geweest was. Maar ze rook opeens een vreselijke geur die haar deed beven en kokhalzen. Ze viel op haar knieën en begon op een zangerige toon iets te roepen wat klonk als "osh-vie-en-shim, osh-vie-en-shim." De beheerder van de leeszaal schudde haar door elkaar, maar ze bleef doorgaan, dus sleepte hij haar naar mevrouw Schneebaum, de schoolzuster. Toen mevrouw Schneebaum, die uit Polen kwam, dat "osh-vie-en-shim" hoorde, werd ze pisnijdig. Ze dacht dat Elza een misselijke grap met haar wilde uithalen. Want wat bleek: "Oswiecim" is het Poolse woord voor Auschwitz. Toen Elza uit haar trance bijkwam, wist ze dat haar echte ouders Poolse joden waren die destijds Auschwitz hadden overleefd.'

'Hoe kon ze dat nu concluderen?'

'Ze wíst het gewoon – zoals een havik weet hoe hij op een luchtstroom moet zweven, of konijnen verstijven als er gevaar dreigt. Een soort van weten waar geen leerproces aan te pas komt. Ze zei dat ze de herinneringen van haar moeder als ongeboren vrucht had doorgekregen, en dat die nu in haar eigen hersenen gegrift stonden.'

'Ach, kom!' riep ik uit. 'Ze lijkt mijn zuster Kwan wel.'

'Hoezo?'

'Die verzint ook de gekste theorieën om te verklaren wat ze geloven wil. Hoe dan ook, biologische instincten en emotionele herinneringen zijn totaal verschillende dingen. Misschien had Elza al eens eerder van Auschwitz gehoord en wist ze dat gewoon niet meer. Je weet toch dat mensen soms een foto zien van iets en zich dat dan later als een persoonlijke ervaring herinneren? Of dat ze déja vu ervaringen hebben, die niets anders zijn dan schakelfouten in de hersenen waarbij directe waarnemingen als oude herinneringen worden ervaren? Ik bedoel, líjkt ze eigenlijk wel joods of Pools?' En dit laatste had ik nog niet uitgesproken of er kwam een riskant ideetje bij me op. 'Heb je een foto van haar bij je?' vroeg ik quasi achteloos.

Simon haalde zijn portefeuille te voorschijn en mijn hart begon wild te bonken. Eindelijk zou ik met mijn tegenstreefster worden geconfronteerd. Ik was bang dat ze van een verpletterende schoonheid zou zijn – een kruising tussen Ingrid Bergman in het schijnsel van landingslichten en Lauren Bacall pruilend aan de bar van een rokerig café.

Maar de foto toonde een nogal boers meisje in het licht van de ondergaande zon. Kroezend haar rond een nors gezicht. Haar neus was lang, haar kin kinderlijk klein en haar onderlip krulde zich midden in het uitspreken van een zin, waardoor ze een beetje op een bulldog leek. Ze stond naast een kampeertent, ellebogen naar buiten gedraaid en haar handen op haar niet zo slanke heupen. Haar afgeknipte spijkerbroek zat veel te strak en trok lelijke plooien bij haar kruis. En tot slot was er haar bespottelijke T-shirt, met MINACHT DE MACHT breeduit over haar kwabbige borsten.

Aha, die is dus níet verpletterend mooi, dacht ik bij mezelf. Ze is niet eens schattig, maar gewoon een vette Poolse worst met mosterd. Ik wist mijn gezicht strak te houden, maar van binnen danste ik de polka. Natuurlijk was het zinloos en flauw om mezelf met een foto te vergelijken.

Maar ik kon er niets aan doen; ik voelde mezelf superieur. Knapper, langer, slanker, eleganter. Je hoefde heus niets van Chopin of Paderewski te weten om te zien dat Elza's voorgeslacht uit zwaarlijvige Oosteuropeanen had bestaan. Hoe langer ik naar die foto keek, des te vrolijker werd ik – tot ik in die vrolijkheid de demonen van mijn eigen onzekerheid herkende, die er minstens zo vervaarlijk uitzagen als Elza's stoere knieën.

Hoe kon Simon in godsnaam iets in dit meisje zien? Ik probeerde objectief te zijn, probeerde haar door de ogen van een man te bekijken. Ze zag er sportief uit, akkoord. En intelligent oogde ze ook, zij het op een afstotelijke, bedreigende manier. Haar borsten waren veel groter dan de mijne, wat in haar voordeel kon zijn – als Simon stom genoeg was om op dikke tieten te vallen, die op zekere dag haar navel aan het zicht zouden onttrekken. Je kon misschien ook wel zeggen dat ze interessante, katachtige ogen had. Maar nee, als je goed keek, zag je dat ze eerder onaangenaam waren, met die donkere kringen eronder. Elza staarde recht in de lens en haar blik was zowel doordringend als leeg, alsof ze alle geheimen van verleden en toekomst kende en wist dat deze allemaal treurig waren.

Ik kwam tot de slotsom dat Simon een loyale vriendschap met liefde moest verwarren. Hij kende haar immers al van kindsbeen af. Ik gaf de foto terug en hoopte dat ik niet te zelfvoldaan klonk toen ik zei: 'Ze lijkt wel erg serieus, zeg. Hoort dat soms bij Poolse joden?'

Simon bekeek de foto. 'Ze kan heel geestig zijn als ze wil. Ze kan erg goed mensen nadoen – gebaren, spreektrant, accent. Heel komisch. Kan ze zijn. Soms. Maar...' Hij zweeg even. 'Je hebt gelijk. Ze piekert vaak over hoe de dingen beter kunnen. Waarom ze beter zouden moeten zijn. Tot ze er neerslachtig van wordt. Zo is ze altijd geweest. Zwaarmoedig, buiig, misschien kun je haar zelfs wel depressief noemen. Ik weet niet waar dat vandaan komt. Soms kan ze ontzettend, weet je, onredelijk zijn,' en hij verviel in gepeins. Alsof hij haar opeens in een heel ander licht zag en zich allerminst tot haar aangetrokken voelde.

Ik sloeg al deze observaties in me op om ze in de toekomst als wapens te kunnen gebruiken. En ik had nu al een strijdplan. Anders dan Elza zou ik een échte optimist worden. Ik zou pas écht actie ondernemen. Maar in tegenstelling tot haar dodelijke ernst zou ik stralen van enthousiasme. In plaats van Simon met kritiek te overladen, zou ik zijn ideeën prijzen. Ik zou ook politieke standpunten innemen, maar niet vergeten vaak te lachen en Simon te tonen dat het leven met een zielsverwant niet loodzwaar hoefde te zijn. Ik was, kortom, tot alles bereid om haar van het voetstuk te stoten waarop ze door Simon geplaatst was.

Toen ik Elza's foto had gezien was ik ervan overtuigd dat ze o zo makkelijk te verdringen zou zijn – kon ik nog niet bevroeden dat ik Simon uit de klauwen van een dode moest wrikken. Ik was zelfs zó goed gemutst, dat ik inging op een uitnodiging van Kwan om te komen eten. Ik nam mijn wasgoed mee en nam me uit pure vrolijkheid voor de hele avond te doen alsof ik serieus naar haar luisterde.

·

Libby-ah, laat mij dat doen. Jij weet niet hoe je mijn wasmachine moet bedienen. Niet te veel waspoeder, temperatuur niet te hoog, eerst alle zakken binnenstebuiten…

Libby-ah, ai-ya, waarom heb je zo veel zwarte kleren? Je moet kleuren dragen! Bloemetjes, stippen. Paars zou je goed staan. Van wit hou ik niet. Niet uit bijgeloof, hoor. Sommige mensen denken dat wit voor de dood staat. Niks van waar. In de Yin-Wereld zijn er vele-vele kleuren, meer dan je nu kent, omdat je ze daar niet met je ogen ziet. Je moet je geheime zintuigen gebruiken om die kleuren te zien, je ze voorstellen als je vol bent van oprechte gevoelens en herinneringen, blij en triest. Blijdschap en verdriet komen soms van hetzelfde, wist je dat?

Maar goed, van wit hou ik niet omdat het veel te snel vies wordt en veel te moeilijk schoon te krijgen is. Heel onpraktisch. Ik weet hier veel van, want in mijn vorige leven heb ik heel vaak de witte was gedaan. Heel-heel vaak. Het was een van de dingen die ik moest doen om in het huis van het Koopmansspook te mogen wonen.

Op de eerste dag van elke week deed ik de was. Op de tweede dag streek ik wat ik de vorige dag gewassen had. De derde dag was voor het poetsen van schoenen en het naaien van kleren. De vierde dag was voor het aanvegen van de binnenplaatsen en de paadjes tussen de gebouwen, de vijfde voor het dweilen van de vloeren en het opwrijven van het meubilair in Gods huis. De zesde dag was voor belangrijke bezigheden.

Ik vond de zesde dag het fijnst. Samen met Juffrouw Banner liep ik door het dorp, pamfletten uit te delen die 'Het Goede Nieuws' heetten. Al waren voor dit pamflet de Engelse verhalen over God in Chinese woorden omgezet, ik kon het toch niet lezen. Want ik kon niet lezen. En omdat ik niet kon lezen, kon ik Juffrouw Banner niet leren lezen. In dit armoedige dorp kon trouwens niemand lezen. Maar iedereen was toch heel blij met die pamfletten. De mensen gebruikten ze om onder hun winterkleren te stoppen. Ze vouwden ze over potten met voedsel om daar de vliegen van weg te houden. Ze plakten ze over scheuren in hun muren. Elke paar maanden kwam er een boot uit Canton met nieuwe dozen vol pamfletten. Dus elke week hadden we er meer dan genoeg om uit te delen. We beseften niet dat we de mensen in feite toekomstige ellende gaven.

Als we terugkwamen in het huis van het Koopmansspook, met lege handen en heel tevreden, voerde Lao Lu altijd een vertoning voor ons op. Hij klom langs een pilaar omhoog en liep met snelle pasjes over de dakrand, terwijl wij vol spanning 'niet vallen!' riepen. Aan het eind van de dakrand keerde hij zich om en pakte een baksteen die hij op zijn hoofd legde, en daarop zette hij een theekom, en daarop een schaal, en een bord, en nog een heleboel andere dingen in alle soorten en maten, en trippelde dan weer terug over de dakrand. En wij maar gillen en lachen! Ik denk dat hij dit deed omdat hij zijn eer wilde redden na die keer dat hij met Juffrouw Banners bagage in het water was gevallen.

De zevende dag was uiteraard bestemd voor ons bezoek aan Gods huis, en dan de rest van de dag luieren en babbelen op de binnenplaats, naar de zonsondergang kijken, de sterren of soms naar een onweersbui. Soms plukte ik wat blaadjes van een struik op de grote binnenplaats. Lao Lu zei altijd dat ik het geen struik mocht noemen. 'Het is geen struik, maar een heilige boom. Kijk maar.' En dan ging hij met zijn armen wijd staan en beweerde dat hij de geest van de natuur uit de takken van die boom naar zijn eigen ledematen voelde stromen. 'Als je die blaadjes eet,' zei hij eens, 'dan zul je vrede in jezelf vinden, en evenwicht, en schijt hebben aan alle mensen.' Daarna trok ik elke zondag thee van die blaadjes, om Lao Lu mee te belonen voor zijn optreden. Juffrouw Banner dronk er ook altijd wat van. Elke week zei ik: 'Hé, Lao Lu, je hebt gelijk. De thee van die struik maakt dat je je vredig gaat voelen.' En dan riep hij. 'Het is geen struik! Struiken zijn er om in te pissen en schijten. Dit is een heilige boom!' Dus je ziet, die blaadjes genazen hem niet van zijn grove taal. Heel jammer.

Na de zevende dag brak de eerste dag weer aan. De dag waarop ik de vieze kleren moest wassen.

Ik deed de was op het paadje naast de keuken, dat een stenen vloer en hoge muren had, maar van boven open was – al zorgde het blader-dak van een boom voor schaduw. De hele ochtend lang hield ik twee grote potten met water en witkalk aan de kook. Twee potten, omdat de zendelingen niet wilden dat dames en heren in dezelfde pot zouden zwemmen. Eén pot parfumeerde ik met kamfer, de andere met de bast van de cassiaboom, die naar kaneel ruikt. Beide middelen waren goed tegen de motten. In het kamferwater kookte ik de witte hemden en de geheime onderkleding van Dominee Amen en Dokter Te Laat. En ook hun beddegoed, en de lappen waarmee ze hun neus en voorhoofd af-veegden. In de pot met cassia kookte ik de blouses en de geheime on-derkleren van de dames; en hun beddegoed, en de lappen waarmee ze hun damesneuzen veegden.

Ik legde het natte wasgoed op een oude molensteen en rolde die over het paadje om het water eruit te persen. De uitgeperste kleren legde ik in twee manden; de dames nog steeds apart van de heren. Daarna goot ik de pot met cassiawater leeg over de vloer van de keuken. Het kam-ferwater goot ik over het paadje. Hierna droeg ik de manden door de poort van de zendingspost en dan langs de buitenmuur naar de achter-kant, waar twee schuren stonden. Eén voor een muilezel en één voor een buffelkoe. Tussen die schuren was een touw gespannen en daar hing ik het wasgoed overheen om te drogen.

Aan mijn linkerzijde bevonden zich een andere muur en een poort die naar een grote wandeltuin voerde, omgeven door hoge stenen mu-ren. Een prachtige tuin was dat, ooit tam gehouden door vele tuinlie-den, maar nu helemaal verwilderd. De stenen bruggen met hun sierkei-en stonden nog overeind, maar de vijvers eronder waren opgedroogd. Geen vissen meer, alleen onkruid. Alles was verstrengeld: de bloeiende struiken, de takken van de bomen, het onkruid en de klimplanten. De paden waren overdekt met de afgevallen bloesems en bladeren van twintig seizoenen, heerlijk zacht en koel aan mijn voeten. De paden stegen en daalden op de meest verrassende momenten, waardoor ik er altijd fantaseren kon dat ik de Distelberg weer aan het beklimmen was.

Op de top van een van de heuveltjes stond een klein paviljoen, waarin een aantal met mos begroeide stenen banken stond. In het midden van de stenen vloer was een grote schroeiplek. Vanuit dit paviljoen kon ik over de tuinmuur kijken en het dorp zien liggen, en daarachter de twee spitse bergen met daartussen de tunnel die naar de volgende vallei voerde. De kalk die ik bij het wassen overhield, gebruikte ik voor het inmaken van eendeëieren, die ik in de tuin begroef. En als ik daarmee klaar was, ging ik altijd in het paviljoen de omgeving staan bekijken en dromen dat alles wat ik zag van mij was. Jarenlang deed ik dit, tot Lao Lu erachter kwam. Hij zei: 'Ai, Nunumu, ga daar nooit meer heen. Want daar, in dat paviljoen, stierf ooit de Punti-koopman.'

Lao Lu vertelde dat de koopman op een avond in het paviljoen op de heuvel had gestaan. Plotseling was er een zwerm zwarte vogels boven zijn hoofd komen vliegen en hij had zijn vuist naar die vogels opgeheven en hen vervloekt. Daarop was hij zomaar in brand gevlogen. Wah! De vlammen brulden en het vet van de koopman siste en spetterde. Onder aan de heuvel stonden zijn vier vrouwen te krijsen, hun neuzen gevuld met de geur van gebakken pepers en knoflook. Opeens was het vuur gedoofd en was een rookwolk in de vorm van de koopman opgestegen en weggewaaid. Toen zijn vrouwen het paviljoen betraden, vonden ze geen as, alleen maar zijn schoenen met zijn voeten er nog in. En natuurlijk die geur; vreselijk en heerlijk tegelijk.

Natuurlijk bleef dit enge verhaal me altijd bij, vooral dat over die geur. Elke keer dat ik de was te drogen hing en de eieren in de tuin ging begraven, snoof ik alle geuren bedachtzaam op. Ik rook altijd alleen maar kamfer, kaneel, dode bladeren en bloeiende struiken. Maar op de dag waarover ik je nu vertellen wil, dacht ik dat ik het Koopmansspook kon ruiken – zijn doodsangst, heel sterk, pepers en knoflook, en misschien ook wel een beetje azijn. Het was een dag van grote hitte, in de maand dat de cicaden zichzelf uitgraven nadat ze vier jaar in de grond hebben gelegen. Ze zongen hun lied. Mannetjes die om het hardst om een vrouwtje gilden. Ik hield mijn oog op de poort van de tuin gericht, voor het geval dat het Koopmansspook rondwaarde, op zoek naar zijn voeten. Plotseling hoorde ik het geritsel van dode bladeren en brekende twijgjes en vlogen er allemaal zwarte vogels uit de struiken op. De cicaden vielen stil.

Ik trilde over al mijn leden en wilde wegrennen, maar toen hoorde ik de geest van het Bandietenmeisje in mij spreken: 'Bang? Hoe kun je bang zijn voor een Punti-koopman zonder voeten? Ga kijken of je hem vinden kan!' Nu voelde ik angst en ook nog schaamte omdat ik angst voelde. Ik schuifelde voorzichtig naar de poort en gluurde de tuin in. Toen de cicaden zich weer begonnen te roeren, rende ik over de krakende bladeren naar de stenen brug over de droge vijver, de heuveltjes op en af. Telkens als het gesjirp van de cicaden haperde bleef ik staan, wetende dat ze zichzelf uitgeput hadden en weldra zouden stilvallen – en zo maakte ik van hun aanzwellende en wegstervende lied gebruik om onopvallend, hollend en stilstaand, in de buurt van het paviljoen te geraken. Net toen ik de voet van het heuveltje bereikte, hield het sjirpen weer eens op. Ik keek omhoog en zag een man op een van de stenen banken zitten. Hij zat een banaan te eten. Ik had nog nooit van spoken gehoord die bananen aten. Sommige geesten hadden me wel eens verteld dat ze soms deden alsóf ze een banaan aten, maar dan niet een die onder de zwarte plekken zat, zoals de banaan die deze man zat te eten.

Na een poosje zag de man mij ook en hij sprong overeind. Hij had een merkwaardig gezicht, Chinees noch buitenlands, maar wel knap. En hij droeg de kleren van een man in goeden doen. Ik had deze man al eens eerder gezien, dat wist ik zeker. Toen hoorde ik geluiden die van de andere kant van het heuveltje kwamen; een op de rotsen neerklaterende waterstraal, de opgeluchte zucht van een man en dan voeten die door een twintig seizoenen dikke laag van dode bladeren liepen. Ik zag zonlicht weerkaatsen op de zilveren punt van een wandelstok en het ingevallen gezicht van de man die deze wandelstok onder zijn arm klemde terwijl zijn handen nog bezig waren met de knopen van zijn broek. Dit was Generaal Cape, en de elegante heer met de banaan was de halve man, Yiban.

Wah! Hier stond de man die ik in vele gebeden bij Juffrouw Banner terug had willen laten keren. Daarna had ik God ook heel vaak gebeden dat hij weg zou blijven, maar blijkbaar nog niet vaak genoeg.

Generaal Cape blafte iets tegen Yiban, en Yiban zei tegen mij: 'Jongedame, deze meneer is een beroemde Yankee-generaal. Is dit de plaats waar de Godaanbiddende buitenlanders wonen?'

Ik gaf geen antwoord. Want ik herinnerde me wat de man die ooit naar de Distelberg was teruggekomen over Generaal Cape had beweerd: dat hij een verrader was die zich tegen de Hakka had gekeerd. Ik zag Generaal Cape naar mijn schoenen kijken. Hij zei weer iets en Yiban vertaalde: 'De dame die jou deze schoenen gegeven heeft, is zeer bevriend met de generaal. Ze wil hem vast heel graag ontmoeten.'

Dus gingen de schoenen met mijn voeten erin hen voor naar Juffrouw Banner. En Yiban kreeg gelijk. Ze was zeer blij toen ze Generaal Cape zag. Ze gooide haar armen om hem heen en liet zich door hem van de grond tillen. Dit gebeurde in aanwezigheid van Dominee en Mevrouw Amen, die man en vrouw waren maar elkaar nooit aanraakten, zelfs niet in hun eigen kamer. Dat wist ik van Lao Lu. Later die avond, op een uur dat iedereen al hoorde te slapen, maar niemand dat nog deed, opende Juffrouw Banner haar deur en liep Generaal Cape snel van zijn kamer naar de hare. Iedereen hoorde dit, want we hadden geen ramen maar alleen houten schermen.

Ik wist al dat Juffrouw Banner hem in haar kamer zou laten. Eerder die avond had ik haar namelijk verteld dat Cape de Hakka verraden had en haar ooit ook wel zou verraden, en toen was ze heel boos op me geworden. Ze had gezegd dat Generaal Cape een held was en dat hij haar alleen maar in Canton had achtergelaten om de Godaanbidders te hulp te komen. Daarop had ik haar verteld wat die man ooit gezegd had die naar de Distelberg was teruggekeerd: dat Cape de dochter van een Chinese bankier had getrouwd om zich met diens goud te kunnen verrijken. En zij had geantwoord dat mijn hart een verrotte vleesklomp was en mijn woorden maden die zich met roddel en achterklap voedden. Als ik zo over Generaal Cape dacht, had ze gezegd, kon ik onmogelijk nog haar vriendin zijn.

Ik zei: 'Hoe kun je ophouden iets te voelen wat je al heel lang voelt? Als je een trouwe vriendin van iemand bent, hoe zou je dat dan ineens niet meer kunnen zijn?' Maar ze gaf geen antwoord.

Die nacht hoorde ik haar speeldoos, die ze van haar vader had gekregen toen ze een klein meisje was. Ik hoorde de muziek waar Mevrouw Amen zo vaak bij had staan huilen. Nu kuste een man er een meisje bij. Ik hoorde Juffrouw Banner zuchten slaken, zeer vele. En haar geluk was zo overmatig dat het uit haar kamer wegstroomde en de mijne binnenliep, waar het in verdriet veranderde.

•

Sinds kort breng ik mijn wasgoed weer naar Kwan. Voorheen deed Simon altijd de was – een van zijn sterke punten als echtgenoot was dat hij het leuk vond ons huis netjes te houden. Hij zorgde ook altijd voor verse lakens op ons bed. Na zijn vertrek moest ik zelf mijn kleren gaan wassen, maar de bedompte kelder van ons flatgebouw, waar de wasautomaten staan, is geen plaats waar ik graag vertoef. Die holle, slecht verlichte ruimte prikkelt mijn fantasie op een onaangename manier. Maar ja, dat doet Kwan natuurlijk ook.

Dus wacht ik altijd net zo lang tot ik niet één schoon slipje meer in de kast heb. En gooi dan drie tassen vol wasgoed in mijn auto en rijd ermee naar Balboa Street. En nu ik mijn spullen in haar wasdroger sta te proppen, moet ik weer terugdenken aan dat verhaal uit haar vorige leven dat ze me vertelde op die avond dat ik zo vol hoop op Simons liefde was. Toen ze begon over hoe het geluk van Juffrouw Banner in haar kamer in verdriet veranderde, was ik haar, mijn goede voornemen ten spijt, in de rede gevallen: 'Kwan, ik wil dit niet langer aanhoren.'

'Ah? Waarom?'

'Het werkt me op mijn zenuwen, en ik wil mijn goede humeur graag bewaren.'

'Misschien als ik meer vertellen jij niet op zenuwen. Want fout Juffrouw Banner...'

'Kwan,' zei ik, 'ik wil nóóit meer iets over Juffrouw Banner horen.'

Wat mondig van me! Wat een opluchting. Ik stond er versteld van, zo veel kracht als ik blijkbaar uit Simon kon putten. Ik kon me nu zelfs tegen Kwan teweerstellen. Ik kon zelf bepalen wat ik wilde horen en wat niet. En als ik wilde, kon ik zijn gezelschap kiezen – de nabijheid van iemand die evenwichtig was, nuchter, normaal.

Ik wist nog niet dat ook hij mijn leven met spoken zou vullen.

DEEL

II

6

Vuurvliegjes

O p de avond dat Simon me voor het eerst kuste, kreeg ik ook de waarheid omtrent Elza te horen. Het voorjaarskwartaal zat erop en we maakten onder het genot van een joint een wandeling door de heuvels achter de campus van Berkeley. Een warme juni-avond was het, die opeens wel kerstavond leek toen we op een plek kwamen waar de eiken bezaaid waren met kleine witte lichtjes.

'Begin ik soms te hallucineren?' vroeg ik.

'Vuurvliegjes,' zei Simon. 'Zijn ze niet prachtig?'

'Weet je het zeker? Ik dacht dat vuurvliegjes niet voorkwamen in Californië. Ik heb ze in elk geval nog nooit gezien.'

'Misschien heeft een of andere student ze voor een experiment gekweekt en ze nu vrijgelaten.'

We gingen op een omgevallen boomstam zitten. Voor ons vlogen twee van die flakkerende diertjes zigzaggend op elkaar af – een toenadering die zowel toevallig als voorbestemd leek. Aan en uit knipperden ze, als waren het landingslichtjes van twee vliegtuigen op weg naar dezelfde landingsbaan. En uiteindelijk kwamen ze in één lichtflits samen, om meteen daarna weer uit te doven en in het duister weg te schieten.

'Ware liefde was dat. Kort maar hevig,' zei ik. Simon glimlachte en sloeg zijn arm om mijn middel. Tien seconden gingen voorbij. Twintig. We bleven roerloos zitten en ik voelde mijn wangen heet worden en mijn hart jagen. Het was zover. We naderden eindelijk de grens waar vriendschap in iets anders overging, en maakten ons allebei op om over de omheining te springen. Net als die vuurvliegjes van zoëven bewogen onze monden zich schuchter naar elkaar toe. Toen zijn lippen de mijne

91

raakten, sloot ik mijn ogen. Hij beefde even hard als ik. Maar net toen ik me tegen hem aan wilde vlijen zodat hij me steviger in zijn armen kon nemen, liet hij me los, duwde me zelfs zachtjes weg. Hij begon op een verontschuldigende toon te praten.

'O, god, het spijt me. Ik ben erg op je gesteld, Olivia. Meer dan dat, eerlijk gezegd. Maar het is moeilijk, weet je, omdat... je weet wel.'

Ik wipte met mijn nagel een kevertje van de boomstam, dat op zijn rug terechtkwam. Ik ging zwijgend naar het hulpeloze gespartel zitten kijken.

'Weet je,' begon Simon, 'de laatste keer dat ik haar zag, hadden we ruzie. Ze was vreselijk pissig op me en sindsdien heb ik haar niet meer gezien. Het is nu zes maanden geleden. En het punt is, ik hou nog steeds van haar, maar...'

'Simon, je hoeft me niets uit te leggen.' Ik stond op en voelde mijn knieën knikken. 'We vergeten het gewoon, oké?'

'Olivia, ga zitten. Alsjeblieft. Ik moet het je vertellen. Ik wil dat je het begrijpt. Dit is heel belangrijk.'

'Laat me los! Vergeet het gewoon, oké? Verdomme! We doen alsof het nooit gebeurd is!'

'Wacht. Kom terug. Ga zitten, alsjeblieft, ga zitten. Olivia, ik moet het je vertellen.'

'Waarom in vredesnaam?'

'Omdat ik denk dat ik ook van jou houd.'

Dat bracht me weer bij zinnen. Ik had natuurlijk liever gehad dat hij dat 'ik denk' achterwege had gelaten, en door dat 'ook' leek het alsof ik deel van zijn emotionele harem uitmaakte. Maar dat 'houd' verzachtte zowel het een als het ander. Ik ging zitten.

'Als je eenmaal weet wat er gebeurd is,' zei hij, 'begrijp je misschien waarom het zo lang geduurd heeft voor ik zeggen kon wat ik voor je voel.'

Ik knikte en voelde mijn hart nog altijd bonken van woede en hoop. Er viel een nerveuze stilte, maar na een paar minuten zei ik koeltjes: 'Oké, ga je gang.'

Simon schraapte zijn keel. 'Die ruzie tussen Elza en mij was in december, in de kerstvakantie. Ik was naar Utah gekomen en we spraken af cross country te gaan skiën in Little Cottonwood Canyon. De hele week voor ons vertrek zaten we te duimen dat het zou gaan sneeuwen.

En uiteindelijk viel het, in pakken zelfs. Een dikke meter verse poedersneeuw.'

'En toen wilde zij ineens niet meer,' probeerde ik een beetje vaart in zijn verhaal te krijgen.

'O ja, we gingen. Dus we rijden naar de canyon en ik weet nog dat we het over het Symbiotische Bevrijdingsleger hadden, over de vraag of afpersing en bankroof minder laakbaar waren als de buit aan voedsel voor de armen werd besteed. Opeens vroeg Elza: "Wat vind jij van abortus?" Ik zei dat ik nooit geweten had dat Patty Hearst en haar kameraden ook geld voor abortussen hadden gegeven. Maar Elza zei: "Nee, ik vraag wat jíj van abortus vindt." Waarop ik een standpunt herhaalde dat we al eens eerder bereikt hadden, namelijk dat de uitspraak bij Roe versus Wade niet ver genoeg was gegaan. Maar ze viel me in de rede en zei: "Maar hoe denk je nu écht over abortus?"'

'Hoe bedoelde ze, écht?'

'Ja, dat vroeg ik dus ook. En toen zei ze heel langzaam, met nadruk op elke lettergreep: "Ik wil weten wat jij diep vanbinnen, gevoelsmatig, van abortus vindt." En ik zei: "Gevoelsmatig ben ik ervoor." En toen ontplofte ze: "Je neemt niet eens even de tijd om na te denken over mijn vraag! We hebben het niet over het weer, weet je, maar over de levens van mensen! Over het echte leven van een vrouw en het potentiele leven in haar buik!"'

'Ze werd weer eens hysterisch,' zei ik, om te laten blijken dat Elza's grillige karakter me inmiddels bekend was.

Simon knikte. 'Toen we bij het begin van de skiroute aankwamen, sprong ze meteen de auto uit en bond haar ski's onder. Net voor ze wegstoof, gilde ze: "Ik ben zwanger, klootzak! En ik ben niet van plan dat kind te krijgen en mijn toekomst te vergooien. Maar ik vind het óók hartverscheurend om aan abortus te denken. En jij zit daar maar stom te grijnzen en te zeggen dat je het wel best vindt!"'

'O, mijn god. Simon. Hoe kon jij dat weten?' Dus dat was het, dacht ik, Elza had Simon tot een huwelijk willen dwingen, en hij had zich niet laten strikken. Goed van hem!

'Ik was verbijsterd,' ging Simon verder. 'Ik wist van niets. We waren altijd heel erg voorzichtig geweest.'

'Denk je dat ze met opzet onvoorzichtig is geweest?'

Simon fronste. 'Zo iemand is ze niet,' zei hij boos.

'O. En wat toen?'

'Ik deed ook mijn ski's onder en begon haar spoor te volgen. Ik bleef maar roepen dat ze op me moest wachten, maar op zeker moment ging ze een heuvel over en zag ik haar niet meer. God, ik weet nog wat een prachtige dag het was. Zonnig, vredig. Zo'n dag waarop je je niet kunt voorstellen dat er iets verschrikkelijks zou kunnen gebeuren.'

Er speelde een bitter lachje over zijn gezicht en ik dacht dat hij uitverteld was. Hij had Elza sindsdien niet meer gesproken en nu was het uit tussen hen. Einde verhaal. Tijd voor een nieuw verhaal. Waar ik in zou voorkomen. 'Tja,' probeerde ik begrijpend te doen, 'ze had je toch wel de kans mogen geven om de situatie rustig te bepraten in plaats van je zo te overvallen.'

Simon boog zich voorover en begroef zijn gezicht in zijn handen. 'O, god!' riep hij uit.

'Simon, ik begrijp het. Maar het was jouw schuld niet, en nu is het voorbij.'

'Nee, wacht,' zei hij schor. 'Laat me uitpraten.' Hij staarde naar zijn knieën en haalde een paar maal diep adem. 'Na een tijdje skiën kwam ik bij een bord met "Verboden terrein", en daar voorbij zag ik haar. Ze zat aan de rand van een steile helling, te huilen en zichzelf te wiegen. Ik riep en zag haar naar me kijken, nog altijd woedend. Ze kwam weer overeind en skiede van me weg, die helling af een wijd en diep bekken in. Ik zie het nog altijd voor me. De sneeuw was ongelofelijk. Ongerept en smetteloos, alsof zich er niets onder bevond. Ze gleed steeds sneller naar beneden, maar halverwege kwam ze opeens in rullere sneeuw terecht. Haar ski's zakten erin weg en ze kwam tot stilstand.'

Ik keek naar Simons ogen. Zijn blik werd glazig en triest, en ik werd bang.

'Ik riep haar naam, zo hard als ik kon. Ze stond met haar stokken in de sneeuw te wroeten en te proberen de punten van haar ski's vrij te krijgen. Ik riep opnieuw: "Godverdomme, Elza!" en hoorde een vreemd geluid, als een gedempt pistoolschot, waarna het weer stil werd. Ze keerde zich om en ik zag haar met haar ogen knijpen. Het zonlicht moet haar verblind hebben. Ze had niet in de gaten wat er gebeurde: dat de sneeuw een paar honderd meter boven haar begon te verschuiven. Een enorme massa scheurde langzaam en geruisloos los van de rest, alsof er een reusachtige horizontale ritssluiting werd opengetrokken. Die spleet werd steeds wijder, boog dan opeens af en schoot als een bliksemstraal omlaag. Met een laatste schok kwam die sneeuwmassa vrij en alles rommelde en trilde – de grond, mijn voeten, mijn borst, mijn hoofd. En Elza... ik zag dat ze het nu doorhad. Ze stond aan de sluitingen van haar ski's te rukken.'

Net als Elza wist ook ik wat er gebeuren ging. 'Simon, ik denk niet dat ik de rest...'

'Ze schopte haar ski's van zich af, liet haar rugzak vallen en begon zich met grote sprongen een weg te banen door die rulle sneeuw. Bij elke sprong zakte ze weg tot aan haar middel. Ik gilde dat ze niet naar beneden, maar zijwaarts moest lopen. Maar de lawine was nu in alle hevigheid op gang gekomen en al wat nog te horen viel, was een enorm gebulder, het afknappen van boomstammen, hele rijen ervan, als luciferhoutjes.'

'O, god,' fluisterde ik.

'Ik zag Elza door de bovenlaag van de rulle sneeuw zwemmen. Zoals je in zo'n geval hoort te doen. Zwemmen, zwemmen en blijven zwemmen. En toen... werd ze verzwolgen... weg. Alles kraakte en piepte nog even, maar toen werd het stil. Mijn geest werkte op volle toeren. Niet in paniek raken, hield ik mezelf voor. Als je in paniek raakt, is alles verloren. Ik skiede de helling af, tussen bomen door waar de sneeuw op z'n plaats was gebleven. Onthou goed waar ze gebleven is, bleef ik tegen mezelf zeggen. Kijk uit naar ski's die uit de sneeuw steken. Gebruik een van je eigen ski's om de plek te markeren waar ze bedolven werd. Graaf met je skistok, in steeds wijdere cirkels.

Maar toen ik beneden aankwam, zag alles er heel anders uit dan het van boven had gedaan. Ik had geen idee meer waar zich de plek bevond die ik had willen onthouden. Het was één onoverzichtelijke puinhoop van sneeuw, zo zwaar als nat cement. Ik strompelde verdwaasd rond. Het was net een van die nachtmerries waarin je benen verlamd zijn.'

'Simon,' zei ik, 'je hoeft niet...'

'Maar opeens kwam er een vreemd soort kalmte over me. Het oog van de orkaan. In mijn geest zag ik waar ze lag. We hadden een geestelijke verbinding met elkaar. Ze leidde me met haar gedachten naar zich toe. Ik ploegde me een weg naar waar ik wist dat ze was, ging met een van mijn ski's staan graven en riep dat ik zo bij haar zou zijn. En toen hoorde ik die helikopter. Goddank! Ik wuifde als een gek en er sprongen twee kerels van de *ski patrol* uit met peilstokken en een reddings-hond. Ik was helemaal buiten zinnen en schreeuwde tegen ze hoe fit Elza was, hoeveel haar hartslag bedroeg, hoeveel kilometer ze elke week rende en waar ze moesten graven. Maar ze negeerden me en begonnen met hun hond in een zigzagpatroon de helling af te zoeken. Dus bleef ik zelf maar graven op de plek waar Elza volgens mij lag. Even later hoorde ik die hond keffen en schreeuwden die mannen dat ze haar gevonden hadden. Een heel eind verderop… Toen ik bij hen aankwam, hadden ze haar al voor de helft uitgegraven. Zwetend en hijgend begon ik ze te bedanken en te zeggen hoe fantastisch ze waren, omdat ik zien kon dat Elza in orde was. Daar was ze. Ze had niet meer dan een halve meter onder de oppervlakte gelegen. Wat was ik blij om te zien dat ze nog leefde.'

Ik was niet minder opgelucht. 'O, Simon,' zei ik zachtjes, 'ik dacht even dat je vertellen ging dat ze…'

'Ze had haar ogen al open, maar zat nog wel vast in de sneeuw. Op haar zij lag ze, met haar handen als een kom voor haar neus en mond gevouwen, zoals ik haar ooit geleerd had. Als je bedolven raakt en je houdt je handen zo voor je, dan maak je een luchtbel en kun je langer adem blijven halen. Ik lachte en zei: "God, Elza, niet te geloven dat je kalm genoeg bent gebleven om aan mijn trucje te denken." En toen duwden die mannen me naar achter. "Het spijt ons, jongen," zeiden ze, "ze is dood." En ik zei: "Wat is dat voor gelul! Daar is ze, je ziet haar toch zelf, graaf haar uit!" Een van hen sloeg een arm om me heen. "Jongen, we hebben een uur staan graven, en het lawinebericht was al een uur oud toen we hier aankwamen. Ze kan het nooit langer volge-houden hebben dan twintig, vijfentwintig minuten." "Ach, schei uit!" gilde ik, "het was hooguit tíen minuten!" Ik was zo door het dolle, weet je wat ik dacht? Dat Elza hun gezegd had te vertellen dat ze dood was. Om me te laten schrikken, omdat ze zo kwaad op me was. Ik duwde die mannen opzij en liep naar haar toe, om haar te zeggen dat ik nu heel goed wist, en voelde, hoe bijzonder het leven is. En hoe moeilijk het is je leven, of dat van een ander, op te geven.'

Ik legde een hand op Simons schouder. Hij hijgde alsof hij een astma-aanval had.

'Ik knielde bij haar neer,' hijgde hij, 'en peuterde met mijn vingers de sneeuw uit haar mond. En, en, en… en toen zag ik pas dat ze geen adem meer haalde. Dat ze die luchtbel niet benutte. En, en ik zag hoe donker haar gezicht geworden was. De bevroren tranen in haar ogen, weet je. Ik zei: "Elza, toe nou, alsjeblieft, niet doen, wees maar niet bang." Ik greep haar handen, en, oh god, wat waren ze koud. Maar ze wist van geen ophouden. Ze hield maar niet op... Ze was...'

'Ik weet 't,' fluisterde ik.

Simon schudde zijn hoofd. 'Ze was aan het bidden, weet je, met haar handen gevouwen zoals ik haar geleerd had. En al wist ik, oh Jezus, al wist ik dat ze niets zei, ik kon haar toch horen. Ik hoorde haar huilen. "Alstublieft god," snikte ze, "laat me niet sterven."'

Ik keerde me om, hoorde mijn keel piepen bij mijn poging niet in huilen uit te barsten. Ik wist niet wat ik zeggen moest. Hoe ik hem moest troosten. En ik begreep dat ik een groot verdriet had moeten voelen, diep medelijden met hem had moeten hebben. Maar om eerlijk te zijn, wat ik bovenal voelde, was een verscheurende angst. Ik had Elza gehaat, doodgewenst, en het was net alsof ik haar vermoord had. Hier zou ik ooit voor moeten boeten. Ik zou mijn trekken thuis krijgen, met karmische noodzakelijkheid. Net als toen Kwan door mijn schuld was opgenomen. Ik keek naar Simon. Hij keek met een heldere blik naar de donkere silhouetten van de eiken en naar de lichtjes van de vuur- vliegjes.

'Weet je, meestal besef ik wel dat ze niet meer leeft,' zei hij met een griezelige kalmte. 'Maar soms, als ik aan haar denk, dan komt zomaar ons favoriete nummer op de radio. Of gaat de telefoon en krijg ik een van haar vrienden uit Utah aan de lijn. Ik geloof niet dat dat toeval is. Ik kan haar aanwezigheid voelen. Ze ís er. Want, weet je, we stonden werkelijk met elkaar in verbinding, in ieder opzicht. Het was niet alleen lichamelijke aantrekkingskracht. Dat was nog wel het minste, zelfs. Het was als... Mag ik je iets voorlezen dat ze ooit geschreven heeft?'

Ik gaf hem een stompzinnig knikje. Hij pakte zijn portefeuille en haalde er een oud stuk papier uit, met plakband over de vouwen. 'Dit stuurde ze me een maand of drie voor het ongeluk, als deel van mijn verjaardagscadeau.'

Ik luisterde met tegenzin.

'Liefde is onberekenbaar,' las Simon met een beverige stem voor. 'Ze is nooit gewoon of alledaags. Je kunt je niet op haar instellen. Soms moet je bij haar in de pas lopen, dan weer moet je haar dwingen jou te volgen. Maar je kunt haar nooit negeren. Ze is als de getijden. Trekt je diep de zee in, en legt je dan weer op het strand te rusten. Met de pijn die ze je vandaag laat doormaken, geeft ze je de kracht om morgen de hoogste hemel te bestijgen. Je kunt voor haar vluchten, maar je zult haar nooit iets kunnen weigeren. Ze omvat alles.' Hij vouwde het papier weer op. 'Ik geloof dit nog steeds,' zei hij.

Ik probeerde wanhopig iets van die brief te begrijpen. Maar in mijn radeloze geest werd alles tot een schuimende woordenbrij. Had hij dit nu voorgelezen om me duidelijk te maken wat hij van me verlangde?

'Dat was prachtig.' Ik schaamde me diep dat ik niets anders wist te zeggen.

'Goh! Je weet niet half hoe opgelucht ik nu ben,' zei Simon. 'Dat ik nu eindelijk over haar praten kan met jou.' Zijn ogen glansden alsof hij koorts had, hij praatte snel en bezeten. 'Het is altijd nog net alsof zij de enige is die me begrijpt. Écht begrijpt, weet je wel. Keer op keer prent ik mezelf in dat ik haar los moet laten. Maar dan loop ik over de campus en denk opeens: nee, ze kan gewoon niet dood zijn. Dan zie ik haar lopen, herken haar wuivende haren. En dan draait ze zich om en blijkt het iemand anders te zijn. Maar hoe vaak dit ook gebeurt, ik blijf naar haar uitkijken. Het is als een verslaving. Het is alsof ik de zwaarst mogelijke ontwenningsverschijnselen doormaak. Ik herken haar in alles, iedereen.' Zijn ogen boorden zich in de mijne. 'Zoals toen ik voor het eerst jouw stem hoorde. Die klonk precies als de hare.'

Ik moet zijn opgeveerd van schrik, want hij vervolgde haastig: 'Begrijp me goed, toen ik jou net leerde kennen, was ik nog behoorlijk geflipt. Het was nog maar drie maanden na haar... weet je, na dat ongeluk. Ik wilde zo ontzettend graag geloven dat ze nog leefde, nog gewoon in Utah woonde en alleen maar pissig op me was, en dat ik haar daarom al een poos niet meer gezien had... Nu vind ik allang niet meer dat jullie stemmen op elkaar lijken. Niet echt, tenminste.' Hij streek met een vingertop over mijn krampachtig gesloten hand. 'Ik heb nooit van iemand anders willen houden. Ik vond het meer dan genoeg, wat Elza en ik hadden. Ik bedoel, de meeste mensen zullen in hun hele leven niet zo veel liefde ervaren als... voel je wat ik bedoel?'

'Jullie hebben geboft.'

Hij bleef over mijn knokkels strelen. 'Maar toen herinnerde ik me wat ze geschreven had over liefde. Dat je niet weigeren kunt. Dat dat gewoon niet mogelijk is.' Hij keek me aan. 'Hoe dan ook, daarom moest ik je alles vertellen. Om van nu af aan eerlijk tegen je te kunnen zijn. Zodat je begrijpen zou dat ik ook nog die andere gevoelens heb, naast wat ik voor jou voel. En dat als ik soms niet helemaal mezelf ben... nou ja, je begrijpt me wel.'

Ik kon amper ademhalen en prevelde: 'Heus, ik begrijp 't. Ik begrijp je volkomen.' En toen stonden we op en liepen zonder nog één woord te zeggen naar mijn kamer.

Wat een van de meest romantische nachten uit mijn leven had moeten zijn, werd een nachtmerrie. De hele tijd had ik het gevoel dat Elza ons gadesloeg. Het was alsof ik lag te vrijen op een begrafenis. Ik dorst geen kik te geven. Simon leek echter nergens last van te hebben. Je zou niet gedacht hebben dat hij me even tevoren het droevigste verhaal had verteld dat ik ooit gehoord had. Hij was zoals de meeste minnaars zijn, de eerste keer – deed geweldig zijn best om te tonen hoe bedreven en ervaren hij wel niet was, had alleen maar oog voor mijn genot, was meteen weer klaar voor de tweede ronde.

De rest van die nacht lag ik slapeloos naar het plafond te staren, te denken aan wat Chopin en Gershwin in vredesnaam met elkaar gemeen konden hebben. Ik zag Elza's vervaarlijke knieën weer voor me en vroeg me af hoe een baby aan een litteken in de vorm en de kleur van een aardworm kon komen. Ik dacht aan Elza's ogen. Welke herinneringen aan hoop en leed en geweld had ze overgeërfd? Liefde is als de getijden, had ze geschreven. Ik zag haar drijven op de branding van een sneeuwlawine.

Maar bij het ochtendgloren kon ik Elza zien zoals Simon haar gezien had. Haar gezicht omgeven door een stralenkrans van wuivend haar; haar huid zo zacht als de vleugels van een engel. En ijzig blauwe ogen die alles zagen, het verleden in de toekomst. Ze zou altijd gevaarlijk mooi zijn, smetteloos en verlokkend als een glooiende helling vol ongerepte sneeuw.

Nu ik erop terugkijk, zie ik in hoe stom het is geweest om met Simon door te gaan. Maar ik was jong. Tot over mijn oren verliefd. Ik zag een trieste situatie aan voor een romantische, verwarde medelijden met de opdracht Simon van zijn verdriet te verlossen. En tot overmaat van ramp wentelde ik me ook weer in gevoelens van diepe schuld. In het hebben van zulke gevoelens was ik altijd al een kei geweest. Mijn vader, Kwan en nu Elza. Ik had wroeging over elke slechte gedachte die ik ooit jegens haar gekoesterd had. En bij wijze van boetedoening zocht ik nu haar vriendschap. Ik werd haar bondgenote. Ik hielp mee haar weer tot leven te wekken.

Zoals die keer dat ik Simon voorstelde een trektocht door het Yosemite Park te maken. 'Je hebt me verteld hoeveel Elza van de natuur hield,' zei ik. 'Dus als we onze vakantie zo doorbrengen, is zij er ook een beetje bij.' Simon keek me dankbaar aan, en daarmee was ik zelf ook weer gelukkig – want dit was de manier waarop onze liefde groeien moest. Een kwestie van geduld. Dat hield ik mezelf ook voor toen we tijdens die tocht kampeerden op een plek met de naam Rancheria Falls. We lagen naar een sprookjesachtige sterrenhemel te kijken. Eindeloos en onuitputtelijk, net als mijn hoop. Ik verzamelde eerst moed en pijnigde toen mijn hersens hoe Simon mijn gevoelens kenbaar te maken, en kwam ten slotte met een cliché: 'Is het niet ongelofelijk dat de eerste geliefden op aarde naar deze zelfde hemel hebben liggen kijken?'

Simon haalde diep adem en ik kon horen dat het niet ontzag, maar verdriet was dat hem deed zuchten. Dus hield ik verder mijn mond. Want ik had begrip voor hem. Zoals ik beloofd had te zullen hebben. Ik wist dat hij weer aan Elza lag te denken. Misschien wel omdat ook zij deze zelfde hemel had gezien. Of omdat zij ooit dezelfde gedachte had uitgesproken; in minder clichématige bewoordingen, natuurlijk. Of omdat mijn stem in het donker op de hare leek, dezelfde hartstochtelijke toon. De toon waarop ik clichés ten beste gaf en waarop zij haar plannen tot redding van de hele wereld had ontvouwd.

Ik voelde mezelf krimpen en zwaarder worden, als werd ik verpletterd onder het gewicht van mijn eigen gemoed, alsof de wet van de zwaartekracht zich plotseling tegen me keerde. Ik keek weer op naar die talloze sterren. Maar nu fonkelden ze niet langer als vuurvliegjes. Ze waren wazig en vlekkerig, en de nachtelijke hemel tuimelde en draaide, te log om zichzelf in stand te kunnen houden.

7

De honderd geheime zintuigen

De eerste maanden was ik Elza's nagedachtenis zo toegewijd, dat het leek alsof ze mijn dierbaarste vriendin was geweest. Bij het kiezen van een vulling voor de *Thanksgiving*-kalkoen kreeg haar oesters-en-kastanjesmengsel de voorkeur boven mijn eigen Chinese kleefrijst-met-worst. Simon en ik dronken onze koffie uit de twee-orige mokken die zij ooit gebakken had op een zomerkamp voor muzikaal begaafde kinderen. 's Avonds en in het weekend draaiden we Elza's favoriete tapes: nummers van the Blues Project, Randy Newman, Carole King en een nogal rommelige symfonie die ze zelf had gecomponeerd en die uit piëteit door haar universiteitsorkest op band was gezet. Tegen Simon zei ik dat dit muziekstuk een levend bewijs van haar geestkracht vormde. Maar mijn privé-oordeel was dat het vooral deed denken aan ruziënde katten in een nachtelijke steeg, met een finale waarin ze een ouwe schoen naar hun kop gegooid kregen en onder het lawaai van omvallende vuilnisbakken de wijk namen.

December trok voorbij en Simon vroeg me op een dag wat voor kerstcadeau ik wilde. Terwijl de radio kerstliedjes speelde, poogde ik te bedenken wat Elza gevraagd zou hebben. Een donatie in haar naam aan de dierenbescherming? Een serie elpees met alles van Gershwin? Op dat moment hoorde ik Yogi Yorgesson op de radio 'Yingle Bells' zingen.

De laatste keer dat ik dat liedje hoorde, was ik twaalf; een leeftijd waarop ik dacht dat sarcasme het toppunt van humor was. Dat jaar gaf ik Kwan met kerst een *Ouija*-bord. Toen ze het uitgepakt had en in stomme verbazing naar de ouderwetse letters en cijfers stond te kijken, zei ik dat ze het gebruiken kon om aan Amerikaanse geesten de juiste spelling van Engelse woorden te vragen. Ze streek bewonderend over het bord en zei: 'Schirretend. Zo nuttig!'

Mijn stiefvader werd heel erg boos.

'Waarom vind je het nodig haar zo in de maling te nemen?' vroeg Daddy Bob streng. Kwan keek van het bord naar hem en weer terug, verbaasder dan ooit.

'Het was gewoon een geintje, oké?'

'Dan vind ik het een heel gemeen geintje, en jou een gemeen loeder dat je van zulke geintjes houdt.' Hij greep me bij een pols en trok me overeind. 'Kerstmis is voor jou voorbij, jongedame.'

Boven op mijn kamer zette ik de radio aan en hoorde 'Yingle Bells' – een liedje dat ook als geintje was bedoeld, net als mijn cadeau voor Kwan. Ik huilde bittere tranen. Hoe kon ik nu gemeen zijn tegen Kwan als zij dat zelf niet eens doorhad? En trouwens, als ik gemeen was, wat ik niet was, dan verdiende ze het omdat ze altijd zo idioot deed. Ze vroeg er gewoon om dat je geintjes met haar uithaalde. En wat was er mis met een beetje lol maken met Kerstmis? Het waren schijnheilige gluiperds als Daddy Bob die gemeen waren. Nou, als iedereen me gemeen vond, dan zou ik ze eens laten zien hoe gemeen ik écht kon zijn.

Ik zette de radio harder, stelde me voor dat de volumeknop de grote Italiaanse neus van Daddy Bob was en draaide hem zo ver naar rechts dat hij afbrak. Yogi Yorgesson loeide nu oorverdovend 'laughing all the way – ha-ha-ha!' en onder aan de trap stond Daddy Bob te tieren: 'Olivia, zet godverdomme die radio uit!' O, en vloeken mocht zeker wel met Kerstmis... Met een nijdige ruk trok ik de stekker uit het stopcontact. Later kwam Kwan boven om me te zeggen dat ze mijn spellingscadeau 'oh, heel-heel mooi' vond.

'Ach, doe niet zo achterlijk,' snauwde ik. En ik bleef zo gemeen mogelijk kijken, maar schrok toen ik zag hoeveel pijn ik haar had gedaan.

En nu vroeg Simon me wat ik voor kerst wilde. Terwijl de radio 'Yingle Bells' speelde. Zijn vraag kwam op een moment dat ik het opbrengen van begrip meer dan zat was. Ik wist precies wat ik voor kerst wilde: de stekker eruit trekken. Ik wilde van Elza af.

Maar ik had zes maanden lang de begripvolle opvolgster uitgehangen, dus hoe kon ik Simon zeggen dat ik Elza met een schop onder haar dooie reet uit ons leven wilde verwijderen? Ik stelde me voor hoe het zou gaan als ik op een dag haar foto's, platen en al die irritante kitschtroep in een kist stopte. 'Voor de veiligheid,' zou ik tegen Simon zeggen, 'want ik ga de boel hier eens een flinke schoonmaakbeurt geven.' En dan zou ik die kist stiekem in de kofferbak van mijn auto zetten en 's nachts naar Lake Temescal rijden. Daar zou ik de kist verzwaren met plastic flessen gevuld met zand en dan de hele bups in het donkere, maanloze water plompen, en naar de belletjes kijken terwijl mijn tegenstandster voorgoed in de vergetelheid wegzonk.

Maar dan? Wat zou ik achteraf tegen Simon zeggen? 'God, het is verschrikkelijk, maar die kist met Elza's spulletjes? Gestolen! Nee, ik kan het óók niet geloven. Die inbrekers moeten gedacht hebben dat het waardevol was. Dat was het natuurlijk ook wel, maar alleen voor jou en mij. God, ja, je hebt gelijk. Ik snap ook niet waarom ze de stereo niet meegenomen hebben.'

Hij zou mijn schichtige ogen zien, mijn mondhoeken die bleven opkrullen in een onbedwingbaar lachje. En uiteindelijk zou ik alles moeten opbiechten wat ik gedaan had en hoe ik al die tijd werkelijk gedacht had over Elza en haar twee-orige koffiemokken. En hij zou woest worden en we zouden uit elkaar gaan. Nou én, zou ik denken. Blij dat ik van hem af ben. Maar nee... toen ik alle mogelijke aflopen van deze imaginaire wandaad had doordacht, gaf ik het op. Ik kon Simon net zomin loslaten als hij Elza.

En het was in deze wanhopige en grimmige geestesgesteldheid dat ik inzag een medeplichtige nodig te hebben bij de liquidatie van dode Elza. Ik belde Kwan.

•

Het leek me beter de situatie slechts in beperkte omvang aan mijn zuster uit te leggen. Zo besloot ik haar niet te zeggen dat ik verliefd was op Simon. Dat aan Kwan vertellen? En dan haar zusterlijke gegiechel moeten aanhoren? Haar plagerijen en haar absurde adviezen moeten verdragen?

Ik zei dat Simon een vriend was.

'Ah! Vriendje,' raadde ze opgetogen.

'Nee, nee, gewoon een vriend.'

'Goeie vriend.'

'Gewóón een vriend.'

Ze knikte. 'Oké-oké, nu jou goed begrijpen.'

Ik vertelde dat een vriendin van Simon gestorven was bij een ongeluk. Dat hij hier heel verdrietig om was en maar geen afscheid van zijn dode vriendin kon nemen. Zijn rouw was een ziekelijke obsessie geworden. Ik zei dat het misschien goed voor hem was als deze vriendin hem vanuit de Yin-Wereld zou toespreken. Kwans beïnvloedbare karakter kennende, en haar blinde bereidheid alles te doen wat ik haar vroeg, gaf ik alvast aan hoe ik een en ander wilde laten verlopen.

'Misschien,' zei ik, 'kan Simons dode vriendin hem zeggen dat zij allebei een nieuw leven moeten beginnen. Dat hij haar vergeten moet. Het nooit meer over haar moet hebben.'

'Ah! Zij vriendinnetje!'

'Nee, nee, gewoon een vriendín.'

'Ah, net jij. Gewóón vriendin.' Ze grijnsde en zei: 'Ook Chinees?'

'Pools, denk ik. Misschien ook wel joods.'

'Tst! Tst!' Kwan schudde haar hoofd. 'Pools Joods, heel moeilijk vinden. Zoveel dode Pools Joods! Veel dode Chinezen ook, maar ik veel kennissen daar. Deze yin-mens kennen die yin-mens, zo is makkelijk vinden wie je zoekt. Maar Pools Joods, ah! Misschien zij ook helemaal niet naar Yin-Wereld, misschien ergens anders gegaan.'

'Wát, heeft het hiernamaals verschillende afdelingen? Kom je de Yin-Wereld alleen binnen als je Chinees bent?'

'Nee-nee! Juffrouw Banner, zij niet Chinees toch gaan Yin-Wereld. Afhangen waar jij van houden, geloven. Jij houden Jezus, gaan naar Jezus huis. Jij houden Allah, gaan naar Allah land. Jij houden lekker slapen? Gaan slapen.'

'En als je helemaal nergens in gelooft?'

'Dan jij gaan grote plek. Als Disneyland. Veel verschillende dingen. Jij zelf kijken welke leuk. Is gratis!'

Ik liet Kwan voortrazen en stelde me een groot pretpark voor, met voormalige verzekeringsagenten in aftandse engelenkostuums, die met plastic bliksemschichten zwaaiden en de bezoekers opriepen om het voorgeborchte van de hel eens uit te proberen, of het vagevuur, of het schimmenrijk der ongedoopte kindertjes. Verderop stonden lange rijen met overleden gestalttherapeuten en leden van de Moon-sekte voor attracties met namen als Pandemonium, Hellevuur of Eeuwige Folter.

'Maar wie gaan er nu precies naar de Yin-Wereld?'

'Veel mensen. Niet alleen Chinees. Ook mensen hebben grote spijt. Of mensen denken grote kans gemist, of missen vrouw, man, kinderen, zuster.' Ze begon guitig te glimlachen. 'Ook mensen missen Chinese eten. Allemaal gaan Yin-Wereld, wachten. Later geboren in ander mens.'

'O, dus je bedoelt dat yin-mensen degenen zijn die in reïncarnatie geloven?'

'Wat rekarmatie?'

'Reïncarnatie. Dat als je doodgaat, je geest of je ziel of je weet ik veel wat opnieuw geboren wordt in een ander mens.'

'Ja-ja, misschien zelfde, misschien wel. Jij niet kieskeurig, snel terug, 49 dagen. Jij willen speciaal… geboren als die, trouwen met die… jij lang wachten. Soms heel lang. Als vliegveld. Veel bestemmingen, maar jij willen eerste klas, bij raam, non-stop, korting, dan lang vertraging. Honderd jaar! Nu ik jouw wat verklappen. Niemand zeggen, ah. Veel yin-mensen, volgend leven, raden wie zij willen zijn. Jij raden.'

'De president van de Verenigde Staten.'

'Nee.'

'The Who.'

'Wie?'

'Laat maar zitten. Zeg het nu maar.'

'Chinees! Ik zeg je waar! Niet Frans, niet Japan, niet Zweed. Waarom? Ik denk Chinese eten lekkerste. Vers goedkoop, veel-veel smaken, elke dag andere. Ook, Chinese familie heel hecht. Vrienden trouw. Jij hebben Chinese vriend of familie één leven, dan blijven bij jou tienduizend levens. Goeie koop! Daarom nu zo veel Chinese mensen in wereld. Zelfde India, ook heel druk. India mensen ook geloven veel levens, ook lekker eten, pittig, veel kerrie smaken. Natuurlijk Chinese kerrie best. Wat jij denken, Libby-ah? Jij houden mijn kerrieschotel? Jij houden? Ik maken nu, oké?'

Het werd tijd dat ik ons gesprek weer op Elza bracht. 'Dus wat is nu de beste manier om Simons vriendin te vinden? Waar gaan Poolse joden meestal heen?'

Kwan begon somber te mompelen: 'Pools joods, Pools joods. Zo veel plaatsen gaan. Soms geloven niets na doodgaan. Soms zeggen gaan tussenplaats, als wachtkamer dokter. Soms gaan Zion, goeie plaats nooit klachten, geen fooi goeie service.' Ze schudde vertwijfeld haar hoofd. 'Hoe deze vriendin sterven?'

'Een ski-ongeluk in Utah. Een lawine. Dat is net zoiets als verdrinken.'

'Ah! Waterski maag vol! Heel dom, geen wonder verdrinken.'

'Wie zei er nu iets over een volle maag? Ik zei...'

'Niet maag vol? Waarom verdrinken? Kan niet zwemmen?'

'Ze is niet verdronken. Ze werd onder de sneeuw bedolven.'

'Sneeuw!' Kwan fronste. 'Waarom jij zeggen verdrinken?'

Ik slaakte een diepe zucht en hoopte dat ik hier niet aan bezwijken zou.

'Zij heel jong?'

'Eenentwintig.'

'Tst! Zo zielig! Gebeurd wanneer?'

'Een jaar geleden, ongeveer.'

Opeens klapte ze in haar handen. 'Hoe kon ik vergeten! Mijn vrijgezelvriend! Toby Lipski. Lipski rijmen ski, joods ook. O! Heel grappige yin-man. Jaar geleden hij sterven leverkanker. Hij zeggen: "Kwan, jij gelijk, te veel drinken discoclub slecht, heel-heel slecht. Ik terug níet meer drinken. Dan lang leven, lange liefde, lange-lange penis." Laatste was grapje...' Ze keek me even monsterend aan om te zien of de gevaren van alcoholmisbruik wel tot me waren doorgedrongen, en ging dan verder: 'Toby Lipski ook zeggen: "Kwan, jij wil yin-man jou matsen, jij vragen Toby Lipski." Oké, ik vraag Toby Lipski zoeken meisje. Wat naam?'

'Elza.'

'Ja-ja. Elza. Eerst ik Toby boodschap. Als brief schrijven met hoofd.' Ze kneep haar ogen dicht en tikte tegen de zijkant van haar hoofd. Haar ogen schoten weer open. 'Boodschap sturen Yin-Wereld moet met alles denken en voelen, moet gebruiken honderd geheime zintuigen.'

'Hoe bedoel je, geheime zintuigen?'

'Ah! Ik jou zo vaak vertellen! Jij nooit luisteren? Geheime zintuigen niet echt geheim. Zeggen geheim omdat iedereen wel heeft alleen vergeten. Is net als voeten mier, slurf olifant, neus hond, snor kat, oor walvis, vleugel vleermuis, schelp oester, tong slang, haartjes bloemsteel. Al deze dingen tegelijk.'

'Je bedoelt instinct?'

'Stink? Misschien soms stinken...'

'Niet stinken, ínstínct. Een soort van kennis waarmee je geboren wordt. Zoals... nou, zoals Bubba wel eens in de aarde graaft.'

'Ja! Waarom jij laten hond dat doen? Dit geen zintuig. Dit onzin! Bloempot stuk!'

'Ik maakte alleen maar een, eh... laat maar zitten. Wat is een geheim zintuig?'

'Hoe ik zeggen? Herinneren, zien, horen, voelen. Die samen jij weten in hart iets is waar. Is soort gevoel als... weet niet hoe zeggen... kriebelen! Is weten. Kriebelen botten komt regen, jij frisse hoofd. Kriebelen vel op arm, iets jou bang maken. Jij niet zien wat toch veel kippevel. Kriebelen vel op hoofd, oh-oh, nu jij weten iets waar, zakt naar jouw hart, maar jij nog niet willen geloven. Dan ook kriebelen haar in neus, oksel. Kriebelen achterin hoofd... heel belangrijk! Jij niet oppassen grote ramp, mm-hmm. Jij gebruiken geheime zintuig, kan boodschap sturen mens naar mens heen en weer, levend dood maakt niet uit, zelfde zintuig.'

'Eh... je doet maar wat volgens jou nodig is,' zei ik uitgeput. 'Maar schiet wel op.'

'Wah!' Kwan snoof misprijzend. 'Jij denken ik exprespost? Nu brief weg straks daar? Snel-snel-snel? Kan niet! In Yin-Wereld trouwens niet nodig snelheid. Alles toch al te laat! Jij willen bereiken iemand, moet zijn gevoel voelen. Hij jouw gevoel voelen. Dan, *pung!*, als botsing maar dan blij.'

'Goed, goed. Maar zeg tegen die Toby van je dat het meisje in kwestie Elza Vandervort heet. Dat is haar adoptiefnaam. Ze weet niet wie haar echter ouders waren, maar ze denkt dat het Poolse joden waren die in Auschwitz hebben gezeten. En ze denkt veel aan Chopin en dat soort muziek.'

'Wah! Jij praten veel te snel!'

'Wacht, ik zal het voor je opschrijven.'

Pas later zag ik het navrante van dit alles in: met mijn verzoek versterkte ik Kwans geloof in haar waandenkbeelden, opdat zij Simon van de zijne af zou helpen.

Twee weken later meldde Kwan verheugd dat Toby Elza te pakken had weten te krijgen en een afspraak met haar had gemaakt voor de volgende volle maan. Kwan zei dat het heel lastig was afspraken te maken met yin-mensen, omdat klokken en kalenders overbodig waren in de Yin-Wereld. Je kon alleen maar op de maanstand afgaan. Daarom gebeurden er ook zo veel rare dingen als het volle maan was, zei Kwan. 'Maan als lamp veranda, zeggen mensen welkom-welkom, kom binnen.'

Ik voel me nog altijd ongemakkelijk als ik terugdenk aan het gemak waarmee we Simon voor het lapje hebben kunnen houden. Het ging zo.

Ik nam hem mee naar mijn zuster die ons zogenaamd voor een etentje had uitgenodigd. Hij had nog geen voet over de drempel gezet of Kwan riep uit: 'Ohhhh, zo knap!' Simon zei op zijn beurt niet te willen geloven dat zij twaalf jaar ouder was dan ik, waarop ze stralend uitriep: 'Ohhhh, goeie manieren ook!'

De kerrieschotel was niet slecht, het tafelgesprek niet al te gênant. Kwans echtgenoot en stiefzoons babbelden opgetogen over een knokpartij die ze eerder die dag op de parkeerplaats van Safeway hadden gezien. Kwan gedroeg zich redelijk normaal, al stelde ze een paar erg nieuwsgierige vragen over Simons ouders. 'Wie Chinees? Moeder. Maar niet Chinees?... Ah, Hawaï-ah ook, Chinees al gemengd vóór jou. Zij doen hula-hula dans?... Ah. Dood? Zo jong? Ai, zo zielig. Ik hula-hula gezien tv, heupen rondgaan als wasmachine, handen vliegen als vogeltje...'

Toen Simon even naar de wc was fluisterde ze luidruchtig: 'Hé! Waarom jij zeggen hij gewóón vriend? Jouw gezicht, zijn gezicht, haha, niet gewoon vriend! Ik gelijk?' Waarop ze in een kolkend gelach uitbarstte.

Na het eten lieten George en de jongens zich gedwee naar boven sturen om *Star Trek* te gaan kijken. Kwan nam Simon en mij mee naar de zitkamer. Ze moest ons iets belangrijks vertellen, zei ze. Wij gingen op de bank zitten, Kwan liet zich tegenover ons in haar leunstoel zakken. Ze wees op de gasbrander in haar namaak open haard.

'Te koud?' vroeg ze.

We schudden van nee.

Ze legde haar handen in haar schoot. 'Simon,' begon ze met een duivels glimlachje, 'jij zeggen... Jij vinden mijn zusje leuk, ah?'

'Kwan,' waarschuwde ik, maar Simon gaf al antwoord: 'Heel erg leuk.'

'Mm-hmm.' Ze oogde als een kat die zichzelf eens heerlijk gelikt had. 'Ook als jij niet zeggen ik al gezien dit. Mm-hmm... Jij weten hoe?' 'Tja, het zal wel uit mijn blik spreken,' zei Simon met een schaapachtige grijns.

'Nee-nee, ik niemand spreken. Ik weten... hier,' en ze tikte tegen haar hoofd. 'Ik heb yin-ogen, mm-hmm, yin-ogen.'

Simon keek me lichtelijk ontreddderd aan. Ik haalde mijn schouders op.

'Jij kijken daar.' Kwan wees opnieuw naar de nephaard. 'Simon, wat jij zien?'

Simon boog zich voorover in de veronderstelling dat ze een of ander Chinees spelletje met hem wilde spelen. 'Je bedoelt het dansen van de vlammetjes?' deed hij een dichterlijke gooi.

'Nee-nee, jij zien gasbrander. Ik gelijk?'

'O ja, natuurlijk, een gasbrander.'

'Jij zien gasbrander. Ik zie meer. Een yin-mens daar staan. Iemand al dood.'

Simon schoot in de lach. 'Dood? Een geest, bedoel je?'

'Mm-hmm. Zij zeggen naam... Elsie.' Goeie ouwe Kwan; ze sprak Elza's naam verkeerd uit op precies de goede manier. 'Simon-ah, jij kennen meisje Elsie? Zij zeggen kent jou, mm-hm.'

De glimlach was van Simons gezicht verdwenen. Hij schoof naar het randje van de bank. 'Elza?'

'Ohhh! Zij zóó blij jij nog weten!' Kwan spitste haar oren alsof ze iemand iets hoorde zeggen. 'Ah?... Ah. Oké-oké.' Ze richtte zich weer tot ons. 'Zij zeggen jij niet zal geloven. Zij al veel beroemde muziekmensen gesproken. Ook dood.' En met een ruk draaide ze zich weer naar de nephaard. 'O?... O... O!... Ah, ah. Nee-nee, stop Elsie, te veel namen! Jij zeggen zoveel beroemde mensen ik niet onthoud! Oké, één... Showman? Nee? Ik niet goed zeg?'

'Chopin,' opperde ik.

'Ja-ja, Chopin ook. Maar deze zij zeggen naam als Showman... O! Nu goed horen. Schumann!'

Simon knikte, helemaal in de ban van wat zich afspeelde. Ik was ook onder de indruk, want ik had nooit geweten dat Kwan iets van klassieke muziek afwist. Ze hield alleen maar van *country and western*. Liedjes over vrouwen met gebroken harten.

'Zij ook zeggen zo blij nu gezien vader moeder grote broer. Andere mensen. Niet adoptie. Haar echte naam zij zeggen Wawaski, Wakowski. Ik denk Japan naam... O? Niet Japan?... Mm. Zij zeggen Pools. Pools joods. Wat?... O, oké-oké. Zij zeggen vader moeder broer sterven lang geleden. In auto mist...'

'Auschwitz,' hielp ik.

'Nee-nee. Auto mist. Ja-ja, ik gelijk. Auto in mist, botsen, over de kop!' Kwan hield een hand achter haar rechteroor. 'Vaak begin heel moeilijk verstaan yin-mens zeggen. Altijd heel blij. Praten veel te snel. Ah?...' Ze hield haar hoofd schuin. 'Nu zij zeggen grootouders sterven daar. Auschwitz. Oorlog Polen.' Kwan keek me even triomfantelijk aan en richtte haar aandacht dan weer op de nephaard. Er kwam een verraste en zorgelijke uitdrukking op haar gezicht. 'Ai-ya! Tst! Tst! Elsie, jij lijden te veel. Zo zielig. O.' Kwan tikte op haar knie en zei: 'Zij zeggen, auto-ongeluk, daarom zij litteken op babybeen.'

Ik kon me niet herinneren iets over dat litteken te hebben geschreven, maar blijkbaar had ik dat toch gedaan en ik was blij toe. Het gaf een mooi authentiek tintje aan het geheel.

Simon gooide er opeens een vraag tussendoor: 'Elza, de baby. Hoe is het met de baby die je verwachtte? Is die nu bij je?'

Kwan keek verward en ik vloekte binnensmonds. Ik was helemaal vergeten iets over die baby te vermelden! Kwan concentreerde zich. 'Oké-oké.' Met een nonchalant handgebaar wendde ze zich weer tot ons: 'Elsie zeggen geen probleem niet zorgen maken. Zij deze persoon ontmoet. Heel aardig zou baby worden. Maar hij niet geboren dus hij niet sterven. Hij gewoon nog even wachten en nu iemand anders geworden.'

Ik haalde opgelucht adem. Daar had ze zich mooi uit gered. Maar toen keek ze opeens heel ongerust. Ze fronste en schudde haar hoofd. En toen ze dit deed, begon de huid boven op mijn hoofd te kriebelen en zag ik allemaal vonkjes uit de nephaard komen.

'Ah,' zei Kwan timide, aarzelend. 'Nu Elsie zeggen jij, Simon, jij niet langer aan haar denken... Ah? Mm-hmm. Is verkeerd, ja-ja... tijd verspillen aan haar denken... Ah? Hmm. Jij haar vergeten moet zij zeggen. Vergéten! Nooit naam zeggen. Zij nu nieuw leven. Chopin, Schumann, pappie mammie. Jij ook nieuw leven...'

Vervolgens kreeg Simon te horen dat hij mij moest grijpen voor het te laat was. En dat ik zijn ware-liefde meisje was, en hoeveel spijt hij zou krijgen als hij deze beste kans van vele levens missen zou. Ze bleef maar doorgaan over hoe eerlijk en oprecht ik was, hoe lief, hoe trouw, hoe slim. 'O, zij niet goed koken maar jij geduld. Wachten. Anders ik wel leren.'

Simon zat alles welwillend in zich op te nemen, droevig en dankbaar tegelijk. En ik? Ik had verrukt moeten zijn, maar ik voelde me afschuwelijk.

Want ik had Elza ook gezien. En gehoord.

Ze was niet als de geesten van mijn kindertijd geweest. Geen levensechte verschijning, maar een wolk van miljoenen vonkjes die ooit haar gedachten en emoties waren geweest. Als een vlaag televisiesneeuw raasde ze door de kamer, Simon smekend om naar haar te luisteren. Ik wist dit met mijn honderd geheime zintuigen. Met de tong van een slang voelde ik de hitte van haar verlangen om gezien te worden. Met de vleugel van een vleermuis voelde ik hoe ze om Simon heen zweefde en mij zorgvuldig meed. Mijn kriebelende huid deed elke traan die ze huilde aanvoelen als een blikseminslag in mijn hart. Met de haartjes van een bloemsteel voelde ik haar trillend afwachten tot Simon haar zou horen. Maar ik was het die haar hoorde – niet met mijn oren, maar met het kriebelende plekje boven op mijn hoofd waarmee je weet dat iets waar is, al wil je er nog niet aan. Wat ze zei, strookte allerminst met wat er uit Kwans goedbedoelende mond kwam. Ze smeekte, huilde, en zei steeds opnieuw: 'Simon, vergeet me niet. Wacht op me. Ik kom terug.'

•

Ik heb Kwan nooit verteld wat ik gevoeld en gehoord heb, die avond. Alleen al om te voorkomen dat ik zelf zou gaan denken dat het iets anders dan een zinsbegoocheling was geweest. Maar in de zeventien jaren die zijn verstreken, heb ik geleerd dat het hart een eigen wil heeft, los van je persoonlijke verlangens. Telkens weer tracht je je diepste angsten met wortel en al uit je ziel te rukken, maar als onkruid groeien ze terug, dringen je hart binnen, zuigen het vertrouwen uit je weg en woekeren voort door je aderen en poriën tot ze je dreigen te verstikken. In die zeventien jaren zijn er talloze nachten geweest waarin ik wakker

III

schrok met een koortsige, duizeligmakende angst voor de waarheid. Had Kwan ook gehoord wat ik had gehoord? Had ze voor mijn bestwil gelogen? Wat zou Simon doen als hij ooit ontdekte hoe we hem bedrogen hadden? Zou hij inzien dat hij niet meer van me houden kon?

In zulke nachten stapelden al die vragen zich net zo lang op tot ik ervan overtuigd raakte dat ons huwelijk gedoemd was, dat Elza het alsnog zou slopen. Constant lawinegevaar. Een dodelijke massa sneeuw balanceerde op één wankele vraag: Waarom zijn Simon en ik bij elkaar?

Maar dan kwam de zon weer op. Het ochtendlicht prikte in mijn ogen. Ik keek op de wekker, stond op, draaide aan de kranen van de douche, bracht warm en koud in de juiste verhouding. En dan voelde ik mijn geest weer helder worden terwijl het water mijn huid geselde. De alledaagse werkelijkheid keerde terug en vol dankbaarheid verliet ik me weer op zintuigen die me gaven wat ik nodig had.

8

De geestenvangster

Dat Simon en ik trouwden, hadden we in feite aan de belastingdienst te danken.

We woonden al drie jaar samen. Na ons afstuderen, twee jaar eerder, waren we overeenkomstig onze wens de wereld substantief te verbeteren in de welzijnssector gaan werken. Simon bij *Clean Break*, een instelling die jongeren met een strafblad bijstond; ik bij *Another Chance*, voor hulp aan zwangere drugsverslaafden. We verdienden niet veel, en op een dag kwamen we op het idee ons eens te verdiepen in de loonbelasting die op onze bruto maandsalarissen werd ingehouden. Hierbij deden we een schokkende ontdekking: als we getrouwd waren en gezamenlijk aangifte konden doen, zouden we per jaar maar liefst driehonderdzesenveertig dollar terugkrijgen!

Deze absurde bevoordeling van gehuwde paren kon volgens ons alleen maar betekenen dat de overheid de belasting misbruikte om mensen in burgerlijke samenlevingsvormen te dwingen. Schandalig. Maar aan de andere kant... de driehonderdzesenveertig dollar die ze aan ons overhielden, staken ze ongetwijfeld in nieuw wapentuig, terwijl wij er zelf nieuwe luidsprekers van konden kopen. Uiteindelijk was het Simon die voorstelde om dan maar te trouwen. Ik weet nog hoe. 'Wat denk je,' zei hij, 'zou het toch niet beter zijn om maar een fiscale eenheid te gaan vormen?'

Het huwelijk werd voltrokken op een open plek naast de rododendrontuin van Golden Gate Park, omdat we het romantisch vonden om in de openlucht te trouwen en geen geld hadden om een officiële ruimte te huren. Helaas was er die junidag mist uit zee, voortgedreven door een verlate poolwind die nijdig aan ieders kapsel en kleding rukte. Op de trouwfoto's zou het gezelschap er later dan ook uitzien als een stelletje ontsnapte psychopaten. Terwijl de voorganger van de *Universal Life Church* de zegeningen van het huwelijksleven opsomde, kwam een parkwachter luidkeels melden dat we voor een bijeenkomst als deze een vergunning hadden moeten aanvragen. Dus raffelden we het uitwisselen van de geloften af, raapten de cadeaus en picknickspullen bijeen en namen iedereen mee naar ons veel te kleine appartement in Stanyan Street.

De sof was compleet toen bij het uitpakken van de cadeaus bleek dat niemand zo banaal had willen zijn om ons iets nuttigs voor in het huishouden te geven, een set handdoeken of bestek, terwijl we daar in onze armoede juist een schreeuwende behoefte aan hadden. Vrijwel al onze vrienden waren op het geestige idee gekomen een of ander seksueel hulpstuk voor ons te kopen. Van mijn voormalige stiefvader Bob kregen we een kristallen vaas. Van Simons ouders een gegraveerd zilveren dienblad.

Mijn broers en zuster probeerden elkaar de loef af te steken met 'speciale' geschenken die ooit als waardevolle erfstukken in het bezit van onze kleinkinderen dienden te komen. Tommy kwam met een originele *pachinko*-machine, de Japanse voorloper van de flipperkast, waar niemand ooit mee zou spelen, behalve hijzelf als hij op visite kwam. Kevin gaf een kist wijn die we vijftig jaar lang moesten laten liggen, maar die een paar feestjes later veranderd was in een verzameling fraaie, lege flessen.

Kwans cadeau was, tot mijn stomme verbazing, prachtig. Een Chinese doos van palissanderhout, met een schitterend besneden deksel. Toen ik de doos opende, weerklonk in een stram, mechanisch ritme de muziek van 'The Way We Were'. In het vak voor de juwelen lag een pakje thee. 'Laat lekkere gevoel lang duren,' zei ze met een guitige knipoog.

De eerste zeven jaren van ons huwelijk probeerden Simon en ik uit alle macht dezelfde mening over alles te hebben. De volgende zeven leken we het omgekeerde na te streven. Waarbij we overigens nooit het soort discussies voerden dat hij met Elza had gevoerd, over vrouwenemancipatie of positieve discriminatie of het sociale stelsel. Wij kissebisten uitsluitend over kwesties als: wordt een gerecht lekkerder als je de pan verhit vóór je er olie in doet? (Simon ja, ik nee.) Tot een uitbarsting kwam het nooit; er waren alleen maar onophoudelijke, bijna routineuze onenigheden. Niet erg genoeg om elkaar te gaan verafschuwen, maar wel om chagrijnig en afstandelijk te worden.

Over de hoop, de verlangens, de geheime wensen die elk van ons had, konden we niet meer met elkaar praten. Dat was allemaal te vaag geworden, of te angstaanjagend, of te belangrijk. Dus hielden we ze binnen, waar ze als kanker aan ons begonnen te vreten.

Achteraf bezien is het verbazingwekkend dat ons huwelijk nog zo lang stand heeft gehouden. Hoewel ik me ook wel eens afvraag waarom andere mensen, onze vrienden en kennissen, wél bij elkaar blijven. Gewoonte? Lusteloosheid? Of een wisselwerking van angst die hoop voortbrengt en hoop die angst oproept? Eerlijk gezegd vond ik ons huwelijk eigenlijk nooit zoveel slechter dan dat van onze kennissen. In sommige opzichten zelfs een stuk beter. Bij diners en feestjes zagen we er altijd goed uit samen. We hielden onszelf fit en hadden een goed seksleven. En dan was er nog dat ene, belangrijke ding in ons leven met elkaar: het bedrijfje in public relations dat we samen hadden opgezet.

Na een paar jaar hadden we een redelijk gevulde portefeuille, met vooral medische non-profitorganisaties: fondsen voor het onderzoek naar nierziekten en hersentumoren, een stuk of wat ziekenhuizen, en één weinig deftige, maar zeer lucratieve klant, een kliniek die aan de lopende band advertenties bestelde met 'voor-en-na' foto's bij hun vetafzuigmethode voor vrouwenbillen. We hadden thuis een kantoorruimte ingericht. Ik was de fotografe, desktop-typografe en lay-outknutselares; Simon deed de teksten, legde contacten, kocht advertentieruimte in en zorgde dat we op tijd ons geld kregen. Over de uitvoering van ons werk waren we het wél altijd eens. We vormden een zeer professioneel koppel.

'Wat hebben jullie het toch getroffen met elkaar,' zeiden onze vrienden vaak. En jaren achtereen geloofde ik graag dat ze terecht jaloers waren. Onze ruzietjes beschouwde ik als tamelijk onschuldige ongemakken, van dezelfde orde als een splinter in je vinger of een kras op je auto. Dingen die met een beetje geduld en goede wil wel weer te verhelpen waren.

En toen, drie jaar geleden is het nu, overleed Dudley, mijn peetvader

– een gepensioneerde accountant die ik sinds mijn peuterjaren niet meer gezien had. Hij liet me zijn aandelen na in een bedrijfje in genentechnologie. Op het moment dat hij stierf, hadden die aandelen amper waarde gehad. Maar toen de executeur ze eindelijk aan me had overgedragen, was het bedrijfje inmiddels de beurs opgegaan en was de waarde begonnen zich te verdubbelen met de snelheid van DNA. Dankzij de genetische revolutie hadden Simon en ik het opeens breed genoeg om ons, de dolgedraaide huizenmarkt van San Francisco ten spijt, een goed huis in een fantastische buurt te kunnen veroorloven. Althans, totdat mijn moeder zei dat we ons fortuin eigenlijk met mijn broers en zuster moesten delen. Dudley was immers eerst en vooral de boezemvriend van mijn vader geweest, en niet iemand waar ik ooit veel mee te maken had gehad. Ze had gelijk, maar ik hoopte toch dat Kevin, Tommy en Kwan zouden zeggen: 'Lief van jullie, maar houd het maar lekker zelf.' Dat kon ik dus mooi vergeten. Kwans reactie verraste me nog het meest. Ze gilde het uit en sprong in het rond als de winnares van een lullig tv-spelletje.

Na de verdeling van het legaat, en na de hap die de belasting ook nog eens uit ons deel nam, hadden Simon en ik nog net genoeg over voor een bescheiden huis in een 'net-niet' buurt.

Het gevolg was dat onze huizenjacht meer dan een jaar in beslag nam. Simons gedachten gingen uit naar het immer mistige Sunset-district, waar veel spul uit de jaren vijftig stond, dat niet erg goed onderhouden en daarom ook niet te duur was. Als we zo'n huis zelf opknapten, konden we er na verloop van tijd een pittige winst op maken. Mijn voorkeur ging uit naar het opknappen van een oud victoriaans huis in Bernal Heights, een buurt in opkomst, om er ons Huisje Weltevree van te maken, in plaats van een speculatiepand. 'Huisje Wanhoop zul je bedoelen,' zei Simon na de eerste de beste bezichtiging.

We bleken een verschillende kijk te hebben op wat we de 'toekomstmogelijkheden' van huizen noemden. Maar in feite waren het de toekomstmogelijkheden van ons huwelijk die ons parten speelden. We voelden allebei wel aan dat het pionieren in een oud huis met veel opknapwerk de frisse en uitbundige liefde vereiste van mensen die al tevreden zijn als ze bij elkaar kunnen kruipen in een twijfelaartje. En wij hadden allang een king-size bed en een tweedelige elektrische deken met aparte temperatuurregeling.

Op een zondag ontdekten we bij een van onze zoektochten een bord met UNIT TE BEZICHTIGEN voor een *co-op*, een in wooneenheden opgesplitst huis, aan de rand van Pacific Heights. En met rand bedoel ik ook echt de rand van die o zo chique buurt – aan de achterkant stond het huis in Western Addition en waren de ramen en deuren beveiligd met tralies van zaagbestendig staal. Het was minstens drie blokken en twee belastinggroepen verwijderd van de betere straten van Pacific Heights, waar gezinnen woonden die zich een au pair, hondenuitlaatservice en een tweede en derde huis konden veroorloven.

In de gemeenschappelijke hal van het gebouw vond Simon een velletje papier vol jubelkreten. 'Semi-luxe unit, verdeeld over twee etages, in een co-op in Pacific Heights,' las hij voor. 'Gesitueerd in een statig victoriaans herenhuis uit 1893, van de beroemde architect Archibald Meyhew.' Het papiertje pochte over een totaal van tien kamers plus eigen garage, voor een vraagprijs die maar iets boven ons budget lag. Alle voor ons haalbare huizen die we tot dan toe hadden bezichtigd, hadden nooit meer dan vijf kamers gehad. Zes als ze geen garage hadden.

Ik drukte op de bel van unit vijf. 'Een goeie prijs voor deze buurt,' zei ik.

'Vergeet niet dat dit geen gewoon appartementencomplex is, maar een co-op,' zei Simon. 'Hier moet je met alle mede-eigenaren vergaderen als je een gloeilamp wilt vervangen.'

'Kijk eens naar die trapleuning. Ik vraag me af of dat nog het originele houtwerk is. Zou dat niet schitterend zijn?'

'Namaak. Kijk maar hoe die spijlen gedraaid zijn. Veel te regelmatig.'

Ik zag in dat Simon van plan was dit huis verbaal te slopen, en wilde net voorstellen om maar weer op te stappen, toen we haastige voetstappen op de trap hoorden en een mannenstem die 'Kom eraan!' riep. Simon greep mijn hand en kneep erin. Ik kon me niet herinneren wanneer hij dat voor het laatst gedaan had. Ondanks zijn gemopper moest hij dus toch toekomstmogelijkheden zien; genoeg tenminste om de indruk te willen wekken dat wij een gelukkig getrouwd en draagkrachtig stel waren.

De makelaar en, zo bleek, auteur van het jubelende papiertje was een snel geklede en snel kalende jongeman met de naam Lester Roland, of Roland Lester. Hij schraapte om de haverklap zijn keel, een nogal irritante tic die het deed lijken alsof hij voortdurend stond te liegen of iets pijnlijks ging bekennen.

Hij gaf ons zijn kaartje. 'Heeft u al eens eerder iets in deze omgeving gekocht, meneer en mevrouw eh…?'

'Bishop. Simon en Olivia,' antwoordde Simon. 'Momenteel wonen we in het Marina-district.'

'Aha, dan weet u waarschijnlijk wel dat dit een van de beste woonbuurten van de stad is.'

Simon trok een blasé gezicht. 'Ik neem aan dat u Pacific Heights bedoelt, niet Western Addition.'

'Aha! Ik heb met ervaren rotten te maken, hoor ik. Zullen we dan eerst even de kelder gaan bekijken?'

'Ja, dan hebben we dat maar gehad.'

Lester liet ons ijverig de aparte meterkasten en reservoirs voor het warme water zien, de gemeenschappelijke boiler en de koperen leidingen, en bij alles gromden we deskundig. 'Het zal u niet ontgaan,' hij schraapte zijn keel, 'dat de fundering nog uit de originele baksteen bestaat.'

'Ja, leuk,' zei Simon minzaam.

Lester viel stil en keek ons monsterend aan. 'Ik wijs u hierop, omdat,' hij kuchte even, 'zoals u weet, de meeste banken geen hypotheek verstrekken voor huizen met een bakstenen fundering. In verband met het aardbevingsgevaar, zoals u weet. Maar de eigenaar is eventueel zelf tot financiering bereid, tegen een gangbaar tarief. Mits u aan alle voorwaarden voldoet, uiteraard.'

Daar heb je het, dacht ik. De reden waarom de vraagprijs zo laag is. 'Zijn er bouwkundige problemen?'

'Oh nee, niet in het minst. Tja, een huis als dit heeft zich natuurlijk gezet over de jaren, dus heb je hier en daar een scheurtje. Zuiver kosmetisch. Ouderdom gaat nu eenmaal met rimpels gepaard. Maar laten we wel zijn, u en ik mogen hopen dat wij er op ons honderdste nog zo goed uit zullen zien! En laat me u erop wijzen dat deze oude dame de beving van 1889 al doorstaan heeft, én de grote klap van nul-zes niet te vergeten! Zouden de moderne gebouwen dat haar nadoen? Ik betwijfel het!'

Lester klonk een tikkeltje te enthousiast, en hoe uitbundiger hij tekeerging, hoe meer ik het naar vocht en schimmel vond ruiken in die kelder. In een donkere hoek zag ik een stapel kapotte koffers liggen, onder het stof en door muizen aangevreten. Een andere opslagruimte lag vol roestig metaal: auto-onderdelen, halters, een ijzeren gereedschapskist – een van de vroegere bewoners moest een forse overproduktie van testosteron hebben gehad. Simon, laat nu mijn hand eens even los.

'Per unit is er helaas maar één garageruimte,' zei Lester. 'Maar gelukkig woont er in unit twee een blinde man, die zijn ruimte wel verhuren wil.'

'Voor hoeveel?' vroeg Simon op precies hetzelfde moment dat ik zei: 'Wij hebben maar één auto.' Lester keek ons beurtelings aan, met de blik van een wijze kater, en zei ten slotte tegen mij: 'Da's wel zo eenvoudig, nietwaar?' Hierna ging hij ons voor op een nauwe trap. 'Ik neem u mee langs de achteropgang, van oorsprong het trappenhuis voor de bedienden, die naar de vrijstaande unit voert. O, en voor ik het vergeet, een paar straten verderop, op loopafstand, bevindt zich een fantastische particuliere school. Echt het beste van het beste! In de derde klas vervangen die kleine mormels de programmatuur van je computer waar je bijstaat. Ongelofelijk, wat ze je kinderen vandaag de dag kunnen leren!'

Dit keer zeiden Simon en ik op precies hetzelfde moment precies hetzelfde: 'Geen kinderen.'

In de beginjaren van ons huwelijk waren kinderen de voornaamste wensdroom van ons beiden. We werden gefascineerd door de gedachte aan wat er zou ontstaan als onze erfelijke eigenschappen zich kruisten. Simon wilde een meisje dat op mij zou lijken, ik een jongen die op hem zou lijken. Maar na zes jaar lang dagelijks mijn temperatuur te hebben genomen, van alcohol af te zien in mijn vruchtbare periode en onze seks op de kalender te plannen, werd het tijd een fertiliteitsarts, dokter Brady, te consulteren. Na de resultaten van de onderzoeken te hebben bestudeerd, vertelde hij ons dat Simon onvruchtbaar was.

'U bedoelt Olivia,' zei Simon.

'Nee, het onderzoek wijst uit dat u degene bent,' antwoordde dokter Brady. 'Hetgeen ook in overeenstemming is met het gegeven uit uw medisch dossier, dat uw testikels pas op uw derde jaar zijn ingedaald.'

'Wát? Daar wist ik niets van. Trouwens, ik ben allang geen drie meer, dus wat heeft dat er nou mee te maken?'

Hierop begon dokter Brady ons allerlei dingen uit te leggen. Hoe kwetsbaar sperma was. Dat het een lagere temperatuur moest hebben dan de rest van het lichaam, en dat dit ook de reden was dat de testikels in een zak buiten het lichaam hangen. Natuurlijke airconditioning. Hij benadrukte dat er bij Simon niet slechts sprake was van een te lage concentratie of te geringe beweeglijkheid van de zaadcellen, maar dat hij waarschijnlijk al sinds zijn puberteit, vanaf zijn eerste ejaculatie, onvruchtbaar was geweest.

'Maar dat is onmogelijk,' wierp Simon tegen. 'Ik wéét dat ik... De uitslag van het onderzoek is gewoon fout.'

Op een toon waaruit een jarenlange ervaring in het troosten van geschokte mannen sprak, zei dokter Brady: 'Ik verzeker u dat onvruchtbaarheid bij de man niets te maken heeft met viriliteit, geslachtsdrift, het vermogen erecties te krijgen en een partner te bevredigen.' Het viel me op dat hij 'een partner' zei, en niet 'uw vrouw' – blijkbaar wilde hij elke onzekerheid over verleden en heden en toekomst uitbannen. Daarna ging hij weer door over de samenstelling van het ejaculaat, de fysiologische aspecten van de erectie en nog meer medische prietpraat die niks te maken had met de minuscule regenlaarsjes bij ons thuis op het dressoir; met het complete oeuvre van Beatrix Potter, dat mijn moeder al voor haar toekomstige kleinkind gekocht had; en met de herinnering aan zwangere Elza, die Simon bittere verwijten had gemaakt voor ze door de sneeuw verzwolgen was.

Ik wist dat Simon aan Elza zat te denken, zich af zat te vragen of ze zich alleen maar verbeeld had dat ze zwanger was. Zo ja, dan maakte dat haar dood des te tragischer; een onnodig gevolg van een stomme vergissing. Natuurlijk zat hij ook de mogelijkheid te overwegen dat ze gelogen had. En waarom ze dat dan zou hebben gedaan. En dat als ze werkelijk zwanger was geweest, wie dan haar andere minnaar was. En waarom ze juist tegen Simon was uitgevaren. En ik wist dat geen van de antwoorden die hij bedacht ergens op sloegen.

Sinds ons yin-gesprek met Kwan, jaren eerder, hadden we niet meer over Elza gesproken. En dat maakte dat we na het gesprek met dokter Brady in diverse opzichten met de mond vol tanden stonden. We konden haar niet zomaar weer ter sprake brengen, en daarom konden we Simons onvruchtbaarheid niet grondig genoeg bespreken, laat staan de twijfels die hij achteraf moest hebben. En dat alles maakte dat we ook niet serieus over kunstmatige inseminatie of adoptie konden praten. Het gevolg was dat we simpelweg niet over kinderen spraken, over echte noch gefantaseerde noch verhoopte – jarenlang, tot we voor de deur van die leegstaande unit op de derde verdieping stonden, en precies tegelijk tegen die rare kwiebus van een Lester zeiden: 'Geen kinderen.' Alsof we daar lang geleden al een ferme beslissing over genomen hadden.

Lester stond met een gigantische sleutelbos te hannesen. 'Hij móet erbij zitten,' mompelde hij. 'Natuurlijk weer de allerlaatste... zei ik het niet? Voilá!' Hij duwde de deur open en graaide met zijn hand om de rand van de deuropening tot hij de lichtknop vond. Toen ik naar binnen stapte, overviel me een merkwaardig gevoel van vertrouwdheid. Alsof ik hier al honderden keren naar binnen was gestapt. Alsof dit letterlijk het huis van mijn dromen was. Daar had je ze, de zware, houten deuren met ruiten van geribbeld glas, de brede gang met de lambrizering van donker eikehout, met aan het eind het bovenlicht waardoor een lichtbundel met miljoenen dansende stofjes viel. Het was alsof ik een huis bezocht waar ik vele jaren gewoond had, en ik kon voor mezelf niet uitmaken of dit gevoel van bekendheid weldadig of beangstigend was. Maar dan verbrak Lester de betovering met zijn opgewekte voorstel eerst de 'woonkamer' te bekijken.

'De bouwstijl van dit pand noemen wij Eastlake neogotisch,' zei Lester. Waarna hij vertelde dat het herenhuis in de twintiger jaren een pension voor handelsreizigers en oorlogsweduwen was geweest. In de jaren veertig hadden de idealen van de neogotiek het af moeten leggen tegen de timmerwoede van een eigenaar die er vierentwintig goedkope eenpersoonswoningen in had weten te creëren. In de jaren zestig was het een studentenhuis geweest, maar tijdens de onroerend goed hausse van de Reaganjaren had het gebouw weer iets van zijn oude grandeur herkregen – als co-op van zes semi-luxe units.

Dat 'semi-luxe' kon volgens mij alleen maar betrekking hebben op de kroonluchter van geslepen glas die in de gang hing. 'Semi-samenhangend' was een betere omschrijving geweest van dit appartement, waarin alle vroegere gedaanten en functies van het huis nog zichtbaar waren. De keuken, met zijn roodbruine tegelwerk en gelamineerde kastdeurtjes, vertoonde weliswaar geen spoor meer van de victoriaanse oorsprong. Maar de andere kamers werden nog altijd gesierd met pijnlijk in het oog springende boogvullingen rond de kozijnen en gipsen friezen in de hoeken van de plafonds. Er waren radiatorleidingen waar geen radiator meer aan vastzat; er waren bakstenen schouwen die met bakstenen waren dichtgemetseld; er waren tot kast omgebouwde nissen met deuren van triplex. Lester legde met veel makelaarsgeestdrift uit hoe loze victoriaanse ruimtes boeiende nieuwe bestemmingen hadden gekregen. Wat ooit een overloop van het trappenhuis was geweest, was nu de 'muziekkamer' – perfect geschikt voor een strijkkwartet van lilliputters. Wat ooit het bedompte onderkomen van een slonzige dienstbode moest zijn geweest, noemde Lester nu de 'kinderbibliotheek' – niet dat er ook nog sprake was van een volwassenenbibliotheek. En de helft van een ooit gerieflijke kleedkamer met ingebouwde kast (de andere helft was bij het naastgelegen appartement getrokken) was nu het 'schrijfvertrek'. We hoorden hem lijdzaam aan. In gedachten zag ik zijn woorden als druistige tekenfilmhondjes over spekglad linoleum krabbelen.

Het inzakken van onze interesse moet Lester zijn opgevallen, want hij ging op iets minder luide toon verder over authentieke schoonheid die met enige inspanning te herstellen moest zijn. Vluchtig inspecteerden we de rest: een doolhof van miniatuurvertrekjes die van Lester, zijn teruggeschroefde volume ten spijt, zulke buitensporige namen kregen als 'kinderkamer' en 'ontbijtsalon', en als klap op de vuurpijl het toilet, waarvan de deur net dicht kon als je bereid was er met je knieën tegenaan te zitten. In totaal hadden we nu negen kamers gezien, op een verdieping die normaal gesproken plaats bood aan vier kamers.

Er was dus nog één kamer over, boven. Lester vroeg ons hem te volgen naar de voormalige zolder die nu het 'grand boudoir' was. We sjokten achter hem aan, maar enkele tellen later maakte onze cynische gelaatsuitdrukking plaats voor de blik van mensen die plotseling het religieuze licht hebben gezien. Voor ons strekte zich één enorme ruimte uit, egaal wit geschilderd, met plafonds die schuinweg in hoge muren overgingen. De vloeroppervlakte was gelijk aan die van de verdieping eronder, maar in tegenstelling tot die sombere derde etage was deze zolder licht en luchtig, met acht dakkapellen die uitzicht boden op een hemel vol schapewolkjes. De brede vloerplanken glansden alsof je erop schaatsen kon. Simon greep mijn hand weer en toen hij kneep, gaf ik hem een kneepje terug.

Dit had volop toekomstmogelijkheden. Ik zag al voor me hoe Simon en ik naar hartelust allerlei manieren zouden verzinnen om deze immense ruimte zo elegant mogelijk te vullen.

•

Op de dag dat we er introkken, stortte ik me direct op de muren van de voormalige kinderkamer, die mijn persoonlijke heiligdom moest gaan worden. Volgens Lester hadden de muren van oorsprong een betimmering van mahonie gehad, en die wilde ik zo snel mogelijk weer blootleggen. Met een door de afbijtdampen aangejaagde fantasie zag ik mezelf als een archeologe tal van vroegere levens in kaart brengen, aan de hand van de muurverf die ik verwijderde. De toplaag was typisch yuppietijdperk: champagnekleurige latex, getamponneerd om de muren op die van een Florentijns klooster te doen lijken. Hierna kwamen per laag de voorgaande decennia aan de oppervlakte: de jaren tachtig in bankbiljetgroen; de jaren zeventig in psychedelisch oranje; de jaren zestig hippiezwart, een onbestemde pasteltint voor de jaren vijftig. En daaronder vele lagen behang: vlinders met goudpapieren vleugels, engeltjes met manden vol teunisbloemen en meer van dat soort flora en fauna waar in lang vervlogen tijden nachtenlang naar gestaard was door hen die moesten waken bij een baby met kolieken, een koortsige peuter, een tuberculeuze tante.

Na een week bereikten mijn ontvelde vingertoppen een laag pleisterkalk, en daarna, eindelijk, het hout. Dat geen mahonie was, zoals Lester beloofd had, maar goedkoop vuren. Waar het niet verschroeid was, zag het zwart van de schimmel – aan het einde van de vorige eeuw had iemand hier met een overvloedige hoeveelheid water een brandje geblust. Hoewel ik geen gewelddadige natuur heb, begon ik als een maniak tegen de muur te trappen, tot de houten panelen het begaven en een massa grijs haar te voorschijn kwam. Ik gilde als een horrorfilmactrice en Simon stormde de kamer binnen met zijn troffel in de aanslag, alsof hij daarmee wel even de seriemoordenaar zou uitschakelen die mij belaagde. Ik wees met een trillende vinger op wat volgens mij de harige overblijfselen waren van een nimmer opgeloste misdaad.

Een uur later hadden Simon en ik al het verrotte hout van de muur getrokken en lag de vloer vol met enorme bossen haar. Pas toen we een aannemer langs lieten komen om een nieuwe wand van gipsplaat te plaatsen, kregen we te horen dat mijn lugubere vondst in feite paardehaar was, het isolatiemateriaal van de victoriaanse tijd. De aannemer vertelde dat paardehaar vooral een uitstekende geluidsisolatie gaf en daarom veel gebruikt was door de preutse victorianen, die niet wilden dat hun kreetjes van seksueel genot of hun winderigheid in belendende kamers gehoord konden worden.

Dus toen we in de eerste maand allerlei vreemde geluiden hoorden, schreef ik dat aan de ontharing van de muur toe. De holle ruimte die zich daar nu achter bevond, gaf kennelijk het effect van een klankkast die de meest onschuldige geluiden van onze buren versterkte tot gebonk, gekras en iets waardoor het leek alsof boven in onze slaapkamer lambadales werd gegeven.

Telkens als we dit probleem aan iemand probeerden uit te leggen, imiteerde ik wat ik gehoord had: *tingeltingel, bonkebonk* of *sjj-sjj-sjjj*. Simon daarentegen beschreef het altijd in vergelijkingen: het doffe kloppen van een loze pianotoets, het gescharrel van minzieke duiven, het kruien van ijs. Ziedaar het verschil in hoe wij de wereld om ons heen beleefden; ziedaar hoever we al uit elkaar waren gegroeid.

Het opvallende van het probleem was dat de geluiden pas écht vreemd werden als Simon niet thuis was. En nadat ik op een keer onder de douche stond en de melodie van *Jeopardy* hoorde fluiten (een deuntje waaraan ik toch al de pest heb, omdat het altijd eindeloos door mijn hoofd blijft spoken), voelde ik me niet langer op mijn gemak.

Een geraadpleegde bouwopzichter schreef de herrie toe aan de loze radiatorleidingen. De man van de seismische controledienst hield het op het houten gebinte van het gebouw. Er was weinig verbeelding voor nodig, zei hij, om het werken van houten balken voor het dichtslaan van deuren te houden, of te denken dat mensen de trappen op en af renden – al moest hij toegeven dat hij nog nooit had gehoord van balken die het geluid van brekend glas gevolgd door gegrinnik voortbrachten. Volgens mijn moeder waren het ratten, of misschien wel wasberen. Had ze zelf ook wel eens last van gehad. Een schoorsteenveger oordeelde dat er duiven in de ongebruikte rookkanalen nestelden. Kevin wist te vertellen dat je soms met de vullingen in je kiezen radiosignalen kan opvangen, en hij stelde voor bij Tommy langs te gaan, die inmiddels mijn tandarts was. Maar niets hielp.

Gek genoeg bleek bij navraag dat onze buren nergens last van hadden. Behalve onze blinde onderbuurman, die zurig opmerkte dat wij onze hifi-installatie te hard aan hadden staan, met name 's ochtends als hij zijn Zen-meditatie deed.

Toen Kwan het gebonk en gekras hoorde, zei ze: 'Probleem niet iets, is íemand. Mm-hmm.' Terwijl ik een bestelling boeken uitpakte, liep ze snuivend als een bloedhond door mijn werkkamertje. 'Soms geest verdwalen,' zei ze. 'Jij willen ik vangen voor jou?' Ze stak een hand omhoog als was het een wichelroede.

Ik dacht aan Elza, die al heel lang uit onze gesprekken verbannen, maar nooit uit mijn achterhoofd verdwenen was.

'Het is geen geest,' zei ik dapper. 'We hebben gewoon zelf de geluidsisolatie verpest en nu is dit kamertje de echoput van het hele gebouw.'

Kwan deed mijn verklaring af met een misprijzend gesnuif. Met haar vlakke hand nog altijd voor zich uitgestoken, drentelde ze rond alsof ze iets op het spoor was. Ze bracht een lange serie hmmms voort, die steeds luidruchtiger werden. 'HHhhmm! HhhmmMM!' gromde ze uiteindelijk, en ze bleef midden op de drempel stilstaan.

'Heel gek,' zei ze. 'Iemand hier, ik voel. Maar geen geest. Levend mens. Veel spanning. Zit achter muur, onder vloer ook.'

'Asjemenou!' riep ik uit. 'Die moeten we dan maar eens huur gaan vragen!'

'Levende mensen erger geesten,' ging Kwan onverstoorbaar verder. 'Levend mens lastig omdat kwaad. Geest alleen lastig omdat verdriet of verward.'

In gedachten hoorde ik weer hoe Elza's geest Simon smeekte haar te horen.

'Geest ik weet hoe vangen,' zei Kwan. 'Derde tante geleerd.' Ze sloeg haar blik hemelwaarts. 'Lokken. Als oude vrouwtje jij pantoffels laten zien, oud leer lekker zacht. Als jonge meisje kam moeder laten zien. Jonge meisje altijd houden van moederhaar. Ik stop ding geest van houden in grote oliekruik. Als zij gaat binnen, snel! Deksel erop. Nu zij gevangen moeten luisteren. Ik zeg: Geest, tijd jij gaan Yin-Wereld.'

Toen ze mijn korzelige blik zag, zei ze: 'Ik weet ik weet! Amerika geen oliekruiken. Amerikaanse geest, andere ding nodig. Grote tupperware. Samsonite. Of doos winkel. Niet discountzaak! Dure winkel. Ja-ja, ik denk goed idee. Libby-ah, wat naam dure winkel alle spullen kost veel? Vorig jaar Simon geven jou pen kost honderd dollar...'

'Tiffany, bedoel je?'

'Ja-ja, Tiffany! Alle spullen in blauwe doos. Doos kleur hemel. Amerikaanse geest houden van hemel. Mooie wolkjes... O, nu pas ik weet echt! Waar speeldoos ik jou gegeven huwelijk? Geesten gek op muziek. Denken kleine mensjes in doos, gaan erin voor kijken, jij vangen! Mijn vorig leven, Juffrouw Banner had ook doos.'

'Kwan, ik moet weer eens aan de slag...'

'Ik weet ik weet! Hoe dan ook. Jij niet geest hebben. Levende mens kruipen jouw huis. Misschien slecht gedaan nu verstoppen voor politie. Jij bellen FBI. Ah, ik weet! Bellen tv-show *America Most Wanted*. Elke week zij vangen boef!'

Kwan en haar fantastische adviezen.

Toen gebeurde er iets wat ik uit alle macht probeerde af te doen als toeval: Elza maakte een dramatische rentree in ons leven. Een van haar voormalige studievrienden, die het tot directeur van een platenlabel voor New-Agemuziek had geschopt, bracht werk van haar uit – een aantal stukken met de titel *Higher Consciousness*. Niet lang daarna werd die muziek gebruikt voor een tv-serie over engelen; wat volgens Simon nogal ironisch was, omdat Elza nooit zo veel waardering voor de christelijke mythologie had kunnen opbrengen. Uitgerekend in die tijd raakten engelen in de mode, dus werd die tv-serie een enorme hit en ging ook de cd met Elza's muziek aardig lopen. Aan welk succes Simon zich op een of andere wijze leek op te trekken.

In korte tijd kreeg ik een bloedhekel aan engelen. Elke keer dat we mensen op bezoek kregen, zette Simon die cd op en liet hij zich ontvallen dat de muziek ooit aan hem was opgedragen. En dan wilde het bezoek natuurlijk weten waarom, en kon hij zeggen dat hij een liefdesrelatie met de componiste had gehad. Hetgeen ons bezoek meestal tot een medelijdende glimlach in mijn richting verlokte, hetgeen mij op den duur gek van ergernis maakte. Om mijn gezicht te redden, vertelde ik iedere keer dat Elza gestorven was vóór Simon en ik elkaar leerden kennen, en iedere keer voelde dat aan alsof ik een moord bekende, en viel er een pijnlijke stilte.

Elza's muziek voegde zich bij de andere ongewenste geluiden waar ik me zomin mogelijk aan probeerde te ergeren. Zoals ik ook de steeds grotere verwijdering tussen Simon en mezelf trachtte te negeren. Zoals iedereen probeerde ik te geloven dat iemand als ik geen rampzalig huwelijk kon hebben, net zomin als ik ooit in een aardbeving of oorlog verzeild kon raken, of kanker kon krijgen.

Maar dit soort zelfbedrog heeft als nadeel dat je o zo goed weet dat het bedrog is.

9

Kwans vijftigste

Die kroonluchter van geslepen glas is altijd blijven hangen. Toen we het appartement betrokken, vonden we hem aanstootgevend; een belediging van onze smaak. Later gingen we hem meer als een grap beschouwen. En uiteindelijk werd hij gewoon een lichtbron, die alleen nog opviel als een van de gloeilampen doorbrandde. En zelfs van die inbreuken op onze aandacht dachten we voor altijd verlost te zijn toen we bij een organisatie voor blinde Vietnamveteranen een dozijn supergloeilampen bestelden, die elk voor vijftigduizend branduren gegarandeerd waren; voor de rest van ons leven dus. Maar van de zes die we in de kroonluchter draaiden, gaven er vijf binnen het jaar de geest. En omdat we geen zin hadden de keukentrap te pakken en ze te vervangen, werd het steeds schemeriger in onze gang – wat als voordeel had dat die luchter ook niet meer zo in het oog sprong.

De laatste gloeilamp begaf het zes maanden terug, net toen we onze jassen aantrokken om naar ons vaste buurtrestaurant te gaan voor een etentje na een lange werkdag. 'Morgen ga ik weer een paar gewone gloeilampen kopen,' zei Simon in het donker.

'Koop meteen maar eens een fatsoenlijke hanglamp.'

'Waarom? Die luchter valt toch eigenlijk wel mee? Laten we gaan, ik sterf van de honger.'

Op weg naar het restaurant liep ik na te denken over wat hij gezegd had, of beter: hoe hij het gezegd had. Alsof hij zich niet meer druk wenste te maken om ons leven samen. Een kitschlamp was genoeg voor ons.

Het restaurant was matig bezet. Zachte, slaapverwekkende muziek speelde op de achtergrond; de soort waar niemand ooit naar luistert. Terwijl ik deed alsof ik het menu bestudeerde, dat ik allang van buiten kende, viel me een stel van middelbare leeftijd op, een paar tafeltjes van ons af. De vrouw keek narrig, de man verveeld. Ik bleef ze stiekem gadeslaan. Ze besmeerden hun stokbrood, kauwden, namen slokjes water en wisselden geen woord, keken elkaar zelfs geen ogenblik aan. Ze zagen er niet uit alsof ze ruzie hadden – ze hadden gewoon geen interesse meer in elkaar; geen van beiden zou ooit nog boosheid of blijdschap bij de ander opwekken. Simon nam de wijnkaart door. Hadden we wel eens iets anders dan de witte huiswijn besteld?

'Zullen we dit keer eens een flesje rood delen?'

Hij keek niet naar me op. 'Rode wijn zit stikvol tannine. Dan doe ik vannacht geen oog dicht.'

'O, nou, laten we in ieder geval eens iets anders nemen vanavond. Een *fumé blanc* misschien?'

Hij reikte me de kaart aan. 'Ik neem liever de witte chablis van het huis. Maar ga jij gerust je gang.'

Starend naar de wijnkaart voelde ik paniek in me opkomen. Ons hele leven leek opeens voorspelbaar en zinloos tegelijk. Het was alsof we na jaren van moeizaam passen en zoeken een legpuzzel af hadden gekregen die een zeer banaal plaatje bleek op te leveren. De teleurstelling van het triviale. Zeker, in sommige opzichten pasten we goed bij elkaar – seksueel, intellectueel, professioneel. Maar we waren niet speciáál samen. We vormden geen ideaal en onverbrekelijk koppel. Partners, geen zielsverwanten. Het geheel was bij ons niet méér dan de som der delen. Onze liefde was niet in de hemel gesmeed, maar het toevallige resultaat van een tragisch ongeluk en een flauwe nepseance. Daarom voelde Simon geen passie voor mij. Daarom was een luchter van geslepen glas goed genoeg voor onze gang.

Toen we thuiskwamen, liet Simon zich op ons bed ploffen. 'Wat ben je toch sip vanavond. Is er iets?'

'Nee,' loog ik. En toen: 'Nou ja, eh, ik weet niet precies wat.' Ik zat op de rand van het bed, aan mijn kant, en begon door de catalogus van een postorderbedrijf te bladeren, in de hoop dat hij door zou vragen.

Maar hij had intussen de afstandsbediening van de televisie gepakt en lag te zappen. Van een paar seconden nieuws over een ontvoerd meisje naar een flits uit een Spaanstalige soapserie naar een opgeblazen vent die fitnessrommel stond aan te prijzen. Terwijl de flarden televisieleven aan me voorbijtrokken, probeerde ik mijn gevoelens in een uitspraak te passen die coherent genoeg zou zijn om door Simon begrepen te kunnen worden. Maar wat ik al die tijd opgekropt had, scheen niet meer door mijn keel naar buiten te kunnen. Ik kon geen woorden vinden voor mijn ergernis over het feit dat zijn infertiliteit nog altijd onbespreekbaar was – al was een kind wel het laatste dat ik op dit punt in mijn leven wilde. En die zonderlinge geluiden in huis, hoe het me irriteerde dat we deden alsof die normaal waren. En Elza, dat we nog steeds niet over haar konden praten, ook al beheerste ze mijn leven; via de schuldgevoelens over de leugens die ik Kwan had laten vertellen en via die vreselijke cd die hij voortdurend afspeelde. Ik voelde dat ik zou gaan stikken als ik niet een paar drastische veranderingen zou doorvoeren. En ondertussen bleef Simon maar van het ene kanaal naar het andere wippen.

'Weet jij eigenlijk wel hoe irritant dat is?' zei ik nijdig.

Hij zette de tv uit en draaide op zijn zij, ging leunend op zijn elleboog naar me liggen kijken. 'Wat is er toch?' Op zijn gezicht lag nu een uitdrukking van milde bezorgdheid.

Mijn maag kromp samen. 'Het is gewoon… Ik vraag me wel eens af. Is dit nu alles? Is dit zoals we over tien, twintig jaar nog steeds zullen zijn?'

'Hoe bedoel je?'

'Dat weet je best. Wonen in dit gammele huis. Met die rotherrie. Met die smakeloze kroonluchter. Alles is zo dof en smakeloos. Altijd naar hetzelfde restaurant. Altijd dezelfde dingen zeggen. Elke keer precies dezelfde klotezooi.'

Hij keek me verbaasd aan.

'Ik wil dat we geníeten van de dingen die we samen doen. Ik wil meer sámen met je zijn.'

'We zijn vierentwintig uur per dag samen!'

'Ik heb het niet over ons werk!' Ik voelde me net een klein kind, hongerig en verhit, kriebelig en moe, gefrustreerd dat ik niet precies kon zeggen wat ik bedoelde. 'Ik heb het over ons! Over wat belangrijk is. Ik heb het gevoel dat we stilstaan en beginnen te schimmelen.'

'Dat gevoel heb ik helemáál niet.'

'Geef nou maar toe. Volgend jaar zal ons leven samen geen haartje beter zijn dan nu. Het zal slechter zijn. Moet je ons zien! Wat delen we nu nog, behalve ons werk, en de films die we zien, en het bed waar we in liggen?'

'Ach, je bent gewoon neerslachtig.'

'En of ik neerslachtig ben! Want ik zie waar we op afkoersen. Ik wil niet worden zoals die mensen naast ons in het restaurant vanavond. Naar ons bord staren en niks meer tegen elkaar zeggen, behalve: "Hoe is je *linguini*?" We praten nu al amper meer.'

'We hebben de hele avond zitten praten.'

'Ja, ja. Dat die nieuwe klant een rechtse bal is. Dat we onze pensioen-verzekering moeten aanpassen. Dat de co-op een hogere onderhouds-bijdrage wil instellen. Dat noem ik geen praten! Dat gaat niet over din-gen die ik voor mijn leven belangrijk vind!'

Simon streelde mijn knie. 'Je gaat me toch niet vertellen dat je een midlife-crisis doormaakt, hè? Die zijn afgeschaft aan het eind van de jaren zeventig, hoor. Trouwens, tegenwoordig is er Prozac.'

Ik veegde zijn hand weg. 'Doe niet zo neerbuigend.'

Hij legde zijn hand terug. 'Sorry, grapje.'

'Waarom kan jij over belangrijke dingen alleen maar grapjes maken?'

'Hé, zeg, denk niet dat je de enige bent. Ik heb ook zo mijn vragen over dit leven. Ik vraag me ook wel eens af hoeveel tijd ik nog heb om iets waardevols te gaan doen.'

'O ja? Zoals?' hoonde ik. 'Wat vind jij zoal waardevol?'

Hij zweeg. Ik wachtte af tot hij iets zeggen zou over ons bedrijfje, het huis of de pensioenrekening. 'Nou, zeg dan!'

'Schrijven.'

'Je schrijft elke dag!'

'Ik bedoel niet de troep die ik nu schrijf. Denk je dat ik dat bevredi-gend vind? Brochures schrijven over cholesterol en hoe je je blubberdij-en kan laten leegzuigen?'

'Wat wil je dan schrijven?'

'Verhalen.' Hij nam me nauwlettend op, benieuwd naar mijn reactie.

'Wat voor verhalen?' Ik vroeg me af of hij dit ter plekke zat te verzin-nen.

'Verhalen over het ware leven, over de mensen hier of in andere lan-den. Madagascar, Micronesië of die eilanden in Indonesië waar nooit toeristen komen.'

'Journalistieke stukken?'

'Essays, proza, welke vorm dan ook om te kunnen uitdrukken hoe ik de wereld zie, en welke plaats ik er mezelf in geef, de vragen die ik heb... het is moeilijk uit te leggen.'

Hij probeerde de catalogus uit mijn hand te trekken. 'Hou op!' beet ik hem toe.

'Goed, hou dat pesthumeur dan maar!' schreeuwde hij. 'Oké, we zijn niet perfect, we maken fouten, we praten niet vaak genoeg. Maar zijn we daarom mislukkelingen? Ik bedoel, we zijn nog altijd niet dakloos of ziek of gevangen in stompzinnige baantjes.'

'O, dus ik moet mezelf maar optrekken aan de ellende van anderen? De wetenschap dat anderen het slechter hebben, moet mij gelukkig maken?'

'Ik zou bij god niet weten wat jou ooit gelukkig zou kunnen maken!'

Ik voelde me alsof ik in een diepe wensput was gevallen en hulpeloos op de bodem lag. Ik wilde niets liever dan uitroepen wat ik wilde, maar ik wist niet wat dat was. Ik wist alleen maar wat ik níet wilde.

Simon ging languit op zijn rug liggen, met zijn handen op zijn borst gevouwen. 'Het leven is één groot compromis,' zei hij. Zijn stem klonk als die van een vreemde. 'Ik geloof niet meer in die mythe dat je uiteindelijk krijgt wat je wilt, als je maar hard genoeg je best doet en de zaken een beetje slim aanpakt. Al wat je kan doen, is volhouden en er het beste van hopen.' Hij grinnikte cynisch.

En toen liet ik me ontvallen wat ik nooit had willen zeggen: 'Hoe dan ook, ik ben het zat om Elza's vervangster te zijn.'

Simon kwam met een ruk overeind: 'Wat heeft Elza hier verdomme mee te maken?'

'Niets.' Ik wist dat ik me zat aan te stellen als een klein kind, maar ik kon niet ophouden en na een paar zwijgende minuten zei ik: 'Waarom moet je de hele tijd die klote-cd spelen en iedereen vertellen dat zij ooit je liefje was?'

Simon sloeg zijn ogen op naar het plafond. Hij slaakte een diepe zucht ten teken dat hij de wanhoop nabij was. 'Wat is hier gaande?'

'Ik wil alleen maar... een beter leven,' hakkelde ik. 'Met jou. Wij samen.' Ik dorst hem niet meer aan te kijken. 'Ik wil belangrijk voor je zijn. Ik wil dat jij belangrijk bent voor mij... Ik wil weer wensdromen met je delen.'

'Ja? Wat voor dromen dan?' zei hij aarzelend.

'Dat is het 'm juist. Dat weet ik niet! Dat is net waar ik over praten wil. Het is al zo lang geleden dat we nog gezamenlijke wensen hadden. We weten niet eens meer hoe dat voelt.'

Het gesprek stokte. Ik ging liggen doen alsof ik de catalogus las. Simon ging naar de wc. Toen hij terugkwam, ging hij naast me zitten en sloeg zijn arm om me heen. Ik verfoeide mezelf omdat ik zat te grienen, maar ik kon er niet mee ophouden. 'Ik weet het niet. Ik weet het niet,' bleef ik maar snikken. Hij depte mijn ogen met een tissue, veegde mijn neus af en duwde me voorzichtig achterover op het bed.

'Het komt wel goed,' zei hij troostend. 'Je zult zien, het komt heus wel weer goed.'

Maar zijn liefdevolheid maakte me alleen maar verdrietiger. Hij nam me in zijn armen en ik probeerde mijn gesnik te onderdrukken, te doen alsof ik gekalmeerd was. Omdat ik niet wist wat ik anders moest doen. En toen deed Simon wat hij altijd deed als we niet wisten wat we anders moesten doen. Hij begon met me te vrijen. Ik streelde zijn haar om hem te laten denken dat ik ook wilde, maar ik lag alleen maar te denken: Waarom zit hij ook niet in over onze toekomst? Waarom kan hem dat niet schelen? We zijn gedoemd. Het is een kwestie van tijd.

De volgende ochtend verraste Simon me volkomen. Hij bracht me koffie op bed en had een mededeling: 'Ik heb nagedacht over wat je zei, gisteren, over dat we weer een droom moesten gaan delen. En raad eens wat? Ik heb een idee!'

Hij vond dat we samen een verlanglijst moesten opstellen. Van dingen die we met z'n tweeën zouden willen doen. Op die manier konden we, zoals hij het uitdrukte, het creativiteitsgehalte van ons huwelijk bepalen. We staken meteen opgetogen van wal.

We waren het er meteen over eens dat het een riskante droom moest zijn, maar vooral ook een leuke. Er moesten verre reizen aan te pas komen, en lekker eten, en het voornaamste: de kans iets te creëren dat ons allebei bevredigen zou. Over liefde spraken we niet. 'Ziezo, de droom hebben we dus,' zei Simon. 'En nu verder over hoe hij werkelijkheid kan worden.'

Na een verwoede discussie van drie uur hadden we een concept op papier, dat we een stuk of wat toeristische en culinaire tijdschriften zouden toesturen. We boden aan een reportage te maken over de kookgewoonten op het Chinese platteland – een snoepreisje dat tegelijk een bron kon zijn voor andersoortige artikelen, of een boek, een lezingencyclus en misschien zelfs een programma voor een kabelzender. Het was het meest opwindende gesprek dat Simon en ik in jaren hadden gevoerd. Ik had nog altijd niet de indruk dat hij mijn angsten en onzekerheden begreep, maar hij had op de best mogelijke manier gereageerd op mijn noodkreet. Hij had een plan gesmeed. En dat was op zichzelf reden genoeg om hoopvol voor de toekomst te kunnen zijn.

Ik begreep heel goed dat er ongeveer éénmiljardste procent kans was dat een tijdschriftredactie de moeite zou nemen ons concept te bekijken. Maar toen we het eenmaal op de bus hadden gedaan, toen ons idee aan zijn reis door de kosmos begonnen was, voelde ik me toch opgelucht – alsof ik mijn oude leven bij het Leger des Heils had ingeleverd omdat ik iets nieuws en beters te verwachten had.

•

Een paar dagen na ons verfrissende gesprek belde mijn moeder om me eraan te herinneren dat ik mijn camera moest meenemen naar Kwan. Ik keek op de kalender. Barst! Glad vergeten dat we op het verjaardagsfeest van mijn zuster verwacht werden. Ik rende de trap op naar onze slaapkamer, waar Simon naar hoogtepunten van de *Super Bowl* lag te kijken; zijn slanke lichaam uitgestrekt op het karpet voor de tv, en Bubba naast hem, knauwend op een rubberen speeltje.

'We moeten over een uur bij Kwan zijn. Ze is jarig.'

Simon kreunde, maar Bubba sprong verheugd op en piepte om zijn halsband.

'Nee, Bubba, jij moet hier blijven.' Hij liet zich op de vloer zakken en keek ontroostbaar naar me op.

'We blijven net lang genoeg om geen aanstoot te geven,' probeerde ik Simon op te beuren.

'Geloof je het zelf?' zei hij zonder zijn blik van het scherm af te wenden. 'Je kent Kwan. Die laat ons nooit vroeg vertrekken.'

'Tja, we zullen er toch heen moeten. Het is haar vijftigste.'

Ik tuurde de boekenplanken af, op zoek naar iets wat door kon gaan voor een speciaal voor Kwan gekocht cadeautje. Een boek over beeldende kunst? Nee, Kwan had totaal geen artistiek gevoel. Ik keek in mijn juwelendoos. Die zilveren halsketting met stukjes turkoois? Nee, die had ik van mijn schoonzuster gehad, en die kwam natuurlijk ook op Kwans feestje. Ik liep de trap af naar mijn werkkamertje en daar vond ik het: een namaakschildpadden doosje, ter grootte van een spel kaarten, dat het prima zou doen tussen de kitschtroep waarmee Kwan haar huis vulde. Ik had het een paar maanden eerder meegenomen bij mijn kerstinkopen, voor het geval een klant ons met een presentje zou verrassen en we iets terug moesten geven. Maar niemand had aan ons gedacht.

Ik liep naar Simons werkkamer en rommelde door de laden van zijn bureau op zoek naar inpakpapier. In de onderste lade links, achterin, lag een losse diskette. Die wilde ik voor hem in zijn diskette-archief opbergen, toen mijn oog op het etiket viel: 'Roman. Begonnen 20-02-90'. Verdomd, hij was dus écht aan iets waardevols begonnen! Een tijdje geleden al, zelfs. Het stak me dat hij dit geheim voor zich hield.

Op dat moment had ik natuurlijk Simons privacy moeten respecteren en die diskette terug moeten leggen. Maar dit was iets waar hij met hart en ziel aan werkte – iets wat werkelijk telde voor hem. Met trillende vingers drukte ik zijn computer aan en stak de diskette in de drive. Ik riep het bestand met de naam HFSTOI op en zag het scherm vol woorden springen. En toen de openingszin: *Vanaf haar zesde was Elise in staat een liedje na één keer horen na te spelen. Een gave die ze van haar grootouders had geërfd.*

Ik liet de eerste pagina over het scherm rollen, en dan de tweede. Wat een rotzooi, zei ik tegen mezelf, wat een gezwam! Maar ik bleef doorlezen, pagina na pagina, als even zovele gifbekers die ik tot op de bodem leegdronk. Ik zag voor me hoe Elza vanaf het scherm naar hem opkeek als hij hieraan zat te werken. En toen zag ik haar naar mij kijken en grijnzen. 'Ik ben terug, zie je wel! Daarom zul jij nooit gelukkig worden. Ik ben hier al die tijd al!'

•

Kalendertijd zegt me niets meer. Kwans verjaardag was zes maanden terug, maar het lijkt een eeuwigheid, een heel leven. Na die avond hebben Simon en ik nog een maand hevig geruzied. De pijn werd maar niet minder, de liefde was in een oogwenk verdwenen. De eerste tijd huisde hij in zijn werkkamer, en in februari vertrok hij. Het lijkt nu al zo lang geleden, dat ik niet eens meer weet hoe ik die eerste weken in mijn eentje heb doorgebracht.

Maar inmiddels begin ik gewend te raken aan de verandering. Geen routine, geen vaste patronen, geen oude gewoonten – zo pak ik het bestaan aan. En het bevalt me goed. Vorige week zei Kevin me op zijn verjaardagsfeestje: 'Je ziet er goed uit, Olivia. Echt.'

'Dit is de vernieuwde Olivia,' antwoordde ik jolig. 'Ik gebruik een nieuwe gezichtscrème, met vruchtenzuren.'

Iedereen staat versteld van de indruk die ik maak. En ze hebben gelijk – ik leef niet zomaar van dag tot dag, als een eenzame zielepoot, maar ben bezig een geheel nieuwe weg voor mezelf uit te stippelen. Kwan is de enige die er anders over denkt. Bij ons telefoongesprek gisteren zei ze: 'Jouw stem, zo moe! Jij moe alleen leven ik denk. Simon zelfde. Jullie vanavond bij mij lekker eten. Net vroeger gewoon vrienden...'

'Kwan, ik heb hier geen tijd voor.'

'Ah, zo druk? Oké-oké, niet vanavond. Morgen. Jij komen morgen, ah?'

'Niet als Simon komt.'

'Oké-oké. Jij alleen komen vanavond. Ik maak rijsttafel heel jouw smaak. Extra loempia jij mee huis vriezer.'

'Maar geen gezanik over Simon, afgesproken?'

'Geen praten alleen eten. Beloof.'

Ik schep voor de tweede keer mijn bord vol. Kwan heeft nog steeds niks over mijn huwelijk gezegd, maar dat houdt ze natuurlijk nooit vol. Op dit moment voert ze een verhit gesprek met George, over Virginia, een nicht van George's overleden eerste vrouw. Die heeft een neefje in China dat naar Canada wil emigreren.

George legt met volle mond uit: 'Zijn vriendinnetje had ook wel trek in Canada en dwong hem haar te trouwen. Moest Virginia de procedure helemaal opnieuw starten, nu voor een echtpaar. De zaak was bijna geregeld, maar na dat huwelijk moest alles van voren af aan beginnen. Achter in de rij, alstublieft. Weer achttien maanden wachten!'

'Aanvraag tweehonderd dollar.' Kwan klemt een boontje tussen haar eetstokjes. 'Veel-veel tijd verspild, gaan die instantie en die en die.

En dan? Verrassing! Baby uit buik.'

George knikt. 'Virginia zegt: "Hé, waarom hebben jullie niet gewacht? Nu moeten we wéér een nieuwe aanvraag indienen." Maar die neef zei dat ze dan maar zwijgen moest over dat kind. "Wij komen eerst met z'n tweeën om te studeren en een goeie baan te vinden, huis te kopen, auto te kopen. Dan pas zien we wel hoe we dat kind over krijgen."'

Kwan zet haar rijstkom neer. 'Baby laten China! Wat dát voor manier?' Ze kijkt me woedend aan, alsof ik degene ben die haar kind in de steek wil laten. 'Geld, huis, baan, hoe dat vinden? Wie betalen studie? Grote aanbetaling!'

Ik schud mijn hoofd. George mompelt iets en Kwan trekt een vies gezicht. 'Bonen niet sappig, heel oud geen smaak.'

'En nu?' vraag ik. 'Nemen ze dat kind toch maar mee?'

'Nee.' Kwan legt haar eetstokjes neer. 'Geen baby geen neef geen vrouw. Virgie komen San Francisco wonen. En Amerika geen immigratie neef mogen. Tante Virgie kan niet onderhouden. Nu moeder neef in China, Virgie zuster, zij mij schuld geven!'

Ik wacht op nadere uitleg. Kwan raapt haar stokjes weer op en priemt ermee in de lucht. 'Wah! Waarom jij denken zoon belangrijk? Eigen zuster niet denken hoeveel moeite! Zoon verwend. Verpest. Ik hem ruiken hier. *Hwai dan.* Rotte ei.'

'Heb je dat die moeder gezegd?'

'Nooit gesproken. Nooit gezien.'

'Maar waarom neemt ze jou dan iets kwalijk?'

'Schuld geven in brief. Schrijven wij vragen Virgie bij ons wonen.'

'Hebben jullie dat gedaan dan?'

'Eerst niet. Maar nu in brief staat wij écht vragen. Anders Virgie gezicht verliezen. Zij komen volgende week.'

Mijn constante blootstelling aan Kwan ten spijt, zal ik wel nooit iets leren begrijpen van de innerlijke dynamiek van Chinese families. Al die onzichtbare bindingen en verhoudingen; wie aan wie dit of dat verplicht is en waarom, wie verantwoordelijk is, of schuldig, en wie niet. En altijd dat gezever over gezichtsverlies. Dan is mijn leven gelukkig een stuk eenvoudiger!

Bij mijn afscheid drukt Kwan me een videoband in handen. Van haar vijftigste verjaardag – dezelfde dag dat Simon en ik onze fatale ruzie hadden.

Ik weet nog dat ik naar boven rende, waar hij zich stond om te kleden voor het feestje. Ik klapte het raam van een dakkapel open, hield zijn diskette omhoog, riep: 'Dit is die kloteroman van je! Dit is dus wat jij waardevol vindt!' en smeet het schijfje naar buiten.

Een uur lang stonden we tegen elkaar te krijsen, waarna ik op kalme toon zei dat ik wilde scheiden, en Simon tot mijn schrik zei dat hij dat best vond, de trap afliep en de buitendeur achter zich dichtsmeet. Nog geen vijf minuten later ging de telefoon. Ik haalde diep adem en nam me voor geen enkele emotie in mijn stem te laten doorklinken. Geen verdriet, geen woede, geen vergeving. Laat hem maar smeken. Bij de vijfde keer nam ik op.

'Libby-ah?' Het was Kwan, haar stem meisjesachtig verlegen. 'Ma jou bellen? Jij komen? Iedereen al hier. Veel eten...'

Ik mompelde een soortement excuus.

'Simon ziek? Net worden?... Oh, voedselgifting. Oké, jij voor hem zorgen. Nee-nee. Hij meer belangrijk verjaardag.' Toen ik haar dat hoorde zeggen besloot ik dat Simon nooit meer belangrijker dan wat dan ook zou zijn. Zelfs niet belangrijker dan Kwan. Ik ging alleen naar haar feestje.

'Heel grappig film,' hoor ik Kwan nu zeggen bij ons afscheid. 'Misschien geen tijd kijken toch meenemen.' En zo eindigt mijn bezoek, waarbij we niet één woord over Simon hebben gewisseld.

Eenmaal thuis voel ik me ontredderd. Ik probeer televisie te kijken. Ik probeer te lezen. Ik kijk op de klok. Het is te laat om nog iemand te bellen. Voor het eerst, na zes maanden, schijnt mijn bestaan me leeg toe en voel ik me eenzaam. Ik zie Kwans video op het dressoir liggen. Een feestje, waarom niet?

De reden waarom ik home-video's zo vervelend vind, is dat ze niet gemonteerd zijn. Je ziet momenten die nooit meer gezien hadden mogen worden. Het verleden ontrolt zich integraal voor je ogen, alsof je naar het heden kijkt met voorkennis van wat er gebeuren gaat.

Deze video opent met de knipperende kerstverlichting in de tuin van Kwan, waarna de camera naar de voordeur van het huis in Balboa Street zwenkt. Met een wazig, schommelend beeld stappen we naar binnen. Hoewel het al de derde week van januari is, zien we ook binnen nog kerstversiering; Kwan laat die altijd hangen tot haar verjaardag. De camera neemt met bewonderenswaardige grondigheid het inte-

rieur op: de plastic hulst aan de aluminium raamkozijnen, de onver-
slijtbare groen-met-blauwe vloerbedekking, de namaakhouten schroot-
jeswand en de bonte verzameling meubelstukken, trofeeën van haar
nimmer eindigende koopjesjacht.

Daar verschijnt de achterkant van Kwans permanent in beeld, en we
horen haar veel te luide stem: 'Ma! Meneer Shirazi! Welkom-welkom,
kom binnen!' Ziedaar mijn stralende moeder en haar laatste aanwinst.
Ze draagt een blouse met luipaardmotief, een legging en een jasje van
zwart velours met gouden biezen. Haar brilleglazen zijn paars getint.
Sinds haar facelift dost ma zich telkens wilder uit. Shahram Shirazi
heeft ze leren kennen bij een cursus salsa voor gevorderden. Ze heeft
me verteld dat hij beter bevalt dan haar vorige bink, een Samoaan, omdat hij tenminste snapt dat hij de hand van zijn danspartner 'niet als
een kippeboutje' moet vasthouden. Bovendien is meneer Shirazi volgens ma een zeer bedreven minnaar. 'Hij doet dingen,' fluisterde ze me
laatst besmuikt toe, 'die jullie jongelui je misschien niet eens voor kunnen stellen.' Ik heb haar niet om een voorbeeld gevraagd.

Kwan kijkt vragend in de camera – of George de entree van mijn
moeder wel goed genoeg heeft vastgelegd. En dan arriveren de andere
gasten. De camera scharrelt om hen heen: de twee zoons van George,
dan mijn broers en hun vrouwen, de vier kinderen die ze te zamen hebben en die elk luidruchtig door Kwan begroet worden. 'Melissa! Patty!
Eric! Jena!' George wordt met een brede armzwaai gesommeerd hen
gevieren in beeld te nemen.

En dan, eindelijk, dien ik me aan. 'Waarom zo laat!' klaagt Kwan
glunderend. Ze grijpt me bij een arm en trekt me mee naar de camera
tot onze gezichten het hele beeld vullen. Ik zie er moe uit, verlegen en
met brandende ogen. Het is duidelijk dat ik niets liever wil dan weer
verdwijnen.

'Dit mijn zuster Libby-ah,' verklaart Kwan aan de camera. 'Favoriete
liefste zuster. Wie ouder? Jij raden! Wie?'

De volgende scènes tonen een Kwan die zich beweegt alsof ze stijf
onder de amfetaminen zit. Van muur tot muur stuitert ze. Daar staat
ze naast het plastic sparreboompje en wijst naar elke kerstbal met de
gracieuze bewegingen van een spelshowassistente. En daar staat ze haar
cadeaus stuk voor stuk naar de camera op te heffen. Bij elk pakje doet
ze alsof het loodzwaar is, schudt het heen en weer, houdt het scheef,

snuffelt eraan en leest dan het kaartje met de naam van de benijdens-waardige ontvangster. Haar mond rondt zich in slecht gespeelde ver-bazing. 'Voor míj?' Na deze exercitie begint ze gnuivend te lachen, steekt haar beide handen op en knippert met haar tien vingers alsof ze een betovering aan de camera oplegt. 'Vijftig jaar!' gilt ze. 'Jij geloven? Nee? Veertig?' Ze duwt haar neus tegen de lens en kirt: 'Oké-oké, veer-tig.'

De video struikelt nu van de ene tien seconden durende scène naar de volgende. Eerst zit mijn moeder bij meneer Shirazi op schoot; ie-mand schreeuwt dat ze elkaar moeten zoenen en daar voldoen ze gretig aan. Dan mijn beide broers die in de slaapkamer televisie zitten te kij-ken en met klotsende blikjes bier naar de camera zwaaien. Dan mijn schoonzusjes, Tabby en Barbara, die Kwan bijstaan in de keuken. Kwan houdt een stukje vlees ter grootte van een munt op naar de ca-mera en roept: 'Proeven! Jij komen proeven!' In een andere slaapkamer verdringen de kinderen zich rond een computerspelletje en juichen bij elk neergeschoten monster. En dan nu de hele familie, ik incluis, in de rij op weg naar de eettafel die voor deze gelegenheid verlengd is met de mahjongtafel aan de ene kant en George's kaarttafel aan de andere.

Ik zie mezelf in close-up. Ik kijk in de lens en zwaai, hef mijn glas op naar Kwan en prevel een verjaardagswens, waarna ik mijn plastic vorkje weer oppak en me op mijn bord concentreer. Heel feestelijk, maar oh wat is die camera genadeloos. Iedereen kan het zien en horen: mijn ogen staan dof, mijn woorden klinken lusteloos. Wat is mijn somber-heid duidelijk, wat schep ik zichtbaar weinig vreugde in het leven. Mijn schoonzuster Tabby zit me iets te vertellen, maar ik staar afwezig naar mijn bord. Dan komt de taart en heft het hele gezelschap 'Happy Birthday' aan. De camera zwenkt door de kamer en vindt mij op de bank. Ik zet een speeltje met stalen balletjes in beweging, die een einde-loos en uitermate irritant 'klik-klik' voortbrengen. Ik zie eruit als een zombie.

Kwan maakt haar pakjes open. Het plastic beeldje van schaatsende kindjes is van haar collega's van de apotheek. 'O, zo leuk-leuk,' koert ze, en ze zet het op de plank naast haar andere poppetjes. Het koffiezet-apparaat is van mijn moeder. 'Ah, ma! Hoe jij weten koffiemachine net stuk?' De zijden blouse in haar favoriete kleur, rood, is van haar jongste stiefzoon, Teddy. 'Te mooi dragen,' jammert ze. De verzilverde kandelaar is van haar andere stiefzoon, Timmy. Ze stopt er kaarsen in en zet hem op de tafel die hij vorig jaar voor haar heeft opgeschuurd en gelakt. 'Net mevrouw President Witte Huis!' roept ze uit. De slordig geboetseerde slapende eenhoorn heeft ons nichtje, Patty, voor haar gemaakt. Kwan zet hem op de schoorsteenmantel en belooft: 'Nooit verkopen, ook niet Patty beroemd dit miljoen waard.' De badjas met madeliefjes is van haar man. Ze leest de exclusiefachtige naam op het label: 'Ohhhh. Giorgio Laurentis. Zo duur! Waarom jij geven zoveel uit?' Ze heft een bestraffende vinger op naar de camera. Als ik zie dat er een tweede stapel pakjes voor Kwan wordt neergezet, druk ik de Fast-Forwardtoets van mijn afstandsbediening in. In haastige flitsen trekken een stoomstrijkijzer, placemats en een reusachtige boodschappentas aan me voorbij. Ten slotte zie ik haar mijn pakje ophouden. Ik druk de stopknop in en dan Play.

'Altijd beste laatst bewaren,' zegt ze. 'Moet heel-heel mooi zijn, is van Libby-ah favoriete zuster.' Ze trekt zorgvuldig het lint los en legt het weg om te bewaren. Het inpakpapier ontvouwt zich. Kwan tuit haar lippen, staart naar het schildpadden doosje en draait het om en om in haar handen, neemt er dan het deksel af en kijkt erin. Met een hand tegen haar wang stamelt ze: 'Prachtig. Zo handig ook.' Ze houdt het doosje omhoog om het zo goed mogelijk in beeld te laten komen. 'Zie?' zegt ze grijnzend. 'Zeepdoos voor reis!'

Op de achtergrond klinkt mijn benepen stemmetje. 'Eh, het is niet voor zeep, eigenlijk. Maar voor juwelen en zo.'

Kwan bekijkt het doosje opnieuw. 'Niet zeep? Julen? Ohhh!' Ze houdt het doosje weer naar de camera op, maar nu plechtiger. Opeens begint ze te glimmen. 'George, jij horen? Mijn zuster Libby-ah zeggen ik goeie julen verdien. Jij grote diamant kopen voor zeepdoos!'

George gromt iets en de camera wiebelt terwijl hij beveelt: 'De twee zusters, samen bij de haard gaan staan.' Ik stribbel tegen en zeg dat ik nodig weer naar huis moet omdat er nog werk op me ligt te wachten. Maar Kwan trekt me van de bank en roept lachend. 'Kom-kom, luie meid. Grote zus gaan voor.'

Daar staan we met z'n tweeën. Kwan met een starre glimlach, alsof er een foto van haar genomen gaat worden. Ze drukt me stevig tegen zich aan, krijgt opeens een verwonderde uitdrukking en mompelt: 'Libby-ah, mijn zuster, zo lief, zo goed voor mij.'

En de tranen branden me in de ogen, zowel op de video als nu hier. Want ik kan het niet langer ontkennen. Mijn hart staat op het punt te breken.

DEEL

III

10

Kwans keuken

Kwan zegt dat ik om half zeven moet komen. Ze wil altijd dat ik om half zeven kom, al gaan we steevast pas tegen achten aan tafel. Dus vraag ik of het eten ditmaal écht om half zeven klaar zal zijn, omdat ik anders later kom, want ik heb het écht héél druk. Ze bezweert me dat ik om half zeven kan aanvallen.

Om half zeven komt George de deur opendoen. Hij kijkt me wazig aan, want hij heeft zijn bril niet op. Het dunne beetje haar op zijn hoofd doet me om de een of andere reden denken aan een reclame voor antistatische stofdoekjes. Hij heeft onlangs promotie gemaakt tot bedrijfsleider van een *Food-4-Less*-vestiging in East Bay. De vier in de naam van die supermarktketen heeft Kwan nooit kunnen begrijpen, en ze zal het bedrijf waar haar man werkt altijd *Foodless* blijven noemen.

Ik tref haar aan in de keuken, waar ze cantharellen staat te snijden. De rijst is nog niet gewassen, de garnalen zijn nog niet gepeld. Het eten zal nog zeker twee uur op zich laten wachten. Ik zet met een klap mijn handtas op de keukentafel, maar Kwan heeft mijn ergernis volstrekt niet in de gaten. Ze tikt op de rugleuning van een keukenstoel.

'Libby-ah, jij zitten ik iets heb jou moet vertellen.' Ze gaat eerst nog een halve minuut door met snijden en komt dan in het Chinees met haar belangrijke nieuwtje: 'Ik heb met een yin-man gesproken.'

Ik slaak een hartgrondige zucht om haar duidelijk te maken dat ik niet in de stemming ben voor dit gespreksonderwerp.

'Lao Lu. Jij kent hem ook, maar niet uit dit leven. Hij zei me dat jullie bij elkaar moeten blijven. Dat is jullie *yinyuan*, het lot dat geliefden samenbrengt.'

145

'En waarom zou dat mijn lot zijn?' vraag ik korzelig.

'In jullie vorige leven samen hield jij eerst van iemand anders, maar later schonk Simon je toch het vertrouwen dat je nu van hem hield. Nu is het jouw beurt om vertrouwen te schenken.'

Ik val zowat van mijn stoel. Ik heb niemand ooit de ware reden van onze scheiding verteld. Tegen iedereen, Kwan incluis, heb ik steeds gezegd dat Simon en ik gewoon sterk uit elkaar waren gegroeid. En nu praat Kwan alsof de reden bij iedereen op de hele wereld, de doden zowel als de levenden, bekend is!

'Libby-ah jij moeten geloven,' schakelt ze over op Engels. 'Yin-vriend zeggen Simon eerlijk. Jij denken hij houdt meer haar minder jou... Nee!... Waarom zo denken? Liefde geen geld!'

Het hangt me de keel uit dat ze altijd voor hem opkomt. 'Hou toch eens op, Kwan! Besef je dan niet hoe idioot dit allemaal klinkt? Als andere mensen je zo hoorden, zouden ze denken dat je gestoord was! Als spoken echt bestaan, waarom zie ik ze dan nooit? Leg me dat eens uit, hè.'

Ze pakt een garnaal, snijdt de schaal open en peutert de zwarte ingewanden eruit. 'Jij wel gezien,' zegt ze bedaard. 'Kleine meisje toen.'

'Dat was gewoon fantasie. Daar komen spoken vandaan, uit je fantasie, en niet uit de Yin-Wereld.'

'Jij niet altijd "spook" zeggen. Dit scheldnaam. Alleen slechte yinmens spook noemen.'

'O, pardon. Maar ik ken de omgangsvormen van de Yin-Wereld niet zo goed. Vertel eens, hoe zien die yin-mensen er eigenlijk uit? Hoeveel zijn er hier vanavond? Wie zit er in die stoel daar? Voorzitter Mao? Chou En-lai? Of de Keizerin Weduwe?'

'Nee-nee, die niet hier.'

'Nou, vraag ze dan langs te komen! Zeg maar dat ik ze graag eens spreken wil, om ze te vragen wat ik met mijn huwelijk aanmoet.'

Kwan spreidt een paar kranten uit op de vloer, om de vetspetters van het fornuis op te vangen. Ze kiepert de garnalen in een pan met hete olie, die hels begint te sissen. 'Yin-mensen komen als zin!' roept ze boven het lawaai uit. 'Zeggen niet wanneer, zijn net naaste familie komen zonder uitnodigen. Meestal bij eten koken iets niet goed. Zij zeggen: "Ah! Deze zeebaars vast. Niet vlokkig. Misschien koken één minuut te veel. En deze raap niet knapperig. Moet kraken bij kauwen als verse sneeuw, dan goed. En deze saus... tst! Veel suiker, alleen buitenlander willen eten."'

Bla bla bla. Het is te dol voor woorden. Ze staat gewoon het soort prietpraat te imiteren dat ze kent van de familie van George. Ik wil lachen en gillen tegelijk om deze beschrijving van het hiernamaals als een clublokaal voor kookhobbyisten.

Kwan laat de glanzende garnalen in een kom glijden. 'Meeste yin-mensen heel druk hard werken. Zij ontspannen bij mij komen goeie gesprek, ook omdat ik goeie kokkin.' Ze zegt het met een zeer verwaande blik in haar ogen.

Ik besluit haar op haar eigen verzinsels te vangen. 'Als jij zo goed koken kan, waarom komen ze hier dan meestal kritiek op je leveren?'

Kwan kijkt me verbijsterd aan. Zoiets stoms heeft ze nog nooit gehoord. 'Geen kritiek! Gewoon eerlijk vrienden praten. Komen ook niet eten. Hoe kan eten? Zijn dood! Doen alleen maar eten alsof. Trouwens meestal prijzen mijn koken, ja-ja, zeggen nooit geluk gehad zo lekker kunnen eten. Ai-ya, als zij alleen maar mijn pannekoek groene uien kan eten, dan zij gelukkig sterven. Maar kan niet. Zijn al gestorven! Zijn in Yin-Wereld.'

'Misschien moeten ze een bezorgdienst op poten zetten,' mompel ik.

Kwan is even stil. 'Ah-ha-ha, leuk! Jij grappen!' Ze geeft me een pets op mijn arm. 'Stoute meid. Yin-mensen trouwens altijd praten over leven als maaltijd. Vele-vele smaken, allemaal op. "O," zij zeggen, "hier heel van genoten, daar niet goed genoeg van proeven. Dat te snel op. Zonde! Waarom niet langer kauwen meer plezier? Lekker maaltje verpest!"'

Kwan stopt een van de aangebakken garnalen in haar mond en laat hem van wang tot wang glijden tot ze even later de lege schaal tussen haar lippen vandaan haalt. Ik sta altijd weer perplex om deze truc, snap niet hoe ze het voor elkaar krijgt. Ze smakt goedkeurend met haar lippen. 'Libby-ah,' ze houdt me een schaaltje met goudgele kammosselen voor, 'jij houden mossel?' Ik knik. 'Georgie nicht Virginia sturen uit Vancouver. Zestig dollar pond. Sommige mensen vinden te duur voor zomaar, moet bewaren goeie dag.' Ze gooit de mosselen in een pan waar al gesneden selderij in ligt te bakken. 'Voor mij goeie dag altijd nu. Jij wacht, alles verandert niks meer goed. Yin-mensen weten dit, zeggen: "Kwan, beste deel leven laten gaan door vingers, als kleine vis-

147

je." Ik stom, wil bewaren voor later, dan later komen veel vroeger dan dacht, alles weg... Libby-ah, hier, proeven. Niet zout genoeg? Te veel zout?'

'Precies goed.'

Ze gaat verder. ' "Kwan," yin-mensen zeggen, "jij nog leven, kan nog herinnering maken. Maak goeie! Laat ons zien hoe goeie herinnering maken dat wij volgende keer weten." '

'Wat weten?'

'Waarom zij terugkomen!'

'O, eh, dus jij helpt hen te onthouden wat ze van een volgend leven willen.'

'Ik veel-veel yin-mensen helpen zo,' zegt ze trots.

'Met adviezen voor een beter leven. Net als in je damesblad.'

Ze denkt even na over deze vergelijking en is er dan zichtbaar mee ingenomen. 'Ja-ja, net blaadje! Veel yin-mensen China, ook veel Amerika, terugkomen.' Ze begint aan een opsomming, waarbij ze de teruggekeerden op haar vingers aftelt. 'Jonge politieman hier komen mijn auto gestolen? Vorige keer zendeling China, die altijd zeggen Amen-Amen! Mooie meisje van bank mijn geld lief bewaren? Was bandieten-meisje lang geleden China beroofd vrekken! En Sarge, Hoover, Kirby, nu Bubba, hondjes allemaal zo trouw. Waarom? Vorige leven éénzelfde persoon. Jij raden wie. Jij raden!'

Ik haal mijn schouders op. Wat heb ik toch de pest aan dit spelletje dat me medeplichtig maakt aan haar zinsbegoochelingen.

'Jij raden!'

'Weet ik veel.'

'Jij raden!'

Ik hef wanhopig mijn handen op. 'Juffrouw Banner.'

'Ha! Jij raden fout!'

'Goed dan, zeg maar. Wie dan?'

'Generaal Cape!'

Ik sla mezelf voor mijn hoofd. 'Maar natuurlijk! Stom van me.' Ik moet toegeven dat ik de gedachte aan Bubba als een voormalige generaal wel amusant vind.

'Nu jij weten waarom ik eerste hond gaf naam Captain,' zegt Kwan.

'Ehhh, hoezo?'

'Lagere rang! Lesje leren!'

'Die hond iets leren? Kom op, zeg. Captain was zo dom… Hij kon niet opzitten, kwam niet als je riep. Al wat hij kon, was om eten bedelen, en toen liep hij weg.'

Kwan schudt haar hoofd. 'Niet weglopen. Doodgereden.'

'Wát?'

'Mm-hmm. Wou niet zeggen, jij zo klein. Dus ik zeg hondje weggelopen. Niet echt leugen. Rende weg kwam onder auto.' Bij dit zeer verlate overlijdensbericht voel ik een steek van kinderlijk verdriet. Ik wil Captain terug, al was het maar voor even, om hem te tonen dat ik heus wel lief tegen hem kan zijn.

'Generaal Cape vorig leven niet trouw, niemand. Daarom steeds terug hondje. Eigen keus. Goeie keus. Vorig leven hij slecht, zo slecht! Ik weet dit halve man mij verteld. Maar ook zelf zien… Hier Libby-ah, *huang do-zi*, taugéstengel, zien hoe geel? Vandaag vers kopen. Eind afbreken, rotte plek zien alles weggooien…'

•

Generaal Cape was ook rot van binnen. Hij gooide andere mensen weg. Nunumu, zei ik tegen mezelf, doe gewoon alsof Generaal Cape hier niet is. Dat moest ik een lange tijd volhouden. Twee maanden lang opende Juffrouw Banner elke nacht haar deur om hem binnen te laten. En in die twee maanden sprak ze niet tegen mij, niet als trouwe vriendin tenminste. Ze behandelde me als haar dienstbode. Ze wees naar vlekken op het borstpand van haar witte blouse en zei dat ik die niet goed gewassen had. Maar ik wist dat Generaal Cape die vlekken had gemaakt met zijn vieze vingers. Op de zondagen vertaalde ze nu precies wat Dominee Amen predikte. Geen mooie verhaaltjes meer. En er waren nog meer grote veranderingen.

Bij de maaltijden zaten Juffrouw Banner en Generaal Cape aan tafel bij de zendelingen, de tafel voor de buitenlanders. Generaal Cape zat op de stoel waar Dominee Amen altijd gezeten had. Hij had telkens het hoogste woord met zijn blafstem. De anderen knikten alleen maar en luisterden. Als hij zijn soep lepelde, deden zij dat ook. En als hij zijn lepel neerlegde om weer een van zijn pochverhalen te vertellen, legden zij hun lepels ook neer om weer een van zijn pochverhalen aan te horen.

Lao Lu, de andere bedienden en ik zaten aan de tafel voor de Chinezen. De man die de woorden van Cape naar het Chinees vertaalde, zat ook bij ons. Hij had ons verteld dat zijn naam Yiban Johnson was, Eénhelft Johnson. Maar ondanks het feit dat hij half-om-half was, hadden de buitenlanders besloten dat hij toch meer Chinees dan Johnson was en dus bij ons moest zitten. In het begin had ik weinig op met deze Yiban Johnson. Ik had een hekel aan wat hij zei over Cape – dat hij een voorname man was, een held voor zowel de Amerikanen als de Chinezen. Maar later zag ik in dat dit woorden waren die Generaal Cape hem dwong te zeggen. Als hij bij ons aan tafel zat, gebruikte hij zijn eigen woorden. Hij sprak heel openlijk tegen ons, als een gewone man tegen gewone mensen. Hij was oprecht beleefd tegen ons, geen veinzer. Hij maakte grapjes en lachte. Hij zei dat hij het eten lekker vond, al nam hij nooit meer dan hem was toebedeeld.

Na verloop van tijd dacht ik dus óók dat hij meer Chinees was dan Johnson. Ik vond hem er niet eens meer vreemd uitzien. Zijn vader, vertelde hij ons, was een Amerikaan geweest; een goede vriend van Generaal Cape. Ze kenden elkaar al als kleine jongens en gingen later samen naar de militaire academie, waar ze samen vanaf werden getrapt. Johnson trad in dienst bij een maatschappij die in nankingzijde handelde, en hij voer naar China. In Sjanghai kocht hij de dochter van een arme bediende als maîtresse. Vlak voor ze van zijn kind zou bevallen, zei Johnson tegen dit meisje: 'Ik ga terug naar Amerika. Sorry, maar ik kan je niet meenemen.' Ze aanvaardde haar lot. Nu was ze de verlaten maîtresse van een buitenlandse duivel. Toen Johnson de volgende ochtend wakker werd, raad eens wie hij aan een tak van de boom voor zijn raam zag bungelen?

De andere bedienden sneden haar los en sloegen een doek om de rode striem in haar hals. Omdat ze zelfmoord had gepleegd, werd er geen begrafenisceremonie voor haar gehouden. Ze legden haar in een kist van ruwe planken en timmerden die dicht. Die nacht hoorde Johnson gehuil. Hij stond op en ging naar de kamer waar die kist stond. Het gehuil werd luider. Hij wrikte de kist open en daar, tussen de benen van zijn dode maîtresse, lag een babyjongetje. Vlak onder zijn kinnetje had de baby een rode streep, een vinger dik en in dezelfde halvemaanvorm als de wurgstriem op de hals van zijn moeder.

Johnson nam de baby, wiens bloed voor de helft dat van hemzelf was, mee terug naar Amerika. Daar sloot hij zich aan bij een rondreizende kermis. Hij vertelde mensen het zelfmoordverhaal en liet ze dan zijn zoontje zien, met die geheimzinnige streep in zijn hals. Maar toen de jongen een jaar of vijf was, en een heel stuk was gegroeid, was de streep in zijn hals niet meer zo opvallend en had niemand er nog geld voor over om hem te bekijken. Dus vertrok Johnson weer naar China, met zijn kermisgeld en zijn halfbloedzoon. Ditmaal wierp Johnson zich op de opiumhandel. Hij trok van de ene verdragshaven naar de andere, werd in elke haven schatrijk en vergokte er zijn geld ook weer. In elke havenstad had hij een liefje dat hij ook weer verliet. Dus moest de kleine Yiban heel vaak huilen, omdat hij steeds weer een moeder verloor. Maar het hebben van veel verschillende moeders in veel verschillende steden had ook een voordeel: hij leerde vele Chinese dialecten spreken – Cantonees, Sjanghainees, Hakka, Fukien, Mandarijns. En Johnson leerde hem natuurlijk Engels.

Op een dag liep Johnson zijn oude schoolkameraad Cape tegen het lijf. Deze werkte nu voor elk leger dat hem betalen wilde: Britten, Mantsjoes, Hakka, het maakte hem niet uit zolang het geld maar goed was. Johnson zei tegen Cape: 'Hé, ik heb grote schulden, zit in de knoei, kun jij je oude vriend niet wat geld lenen?' En als garantie dat hij ooit terug zou betalen, bood hij Cape zijn zoon aan: 'Neem dit joch. Hij is pas vijftien en spreekt vele talen. Met hem als tolk kun je voor elk leger werken.'

De volgende vijftien jaar behoorde Yiban Johnson toe aan Generaal Cape. Als onderpand voor de schuld die zijn vader nimmer afloste.

Ik vroeg Yiban voor wie Generaal Cape op dit moment vocht. De Engelsen? De Mantsjoes? De Hakka? En Yiban zei dat Cape voor alle drie gevochten had, aan alle drie geld had verdiend en alle drie verraden en tot vijand gemaakt had, zodat hij nu voor alle drie op de vlucht was. Ik vroeg Yiban of het waar was dat Cape de dochter van een Chinese bankier had getrouwd om diens goud te krijgen. En Yiban zei dat hij niet alleen op het goud van die bankier was uit geweest, maar ook op diens jonge concubines. Zodat hij nu ook voor die bankier op de vlucht was. Cape, zei hij, was verslaafd aan dromen van gouden gierst: rijkdom die in één seizoen geoogst kon worden.

Ik was eerst heel blij te horen dat ik gelijk had met mijn oordeel over Generaal Cape, en dat Juffrouw Banner ongelijk had. Maar het volgende ogenblik werd ik ziek van droefheid. Ik was haar trouwe vriendin. Hoe kon ik blij zijn terwijl ik zag dat deze vreselijke man haar hart verslond?

Toen zei Lao Lu boos: 'Zeg, Yiban, hoe kun jij voor zo'n kerel werken? Waar is je trouw aan je volk en familie?'

En Yiban zei: 'Kijk eens naar me. Ik werd uit een dode moeder geboren, dus uit géén moeder. Ik ben zowel Chinees als buitenlands, dus ben ik geen van tweeën. Ik hoor bij iedereen, dus hoor ik bij niemand. Ik had een vader die me zelfs niet voor de helft als zoon wilde. En nu heb ik een meester voor wie ik slechts een onderpand ben. Dus vertel mij: aan welk land ben ik trouw verschuldigd? Bij welk volk hoor ik? En bij welke familie?'

We keken naar zijn gezicht. Nog nooit in mijn hele leven had ik zo'n intelligente blik gezien, zo weemoedig ook en zo eenzaam. We hadden geen antwoord op zijn vragen.

Die nacht lag ik op mijn mat en stelde mezelf die drie vragen. Welk land? Welk volk? Welke familie? Op de eerste twee wist ik direct het antwoord. Ik hoorde bij China en bij de Hakka. Maar wat die laatste vraag betreft was ik als Yiban. Ik hoorde bij niemand. Alleen maar bij mezelf.

Maar kijk nu eens naar me, Libby-ah. Nu hoor ik bij heel veel mensen. Ik heb een gezin. Ik heb jou... Ah! Lao Lu zegt: geen geklets meer! Eten, voordat alles koud wordt.

11

Naamsverandering

K wan bleek toch gelijk te hebben met haar bewering over de geluiden in mijn huis. Er wás iemand tussen de muren en onder de vloer, en hij was inderdaad vol woede en spanning.

Dat werd duidelijk toen mijn onderbuurman, Paul Dawson, werd gearresteerd voor het maken van duizenden obscene telefoontjes. Mijn eerste reactie was medelijden met zo'n eenzame blinde man. Maar dat veranderde toen iemand me vertelde wat hij placht te zeggen tegen de vrouwen die hij opbelde – dat hij lid was van een sekte die 'moreel verwerpelijke' vrouwen ontvoerde en tot 'offerdier' maakte. Ze werden op een altaar vastgebonden en door de mannelijke sekteleden gepenetreerd, waarna de vrouwelijke sekteleden hen levend uitbeenden. Werkte dit dreigement op de lachspieren van zijn slachtoffer, dan vroeg hij: 'Wil je de stem horen van iemand horen die óók dacht dat dit een grap was?' en dan speelde hij een opname af van een hysterisch gillende vrouw.

Bij het doorzoeken van Dawsons appartement vond de politie een bonte verzameling elektronische apparatuur: op zijn telefoon aangesloten taperecorders, nummerherhalers, stemmodulators, tapes met geluidseffecten, noem maar op. En het bleek dat hij zich niet tot telefonische terreur beperkt had. De vorige bewoners van ons appartement waren kennelijk ook te lawaaiig geweest, hadden hem ook gestoord bij zijn Zenmeditatie. Want toen ze gedurende een verbouwing elders hadden vertoefd, had hij van de gelegenheid gebruik gemaakt om gaten in zijn plafond te slaan en daarin luidsprekers en afluisterapparatuur aan te brengen, zodat hij alles over zijn bovenburen aan de weet kon komen en hen kwellen kon met allerlei griezelige geluiden.

Toen ik dat allemaal hoorde, sloeg mijn medelijden om in razernij. Ik wilde dat Dawson zou wegrotten in de gevangenis. Al die tijd had ik mezelf te sappel gemaakt met gedachten aan spoken, aan één spook in het bijzonder, al had ik dat nooit aan mezelf willen toegeven.

Maar goed, ik ben in ieder geval blij dat ik nu weet waar die geluiden vandaan kwamen. Mijn veiligheidsgevoel is toch al niet zo sterk meer sinds ik alleen woon. Simon en ik zien elkaar alleen nog om zakelijke redenen. Zodra de scheiding officieel is, zullen we ook ons klantenbestand opsplitsen, maar voorlopig werken we nog samen. Straks komt hij de kopij brengen voor de brochure van een dermatoloog.

Op dit moment is Kwan op bezoek, onuitgenodigd. Terwijl ik in mijn werkkamertje het telefoongesprek voortzet dat ze verstoorde toen ze binnenviel, staat zij in de keuken haar meegebrachte loempia's in mijn vriezer te leggen, en luidkeels te mopperen op de inhoud van mijn koelkast. 'Waarom mosterd augurken geen brood? Geen vlees! Hoe jij leven zo? Bier! Waarom bier geen melk?'

Een paar minuten later komt ze mijn werkkamertje binnen met een enorme grijns op haar gezicht. In haar handen heeft ze de brief die ik op het aanrecht had laten slingeren. Die brief is van een toeristisch tijdschrift, *Lands Unknown*, dat belangstelling heeft voor het idee dat Simon en ik vlak voor onze breuk bedacht hadden: een reportage over de culinaire gewoonten op het Chinese platteland.

Toen ik die brief gisteren tussen de post aantrof, kreeg ik een gevoel alsof ik een miljoen had gewonnen op een lot dat ik even tevoren verscheurd en weggegooid had. De goden van toeval en pech hadden me mooi beetgenomen. De rest van de dag bracht ik door met het bedenken van allerlei scenario's voor het verdere verloop van deze wrange grap.

Zo stelde ik me voor dat Simon de brief zag en uitriep: 'Goh! Ongelofelijk! Wanneer gaan we?'

'We gaan niet,' zou ik dan zeggen, zonder een spoortje van spijt in mijn stem.

En hij zou zeggen: 'Niet gaan? Hoe bedoel je, niet gaan?'

En ik: 'Hoe kun je ook maar dénken dat wij samen naar China zouden gaan?'

En dan zei hij misschien (mijn bloed kookte bij de gedachte) dat hij in dat geval met een andere fotograaf zou gaan.

Maar dan zou ik zeggen: 'Niks daarvan, want ík ga. Met een andere tekstschrijver. Een betere.' Waarna de verwijten en beledigingen over en weer zouden vliegen.

Met name dat laatste gedeelte hield me de hele nacht uit mijn slaap.

'Ohhhh!' jubelt Kwan nu, en ze zwaait uitzinnig van vreugde met die brief. 'Jij en Simon China! Jullie willen ik mee, gids tolk helpen koopjes vinden. Betaal zelf, natuurlijk. Ik lang-lang China willen. Dorp zien, tante...'

Ik kap haar af: 'Ik ga niet.'

'Ah? Niet gaan? Waarom?'

'Dat weet je best.'

'Ik weet?'

Ik kijk haar strak aan. 'Simon en ik gaan scheiden, weet je nog wel?'

Kwan verwerkt dit in twee seconden en roept dan: 'Jullie gaan vrienden!'

'Hou op, Kwan. Alsjeblieft!'

Ze kijkt me ontredderd aan. 'Zo zielig, zo zielig,' jammert ze en ze loopt mijn werkkamertje uit. 'Twee mensen honger maar ruzie rijst weggooien. Waarom doen dit, waarom?'

Als Simon de brief leest, is hij volkomen verbluft. Zijn dat echte tranen die ik zie? In al die jaren dat ik hem ken, heb ik hem nog nooit zien huilen, niet eens bij zielige films, nee zelfs niet toen hij me de geschiedenis van Elza vertelde. Hij veegt met de rug van zijn hand zijn wangen droog. Ik doe alsof het me ontgaat. 'God,' zegt hij, 'ons idee heeft het gehaald. Maar wijzelf niet.'

We zwijgen, alsof we ons gestorven huwelijk herdenken met een paar minuten stilte. Maar dan haal ik diep adem en zeg: 'Weet je, toch denk ik dat onze breuk, hoe pijnlijk ook, goed voor ons is. Ik bedoel, we worden nu allebei gedwongen ons eigen leven onder de loep te nemen, weet je, zonder de automatische aanname dat we beiden hetzelfde willen.' Ik klink zoals ik klinken wil: mild, maar niet verzoenend.

Simon knikt en mompelt dat hij het met me eens is.

Waarop ik het wil uitgillen. O, dus nu ben je het plotseling met me eens? Jarenlang heb je alles verworpen wat ik zei en nu ben je het met me eens? Maar ik slik alles weg en geef mezelf in gedachten een schouderklopje voor zo veel zelfbeheersing. Voor het vermogen mijn pijn en woede te maskeren. En dan, één seconde later, word ik alsnog door verdriet overmand. Want ik besef dat ik niet aan zelfbeheersing gewonnen heb, maar definitief mijn liefde voor hem kwijt ben.

Elk woord en elk gebaar zijn nu dubbelzinnig. Niets kan nog letterlijk genomen worden. We spreken elkaar van een veilige afstand toe, alsof we niet jarenlang elkaars rug ingezeept hebben en in elkaars aanwezigheid op de pot hebben gezeten. Alle koosnaampjes, geheimtaal, de gebaartjes waarmee we al die jaren onze intimiteit uitdrukten – ze zijn nu weg, taboe.

Simon kijkt op zijn horloge. 'Ik moet weer eens opstappen. Ik heb om zeven uur met iemand afgesproken.'

Met een vrouw? Nu al? Ik hoor mezelf zeggen: 'Ja, ik moet me ook gaan omkleden voor een afspraakje.' Ik zie hem o zo subtiel met zijn ogen draaien en begin te blozen. Hij heeft door dat ik sta te liegen als een bakvis.

Terwijl ik hem naar de deur breng, kijkt hij op. 'Zo, je hebt jezelf eindelijk van die stomme kroonluchter verlost?' Hij kijkt over zijn schouder. 'Het ziet er hier toch heel anders uit, moet ik zeggen. Stijlvol. Rustig.'

'Over rust gesproken,' zeg ik, en ik vertel hem alles over Paul Dawson, onze huisterrorist. Het is een verhaal dat ik Simon niet onthouden mag.

'Dawson?' Hij schudt verbijsterd zijn hoofd. 'Wat een klootzak. Waarom doet iemand zoiets?'

'Eenzaamheid,' zeg ik. 'Woede. Wraak.'

Het is alsof ik mezelf beschrijf.

Als Simon weg is, daalt er inderdaad een diepe rust over het appartement neer. Ik lig op het karpet in de slaapkamer en staar door een dakkapel naar de nachtelijke hemel. Mijn gedachten dwalen weer eens af naar ons huwelijk. Wat scheurde het weefsel van die zeventien jaar makkelijk. Wat wij samen hadden, was zo banaal als de identieke deurmatten in de buitenwijken waar we opgroeiden. Het feit dat onze lichamen, ideeën en emoties in een gezamenlijk ritme bewogen, verleidde ons ertoe te denken dat we een speciaal stel vormden.

En dan dat gezwets van mij over hoe goed die breuk voor ons is... Ik ben er niet zelfstandig door geworden. Ik ben van alles en iedereen afgesneden.

Dan ga ik aan Kwan liggen denken; hoe misplaatst haar liefde voor mij is. Ik span me nooit eens in om iets voor haar te doen, tenzij haar gedram of mijn eigen schuldgevoelens me daar toe dwingen. Ik heb haar nog nooit spontaan opgebeld en gezegd: 'Kwan, wat dacht je van een etentje of een film, met z'n tweeën.' Ik doe niet eens mijn best om gewoon aardig tegen haar te zijn. Zij op haar beurt blijft onvermoeibaar toespelingen maken op tochtjes naar Reno of Disneyland of China. En elke keer mep ik haar hints als hinderlijke vliegen van me af, zeg met veel nadruk dat ik de pest heb aan gokken en dat zuidelijk Californië niet voorkomt op de lijst van plaatsen die ik ooit bezoeken wil en negeer het feit dat Kwan alleen maar mijn gezelschap wil. Omdat ik de grootste vreugde van haar leven ben. O, god, zou zij altijd de pijn voelen die ik nu voel? Ik ben geen haartje beter dan mijn moeder. Niet in staat enige warmte te tonen aan hen die daar het meeste recht op hebben. Ik schrik van mijn eigen harteloosheid.

Ik besluit Kwan op te bellen met het voorstel samen een dag door te brengen, of misschien wel een weekend. Lake Tahoe, dat vindt ze vast leuk. Leuk? Door het dolle raakt ze! Ik kan niet wachten tot ik haar reactie hoor.

Maar als ze opneemt, geeft ze me niet eens de kans te zeggen waarom ik bel. 'Libby-ah, ik vanmiddag praten vriend Lao Lu. Hij mee eens jij móet China. Jij Simon ik samen. Dit jaar van Hond, volgend jaar van Varken. Te laat. Hoe jij niet kunnen gaan? Dit jouw lot!'

Ze ratelt aan één stuk door. 'Jij halve Chinees, moet ooit China. Wat jij denken? Wij niet nu gaan misschien nooit meer kans. Fout soms beter maken, deze niet! Wat jij denken, Libby-ah?'

In de hoop haar het zwijgen op te leggen lieg ik: 'Goed, ik zal er nog eens over nadenken.'

'Zie! Wist jij andere gedachten!'

'Wacht nou even. Ik zei niet dat ik ga, ik zei dat ik erover na zal denken.'

Maar ze is alweer op volle toeren. 'Jij Simon verliefd China, garandeer honderd procent, vooral mijn dorp. Changmian zo mooi jij niet geloven. Berg water lucht, als hemel en aarde samen. Ik daar dingen achterlaten altijd jou willen geven nog...' Zo gaat ze een minuut of vijf door, alle zegeningen van haar dorp opnoemend, maar dan zegt ze: 'Oh-oh, bel gaan. Ik jou later opnieuw bel, oké?'

'Eh, ik belde jou.'

'O?' Op de achtergrond hoor ik haar deurbel opnieuw gaan. 'Georgie!' gilt ze. 'Georgie! Deur!' En daarna gilt ze nog harder: 'Virgie! Virgie!' Is die nicht van George uit Vancouver al bij hen ingetrokken? Dan spreekt ze weer tot mij: 'Wacht, ik deur open.' Ik hoor haar iemand verwelkomen en dan is ze weer terug, ietwat buiten adem. 'Oké, waarom jij bellen?'

'Tja, ik wilde je iets vragen.' Ik heb nu alweer spijt van wat ik nog niet eens gezegd heb. Wat haal ik mezelf op de hals? Ik zie het voor me: Lake Tahoe, Kwan en ik samen in een miezerige motelkamer. 'Ik overval je er natuurlijk mee, dus als je geen tijd hebt…'

'Nee-nee altijd tijd. Jij iets nodig vragen! Antwoord altijd ja.'

'Goed dan, ik vroeg me af of, eh…' en dan gooi ik eruit: 'Wat doe jij morgen rond lunchtijd? Ik moet bij jou in de buurt zijn. Maar als het je niet uitkomt, doen we het een ander keertje. Geeft niks.'

'Lunch?' piept ze verrast. 'O!… Lunch!' Hartverscheurend blij is ze, en ik vervloek mezelf om mijn schandalige aalmoes. En dan is het mijn beurt verrast te zijn, want ik hoor haar stem van de hoorn wegdraaien terwijl ze haar bezoek aanspreekt: 'Simon, Simon… Libby-ah bellen mij lunch vragen morgen!' In de verte hoor ik Simon: 'Laat je niet afschepen met een lullig eettentje.'

'Kwan? Kwan? Wat doet Simon bij jou?'

'Komen eten. Gisteren ik vraag jou, jij druk. Jij nog willen komen goed, heel veel in huis.'

Ik kijk op mijn horloge. Het is zeven uur. Dus dit is zijn afspraak. Ik maak bijna een vreugdesprongetje. 'Dank je,' zeg ik, 'maar ik heb het druk vanavond.' Altijd dezelfde smoes.

'Jij veel te druk,' zegt Kwan. Altijd dezelfde vermaning.

Maar vanavond ga ik mijn smoes waarmaken. Bij wijze van boetedoening ga ik een lijst opstellen van alle karweitjes die ik voor me uit heb geschoven. Eén daarvan is het wijzigen van mijn achternaam. Daar komt heel wat bij kijken: nieuw rijbewijs, nieuwe creditcards, kiezersregistratie, bankrekening, paspoort, abonnementen, om nog te zwijgen van de berichten aan al mijn kennissen en klanten. Bovendien moet ik kiezen welke achternaam ik van nu af aan wil hebben. Laguni? Yee?

Ma raadde me aan gewoon Bishop te blijven heten. 'Waarom zou je teruggaan naar Yee?' zei ze. 'Er wonen in dit land geen Yees waar je familiebanden mee hebt. Dus wie zal het iets interesseren dat jij jezelf weer Yee noemt?' Ik zei maar niets over haar eigen belofte, ooit, om de naam Yee koste wat kost in ere te houden.

Hoe langer ik over mijn te kiezen naam nadenk, des te sterker wordt het besef dat ik nooit een passende identiteit heb gehad. Althans, niet sinds mijn vijfde, toen mijn moeder onze naam in Laguni liet veranderen. Kwan liet ze later met rust, die bleef gewoon Li heten. Toen ze naar Amerika kwam, zei ma dat het een Chinese traditie was dat meisjes de naam van hun moeder hielden. Maar later gaf ze toe dat onze stiefvader Kwan niet had willen adopteren. Omdat ze al bijna volwassen was en omdat hij niet aansprakelijk wilde zijn voor de problemen die ze als communiste veroorzaken kon.

Olivia Yee. Ik spreek de naam een paar keer hardop uit. Het klinkt alsof ik er volledig Chinees door word, net als Kwan. Dat bevalt me niet. Dat ik op moest groeien in haar nabijheid is waarschijnlijk de reden dat ik nooit wist wie ik was en wie ik wilde worden. Zij was niet bepaald een voorbeeld dat om navolging vroeg.

Mijn oudste broer, Kevin, heb ik ook naar zijn mening gevraagd. 'Ik heb altijd een hekel gehad aan die naam Yee,' zei hij. 'Ik werd ermee gepest door de kinderen op school.'

'De wereld is veranderd,' zei ik. 'Het is tegenwoordig hip om bij een minderheid te horen.'

'Maar je krijgt nog altijd geen bonuspunten als je Chinees bent,' wierp hij tegen. 'Aziaten worden nog altijd gedwarsboomd. Nee, je bent volgens mij beter af met Laguni.' En hij schoot in de lach. 'Sommige mensen zullen zelfs denken dat je van Mexicaanse afkomst bent. Dat deed ma tenminste wel.'

'Laguni klopt gewoon niet, vind ik. Wij maken toch zeker geen deel uit van het Laguni-geslacht?'

'Tja, maar dat doet niemand,' zei Kevin. 'Het is een naam voor wezen en vondelingen.'

'Wat zeg je me daar?'

'Toen ik een paar jaar geleden in Italië was, leek het me leuk een paar Laguni's te ontmoeten. Maar op mijn speurtocht kwam ik erachter dat het een verzonnen naam was, die de nonnetjes geven aan anonieme wezen die ze te verzorgen krijgen. Laguni is als naam verwant met het woord "lagune", voel je wel? Het wil zoveel zeggen als dat je van de rest van de wereld bent afgesloten. Bobs grootvader was een wees. Wij zijn familie van een stelletje Italiaanse wezen.'

'Waarom heb je dat nooit eerder verteld?'

'O, maar Tommy en ma weten het, hoor. Ik denk dat ik het jou vergeten heb te vertellen omdat je toch al anders heette. Kijk, ik beschouw Bob als mijn vader. Van mijn biologische vader weet ik niks meer. Jij?'

Ja, ik wel: van de glijbaan in zijn armen vliegen, kijken hoe hij de scharen van een krab openbreekt, op zijn schouders zitten terwijl hij door een drukke straat wandelt. Zijn die herinneringen eigenlijk niet voldoende reden om zijn naam te kiezen? Wordt het geen tijd om de enige verbondenheid die ik nog voel door mijn naam uit te drukken?

•

Precies om twaalf uur kom ik Kwan ophalen bij de apotheek waar ze werkt. Dat het twintig minuten duurt eer we weer buitenstaan, komt doordat ze me aan iedereen heeft willen voorstellen: de apotheker, haar collega achter de toonbank en alle aanwezige klanten, die stuk voor stuk haar 'favorietste' zijn. Ik neem haar mee naar een Thais restaurant in Castro Street, omdat ik daar door een groot raam naar de drukte op straat kan kijken terwijl zij tegen me aan zit te babbelen. Ik neem me voor alles te dulden – ze mag het over China hebben, mijn sigaretten, de scheiding, wat ze maar wil. Deze middag is mijn geschenk aan Kwan.

Ik zet mijn leesbril op en neem het menu door. Kwan neemt het interieur van het restaurant in zich op: de posters van Bangkok, de paars-met-gouden waaiers aan de muur. 'Leuk. Mooi,' oordeelt ze ten slotte. Ze geniet met volle teugen. Nadat ze thee voor ons beiden ingeschonken heeft, zegt ze: 'Zo! Vandaag jij niet druk!'

'Nee, ik heb alleen wat persoonlijke zaken te regelen.'

'Wat soort persoonlijk?'

'O, mijn parkeervergunning verlengen, mijn naam laten veranderen, dat soort dingen.'

'Naam veranderen? Wat naam veranderen?' Ze vouwt haar servet uit in haar schoot.

'In verband met die scheiding. Ik ga weer Yee heten. Een heel gedoe, hoor, moet je voor naar het bevolkingsregister, de bank, de belasting-dienst... Wat is er?'

Kwan zit als een gek met haar hoofd te schudden. Haar gezicht is helemaal vertrokken. Het lijkt wel of ze stikt!

'Is er iets, Kwan?'

Ze wappert hulpeloos met haar handen, niet in staat iets te zeggen. Haar ogen stralen paniek uit.

Ik spring overeind. Wat moet je ook alweer doen als iemand zich verslikt heeft en geen adem meer kan halen?

Maar Kwan gebaart me te gaan zitten. Ze neemt een slok thee en jammert: 'Ai-ya, ai-ya. Libby-ah, spijt me jou moet vertellen iets. Naam Yee maken, niet doen!'

Ik zet me schrap. Nu krijg ik weer een eindeloos betoog te horen over die scheiding, en dat Simon en ik bij elkaar moeten blijven.

Ze leunt voorover en kijkt me samenzweerderig aan. 'Yee,' fluistert ze, 'niet echte naam *Ba.*'

Ik leun verbijsterd achterover. Mijn hart klopt in mijn keel. 'Waar héb je 't over?'

'En, dames,' zegt de ober, 'hebben we besloten?'

Kwan wijst iets aan op het menu. 'Vers?' wil ze weten. De ober knikt, maar niet enthousiast genoeg om Kwan te overtuigen. Ze wijst iets anders aan. 'Mals?'

De ober knikt.

'Welke beter?'

Hij haalt zijn schouders op. 'Alles is even goed,' zegt hij. Kwan kijkt hem wantrouwig aan en bestelt dan de *pad thai*-noedels.

Zodra de ober verdwenen is, vraag ik: 'Wat zei je nou?'

'Soms menu zegt vers is niet vers! Jij niet goed vragen krijgt kliekje gisteren.'

'Nee, nee, niet het eten. Wat zei je over papa's naam?'

'O! Ja-ja.' Ze trekt haar schouders op en trekt weer haar spionnen-gezicht. 'Ba's naam. Yee niet zijn naam nee. Dit waar, Libby-ah! Ik zeg jou anders jij door leven gaan verkeerde naam. Voorouders ander blij maken niet eigen.'

'Ik snap er niks van. Hoe kon onze vader nou niet Yee hebben gehe-ten?'

Kwan kijkt omzichtig naar links en naar rechts, alsof ze op het punt staat de namen van een paar drugsbaronnen prijs te geven. 'Nu jou ga vertellen, ah. Niemand zeggen. Beloven, Libby-ah?'

Ik knik instemmend, zij het niet van harte. Waarna Kwan in het Chinees verder gaat, de taal van de geesten uit onze jeugd.

•

Ik vertel je de waarheid, Libby-ah. Ba eigende zich de naam van een ander toe. Hij stal het lot van een fortuinlijk man.

Het was nog oorlog. Ba was al met mijn moeder en ik was ook al geboren. Hij studeerde natuurkunde aan de Guangxi-universiteit in Liangfeng, bij Guilin. Hij kwam wel uit een arm gezin, maar als jongen had zijn vader hem op een kostschool van de zendelingen gekregen. Daar kon je leren zonder dat het je iets kostte, als je maar beloofde dat je van Jezus zou houden. Daarom sprak Ba zo goed Engels.

Zelf kan ik me hiervan niets herinneren, ik vertel je wat ik van Li Bin-bin, mijn tante, heb gehoord. Ba woonde met mijn moeder en mij in een klein kamertje in Liangfeng, vlakbij de universiteit. In de ochtend ging hij naar college, 's middags werkte hij in een fabriek, waar hij onderdelen van radio's in elkaar zette. De fabriek betaalde hem per onderdeel, dus hij verdiende maar weinig, want volgens mijn tante was Ba sneller met zijn geest dan met zijn vingers. In de avonden legden Ba en zijn studievrienden hun geld bij elkaar om olie te kunnen kopen voor de ene lamp die ze met z'n allen bezaten. Behalve als het volle maan was, want dan hadden ze geen lamp nodig en konden ze buiten tot aan het krieken van de ochtend zitten studeren. Dat deed ik ook toen ik opgroeide. Wist je dat? Ja, in China is de maan mooi en handig bovendien!

Op een avond was Ba laat klaar met studeren en ging hij op weg naar huis, toen een dronkaard uit een steegje te voorschijn kwam en hem de weg versperde. Hij zwaaide met het jasje van een kostuum, die dronkelap. 'Deze jas,' zei hij tegen Ba, 'is al vele generaties in het bezit van mijn familie. Maar nu moet ik hem verkopen. Zie mij aan, ik ben maar een gewone man van de honderd familienamen. Wat moet ik eigenlijk met zo'n deftig kledingstuk?'

Ba nam het jasje in zijn handen en bekeek het goed. Het was van uitstekende stof gemaakt, gevoerd en van moderne snit. Bedenk wel,

Libby-ah, dit was 1948, toen de nationalisten en de communisten met elkaar vochten om de heerschappij over China. Wie kon zich zo'n duur colbert veroorloven? Alleen maar een voornaam heerschap, een functionaris van de overheid, die rijk werd door het aannemen van steekpenningen. Onze Ba had geen watten in plaats van hersens. Hmm! Hij wist heel goed dat die dronkaard het jasje gestolen had en dat het hun beiden de kop kon kosten als iemand hen betrapte. Maar nu Ba die prachtige stof in zijn vingers voelde, was hij als een klein vliegje in een groot spinneweb. Hij kon het niet meer loslaten. Een ongekend gevoel stroomde door hem heen. Ah! Zulke dure stof te voelen – het gaf een indruk van hoe het moest zijn om in welstand te leven. En dit gevaarlijke gevoel leidde tot een gevaarlijk verlangen, en dat gevaarlijke verlangen leidde tot een gevaarlijk idee.

Hij schreeuwde tegen de zuiplap: 'Ik weet heus wel dat je dit jasje gestolen hebt, want ik ken de eigenaar ervan. Snel! Zeg me waar je het vandaan hebt, anders roep ik de politie!' De dief werd bang en rende weg zonder nog om te kijken.

Thuis, in ons kleine kamertje, liet Ba het colbert aan mijn moeder zien. Hij stak zijn armen in de mouwen en het gevoel van rijkdom en macht was heviger dan ooit. In een van de zakken vond hij een bril met dikke ronde glazen. Hij zette die bril op, zwaaide met een arm en voor zijn geestesoog zag hij een heleboel mensen in het gelid springen en voor hem buigen. Hij knoopte het jasje dicht en klopte op zijn buik, die gevuld was met een denkbeeldig maal. En daarbij voelde hij iets.

Eh, wat is dit nu? Er zat iets stijfs in de voering van het jasje. Mijn moeder gebruikte haar handwerkschaar om de voering langs de stiksels los te maken. En Libby-ah, wat ze toen ontdekten, moet hen draaierig van opwinding hebben gemaakt. Uit die voering viel een bundel papieren – officiële documenten voor een emigratie naar Amerika! Op het bovenste papier van de bundel stond een naam in Chinese lettertekens geschreven: Yee Jun. Daaronder stond in het Engels: Jack Yee.

Moet je je voorstellen, Libby-ah. Tijdens de burgeroorlog waren zulke papieren heel veel waard. Het bezit van vele mensen, en hun levens erbij. In zijn trillende handen hield onze vader gewaarmerkte diploma's, een gezondheidscertificaat, een studentenvisum, een toegangsbewijs voor Lincoln University in San Francisco en de kwitantie van één jaar collegeld vooruit betaald. In een envelop zat het ticket voor een enkele reis Amerika met de *American President Lines,* plus twee biljetten van honderd dollar. En ook nog dit: een lijst met dingen die je uit je hoofd moest kennen als je bij aankomst in Amerika het immigratie-examen wilde halen.

O, Libby-ah, wat een gevaarlijke toestand was dit. Begrijp je wat ik bedoel? In die dagen was Chinees geld zo goed als waardeloos. Die man Yee kon alleen voor veel goud of euvele diensten aan deze papieren zijn gekomen. Wat had hij gedaan? Geheimen aan de nationalisten verraden? Had hij hen de namen gegeven van belangrijke mannen in het Volksbevrijdingsleger?

Mijn moeder werd angstig. Ze zei Ba dat hij het jasje in de Li moest gooien. Maar Ba had de blik van een dolle hond in zijn ogen. 'Ik kan mijn lot veranderen,' zei hij. 'Ik kan een rijk man worden.' Hij zei dat mijn moeder bij haar zuster in Changmian moest intrekken en daar op bericht van hem moest wachten. 'Zodra ik in Amerika ben, laat ik jou en onze dochter overkomen, dat beloof ik.'

Mijn moeder staarde naar de visumfoto van de man wiens identiteit Ba wilde stelen: Yee Jun, Jack Yee. Het was een norse man, niet meer dan twee jaar ouder dan Ba. Hij was niet knap, niet zoals Ba. Deze man Yee had kort haar, een boosaardig gezicht, met dikke ronde brilleglazen voor zijn kille ogen. Aan iemands ogen kun je zien wat voor ziel hij heeft, en volgens mijn moeder zag Yee eruit als een man die dingen riep als: 'Uit mijn weg, jij nietige aardworm!'

Die nacht keek mijn moeder toe hoe Ba zichzelf in deze man Yee veranderde. Door diens jasje aan te trekken en zijn eigen haren af te knippen. Ze zag hem de bril met de dikke glazen opzetten. Toen hij haar aankeek, had hij heel kleine, kille oogjes. Hij had geen warme gevoelens meer voor mijn moeder. Later zei ze dat hij die nacht werkelijk in de man Yee leek te veranderen. Hij werd de man van de foto: arrogant en machtsbelust – hij wilde niets liever dan zijn verleden achter zich laten en zijn nieuwe lot volbrengen.

Zo kwam Ba dus aan zijn valse naam. Wat zijn ware naam was weet ik niet. Ik was toen nog heel jong en zoals je weet stierf mijn moeder kort daarna. Jij mag van geluk spreken dat jij zo'n tragedie niet hebt hoeven meemaken. Later weigerde mijn tante de ware naam van mijn vader te zeggen. Dit was haar wraak op hem. En de geest van mijn moeder wilde me die naam ook niet vertellen. Maar ik heb er wel heel vaak over gepeinsd. Ik heb Ba verscheidene malen gevraagd me te bezoeken. Maar yin-vrienden zeiden me dat hij niet in de Yin-Wereld vertoeft. Hij zit ergens anders; een mistige plaats waar zij wonen die in hun eigen leugens geloven. Is dat niet zielig, Libby-ah? Als ik zijn ware naam maar wist, dan kon ik hem misschien vinden en uitleggen dat hij naar de Yin-Wereld moet gaan en mijn moeder moet zeggen dat het hem spijt, heel erg spijt. Zodat hij in vrede met zijn voorouders kan leven.

Daarom moet jij naar China gaan, Libby-ah. Toen ik gisteren die brief zag, zei ik tegen mezelf: Dit is je lot, het wacht erop voltrokken te worden! De mensen in Changmian herinneren zich zijn naam misschien nog. Mijn tante, Grote Ma, in elk geval wél. 'De man die Yee werd', zo noemde zij onze vader altijd. Als je in Changmian komt, moet jij het aan mijn Grote Ma vragen. Vraag haar wat de ware naam van onze Ba is.

Ah! Maar wat zeg ik nu weer! Jij kunt het haar helemaal niet vragen. Ze spreekt geen Mandarijns. Ze is al zó oud, ze heeft op school nooit geleerd de taal van het volk te spreken. Ze spreekt alleen maar het dialect van Changmian. Niet Mandarijns, niet eens Hakka, maar iets daartussenin, dat alleen gesproken wordt door de dorpelingen van Changmian. Bovendien moet je heel goed weten hoe je haar aanspreekt over het verleden, anders jaagt ze je weg alsof je een lastige eend was die haar voor de voeten liep. Ik weet hoe ze is. Heel driftig!

Maar maak je geen zorgen. Ik ga met je mee. Dat heb ik al beloofd en ik kom mijn beloften altijd na. Jij en ik, wij tweeën, wij kunnen de naam van onze vader weer veranderen in wat hij hoort te zijn. Samen kunnen we hem helpen eindelijk naar de Yin-Wereld te gaan.

En Simon! Die moet ook mee. Anders kun je dat artikel niet schrijven en krijg je geen geld voor de reis. Bovendien hebben we hem nodig om onze koffers te dragen. Ik moet heel veel geschenken meenemen. Ik kan daar niet met lege handen aankomen. Ondertussen kan Virgie voor Georgie koken. Haar eten is niet zo slecht. En Georgie kan voor jouw hond zorgen. Hoef je niemand voor te betalen.

Ja-ja. Wij drieën. Simon, jij en ik. Dat is volgens mij de meest praktische oplossing, de beste manier om je naam te veranderen.

Hé, Libby-ah, wat denk je ervan?

12

De beste tijd om eendeëieren te eten

Als Kwan haar zin wil doordrijven, bedient ze zich nooit van argumenten. Ze heeft een effectievere methode, gebaseerd op haar Chinese doorzettingsvermogen, verrijkt met Amerikaans opportunisme.

'Libby-ah,' zegt ze. 'Welke maand wij China zien mijn dorp?'

'Ik ga niet, dat weet je toch?'

'Oké-oké. Welke maand ik gaan jij denken? September te veel hitte. Oktober te veel toeristen. November niet te veel hitte niet te veel kou. Ik denk beste tijd.'

'Je ziet maar.'

Een dag later zegt ze: 'Libby-ah, Georgie niet kunnen. Niet genoeg vakantiedagen nog verdiend. Jij denken ma en Virgie mij mee?'

'Wie weet, vraag het ze gewoon.'

Een week later zegt ze: 'Ai-ya! Libby-ah! Ik drie tickets Virgie nieuwe baan ma nieuwe vriendje. Zeggen sorry kan niet mee. Tickets kan niet terugbrengen.' Ze trekt een gezicht alsof ze in doodsnood verkeert. 'Ai-ya, Libby-ah, wat doen?'

Ik zwijg en denk na over dit goedkope trucje. Ik zou natuurlijk kunnen doen alsof ik erin trap. Maar nee, dat gaat me toch te ver. 'Ik zal wel eens rondvragen in mijn kennissenkring.'

's Avonds belt Simon. 'Ik heb mijn gedachten nog eens laten gaan over die reis naar China,' zegt hij. 'Ik zou het zonde vinden als je door die scheiding zo'n boeiende ervaring misliep. Neem een andere schrijver mee. Chesnick of Kelly. Die zijn allebei sterk in toeristische stukken. Als je wilt, leg ik wel contact voor je.'

Ik sta perplex. Maar hij praat rustig door. Hij vindt dat Kwan per se mee moet; ze vormt een mooie aanleiding om het artikel een persoonlijk element te geven. Ik sta intussen alle mogelijke gevolgen van zijn sportieve telefoontje te bedenken. Misschien is er een kans dat we weer vrienden kunnen worden, de maatjes van weleer. We raken steeds enthousiaster in gesprek en ik herinner me wat ons in eerste instantie tot elkaar bracht: dat onze ideeën altijd overtuigender, opwindender of kolderieker werden naarmate we ze verder met elkaar bespraken. En opnieuw voel ik rouw om wat we door de jaren heen zijn kwijtgeraakt: de verbaasde vreugde over het feit dat wij tweeën op dezelfde tijd en plaats in de wereld waren.

'Simon,' zeg ik aan het eind van een twee uur durend gesprek, 'ik stel dit heel erg op prijs... Ik zou het fijn vinden als we ooit weer vrienden werden.'

'Ik ben nooit opgehouden een vriend van je te zijn.'

En dat doet me alle remmingen overwinnen: 'Nou, waarom ga je dan zelf niet mee naar China?'

Als we inchecken op *San Francisco Airport* kirt Kwan: 'Jij ik Simon China! Dit ons lot eindelijk samenbrengen.' En van dat moment af kijk ik nerveus uit naar boze voortekenen. Want dat lot waar zij het over heeft, klinkt mij vooral als noodlot in de oren.

Mijn pessimisme is niet helemáál ongegrond, trouwens. Kwan, altijd op koopjes uit, heeft de reis geboekt bij een Chinese luchtvaartmaatschappij die uitblinkt in kortingstarieven, en die in het laatste halfjaar drie toestellen bij vliegrampen verloren heeft – waarvan twee op het vliegveld van Guilin, waar wij ook zullen landen. Als we aan boord gaan, neemt mijn humeur een nieuwe duikvlucht. De Chinese stewardessen blijken Schotse baretten en kilts te dragen... een uitdossing die je niet direct in verband brengt met personeel dat weet wat het doen moet bij kapingen, uitgevallen motoren of noodlandingen op zee.

Terwijl Kwan, Simon en ik door het smalle gangpad schuifelen, zie ik niet één blanke passagier. Wijst dit ergens op?

Kwan zeult met twee boodschappentassen vol geschenken, in aanvulling op de koffer vol cadeautjes die al in het laadruim ligt. Ik hoor het de nieuwslezer al zeggen: 'Een thermosfles met pompsysteem, diverse plastic broodtrommels, pakjes ginseng uit Wisconsin, dit alles vond men tussen de smeulende wrakstukken na de crash die het leven kostte aan eerste-klaspassagier Horatio Tewksbury III uit Atherton en vierhonderd Chinese tweede-klaspassagiers die als succesvolle Amerikaanse burgers een bezoek hadden willen brengen aan het land van hun voorvaderen.'

Ik kreun als ik onze plaatsen ontwaar – in het midden van het middelste vak stoelen. Een oude vrouw die aan het gangpad zit, begint bij onze nadering te hoesten. Ze bidt hardop tot een mij onbekende godheid dat de plaatsen naast haar maar onbezet mogen blijven, want ze is erg ziek en heeft ruimte nodig om languit te kunnen liggen en een uiltje te knappen. Daarop gaat haar gehoest over in een onheilspellend gerochel. Haar godheid heeft kennelijk een vrije dag, want de plaatsen naast haar zijn voor ons.

Als het karretje met verfrissingen langskomt, vraag ik om troost in de vorm van een *gin and tonic*. De stewardess kijkt me verdwaasd aan.

'Gin and tonic,' herhaal ik, en in het Chinees voeg ik toe: 'Met een schijfje citroen, als dat kan.'

Ze wisselt enige woorden met haar collega, die er ook al geen snars van begrijpt.

'*Ni you scotch meiyou?*' probeer ik. 'Heeft u Schotse whisky?'

Aan hun gierende lachbui te oordelen vinden ze dit een zeer geslaagde grap.

Maar jullie hebben toch wel *scotch*? wil ik uitschreeuwen. Vanwaar anders die imbeciele kostuums?

Ik slaag er niet in de Chinese omschrijving van Schotse whisky te bedenken, en Kwan lijkt niet van zins me te hulp te komen. Integendeel, ze zit mijn frustratie en de ontreddering van de stewardessen geamuseerd te bekijken. In arren moede neem ik een cola light.

Aan mijn andere kant zit Simon een spelletje *Flight Simulator* te spelen op zijn laptop computer. '*Woa-woa-woa! Shit!*' Uit het luidsprekertje klinkt het geluid van een explosie. Hij kijkt me grinnikend aan. 'Captain Bishop heet u welkom aan boord.'

De hele vlucht is Kwan dronken van gelukzaligheid. Steeds weer knijpt ze in mijn bovenarm en grijnst ze. Neem het haar eens kwalijk – voor het eerst in meer dan dertig jaar zal ze voet zetten op Chinese bodem, en Changmian bezoeken, haar geboortedorp waar ze woonde tot haar achttiende. Ze zal er haar tante zien, de vrouw die ze Grote Ma noemt en die haar opvoedde met zeer straffe hand – zo kneep ze altijd zo venijnig in Kwans wangen, dat daar nog steeds kommavormige littekens op staan.

Ook zal er het weerzien zijn met haar oude schoolvrienden, voor zover die de Culturele Revolutie hebben overleefd, die uitbrak kort nadat zij naar Amerika was vertrokken. Ze verheugt zich op de indruk die ze maken zal met haar perfecte Engels, haar rijbewijs, de kiekjes van haar kat op de gebloemde tweezitsbank die ze onlangs in de uitverkoop op de kop tikte – 'vijftig procent af klein gaatje misschien niemand zien'.

Meer dan eens zegt ze het graf van haar moeder te zullen bezoeken en zonodig op te knappen. Ze wil me meenemen naar een kleine vallei waar ze ooit als kind een doos met kostbaarheden begroef. En omdat ik haar liefste zuster ben, zal ze me de schuilplaats uit haar jeugd tonen: een kalkstenen grot met een magische bron!

Voor mij behelst deze reis trouwens ook een paar eerste keren; het is de eerste keer dat ik China bezoek; de eerste keer sinds mijn kinderjaren dat Kwan twee weken lang voortdurend in mijn nabijheid zal zijn; de eerste keer dat Simon en ik samen een reis maken waarbij we in aparte kamers zullen slapen.

Ingeklemd tussen Simon en Kwan bekruipt me de gedachte hoe idioot het eigenlijk is dat ik deze reis maak. Mezelf de fysieke marteling aan te doen van een vliegreis van bijna vierentwintig uur, en de geestelijke marteling van het reizen in gezelschap van de twee mensen die me jarenlang mijn zielerust ontnomen hebben. En toch, juist omwille van mijn zielerust moet ik deze reis maken. Natuurlijk zijn er ook praktische redenen: de reportage, het uitzoeken van de ware naam van mijn vader. Maar mijn belangrijkste motivatie is de angst om spijt te krijgen. Als ik niet was gegaan, zou er ooit een dag gekomen zijn waarop ik me zou afvragen hoe mijn leven gelopen was als ik wél was gegaan.

Misschien heeft Kwan gelijk. Misschien is het gewoon mijn lot dat ik ga. Het heeft geen zin aan je lot argumenten te vragen, net zomin als aan een terrorist, een orkaan, een aardbeving. Het lot is wars van alle logica, net als Kwan.

We zijn nog tien uur verwijderd van China, maar mijn lichaam weet nu al niet meer of het dag of nacht is. Simon is weggedoezeld, ik heb nog geen oog dichtgedaan en Kwan wordt net wakker.

Ze gaapt. In een oogwenk is ze weer helemaal bij de pinken, rusteloos zelfs. Ze zit zenuwachtig met haar kussens te frommelen. 'Libby-ah, waar jij denken aan?'

'O, m'n werk, weet je.'

Voor we op reis gingen, heb ik een reisplan opgesteld en een checklist. Ik heb rekening gehouden met van alles en nog wat; jet lag, problemen met het vinden van de juiste locaties, de kans dat ik binnen alleen bij tl-verlichting zal kunnen werken. Ik heb een lijst gemaakt van dingen die per se gefotografeerd moeten worden: kleine winkeltjes en supermarkten, fruitstalletjes en groentetuinen, fornuizen en keukengerei, specerijen en oliën. Ook heb ik nachtenlang over budgettaire en logistieke problemen liggen piekeren. De tocht naar Changmian kan een groot probleem worden. Volgens Kwan is het een rit van drie tot vier uur vanaf Guilin, maar onze reisagent kon Changmian op geen van zijn kaarten vinden. Hij heeft kamers voor ons geboekt in een hotel in Guilin; zestig dollar per nacht. Er zullen ongetwijfeld goedkopere en dichter bij Changmian liggende accommodaties zijn, maar die zullen we zelf moeten zoeken.

'Libby-ah,' zegt Kwan. 'In Changmian dingen misschien niet luxe.'

'Dat moet ook niet.' Ze heeft me al vaker gewaarschuwd dat de gerechten er simpel zijn, op die van haarzelf lijken en allerminst op wat je in een duur Chinees restaurant krijgt. Ik stel haar nog maar eens gerust: 'Ik wil juist geen foto's van luxe delicatessen. Ik ben heus niet uit op champagne en kaviaar.'

'Kavi-ah, wat dat?'

'Visseëitjes, weet je wel.'

'O! Hebben, hébben.' Ze glundert. 'Kaviëitjes, krabeitjes, garnaaleitjes, kipeitjes… hebben! Ook duizendjaar eendei! Niet echt duizendjaar. Een twee drie hooguit… Wah! Nee ik fout. Weet eendeien veel ouder. Lang geleden ik verstop.'

'Echt?' Dit zou wel eens een leuk detail voor het artikel kunnen zijn. 'Hou oud was je toen je die verstopte?'

'Veel jaren tot twintig.'

'Twintig? Maar op je twintigste woonde je al bij ons.'

Kwan geeft me een klopje op mijn arm, en met een geheimzinnig glimlachje zegt ze: 'Niet déze twintig. Vórige keer.' Ze leunt achterover in haar stoel. 'Eendei, ahhhh, zo lekker… Juffrouw Banner zij niet houden. Later hongertijd komt, eet alles, rat sprinkhaan cicade. Dan zij eten duizendjaar *yadan* toch liever... Wij in Changmian, Libby-ah, ik jou wijzen verstop. Zijn nog wel. Jij ik zoeken, ah?'

Ik knik welwillend. Ze is zo opgetogen dat haar denkbeeldige verleden me voor één keer niet irriteert. En misschien levert zo'n zoekactie naar eieren uit een vorig leven nog wel een aardige, exotische passage op. Ik kijk op mijn horloge. Over twaalf uur landen we in Guilin.

'Mmmm,' mompelt Kwan verlekkerd. 'Yadan...'

Ik zie dat zij al gearriveerd is, in de fantasiewereld van haar vorige leven.

•

Eendeëieren, daar was ik zo verzot op, dat ik ze stal. Voor het ontbijt, elke dag behalve zondag. Het was geen vreselijke misdaad, niet van het soort dat Generaal Cape beging. Ik nam alleen maar wat de mensen toch niet zouden missen. Eén of twee eieren per keer. De Jezusaanbidders wilden ze niet eten. Zij vonden de eieren van kippen lekkerder. Ze wisten niet dat de eieren van eenden een grote luxe waren. Dat ze een vermogen kostten op de markt in Jintian. Als ze hadden geweten hoeveel je voor eendeëieren betalen moest, hadden ze vast niets anders meer willen eten.

Om duizendjarige eieren te maken, moet je eieren hebben die heel, heel vers zijn, omdat anders... eh, even denken... omdat anders... ja, dat weet ik eigenlijk niet, want ik gebruikte alleen maar eieren die heel, heel vers waren. Misschien dat in oude eieren al botjes en snavels groeiden. Hoe dan ook, ik stopte die eieren in een kruik met zout en witkalkpoeder. Dat poeder had ik in overvloed, voor de was. Maar aan zout was heel wat moeilijker te komen. Het was nog niet zo goedkoop als tegenwoordig. Gelukkig hadden de buitenlanders volop zout. Ze wilden dat hun eten smaakte alsof het in zeewater was gedrenkt. Ik vond hartige dingen ook wel eens lekker, maar hoe kun je nu álles zout willen hebben? Als zij aan tafel zaten, vroegen ze de hele tijd: 'Kunt u mij het zout aanreiken?' En dan gooiden ze nog meer bij hun eten dan er al inzat.

In het begin kwam ik aan mijn zout via onze kokkin. Die heette Ermei, Tweede Zuster. Ze was één dochter te veel in een gezin zonder zoons. Haar ouders hadden haar aan de zendelingen gegeven, zodat ze zich een dure uithuwelijking en een bruidsschat konden besparen. Ermei en ik hadden een stiekem handeltje. De eerste week gaf ik haar een ei en goot zij wat zout in mijn hand. Een week later wilde ze twee eieren voor dezelfde hoeveelheid zout! Het was een gehaaide meid.

Op een dag kwam Dokter Te Laat erachter. Ik liep door het gangetje waar ik altijd de was deed, en daar dook hij voor me op. Hij wees naar het bergje zout in mijn handen. Ik moest snel iets bedenken. 'Ah, dit,' zei ik, 'is om te wassen.' Dokter Te Laat fronste, hij begreep me natuurlijk niet want ik sprak Chinees. Wat kon ik doen? Ik gooide al dat kostbare zout in een emmer koud water. Hij bleef staan kijken. Dus trok ik iets te voorschijn uit een wasmand en gooide het in de emmer. Ik haalde het een paar keer op en neer en hield het voor hem op. Wah! Toen zag ik pas dat ik de onderbroek van Juffrouw Muis in mijn handen hield, met een grote vlek van haar maandelijkse bloed erin. Ik doopte hem snel weer in het water. Maar Dokter Te Laat had het ook al gezien. Ha, zijn gezicht was roder dan die bloedvlek. Toen hij zich uit de voeten had gemaakt, kon ik wel huilen om het verlies van mijn zout. Maar zie, ik bleek in elk geval niet te hebben gelogen! Ik haalde de onderbroek weer uit het water en die bloedvlek was verdwenen! Het was een Jezuswonder! Ook al omdat ik vanaf die dag alle zout kreeg dat ik wilde. Eén handvol gebruikte ik voor vlekken, één handvol voor mijn eieren. Ik kreeg het van de zendelingen en hoefde er dus niet voor te sjacheren met Ermei. Toch gaf ik haar af en toe nog een ei.

De kruiken waar ik de eieren, het zout en de witkalk in deed, kreeg ik van een marskramer die maar één oor had. Hij heette Zeng en ventte zijn spullen altijd op het laantje voor de zendingspost. Ik ruilde steeds een ei voor een kruik die te veel barsten had om nog olie in te bewaren. Zulke gebarsten kruiken had hij altijd in overvloed, wat me deed denken dat hij óf heel erg onhandig was, óf gek op eendeëieren. Later ontdekte ik dat hij gek was op mij! Echt waar! Zijn ene oor, mijn ene oog; zijn lekke kruiken, mijn lekkere eieren – hij zal wel gedacht hebben dat we goed bij elkaar pasten. Hij vroeg me nooit zijn vrouw te worden, niet met zo veel woorden tenminste. Maar ik wist dat hij dit wél wilde, omdat hij me op een keer een kruik gaf waar niet één barstje in zat. Toen ik hem daarop wees, pakte hij een kei en sloeg een klein stukje van de rand af. Zo kwam ik aan mijn kruiken, en ook nog aan een beetje romantiek.

Na een aantal weken drongen de witkalk en het zout door de schalen van die eendeëieren. Dan werd het eiwit donkergroen en de dooier pikzwart. Dat wist ik omdat ik er af en toe eentje opat om te zien of de andere al met modder konden worden ingesmeerd. Modder hoefde ik nooit te stelen. In de tuin van het Koopmansspook was genoeg aarde om met water te vermengen. Als die modder nog nat was, rolde ik de eieren in bladzijden van *Het Goede Nieuws*, waarna ik ze in een zelfgebouwd bakstenen droogoventje legde. Ook die bakstenen had ik niet gestolen; ze waren hier en daar uit de muren gevallen. In de spleten tussen de stenen smeerde ik het kleverige sap van een giftige plant – zo konden de warme zonnestralen wel naar binnen, maar de insekten die mijn eieren wilden opeten niet. Als de modderlaag na een week hard geworden was, stopte ik de eieren weer in de kruik en begroef die in de noordwestelijke hoek van de tuin van het Koopmansspook. Tegen het eind van mijn leven had ik tien rijen kruiken, elk tien passen lang. Misschien liggen ze er nog steeds. Ik weet in elk geval zeker dat we ze niet allemaal opgegeten hebben.

Ik vond het ei van een eend eigenlijk te kostelijk om op te eten. Zo'n ei had een eendekuiken kunnen worden. En dat kuiken had een eend kunnen worden. En van die eend hadden wel twintig bewoners van Distelberg kunnen eten. En de mensen van Distelberg aten maar heel zelden eend, hoor. Als ik een ei opat, en dat deed ik dus af en toe, zag ik twintig hongerige mensen voor me. Zo kon ik me natuurlijk onmogelijk voldaan voelen. Ik voelde me juist wél voldaan als ik enorme trek had en toch geen ei at, want dan besefte ik dat ik een voorraad eieren bezat terwijl ik vroeger niets had bezeten. Maar denk niet dat ik gierig was, want ik gaf niet alleen zo nu en dan een ei aan Ermei, maar ook aan Lao Lu.

Lao Lu bewaarde zijn eieren ook. Onder zijn bed in de poortwoning van de zendingspost. Op die manier, zei hij, kon hij dromen dat hij ze op een dag heerlijk zou opeten. Hij was net als ik – altijd wachten op de beste tijd om die eendeëieren te eten. We wisten niet dat die beste tijd een vreselijke tijd zou blijken.

Op zondag aten de Jezusaanbidders altijd een groot ontbijt. Dat was de gewoonte: een lang gebed, dan kippeëieren, dikke plakken spek, maïskoeken, watermeloen, koud water uit de put en dan weer een lang gebed. De buitenlanders hielden ervan hete en koude dingen door elkaar tot zich te nemen. Erg ongezond. Op de dag waarover ik je nu vertellen ga, at Generaal Cape heel erg veel. Toen stond hij met een lelijk gezicht van tafel op en zei dat hij pijn in zijn buik had. Heel jammer, maar hij kon die ochtend niet mee naar het huis van God. Zo vertaalde Yiban het voor ons.

Toen we even later bij de Jezusdienst zaten, viel me op dat Juffrouw Banner steeds met haar voet wiebelde. Ze scheen erg blij en opgewonden. Zodra de dienst voorbij was, verdween ze met haar speeldoos naar haar kamer.

Bij het middagmaal van koude ontbijtresten kwam Generaal Cape niet opdagen. Juffrouw Banner ook niet. Ik zag de zendelingen naar zijn lege stoel kijken, en dan naar de hare. Ze zeiden niets, maar ik wist wat ze dachten: mm-hmm. Toen ging iedereen naar zijn kamer voor een middagdutje. Ik lag op mijn mat en hoorde die speeldoos de muziek spelen die ik zo had leren haten. Ik hoorde Juffrouw Banners deur opengaan en weer dichtgaan, en stopte mijn vingers in mijn oren. Maar in mijn geest kon ik toch zien hoe ze de zere buik van Generaal Cape streelde.

Ik werd wakker van het geschreeuw van onze stalknecht: 'De muilezel! De buffel! De kar! Alles is weg!' We renden allemaal onze kamers uit. En toen hoorden we Ermei in de keuken: 'Een hele zij spek en een zak rijst!' De Jezusaanbidders keken verward om zich heen en riepen Juffrouw Banner om al dat Chinese geschreeuw voor hen te komen vertalen. Maar haar deur bleef dicht. Dus vertelde Yiban de zendelingen wat de stalknecht en de kokkin geschreeuwd hadden. Daarop renden alle Jezusaanbidders terug hun kamers in. Juffrouw Muis kwam als eerste weer naar buiten, huilend en aan haar hals voelend. Ze was haar ketting kwijt, met het medaillon met de haren van haar dode geliefde. Dokter Te Laat kon nergens zijn tas met medicijnen vinden. Dominee en Mevrouw Amen misten een zilveren kam, een gouden kruis en al het zendingsgeld voor de komende zes maanden. Wie kon zoiets vreselijks gedaan hebben? De buitenlanders stonden verstijfd als standbeelden. Geen woord konden ze uitbrengen. Misschien vroegen ze zich af waarom God dit nu juist had laten gebeuren op de dag dat ze Hem aanbaden.

Lao Lu bonsde op de deur van Generaal Cape. Geen antwoord. Hij deed de deur open, keek naar binnen en zei maar één woord: weg! Daarna hetzelfde bij de deur van Juffrouw Banner: ook weg.

Nu begon iedereen door elkaar te praten. Ik denk dat de buitenlanders bespraken wat hun te doen stond, waar ze die twee dieven moesten gaan zoeken. Maar ze hadden geen ezel meer, geen buffel, geen kar. En zelfs al hadden ze die wel gehad, waar had hun speurtocht moeten beginnen? Waar waren Generaal Cape en Juffrouw Banner heen? Naar Annam in het zuiden? Oostwaarts langs de rivier naar Canton? Naar de Guizhou-provincie waar wilde stammen woonden? De dichtstbijzijnde *yamen* om misdaden aan te geven was in Jintian, op vele uren lopen. En wat zou de yamen-officier doen als hij hoorde dat de buitenlanders door hun eigen soort waren beroofd? In lachen uitbarsten, ha-ha-ha.

Die avond, in het insektenuur, zat ik op de binnenplaats te kijken hoe de vleermuizen op muggen jaagden. Ik weigerde Juffrouw Banner mijn geest binnen te laten, zei tegen mezelf: 'Nunumu, waarom zou je ook maar één gedachte verspillen aan een vrouw die de voorkeur geeft aan een verrader boven een trouwe vriendin?' Later, op mijn slaapmat, dacht ik nog steeds niet aan Juffrouw Banner. Ik gunde haar nog geen flardje van mijn zorgen of woede of verdriet. Maar er sijpelde toch iets weg van dat alles, al weet ik niet hoe. Ik voelde kramp in mijn maag, steken in mijn borst, pijn in mijn botten, allemaal gevoelens die door mijn lichaam krioelden op zoek naar een uitweg.

De volgende ochtend was het de eerste dag van de week, wasdag. De Jezusaanbidders zaten voor een speciaal gesprek bijeen in het huis van God, en ik ging hun kamers binnen om hun vuile was te verzamelen. De kamer van Juffrouw Banner liep ik eerst ijskoud voorbij. Maar toen schuifelden mijn voeten toch achteruit en opende ik haar deur. Het eerste wat ik zag, was de speeldoos. Dat verraste me. Misschien had ze die te zwaar gevonden om mee te nemen. Luie meid. Ik zag haar vuile kleren in de wasmand liggen. Ik keek in haar klerenkast. Haar zondagse jurk en schoenen waren weg en haar mooiste hoed ook, en twee paar handschoenen, de halsketting met een oranje steen waarin een vrouwengezicht was uitgesneden. Haar kousen met het gat in een van de hielen waren er nog.

En toen kreeg ik een slechte gedachte en een slim plan. Ik wikkelde een vuile blouse om de speeldoos en legde hem in de wasmand. Die droeg ik door de gang naar de keuken, en dan de poort uit naar de tuin van het Koopmansspook. Bij de noordwestelijke muur, waar ik ook mijn eendeëieren bewaarde, groef ik een kuil en stopte daarin de speeldoos en al mijn herinneringen aan Juffrouw Banner.

Terwijl ik de aarde aanstampte op mijn verborgen schat, hoorde ik een laag geluid, als van een kikker: 'Wa-ren! Wa-ren!' Ik liep het pad op naar het paviljoen, en boven het gekraak van de dode bladeren uit was daar opnieuw dat geluid. Alleen wist ik nu dat het de stem van Juffrouw Banner was. Ik verstopte me achter een struik en keek omhoog naar het paviljoen. Wah! Daar was het spook van Juffrouw Banner! Dit dacht ik omdat haar haren helemaal in de war waren en los tot op haar middel vielen. Ik schrok zo erg dat ik mijn evenwicht verloor en in de struik viel. Zij hoorde het geritsel.

'Wa-ren? Wa-ren?' riep ze, en ze kwam het pad afrennen met een radeloze uitdrukking op haar gezicht. Ik kroop zo snel als ik kon de struik uit om te kunnen vluchten. Maar toen zag ik haar zondagse schoenen pal voor mijn neus. Ik keek op en wist meteen dat ze geen spook was. Want haar gezicht en hals en haar handen zaten onder de muggebeten. Nu hadden die misschien ook veroorzaakt kunnen zijn door spookmuggen, maar dat bedenk ik nu pas... Nou ja. Ze krabde aan haar jeukende gezicht en vroeg: 'De generaal... is hij gekomen om me op te halen?'

Nu wist ik hoe de vork in de steel zat. Ze had sinds gisteren in het paviljoen op hem gewacht, haar oren gespitst op elk klein geluidje. Ik schudde mijn hoofd en het deed me zowel plezier als verdriet om te zien hoe ellendig ze zich voelde. Ze liet zich neervallen en begon te lachen en te huilen. Ik staarde naar haar nek, naar de rode bulten waar de muggen zich aan haar bloed te goed hadden gedaan. Ik had medelijden met haar, maar ik was ook boos.

'Waar is hij heen?' vroeg ik. 'Heeft hij dat gezegd?'

'Hij zei Canton... Ik weet niet... Misschien heeft hij dat óók wel gelogen.' Haar stem was dof als een kapotte bel.

'Wist u dat hij voedsel gestolen heeft? En geld, en vele kostbaarheden?'

Ze knikte.

'En toch wilde u met hem meegaan?'

Ze begon in het Engels in zichzelf te mompelen. Ik wist niet wat ze zei, maar het klonk alsof ze zich beklaagde, alsof ze het erg vond dat ze niet bij die vreselijke kerel was. Ze keek me aan. 'Juffrouw Moo, wat moet ik nu?'

'U wilde eerst geen waarde hechten aan mijn mening. Waarom vraagt u daar nu dan wel naar?'

'De anderen. Ze moeten denken dat ik krankzinnig ben.'

Ik knikte. 'En een dievegge bovendien!'

Een hele poos zweeg ze, en dan zei ze: 'Misschien moet ik mezelf maar ophangen. Wat denkt u, Juffrouw Moo?' Opeens lachte ze als een waanzinnige, pakte een kei en legde die in mijn schoot. 'Juffrouw Moo, wees zo goed mij het hoofd in te slaan. Zeg de Jezusaanbidders dat die duivel van een Cape me vermoord heeft, zodat ze me zullen betreuren in plaats van verachten.' Ze wierp zichzelf in het stof en huilde: 'Dood me, dood me alstublieft. Iedereen wil me toch al dood hebben.'

'Juffrouw Banner,' zei ik, 'wilt u een moordenares van mij maken?'

En ze antwoordde: 'Als u werkelijk mijn trouwe vriendin bent, bewijst u me deze dienst.'

Trouwe vriendin! Het was alsof ik een klap in mijn gezicht kreeg! Waar haalt ze het recht vandaan om over trouwe vriendschap te praten, dacht ik bij mezelf. Dood mij, Juffrouw Moo. Pfff! Ik wist heus wel wat ze eigenlijk van me wilde: troostende woorden, en de garantie dat de Jezusaanbidders haar niets kwalijk zouden nemen, dat ze zouden begrijpen dat zij voor de charmes van die booswicht bezweken was.

'Juffrouw Banner,' zei ik bedachtzaam, 'maak geen grotere dwaas van uzelf dan u al bent. U wilt niet echt dat ik u het hoofd insla. U stelt zich aan.'

Maar ze sloeg met haar vuist op de grond. 'Ja, ja, dood me, ik wil sterven!'

Nu begreep ik dat ze haar aanstellerij niet te snel wilde opgeven. Het was kennelijk de bedoeling dat ik eerst nog wat op haar inpraatte. Maar in plaats daarvan zei ik: 'Hmm. De anderen zullen u inderdaad haten, dat staat vast. Misschien verjagen ze u wel, en waar moet u dan heen?'

Ze keek me met grote ogen aan. Verjagen? Ik kon zien dat dit idee haar als waarschijnlijk voorkwam.

Ik deed eventjes alsof ik in gepeins verzonken was, en zei toen op vastberaden toon: 'Juffrouw Banner, ik heb besloten uw trouwe vriendin te zijn.'

Haar ogen waren nu twee donkere draaikolken van verwarring.
'Ga met uw rug tegen de stam van die boom daar zitten,' beval ik. Ze
kwam niet in beweging. Dus greep ik haar bij een arm, sleepte haar
naar de boom en drukte haar met de rug tegen de stam. 'Vooruit, Juffrouw Banner, het is voor uw eigen bestwil.' Ik nam de zoom van haar
zondagse jurk tussen mijn tanden en scheurde hem los.

'Wat doet u?' gilde ze.

'Ach, wat geeft het,' zei ik. 'Straks bent u dood.' Ik scheurde de zoom
in drie stroken, trok haar armen achterwaarts om de boom en bond
met één strook haar polsen vast.

'Juffrouw Moo, ik wil toch liever...' Maar ik bond de tweede strook
voor haar mond. 'Zo, nu kan niemand u horen als u mocht gaan gillen.' Ze mummelde: 'muh-muh-muh.' De laatste strook bond ik voor
haar ogen. 'Zo, nu hoeft u niet te zien wat ik zo meteen ga doen.' Ze
begon met haar voeten te trappelen. Ik waarschuwde haar: 'Ah, Juffrouw Banner. Als u niet stilzit, mis ik misschien en sla ik u eerst een
oog uit, of breek uw neus voor ik aan uw verzoek kan voldoen...'

Ze slaakte gedempte kreten, schudde wild met haar hoofd en wiebelde met haar billen.

'Bent u gereed, Juffrouw Banner?'

Ze schokte nu met haar hele lichaam. De boom trilde ervan en er
dwarrelden blaadjes omlaag alsof het herfst was. 'Vaarwel,' zei ik, en ik
gaf haar met mijn vuist een heel licht tikje tegen haar voorhoofd. Ze
viel onmiddellijk flauw.

Wat ik gedaan had, was gemeen, maar niet verschrikkelijk. Wat ik nu
ging doen, was barmhartig, maar een leugen. Ik liep naar een rozestruik
en brak er een doorn af. Toen ging ik voor haar staan, prikte met de
doorn in mijn duim en liet het bloed op haar gezicht en de voorkant
van haar jurk druppen. Vervolgens haalde ik de Jezusaanbidders erbij.
O, wat prezen die haar om haar moed. Die dappere Juffrouw Banner!
Die getracht had de Generaal tegen te houden toen die hun muilezel
stal. Die arme Juffrouw Banner! Wreed mishandeld en laaghartig achtergelaten, vastgebonden aan die boom waar ze alleen maar per toeval
gevonden was. Dokter Te Laat zei hoezeer het hem speet dat hij geen
medicamenten had om haar te kunnen behandelen. Juffrouw Muis
zei hoe erg ze het vond dat die ploert van een Cape Juffrouw Banner
van haar speeldoos had beroofd. Mevrouw Amen ging meteen verster-

kende bouillon voor haar trekken.

Toen ik later alleen was met Juffrouw Banner, in haar kamer, zei ze: 'Dank u, Juffrouw Moo. Ik ben uw trouwe vriendschap onwaardig.' Ik weet nog goed dat dit haar woorden waren, want ze maakten me heel trots. Ook zei ze: 'Van nu af aan zal ik u altijd geloven.' Op dat moment kwam Yiban zonder te kloppen haar kamer binnen. Hij liet een zware, leren tas op de vloer vallen. Juffrouw Banner hapte naar adem. Die tas bevatte de kleding en de spullen die ze mee had willen nemen op haar vlucht met Generaal Cape. Ons bedrog was uitgekomen! Mijn gemeenheid en barmhartigheid waren voor niets geweest.

'Deze tas vond ik in het paviljoen,' zei Yiban. 'Ik denk dat hij u toebehoort. Uw hoed zit erin, en uw handschoenen, en een halsketting, en een haarborstel.' Yiban en Juffrouw Banner keken elkaar langdurig diep in de ogen, en uiteindelijk zei hij: 'Wat een geluk voor u dat Generaal Cape deze tas vergeten heeft mee te nemen.' Dit was zijn manier om haar te laten weten dat ook hij haar miserabele geheim bewaren zou.

De rest van die week vroeg ik me bij alles wat ik deed af waarom Yiban Juffrouw Banner gespaard had. Met hem had ze immers niet de vriendschap die ze met mij had. Maar goed, ik had haar ooit ook uit de rivier gevist zonder haar te kennen. Waarom deed je zoiets, een onbekende uit de nood helpen? Als je iemand redt, viel me in, dan wordt hij of zij een deel van jouw eigen leven. Ja, dat was de reden... Yiban en ik hadden beiden een eenzaam hart. We wilden allebei dat er iemand bij ons zou horen.

Het duurde niet lang of Yiban en Juffrouw Banner brachten samen vele uren door. Meestal spraken ze Engels met elkaar, en moest ik haar achteraf vragen waarover ze gesproken hadden. 'O,' zei ze op een keer, 'niets bijzonders. Over onze levens vroeger in Amerika en onze levens hier. Over de verschillen. Welk land beter is.' Ik voelde een steek van jaloezie, want met mij sprak ze nooit over zulke niet-bijzondere dingen.

'En, waarin is China beter?' vroeg ik.

Ze zweeg. Ik nam aan dat ze aan het afwegen was welke van de vele goede Chinese dingen ze het eerst zou noemen. 'Chinese mensen zijn beleefder,' zei ze na een poosje. En toen ze nog wat langer had nagedacht, zei ze: 'En niet zo inhalig.'

Ze zweeg opnieuw en ik wachtte af tot ze verder zou gaan. Ze moest immers nog zeggen dat China mooier was, en Chinese mensen verstandiger en meer verfijnd. Maar ze zei niets meer. 'Heeft Amerika dingen die beter zijn?' vroeg ik.

Nu hoefde ze niet na te denken. 'O... het leven is er gemakkelijker en alles is schoner, er zijn winkels en scholen, wegen voor alle voertuigen, huizen en bedden, snoep en koek, spelletjes en speelgoed, theepartijtjes en verjaardagsfeesten, oh, en bonte optochten, heerlijke picknicks in het malse gras, roeien in een bootje, een bloem op je hoed, mooie jurken dragen, boeken lezen, brieven schrijven aan je vrienden...' Ze wist van geen ophouden en ik ging me steeds kleiner en lelijker voelen. En vies, en dom, en armoedig. Ik had heus niet altijd vrede gehad met mijn bestaan, maar dit was de eerste keer dat ik mezelf verafschuwde. Ik werd misselijk van jaloersheid. Niet om al die Amerikaanse dingen, maar omdat zij Yiban kon vertellen wat ze allemaal miste en dat hij haar dan begreep. Hij hoorde bij haar op een manier die voor mij niet was weggelegd.

'Juffrouw Banner,' zei ik. 'U voelt iets voor Yiban Johnson, ah?'

'Voelen? Ja, misschien wel. Maar alleen vriendschap. En lang niet zo'n sterke vriendschap als wij hebben. O, en zeker niet het gevoel dat mannen en vrouwen soms voor elkaar hebben. Hemeltje, nee! Hij is immers een Chinees. Nu ja, voor de helft dan, maar dat is eigenlijk nog erger... In Amerika kan een blanke vrouw onder geen voorwaarde... zo'n romance zou nóóit worden geduld.'

Ik glimlachte, weer helemaal gerust.

Maar dan begon ze, zomaar, zonder aanleiding, Yiban Johnson te kritiseren. 'Ik moet u eerlijk zeggen, Juffrouw Moo, hij is wel vreselijk ernstig! Geen gevoel voor humor! En zo somber over de toekomst. China verkeert in moeilijkheden, zegt hij. Binnenkort zal zelfs Changmian niet veilig meer zijn. En als ik hem dan tracht op te beuren, een beetje plaag, weigert hij te lachen...' Ze bleef de hele middag zeggen wat er niet deugde aan Yiban. Elk klein foutje kwam aan bod, en hoe het verbeterd zou moeten worden. Dus toen wist ik dat ze veel meer om hem gaf dan ze wilde toegeven. Ze had zeker niet alleen maar gevoelens van vriendschap!

De week daarna sloeg ik ze gade als ze samen op de binnenplaats zaten. Ik zag hoe hij leerde lachen. Ik hoorde hun vrolijke geplaag. Ik wist dat er iets groeide in het hart van Juffrouw Banner.

Laat me je vertellen, Libby-ah, na verloop van tijd hadden Yiban en Juffrouw Banner een liefde zo groot en wijd als de hemel. Dat zei ze me zelf. 'Ik heb vele soorten liefde gekend,' zei ze, 'maar nooit een liefde als deze. Met mijn moeder en broers was het tragische liefde; de liefde die je achterlaat met het schrijnende besef dat je veel minder hebt ontvangen dan waar je recht op had. Met mijn vader was het onzekere liefde. Ik hield van hem, maar heb nooit geweten of hij ook van mij hield. Van mijn vroegere minnaars kreeg ik egoïstische liefde. Zij gaven me net genoeg om te krijgen wat ze van me wilden. Maar nu ben ik gelukkig. Met Yiban heb ik een liefde die gegeven en ontvangen wordt. Uit vrije wil en vol overgave. We verlangen niets en krijgen meer dan we durven hopen. Ik voel me als een zwervende ster die eindelijk haar plaats aan de hemel gevonden heeft, naast een andere stralende ster om daar voor eeuwig mee te schitteren.'

Ik was blij voor Juffrouw Banner, maar bedroefd voor mezelf. Daar zat ze nu, vol hartstocht te spreken over haar geluk. En ik begreep geen woord van wat ze zei! Ik vroeg me af of de liefde die zij beschreef alleen bij Amerikanen kon leven, met hun onlesbare dorst naar het grootse en voorname. Of misschien was het helemaal geen liefde, maar ziekte – buitenlanders werden immers ziek van de minste kou of warmte. En haar wangen gloeiden, haar ogen waren groot en glanzend. Ze had geen benul meer van de tijd. 'O, is het alweer zo laat?' zei ze vaak. En ze was opeens heel onhandig geworden en had bij elke stap de ondersteuning van Yiban nodig. Haar stem was ook anders, schril en kinderlijk. En 's nachts kreunde ze. Uren achtereen kreunde ze zoals ik nog nooit iemand had horen kreunen. Misschien had ze wel malaria. Maar 's ochtends was ze altijd weer fris en vrolijk!

Niet lachen, Libby-ah. Ik had nog nooit zo'n hevige liefde zien opbloeien. Dominee Amen en zijn vrouw waren niet zo. En de jongens en meisjes uit mijn geboortestreek hadden zich ook nooit zo gedragen. Althans, niet waar andere mensen bij waren. Dat zou schandalig zijn geweest: laten zien dat je meer om je geliefde geeft dan om al je familieleden bij elkaar, dood of levend.

Ook dacht ik wel eens dat haar liefde het soort van Amerikaanse luxe was dat Chinezen zich nooit konden veroorloven. Dagelijks zaten ze urenlang onbekommerd te praten, hun gezichten steeds dichter bij elkaar, alsof het bloemen waren die in elkaars richting groeiden in plaats van naar de zon. Ze spraken altijd in het Engels, dus weet ik niet wat ze elkaar vertelden. Maar ik kon zien dat zij al pratende aan een gedachte begon, en dat hij die dan afmaakte. Of hij raakte in een lang betoog de draad kwijt, en dan vond zij de woorden die hij zocht. Soms werden hun stemmen opeens laag en zacht, en steeds lager en zachter, en dan grepen ze elkaars handen. Ze hadden de warmte van elkaars huid nodig om de gloed in hun harten te kunnen verdragen. De binnenplaats was hun wereld – de heilige struik, een blaadje aan de heilige struik, een vlinder op het blaadje, hij pakt de vlinder en zet die op haar hand, en ze kijken ernaar alsof het een geheel nieuw schepsel is, een onsterfelijke, wijze man in vermomming. En ik zag dat ze met haar liefde om zou gaan als met die vlinder op haar hand: teder, en vol zorgzaamheid.

Door al deze dingen te zien, leerde ik wat ware liefde is. En spoedig beleefde ik mijn eigen kleine romance. Met Zeng, de eenorige marskramer waarvan ik je sprak. Hij was een aardige man en ik vond hem niet lelijk, ondanks zijn ene oor. Niet te oud ook. Maar ja, hoe romantisch kan het zijn om alleen maar met elkaar over eendeëieren en gebarsten kruiken te praten?

Op een dag zei ik tegen hem: 'Ik hoef geen kruik meer. En ik heb voor jou geen ei.'

'Neem die kruik toch maar,' zei hij. 'Dan krijg ik volgende week dat ei wel.'

'Volgende week zal ik ook geen ei voor je hebben. Die Amerikaanse nepgeneraal heeft al het geld van de Jezusaanbidders gestolen. We hebben amper genoeg leeftocht om het uit te houden tot de volgende boot uit Canton westers geld komt brengen.'

Maar een week later kwam Zeng toch weer die kruik aanbieden. Dezelfde kruik was het, alleen nu met rijst gevuld. Wat was hij zwaar, vol gevoelens! Was dit liefde? Is liefde een kruik vol rijst zonder dat je er een ei voor terug hoeft?

Ik nam die kruik aan, maar ik zei niet: dank je, wat een aardige man ben jij en ooit zal ik je terugbetalen. Nee ik was, eh, hoe zeg je dat, diplomátisch. 'Zeng-ah,' riep ik toen hij alweer wegliep, 'waarom zijn jouw kleren altijd zo vies? Kijk eens naar die glimmende plekken op je ellebogen! Breng je kleren morgen hier, dan zal ik ze voor je wassen.

Als je me het hof wilt maken, moet je er op z'n minst netjes uitzien.'
Zie je? Ik kon ook wel romantisch doen.

.

Toen de winter in aantocht was, liep Ermei nog steeds Generaal Cape
te vervloeken om het stelen van die zij spek. Want nu was alle gezouten
vlees op en het verse ook. Een voor een had ze de varkens, de kippen,
de eenden moeten slachten. Elke week liepen Dokter Te Laat, Dominee Amen en Yiban dat hele eind naar Jintian om te zien of de boot uit
Canton al aangekomen was. En elke week liepen ze het hele stuk terug
met lange gezichten.

Op een dag waren hun gezichten niet alleen lang, maar ook besmeurd met bloed. De dames renden hen gillend en huilend tegemoet.
Mevrouw Amen naar Dominee Amen, Juffrouw Muis naar Dokter Te
Laat, Juffrouw Banner naar Yiban. Lao Lu en ik renden naar de put,
om de dames water te geven waarmee ze de wonden van de heren konden schoonmaken. Terwijl ze dit deden, vertelde Dominee Amen wat
er gebeurd was en vertaalde Yiban zijn woorden voor ons.

'Ze noemden ons duivels, vijanden van China!'

'Wie? Wie?' riepen de dames.

'De Taiping! Nee, ik noem hen geen Godaanbidders meer. Het zijn
beesten, die zogenaamde strijders voor de Grote Vrede. Toen ik zei dat
we juist hun vrienden waren, begonnen ze stenen naar me te gooien.
Ze probeerden me te doden!'

'Waarom? Waarom?'

'Hun ogen! Het komt door hun ogen!' Dominee schreeuwde nog een
paar dingen, viel op zijn knieën en begon te bidden. Lao Lu en ik keken vragend naar Yiban, maar die schudde zijn hoofd. Dominee sloeg
de lucht met zijn vuisten, en bad toen weer verder. Toen wees hij naar
Juffrouw Muis. Die begon te huilen en Dokter Te laat over zijn gezicht
te strelen, al was er geen bloed meer om weg te vegen. Ze stond op en
liep weg. Lao Lu en ik stonden erbij als doofstommen, zonder te weten
wat zich hier voltrok.

Die avond gingen we naar de tuin van het Koopmansspook, waar we
Yiban en Juffrouw Banner ontdekten. Ik zag hun schaduwen in het
paviljoen op het heuveltje; haar hoofd op zijn schouder. Lao Lu wilde

er niet heen, vanwege het spook, dus siste ik tot ze me hoorden. Daarop kwamen ze naar beneden gelopen, hand in hand, maar ze lieten elkaar los toen ze ons konden zien. Bij het licht van de maan, die als een schijf meloen in de hemel stond, vertelde Yiban ons wat er allemaal was voorgevallen.

Hij was in Jintian met Dokter Te Laat en Dominee Amen op een visser afgestapt om te vragen of de boot al was aangekomen. Maar de visser had gezegd: 'Geen boten. Nu niet. Straks niet. Misschien nooit meer. De Britse boten hebben de rivier afgesloten. Niemand kan erin of eruit. Eerst vochten de buitenlanders voor God, nu vechten ze opeens voor de Mantsjoes. Misschien hopen ze dat China in kleine stukjes breekt die ze kunnen oprapen en verkopen, net als hun opium.' Er werd gevochten van Suzhou tot aan Canton. De Mantsjoes vielen alle steden aan die onder het bewind van de Hemelse Koning stonden. Tienmaal tienduizend Taiping waren al vermoord, babies en kinderen ook. In sommige plaatsen was niets anders te zien dan stapels rottende lijken; in andere plaatsen alleen nog maar witte beenderen. Het zou niet lang meer duren of de Mantsjoes kwamen naar Jintian.

Yiban liet dit nieuws op ons inwerken. 'Toen ik Dominee Amen had gezegd wat de visser verteld had, viel hij op zijn knieën en begon hij te bidden, net als jullie hem vanmiddag zagen doen. De Godaanbidders zagen het en begonnen stenen naar ons te gooien. Dokter Te Laat en ik renden weg en riepen naar Dominee Amen dat hij mee moest komen, maar hij bleef op zijn knieën zitten. Hij kreeg stenen tegen zijn arm, zijn been en toen tegen zijn voorhoofd. Toen viel hij voorover, en met zijn bloed stroomde ook het geduld uit zijn hoofd weg. En zijn geloof. Hij riep: "Heer, waarom hebt U mij verraden? Waarom? Waarom stuurde U die valse generaal om ons van onze hoop te beroven?"'

Yiban hield op met praten. Juffrouw Banner zei iets tegen hem in het Engels. Hij schudde zijn hoofd. Dus nam Juffrouw Banner het op zich de rest te vertellen. 'Vanmiddag, toen jullie hem op zijn knieën zagen vallen, liet hij allerlei euvele gedachten uit zijn geest ontsnappen. Hij schreeuwde: "Ik haat China! Ik haat de Chinezen! Ik haat hun gemene ogen en hun gemene harten. Je kunt ze niet redden, want ze hebben geen ziel." Hij was nu niet alleen maar zijn geloof kwijt, maar ook zijn verstand. "Dood de Chinezen, Here, dood hen allen, maar laat mij niet samen met hen sterven." Hij wees naar de andere zendelingen en riep:

"Neem haar, neem hem, neem haar." '

Na die dag veranderde er van alles, veel meer dan mijn eieren alleen. Dominee Amen gedroeg zich als een klein jongetje, liep te jammeren en te huilen, deed koppig, vergat wie hij was. Toch was Mevrouw Amen niet boos op hem. Soms gaf ze hem een standje, soms probeerde ze hem te troosten. Lao Lu zei dat ze Dominee Amen nu tegen zich aan liet liggen, 's nachts. Nu waren ze man en vrouw. Dokter Te Laat liet Juffrouw Muis zijn wonden verzorgen, hoewel er allang niets meer te verzorgen viel. En laat op de avond, als iedereen behoorde te slapen, maar niemand dat nog deed, ging er een deur open en weer dicht. Ik hoorde voetstappen, dan Yibans zachte stem en de zuchten van Juffrouw Banner. Ik werd er zo verlegen van dat ik op een dag besloot de speeldoos op te graven en terug te geven. 'Kijk eens wat ik gevonden heb,' zei ik. 'Die heeft Generaal Cape ook vergeten mee te nemen.'

De bedienden vertrokken een voor een. Tegen de tijd dat de muggen het te koud vonden om 's nachts op pad te gaan, waren Lao Lu en ik de enige Chinezen die nog in het huis van het Koopmansspook woonden. Yiban tel ik niet mee, want ik vond niet langer dat hij meer Chinees dan Johnson was. Yiban bleef voor Juffrouw Banner. Lao Lu en ik bleven omdat onze kostelijke voorraden eendeëieren hier nog altijd verstopt lagen. En ook wel omdat we wisten dat de buitenlanders zonder ons niet zouden overleven.

Elke dag gingen Lao Lu en ik op zoek naar voedsel. Omdat ik was opgegroeid als een arm bergmeisje, wist ik precies waar te zoeken. We poerden in de grond tussen de wortels van bomen, waar de cicaden sliepen. 's Nachts zaten we in de keuken te wachten tot de insekten en ratten ons naar voedselrestjes zouden leiden die we zelf niet konden zien. We trokken de bergen in en plukten er bamboe en wilde thee. Soms verschalkten we een vogel die te oud of te dom was om tijdig weg te vliegen. Toen het lente werd, vingen we jonge sprinkhanen, larven, kikkers en vleermuizen. Om een vleermuis te vangen, moet je hem een besloten ruimte injagen en hem aan het vliegen houden tot hij van uitputting neervalt. Al wat we vingen, bakten we in olie. Die olie kreeg ik van Zeng. Met hem kon ik ondertussen over meer dingen praten dan alleen maar kruiken en eieren. Grappige dingen ook, zoals die keer dat ik Juffrouw Banner een nieuw gerecht voorschotelde.

'Wat is dit?' vroeg ze. Ze boog zich over de schaal, keek en snuffelde.

Heel argwanend. 'Muis,' zei ik. Ze sloot haar ogen, stond op en liep de kamer uit. Toen de andere buitenlanders wilden weten wat ik gezegd had, legde Yiban dat uit in hun eigen taal. Iedereen schudde zijn hoofd en viel vervolgens op de maaltijd aan. Achteraf vroeg ik Yiban wat hij gezegd had dat er in de schaal zat. 'Konijn,' zei hij. 'En ik vertelde erbij dat Juffrouw Banner ooit een konijn als huisdier had gehad.' Vanaf die dag zei Yiban elke keer als de buitenlanders vroegen wat ze te eten kregen: 'Een soort konijn.' En ze wisten wel beter dan hem te vragen of hij de waarheid sprak.

Maar denk niet dat we voldoende te eten hadden. Je hebt heel wat soorten konijnen nodig om acht mensen drie of zelfs maar twee keer per dag te voeden. Zelfs Mevrouw Amen werd mager. En Zeng vertelde dat de gevechten steeds heviger werden. We hoopten van harte dat een van de partijen spoedig zou winnen en de andere definitief verslagen zou worden, zodat we allemaal weer een normaal leven konden gaan leiden. Iedereen was ongelukkig, behalve Dominee Amen, die de hele dag liep te brabbelen als een peuter.

Op een dag besloten Lao Lu en ik dat alles slechter en slechter was geworden en nu op zijn slechtst was. We vonden allebei dat dit de beste tijd was om eendeëieren te eten. We kibbelden een beetje over het aantal eieren dat we iedereen zouden geven. Dit hing natuurlijk af van hoe lang we dachten dat deze slechtste tijd zou voortduren. Toen we het daarover eens waren, moesten we beslissen of we de eieren 's ochtends of 's avonds zouden geven. Volgens Lao Lu was de ochtend het meest geschikt, want dan konden we de nacht ervoor dromen dat we een ei te eten kregen, in de wetenschap dat die droom ook echt uit zou komen. Hierdoor zouden we elke dag vrolijk wakker worden en onze levensmoed behouden. Dus gaven we iedere ochtend iedereen een eendeëi. Juffrouw Banner, oh wat was zij dol op die groene eieren. 'Hartig, romig. Nog lekkerder dan konijn,' zei ze.

Help me eens rekenen, Libby-ah. Acht eieren, elke dag, bijna een maand lang; op hoeveel komt dat? Wah! Tweehonderdveertig eendeëieren. Wat had ik er toch veel gemaakt! Als ik die vandaag de dag eens kon verkopen in San Francisco, ah, wat zou ik rijk worden! En ik maakte er zelfs meer. Want op het midden van de zomer, aan het eind van mijn leven, had ik nog twee kruiken over. Op de dag dat we stierven, moesten Juffrouw Banner en ik huilen en lachen tegelijk, omdat we wisten dat we meer eieren hadden kunnen eten.

Maar ja, hoe kan je vooruit weten wanneer de dood komt? En als je het wist, wat zou je besluiten anders te doen? Kun je spijt voorkomen door meer eieren te eten? Misschien ga je dan wel dood met buikpijn.

Hoe dan ook, Libby-ah, nu dat ik me alles weer eens voor de geest heb gehaald, heb ik nergens spijt van. Ik ben juist blij dat ik niet al die eieren heb opgegeten. Want nu heb ik iets om jou te laten zien. Binnenkort kunnen wij ze samen opgraven, jij en ik, en proeven wat er overbleef.

13

Meisjeswens

Mijn eerste ochtend in China. Ik ontwaak in een donkere hotelkamer in Guilin en zie een gestalte over me heen gebogen staan, in roerloze concentratie. Een moordenaar op het punt van toeslaan. Net als ik het op een gillen wil zetten, zegt Kwan in het Chinees: 'Dus dáárom heb jij zo'n slechte houding. Je slaapt op je zij. Van nu af aan moet je op je rug slapen. En oefeningen doen.'

Ze knipt het licht aan en gaat haar ochtendgymnastiek staan demonstreren. Met haar handen op de heupen laat ze haar bovenlichaam alle kanten opzwaaien, als een gymjuf uit de jaren zestig. Ik vraag me af hoelang ze naast mijn bed heeft staan wachten tot ze me weer eens op een van haar ongevraagde adviezen kon trakteren. Haar eigen bed is al opgemaakt, zie ik.

Ik kijk op mijn horloge. 'Kwan, het is pas vijf uur.'

'Dit is China. Iedereen is al op. Alleen jij slaapt nog.'

'Niet meer, dus.'

We bevinden ons nog geen acht uur op Chinese bodem en ze begint me nu al de wet voor te schrijven. Dit is haar grondgebied, hier worden haar regels gevolgd, hier wordt haar taal gesproken. Ze is in de Chinese hemel.

Ze grist mijn dekens van me af en lacht. 'Libby-ah, schiet op, opstaan. Ik wil naar mijn dorp, iedereen verrassen. Ik wil de mond van Grote Ma zien openvallen van verbazing, en haar horen zeggen: "Hé, ik dacht dat ik jou hier weggejaagd had. Waarom ben je terug?"'

Ze duwt het raam open. We verblijven in het Guilin Sheraton, aan de Li-rivier. Het is nog donker buiten, maar ik hoor een hels kabaal als van honderden flipperkasten. Ik loop naar het raam en kijk naar buiten. Het geluid is afkomstig van de bellen op de driewielige transportfietsen waarmee talloze venters hun manden met zaden, meloenen of knollen naar de markt brengen. De brede straat onder me is één gekrioel van fietsen en auto's, arbeiders en schoolkinderen – iedereen toetert en belt, schreeuwt en lacht alsof het midden op de dag is. Aan het stuur van een fiets zie ik drie reusachtige varkenskoppen, opgehangen aan een touw door de neusgaten, de witte snuiten in doodsgrijnzen gekruld.

'Kijk.' Kwan wijst naar een aantal door gloeilampen verlichte kraampjes, verderop in de straat. 'Daar gaan we ons ontbijt halen. Lekker en goedkoop. Beter dan negen dollar betalen voor dat hotelvoer. Sinaasappelsap, bacon, donuts – wie wil dát nou?'

Ik herinner me de klemmende aanbeveling in de reisgids om vooral geen eten bij straatventers te kopen. 'Ach, negen dollar is toch niet zo duur?' tracht ik het tij te keren.

'Wah! Zo mag je niet meer denken. Je bent nu in China. Negen dollar is heel veel geld hier, een weekloon.'

'Ja, maar goedkoop eten bezorgt je een voedselvergiftiging.'

Kwan gebaart naar de straat onder ons. 'Kijk. Al die mensen daar, hebben die voedselvergiftiging? Als jij goede foto's wilt nemen van echt Chinees eten, zul je het eerst goed moeten proeven. Je moet de smaak via je tong naar je maag laten zinken. In je maag wonen je ware gevoelens. Die gevoelens kun je dan in je foto's leggen, zodat iedereen die je foto's ziet de smaak van het eten proeft.'

Ze heeft gelijk. Ik mag niet zeuren over een paar microben in mijn darmen. Ik trek warme kleren aan en loop de gang in om op Simons deur te kloppen. Hij doet meteen open, is al helemaal aangekleed. 'Ik kon niet slapen,' bekent hij.

Vijf minuten later lopen we met z'n drieën over straat. We komen langs tientallen kramen; sommige zijn uitgerust met kooktoestellen op propaangas, andere hebben slechts een primitief bakrooster. Voor de kramen zitten de klanten in halve cirkels hun mie of noedels te eten. Ik voel mezelf beven van vermoeidheid en opwinding. Kwan blijft staan bij een venter die ronde lappen deeg tegen de zijkant van een gloeiend heet olievat smijt. 'Geef mij er drie,' zegt ze in het Chinees.

De venter pulkt met zijn geblakerde vingers drie gare pannekoeken van het vat en deelt ze aan ons uit. Terwijl Simon en ik ons ontbijt blazend en kreetjes slakend van de ene hand in de andere gooien, trekt Kwan haar portemonnee.

'Hoeveel?'

'Zes *yuan*,' zegt de venter.

Dat is iets meer dan een dollar, spotgoedkoop. Maar voor Kwan komt het neer op afpersing. 'Wah!' Ze wijst op een andere klant. 'Hem vroeg je maar vijftig *fen* per pannekoek.'

'Natuurlijk! Hij is een plaatselijke arbeider. Jullie zijn toeristen.'

'Ach man, ik kom ook uit deze streek!'

'Jij?' De venter snuift laatdunkend en neemt haar van kop tot teen op. 'Waar vandaan dan?'

'Changmian.'

Hij trekt wantrouwend zijn wenkbrauwen op. 'Zo, zo. En wie ken je zoal in Changmian?'

Kwan begint een litanie van namen op te dreunen.

Opeens slaat de venter zich op een dij. 'Wu Ze-min? Ken jij Wu Ze-min?'

'Natuurlijk, als kinderen woonden we tegenover elkaar. Hoe gaat het met hem? Ik heb hem in geen dertig jaar gezien.'

'Zijn dochter is met mijn zoon getrouwd.'

'Je liegt!'

De venter schaterlacht. 'Twee jaar geleden. Mijn vrouw en moeder waren ertegen, omdat die meid uit Changmian kwam. Maar zij zijn nog van die bijgelovige boerinnen, ze geloven nog altijd dat er een vloek rust op Changmian. Ik niet meer. Vorige lente kregen ze hun eerste kleintje! Een meisje, maar dat geeft niet.'

'Wu Ze-min een grootvader... niet te geloven. Hoe gaat het met hem?'

'Hij is zijn vrouw verloren... twintig jaar geleden is het nu, toen ze allebei naar de koeiestallen werden gestuurd wegens contra-revolutionaire opvattingen. Ze verbrijzelden er zijn beide handen, maar niet zijn geest. Later heeft hij een nieuwe vrouw genomen, Yang Ling-fang.'

'Onmogelijk! Zij was het kleine zusje van mijn vriendinnetje op school. Ik zie haar nog voor me. Zo'n teer, iel ding.'

'O, maar die is niet teer meer, hoor. Ze heeft een huid van *jiaoban*, taai als leer. Heeft heel wat meegemaakt, geloof me.'

Kwan en de venter roddelen verder en wij verorberen onze dampende pannekoeken. De smaak is een kruising tussen Italiaans *focaccia*-brood en een uienomelet. Als we ze op hebben, zijn Kwan en de venter inmiddels dikke vrienden. Zij belooft de groeten te doen aan alle bekenden in Changmian, hij geeft haar tips voor het vinden van een niet te dure chauffeur.

'Goed, Oudere Broer,' zegt Kwan, 'hoeveel krijg je van me?'

'Zes yuan.'

'Wah! Nog steeds zes yuan? Veel te veel. Ik geef je twee, niet meer.'

'Hmm, drie dan.'

Kwan betaalt mopperend en we lopen door. Na een meter of vijftig zeg ik tegen Simon: 'Die man beweerde dat er een vloek rust op Changmian.'

Kwan hoort me. 'Tst! Da's zomaar een verhaaltje. Al duizend jaar oud. Alleen stommelingen denken dat het ongeluk brengt om in Changmian te komen.'

Ik vertaal haar woorden voor Simon en vraag dan: 'Wat voor ongeluk?'

'Ach, dat wil je niet weten.'

Voor ik kan aandringen, stoot Simon me aan en wijst naar een zeer fotogeniek marktpleintje. Talloze manden vol gedroogde bonen, dikhuidige pompelmoezen, cassia thee, pepers. Ik haal mijn Nikon te voorschijn en brand los terwijl Simon driftig aantekeningen maakt.

'Kruidige rookpluimen mengen zich met de ochtendmist,' leest hij hardop voor. 'Hé, Olivia, kun je hiervandaan een overzichtsfoto maken? En vergeet die schildpadden niet, fantastisch!'

Ik adem diep in en stel me voor dat mijn longen vollopen met dezelfde lucht die mijn Chinese voorouders ooit ademden, wie ze ook geweest mogen zijn. Omdat we gisteravond pas laat arriveerden, heb ik onderweg naar het hotel niets gezien van het landschap van Guilin – de legendarische pieken en magische grotten van het kalksteengebergte, en alle andere bezienswaardigheden die, als ik de reisgids mag geloven, deze streek voor de Chinezen zelf 'de mooiste plek op aarde' maken. Maar ik wil me niet van de wijs laten brengen door zulke superlatieven en me concentreren op de prozaïsche aspecten van het leven in het grootste communistische land ter wereld.

Waar we ook gaan, de straten zijn tjokvol fleurig geklede Chinezen en dikbuikige toeristen in joggingpakken. In San Francisco zou het alleen zo druk zijn als de *49ers* de *Super Bowl* hadden gewonnen. Overal heerst de bedrijvigheid van de vrije-markteconomie. Ontelbare sjacheraars in loterijbriefjes, beurscoupons, т-shirts, horloges en handtassen met net-echte designerlogo's. En natuurlijk de obligate souvenirstalletjes met Mao-buttons, de Achttien *Lohan* in een walnoot gegrift, plastic boeddha's van zowel de uitgemergelde Tibetaanse als de gezellig-dikke Chinese soort. Het is alsof China met alle geweld wil tonen dat ze haar rijke cultuur en traditie heeft verruild voor de ergste uitwassen van het kapitalisme: plagiaat, wegwerptroep en de massale drift om te kopen wat de buren ook hebben en niemand nodig heeft.

Simon komt naast me lopen en zegt: 'Het is fascinerend en onthutsend tegelijk. Maar toch ben ik blij dat ik hier ben.' Heeft dat laatste ook een beetje betrekking op mij?

In de verte boren de pieken van het kalksteengebergte zich als reusachtige haaietanden in de wolken; een beeld dat op geen enkele Chinese kalender ontbreekt. Maar op het tandvlees van die reuzenhaai woekert nu afzichtelijke hoogbouw, de gevels vergrauwd door de luchtvervuiling en de platte daken vol borden met leuzen in felrode en goudgele lettertekens. Tussen de hoge flatgebouwen staat oudere laagbouw met fletsgroen pleisterwerk. Her en der liggen nog wat vervallen vooroorlogse huizen en spontaan tot stand gekomen vuilnisbelten. Het geheel maakt Guilin tot een beeldschoon gezicht dat door slordige lippenstift en brokkelige, rotte tanden ontluisterd wordt.

'*Boy o boy*,' fluistert Simon. 'Als Guilin de mooiste stad van China is, dan houd ik mijn hart vast voor het vervloekte dorp Changmian.'

We halen Kwan in. 'Alles is helemaal veranderd, niet meer hetzelfde.' Het moet haar verdriet doen te zien hoezeer Guilin in de afgelopen dertig jaar verminkt is geraakt. Maar dan zegt ze opeens vol trots: 'Zo veel vooruitgang, alles is zo veel beter.'

Een paar straten verder stuiten we op een plek die ook weer om foto's schreeuwt: de vogelmarkt. Aan de takken van de bomen hangen honderden sierlijke kooitjes met kwelende zangvogels of exotische soorten met prachtige veren, woeste kammen en wijd uitwaaierende staarten. Op de grond staan grote kooien met roofvogels, adelaars en haviken met vervaarlijke klauwen en snavels. Maar natuurlijk zijn er ook de gewone, voor de stoofpot bestemde kippen en eenden. Een plaatje daarvan, met hun fraaiere en een gunstiger lot hebbende medevogels op de achtergrond, zou een volmaakte openingsfoto bij onze reportage kunnen opleveren.

Als ik nog maar een half rolletje verschoten heb, zie ik een man die me toesist. 'Sssss!' Hij wenkt me gebiedend naderbij. Wat is het, een politieman in burger? Is het verboden hier foto's te nemen? Hoeveel steekpenningen gaat het vergen om hem van het confisqueren van mijn toestel te weerhouden?

Als ik voor hem sta, verdwijnt hij onder een tafel en duikt weer op met een kooi. 'Jij mooi vinden,' zegt hij in gebroken Engels. In de kooi zit een adembenemende uil, sneeuwwit met vlagen chocoladebruin. Net een dikke Siamese kat met vleugels. De uil knippert met zijn gouden ogen en ik val als een baksteen voor zijn charmes.

'Hé, Simon, Kwan, kom hier. Kijk dit eens.'

De venter brabbelt dat de uil honderd Amerikaanse dollars moet kosten. 'Hele goedkoop.'

Simon schudt zijn hoofd en begint in net zo gebroken Engels, versterkt met groteske handgebaren, uit te leggen dat we die vogel nooit kunnen meenemen, dat de douane hem zal onderscheppen en ons een grote boete zal geven.

'Hoeveel?' valt de venter hem in de rede. 'Jij zeggen. Ik geef jou ochtendprijs. Beste prijs.'

'Pingelen heeft geen zin,' zegt Kwan in het Chinees tegen de man. 'Wij zijn toeristen. Wij kunnen geen vogels mee terug naar de Verenigde Staten nemen, al gaf je ze gratis.'

'Aaah, wie heeft het nu over meenemen naar jullie land?' zegt de man nu in rap Chinees. 'Koop hem, breng hem naar dat restaurant aan de overkant en laat de kok hem voor jullie klaarmaken, dan hebben jullie vanavond een heerlijk maal.'

'O my God!' roep ik, en leg Simon uit: 'Hij verkoopt die uil als delicatesse!'

'Walgelijk! Zeg hem dat hij een gore smeerlap is.'

'Zeg jij hem dat maar.'

'Ik spreek geen Chinees.'

De venter denkt blijkbaar dat ik Simon probeer te overreden om vanavond uil te eten, want hij richt zich nu speciaal tot mij. 'U heeft geluk dat ik er een heb. De katuil is zeldzaam, heel zeldzaam,' pocht hij. 'Het kostte me drie weken er een te vangen.'

Kwan dient hem van repliek. 'Katuilen zijn niet zeldzaam, ze zijn alleen maar moeilijk te vangen. Bovendien heb ik altijd gehoord dat de smaak niet bijzonder is.'

'Tja, zelf vind ik een hagedis of zo ook lekkerder. Maar je eet een katuil ook niet voor de smaak, maar om je levenskracht te vergroten. En vooral ook voor je gezichtsvermogen. Een van mijn klanten was zo goed als blind. Toen hij een katuil gegeten had, kon hij voor het eerst in bijna twintig jaar zijn vrouw weer zien. Kwam hij me hier de huid volschelden: "Naai je voorouders, jij! Die vrouw van me is lelijk genoeg om een aap te laten schrikken. Bedankt voor je katuil, vuile zwendelaar!"'

Kwan lacht gul en zegt: 'Ja, ja, dit heb ik ook gehoord over katuilen. Een mooi verhaal.' Ze trekt haar portemonnee en houdt een briefje van honderd yuan omhoog.

'Kwan, wat doe je?' roep ik uit. 'We gaan deze uil níet opeten!'

De venter wuift de honderd yuan weg. 'Alleen Amerikaans geld,' zegt hij kortaf. 'Honderd Amerikáánse dollars.'

Kwan haalt een biljet van tien dollar te voorschijn.

'Kwan!' gil ik.

De venter schudt zijn hoofd, waarop Kwan haar schouders ophaalt en wegloopt. De man roept haar na dat ze de uil voor vijftig dollar kan krijgen. Ze loopt terug en houdt nu een briefje van vijf en een van tien voor hem op. 'Dit is mijn laatste bod,' zegt ze kalm.

'Wat is hier gaande?' mompelt Simon.

De man zucht en overhandigt Kwan de kooi met de weemoedig ogende katuil. 'Wat zonde van al mijn moeite,' klaagt hij. 'Moet je mijn handen zien. Ik heb drie weken lang in bomen geklommen en door struiken gekropen voor dat beest.'

Zodra we buiten gehoorsafstand van de venter zijn, grijp ik Kwan bij een arm en bijt haar toe: 'Ik zal niet dulden dat je die uil opeet, of we nou in China zijn of niet!'

'Shh! Je maakt hem bang!' zegt ze en ze houdt de kooi buiten mijn bereik. Ze geeft me een dolmakend glimlachje, loopt naar de betonnen muur langs de rivier en zet er de kooi op neer. 'Dag lieve vriend,' lispelt ze de uil in het Chinees toe. 'Wil je mee naar Changmian? Samen met mij naar de top van de berg klimmen? En mag mijn zusje dan zien hoe je wegvliegt?' De uil draait zijn kop naar haar toe en knippert met zijn ogen.

Ik kan wel huilen van opluchting en spijt. Waarom denk ik toch altijd het slechtste van Kwan? Ik leg Simon besmuikt uit wat ze met de uil van plan is. Ze wil niets weten van excuses.

'Ik wil nog even terug naar die vogelmarkt,' zegt Simon. 'Om uit te vinden welke vogels ze nog meer als lekkernij verkopen. Ga je mee?'

Ik schud van nee, blijf liever naar onze eigen katuil kijken.

'Ik ben met tien, vijftien minuten terug.'

Als ik Simon zie weglopen, valt me zijn zwierige, typisch Amerikaanse gang op. Juist hier in China blijkt hoe door en door Amerikaans hij is.

'Kijk eens daar,' hoor ik Kwan zeggen. Ze wijst naar een spits toelopende berg in de verte. 'Bij mijn dorp ligt een berg met een punthoofd dat nóg scherper is. Die berg wordt Meisjeswens genoemd, naar een slavinnetje dat ooit ontsnapte en helemaal naar de top klom en daar wegvloog met een feniks die haar minnaar was. Later veranderde zijzelf ook in een feniks, en vestigde het paar zich in een onsterfelijk woud van witte pijnbomen.' Ze kijkt me aan. 'Dat is niet echt gebeurd, hoor. Het is maar een verhaaltje.'

Dat ze deze uitleg nodig acht, doet me glimlachen.

Ze gaat verder: 'Toch geloofden alle meisjes van ons dorp wél in dat verhaal. Niet omdat ze stom waren, maar omdat ze wilden hopen op een beter leven. We dachten dat als je zelf ook naar die top klom en een wens uitsprak, dat die misschien wel verhoord zou worden. Daarom vingen we jonge vogeltjes en hielden die in kooitjes die we zelf gevlochten hadden. Als je vogel groot genoeg was om te vliegen, klom je naar de top van Meisjeswens en liet hem vrij. Dan vloog hij naar de plek waar de feniksen woonden en bracht hun jouw wens over.' Ze snuift. 'Grote Ma zei altijd dat die berg Meisjeswens heette omdat het een argeloos wicht was geweest dat hem beklommen had. En dat ze naar beneden was gevallen toen ze weg had willen vliegen. Ze was met zo'n harde klap op de grond neergekomen, dat ze in een rotsblok veranderd was. Grote Ma zei dat er daarom zo veel rotsblokken aan de voet van Meisjeswens lagen. Dat waren allemaal idiote meisjes geweest, die net als het slavinnetje idiote dingen hadden gewenst en daar met hun leven voor betaald hadden.'

Ik moet lachen, maar Kwan kijkt me verontwaardigd aan en het is alsof ze Grote Ma toespreekt als ze zegt: 'Je mag een meisje haar wensen niet verbieden. Nee! Iedereen moet een droom hebben. We dromen om onszelf hoop te geven. Ophouden met dromen... dat zou hetzelfde zijn als zeggen dat je je lot niet kunt veranderen. Zo is het toch?'

'Ik denk het wel, ja.'

'Nou, raad nu eens wat ik destijds gewenst heb.'

'Geen idee. Wat?'

'Vooruit, raden.'

'Een knappe man.'

'Nee.'

'Een auto.'

Ze schudt haar hoofd.

'De hoofdprijs op jullie bingoavond.'

Kwan grinnikt en geeft me een pets op mijn bovenarm. 'Fout geraden! Oké, ik zal het je zeggen.' Ze kijkt naar de bergen in de verte. 'Vlak voor ik naar Amerika zou gaan, ving ik drie vogeltjes, zodat ik drie wensen kon doen op de top van de berg. Als alle drie die wensen uitkwamen, zei ik tegen mezelf, zou mijn leven volmaakt zijn en kon ik gelukkig sterven. Mijn eerste wens: een zuster van wie ik met heel mijn hart kon houden. Alleen dat, verder zou ik niets van haar verlangen. Mijn tweede wens was dat ik ooit samen met mijn zuster zou terugkeren naar China. Mijn derde wens,' en haar stem begint te trillen, 'was dat Grote Ma ons dan zou zien, en zeggen dat het haar speet dat ze me had weggestuurd.'

Dit is de eerste keer, ooit, dat Kwan er blijk van geeft dat ook zij wrok kan koesteren. 'Toen ik boven was, opende ik mijn kooi,' hervat ze haar relaas, 'en liet mijn drie vogels vrij.' Ze wappert met haar handen. 'Maar één van hen had geen kracht in zijn vleugels, fladderde een paar rondjes en stortte naar beneden. En zie, twee van mijn wensen kwamen uit: ik heb jou en nu zijn we samen in China. Vannacht viel me in dat mijn derde wens dus niet kon uitkomen. Grote Ma zal me nooit zeggen dat ze spijt heeft.'

Ze pakt de kooi met de uil en houdt hem omhoog. 'Maar nu heb ik een prachtige katuil die mijn laatste wens kan overbrengen. Als hij straks wegvliegt, zal hij al mijn verdriet met zich meenemen en zullen we allebei vrij zijn.'

Simon is weer terug. 'Olivia, je houdt het niet voor mogelijk wat de mensen hier als voedsel beschouwen.'

We slaan de richting van het hotel in, op zoek naar een chauffeur die één Chinese vrouw, twee toeristen en een katuil naar Changmian wil brengen.

14

Hello Good-bye

Even voor negen uur vinden we een chauffeur. Een montere jongeman die zijn diensten omschrijft als een volleerd kapitalist: 'Schoon, goedkoop, snel,' zegt hij in het Chinees, en voegt daarna Simon nog iets toe.

'Wat zei hij?' vraagt Simon.

'Hij wil je laten weten dat hij Engels spreekt.'

Hij doet me denken aan de jonge Hong Kong Chinezen die de *pool halls* van San Francisco bevolken. Dezelfde overmaat aan haarcrème en aan zijn pink een zorgvuldig gevijlde nagel die een centimeter uitsteekt – ten teken dat hij een voorspoedig leventje zonder zwaar werk leidt. Hij glimlacht zijn nicotinegele tanden bloot en vraagt ons hem Rocky te noemen. 'Als beroemde filmster.' Hij haalt iets tussen de bladzijden van zijn Chinees-Engelse woordenboek vandaan: een uitgeknipte, zwaar beduimelde foto van Sylvester Stallone.

We stoppen mijn apparatuur en een koffer met geschenken in zijn kofferbak. De rest van onze bagage laten we in het hotel, want Rocky zal ons vanavond terugrijden. Tenzij Kwans tante erop staat dat we bij haar blijven logeren. Voor dat geval heb ik alvast wat nachtgoed in mijn fototas gepropt. Rocky opent een voor een de deuren van zijn zwarte Nissan; een nieuw model dat niettemin gordels en hoofdsteunen ontbeert – hebben de Japanners nog steeds zo weinig achting voor de levens van Chinezen? 'China heeft kennelijk betere automobilisten,' is Simons verklaring, 'of de advocaten hier zijn niet gespecialiseerd in aansprakelijkheid.'

Rocky gaat ervan uit dat wij als Amerikanen dol zijn op harde muziek en zet een bandje van de Eurythmics op. Kreeg hij ooit van een van zijn '*excellent American customers*'. Kwan gaat voorin zitten. Simon, de uil en ik achterin. En dan zetten we koers naar Changmian onder het beukende geweld van 'Sisters Are Doing It For Themselves'.

Rocky's voortreffelijke Amerikaanse klanten hebben hem blijkbaar ook een serie frasen geleerd. Hij doorspekt er althans zijn conversatie mee. 'Waar gaan we heen? Weet ik. *Jump in let's go.*' 'Harder rijden? Te hard? *No way José.*' 'Niet verdwaald. *No problem. Chill out.*' Hij zegt dat hij zichzelf Engels leert zodat hij op een dag zijn droom in vervulling kan doen gaan en naar Amerika kan vertrekken.

'Daar wil ik,' zegt hij in het Chinees, 'een beroemde filmster worden, gespecialiseerd in Oosterse vechtsporten. Ik doe nu al twee jaar aan *t'ai chi chuan*. Natuurlijk zal ik niet meteen succes hebben. Als ik aankom, zal ik eerst wel moeten werken als taxichauffeur. Maar ik kan hard werken, hoor. Amerikaanse mensen kunnen niet zo hard werken als Chinezen. Ook weten wij beter wat lijden is en hoe we ontberingen moeten doorstaan. Wat voor een Amerikaan ondraaglijk is, zou voor mij nog heel gewoon zijn. Denk je ook niet, Oudere Zuster?'

Kwan geeft een dubbelzinnig 'hmm' als antwoord. Waarschijnlijk denkt ze aan haar zwager, die als gediplomeerd apotheker naar Amerika trok, maar daar nu als bordenwasser werkt. Hij durft geen Engels te spreken omdat hij bang is dat de mensen zijn gebrekkige uitspraak voor domheid zullen verslijten. Dan zie ik Simon ineens zijn ogen opensperren, en ik gil: '*Holy shit*', als de auto bijna twee Chinese schoolmeisjes schept die hand in hand langs de kant van de weg lopen. Rocky gaat onaangedaan door met de presentatie van zijn toekomstplannen.

'Ik heb gehoord dat je in Amerika vijf dollar per uur kan verdienen. Voor zo'n bedrag wil ik best tien uur per dag werken, elke dag van het jaar. Dat komt op vijftig dollar per dag! Zoveel verdien ik nu niet eens in een maand, mijn fooien meegerekend.' Hij werpt Simon en mij een blik toe via zijn achteruitkijkspiegel, om zich ervan te vergewissen dat we zijn hint begrepen hebben. In mijn reisgids staat dat fooien in China als beledigingen worden ervaren. Ik denk dat die reisgids aan een nieuwe, herziene druk toe is.

'Als ik in Amerika woon,' zegt Rocky, 'ga ik sparen. Ik geef maar een beetje uit aan eten, sigaretten, misschien af en toe een film. En aan mijn auto natuurlijk, want daar moet ik mijn geld mee verdienen. Ik stel maar weinig eisen aan het leven. Na vijf jaar heb ik dan bijna honderdduizend Amerikaanse dollars. Dat is een half miljoen yuan. Meer nog als je het op straat wisselt. Dus als ik na vijf jaar geen filmster ben, kan ik altijd nog naar China terugkeren en als een rijk man leven.' Hij zit zich zichtbaar te verkneukelen.

Als Simon mijn vertaling van Rocky's betoog gehoord heeft, zegt hij: 'Die jongen vergeet de kosten voor zijn levensonderhoud. Huur, gas en licht, benzine, autoverzekering.'

'Vergeet de belasting niet,' vul ik aan.

En Simon vervolgt: 'Om nog te zwijgen van de parkeerbonnen en berovingen. Zeg hem maar dat je in Amerika waarschijnlijk krepeert als je slechts vijftig dollar per dag verdient.'

Maar net als ik Simons oordeel voor Rocky vertalen wil, moet ik aan Kwans verhaal over de Meisjeswens denken. Je mag mensen hun dromen niet ontnemen.

'Ach, hij zal vermoedelijk nooit naar Amerika vertrekken,' zeg ik tegen Simon. 'Waarom zouden we zijn droom vergallen met waarschuwingen die hij niet eens nodig heeft?'

Rocky kijkt ons glunderend aan via zijn achteruitkijkspiegel en steekt zijn duim op. Eén tel later gil ik: '*Holy Jesus shit*', als we op een jonge vrouw met een baby op haar fietsstuur afsuizen. Op het allerlaatste moment wijkt ze uit naar rechts.

Rocky lacht. '*Chill out*', maant hij ons. En legt dan in het Chinees uit waarom we ons geen zorgen hoeven maken. Kwan draait zich om en vertaalt zijn uitleg voor Simon: 'Hij zeggen China auto iemand doodrijdt, auto altijd schuld, fout andere persoon niet belang.'

'Eh, en dat hoort me gerust te stellen?' vraagt Simon. 'Weet je zeker dat je alles vertaald hebt?'

'Dit slaat nergens op, Kwan,' val ik hem bij, terwijl Rocky onbekommerd door het verkeer slalomt. 'Een dode voetganger is een dode voetganger. Wat maakt het nog uit wiens schuld het is?'

'Tst! Dit Amerikaanse denken,' werpt ze tegen. De katuil staart me bestraffend aan door de tralies van zijn kooi – hé daar, domme Yank, je bent nu in China. Hier tellen jouw luxe opvattingen niet. Kwan vervolgt: 'In China iedereen altijd verantwoordelijk ander, maak niet uit wie doet wat. Rocky jou doodrijden ook mijn fout, jij mijn zusje. Snappen nu?'

'Einde gesprek,' fluistert Simon. De uil pikt aan zijn kooi.

Na een rij winkels die allemaal strooien hoeden en rotan meubelen verkopen, bereiken we de buitenwijken van de stad. Beide kanten van de weg zijn kilometer na kilometer bezet met identieke eethuisjes. Sommige zijn nog in opbouw, amper meer dan een chaos van stenen, pleisterwerk en witkalk. Maar aan de uithangborden is de bestemming al te zien. Want alle uithangborden zien er exact hetzelfde uit – er is hier één enkele schilder van uithangborden, die onvoorstelbaar goede zaken doet. Elk tentje heeft dezelfde specialiteit: gloeiend hete noedelsoep, met een verfrissend glas sinaasappelprik na. Ja, het concurrentieprincipe is hier tot in sombermakende proporties doorgevoerd.

Talloze serveersters zitten neergehurkt bij de voordeur van hun etablissement. Lusteloos zien ze ons voorbij zoeven. Wat een bestaan. De verveling moet hun hersenen finaal verweekt hebben. Zouden ze zich ooit op enigerlei wijze verzetten tegen hun lot? Ze moeten zich voelen alsof ze dag in dag uit bingo spelen met een kaart zonder nummers. Simon zit verwoed aantekeningen te maken. Heeft hij ook de hopeloosheid in al die ogen gezien?

'Wat schrijf je?' vraag ik.

'Miljoenen wachten vergeefs op bediening.'

Een paar kilometer verder maken de eettentjes plaats voor eenvoudige houten bouwsels met rieten daken, en weer wat verder zien we alleen nog maar onbeschutte venters langs de weg. Ze schreeuwen ons uit alle macht toe, zwaaien met hun netjes pompoenen en flesjes zelfgemaakte pepersaus. In termen van marketing en reclame is deze autorit een tocht naar het verleden.

Op zeker moment komen we door een dorpje waar we een tiental mannen en vrouwen in wit-katoenen jassen langs de weg zien zitten. Ieder van hen beschikt over een kruk, een emmer water, een houten gereedschapskist en een bord waarop hun nering omschreven staat. Omdat ik geen Chinees kan lezen, vraag ik Kwan wat er op die borden staat. 'Eersteklas kapper,' leest ze. 'Ook allemaal puist knijpen, likdoorn knippen, oorwas vegen. Twee oren prijs één.'

Simon schrijft alles gretig op. 'Whew!' roept hij uit. 'Stel je voor dat je de tiende oorwasweghaler bent terwijl niemand ook maar bij de eerste stopt. Dat noem ik nou een leeg bestaan.'

Ik herinner me een twistgesprek dat we ooit hadden, waarin ik zei dat je je eigen geluk niet aan andermans ongeluk kunt afmeten, en dat Simon toen vroeg waarom niet. Misschien hadden we het allebei bij het verkeerde eind. Nu ik al die mensen radeloos naar ons zie zwaaien, ben ik blij dat ik nooit tot een carrière in de oorwasverwijdering besloten heb. Maar tegelijkertijd bekruipt me het gevoel dat ik in wezen, los van al mijn westerse opsmuk, niet echt verschil van de tiende in de rij, wensend dat iemand zou stoppen en haar zou uitverkiezen. Ik stoot Simon aan. 'Waar zouden die mensen op hopen, als ze dat al doen?'

Met valse joligheid zegt hij: '*Hey, the sky's the limit* – zolang het niet regent.'

Ik stel me een menigte Chinese Icarussen voor, allemaal bezig hun zelfgemaakte vleugels met oorwas in te smeren. Nee, je kunt mensen hun wensen niet ontnemen. Al zou je het willen. Zolang ze de hemel kunnen zien, zullen ze van een hoge vlucht blijven dromen.

Er komen steeds langere stukken leegte tussen de dorpen en pleisterplaatsen. Kwan zit in te dommelen. Haar kin zakt verder en verder op haar borst. Op de momenten dat Rocky over een kuil rijdt, schrikt ze even wakker met een snurkgeluidje, maar na verloop van tijd wordt haar gesnurk regelmatig. Waardoor het haar genadiglijk ontgaat dat Rocky alsmaar harder over de smalle tweebaansweg scheurt. Hij zwiert routineus om tragere voorliggers, onderwijl met zijn vingers knippend op de maat van de muziek. Elke keer dat hij versnelt, spreidt de uil lichtjes zijn vleugels, om dan weer langzaam tot bedaren te komen in zijn veel te krappe kooi. Bij elke inhaalmanoeuvre grijp ik mijn knieën vast en zuig ik mijn adem naar binnen door opeengeklemde tanden. Simons gezicht is ook gespannen, maar als hij doorkrijgt dat ik naar hem kijk, glimlacht hij.

'Moeten we hem niet zeggen vaart te minderen?' opper ik.

'Welnee. Het gaat toch goed? Maak je niet druk.'

Die neerbuigende aanbeveling me niet druk te maken valt niet goed bij me. Maar ik heb nu geen zin om te bekvechten. We rijden vlak achter een legertruck vol soldaten. Ze zwaaien naar ons. Rocky groet terug met zijn claxon en zwiert dan de linker weghelft op om de truck te passeren. Halverwege de truck zie ik een bus van de andere kant komen en hoor ik een aanzwellend getoeter. '*O my God, o my God*', stamel ik. Ik knijp mijn ogen dicht en voel Simon mijn hand pakken. We zwenken sterk naar rechts en ik hoor een akelige 'woesj', gevolgd door de wegstervende toeter van de bus.

'Nu ben ik het zat,' fluister ik overstuur. 'Nu ga ik hem zeggen dat hij langzamer moet rijden.'

'Ik weet niet, Olivia, misschien kwets je hem wel.'

Ik kijk woedend opzij. 'Wát? Ben jij liever dood dan onbeleefd?'

Hij probeert een ontspannen gebaar te maken. 'Ze rijden allemaal zo.'

'O, dus jij vindt het best om deel te nemen aan een massale zelfmoord? Wat is dat voor gezwets?'

'We hebben toch nog nergens een ongeluk zien gebeuren?'

Nu komt al mijn opgekropte irritatie vrij. 'Waarom geef jij er altijd de voorkeur aan je mond te houden? Wat moet er allemaal nog misgaan voor je dat eens afleert?'

Hij staart me aan, en net als ik probeer uit te maken of het een woedende of berouwvolle blik is, trapt Rocky op zijn rem. Is de strekking van onze ruzie tot hem doorgedrongen? Nee, we blijken in een file te zijn beland. Rocky draait zijn raampje omlaag en steekt zijn hoofd naar buiten. Ik hoor hem binnensmonds vloeken en dan begint hij met zijn handpalm op zijn claxon te beuken.

Na een paar minuten zien we de oorzaak van het oponthoud: een ongeluk – en niet zo'n kleintje ook. De weg ligt bezaaid met glas, metaal en persoonlijke bezittingen. Het stinkt doordringend naar benzine en verschroeid rubber. Ik wil mezelf een triomfantelijk 'zie je wel?' toestaan, maar dan rijden we langs een zwart bestelbusje. Het ligt ondersteboven met opengeknakte deuren, als een dode tor. De cabine is totaal verwoest. Hier kan niemand meer in leven zijn. Een van de banden is meters verderop in een akker terechtgekomen. Even later zien we de andere partij: een rood-met-witte bus van het openbaar vervoer. De grote voorruit is verbrijzeld, de hondesnuitachtige voorkant is zwaar ingedeukt en gruwelijk met bloed besmeurd. De stoel van de bestuurder is leeg. Een slecht teken. Van de omringende akkers zijn zo'n vijftig boeren komen kijken. Met hun gerei nog in de hand lopen ze rond en wijzen elkaar brokstukken aan alsof ze een tentoonstelling bezoeken. Als we de achterkant van de bus voorbijrijden, zien we een stuk of tien mensen in de berm liggen. Sommigen kronkelen en gillen van de pijn, anderen liggen volkomen stil; in shock of misschien al dood.

'Niet te geloven,' zegt Simon ontdaan. 'Geen ambulances, geen doktoren.'

'Stop de auto,' zeg ik in het Chinees tegen Rocky. 'We moeten ze helpen.' En meteen vraag ik me af waarom ik dat gezegd heb. Wat kunnen wij voor die mensen doen? Ik kan amper naar ze kijken, laat staan dat ik ze zou durven aanraken.

'Ai-ya.' Kwan staart naar de berm. 'Zo veel yin-mensen.' Yin-mensen? Zegt Kwan dat er doden tussen liggen? De uil slaakt een rouwkreet en ik voel mijn handen koud en vochtig worden.

Rocky houdt zijn ogen op de weg en blijft doorrijden. Weldra hebben we de plek des onheils achter ons gelaten. 'We konden niets voor ze doen,' zegt hij in het Chinees. 'We hebben geen medicijnen of verband, niets. Bovendien is het niet verstandig om je met dit soort dingen te bemoeien. Zeker niet als je een buitenlander bent. Maar maak je geen zorgen. De politie kan elk moment komen.'

Ik ben hem er heimelijk dankbaar voor dat hij mijn opdracht genegeerd heeft.

'Jullie zijn Amerikanen,' gaat hij verder. Hij is van toon veranderd, klinkt nu zo Chinees als een Chinees maar klinken kan. 'Jullie zijn niet gewend zulke dingen te zien. Voor ons zijn dit soort rampen gewoon. Wij hebben zo veel mensen... dit is ons leven, altijd volle bussen, iedereen dringen om een plekje, geen lucht om te ademen, geen ruimte voor medelijden.'

'Zou iemand mij kunnen vertellen wat hier gaande is?' roept Simon uit. 'Waarom stoppen we niet?'

'Geen vragen. Niet mee bemoeien, weet je nog wel?' kan ik niet nalaten te zeggen.

Die Rocky. Ik ben opeens blij dat zijn dromen van Amerikaans succes nooit zullen uitkomen. Ik krijg zin hem te vertellen over de illegale Chinese immigranten die zich laten misbruiken door drugsbenden, in de gevangenis terechtkomen en ten slotte weer naar China worden afgevoerd. Ik wil hem vertellen over de daklozen in Amerika, over de criminaliteit, over universitair geschoolden zonder uitzicht op een baan. Wie is hij om aan te nemen dat het hem beter zal vergaan dan hen? Wie is hij om aan te nemen dat wij niks van ellende afweten? Wat zou ik graag zijn Chinees-Engelse woordenboekje voor zijn ogen aan stukken scheuren en in zijn mond proppen.

Maar dan maakt mijn woede plaats voor zelfverwijt. Rocky heeft gelijk. Ik kan niemand helpen. Ik kan mezelf niet eens helpen. Ik vraag hem te stoppen. Ik moet overgeven.

Als ik even later voorovergebogen in de berm sta, klopt Simon me troostend op mijn rug. 'Toe maar. Ik voel mezelf ook niet al te fris.'

Als we weer wegrijden, praat Kwan even op Rocky in. Hij knikt ernstig en mindert vaart.

'Wat zei ze tegen hem?' fluistert Simon.

'Chinese logica. Als we omkomen, loopt hij zijn geld mis. En in het volgende leven zal hij dik bij ons in het krijt staan.'

Drie uur gaan voorbij. We moeten nu in de nabijheid van Changmian komen. Kwan wijst allerlei punten in het landschap aan. 'Daar! Daar!' roept ze hees, en ze wipt op haar stoel als een klein kind. 'Die twee bergtoppen. Het dorp daartussen heet Vrouw Wacht Op Haar Man. Maar waar is de boom? Wat is er met de boom gebeurd? Daar, naast dat huis, stond een hele grote boom, misschien wel duizend jaar oud.'

Ze tuurt alweer verder. 'Kijk daar! Daar werd altijd een markt gehouden. Maar moet je nu eens kijken, het is een verlaten terrein. En daar, die berg recht voor ons! Dat is de berg die Meisjeswens heet. Die heb ik ooit helemaal beklommen!'

Ze kraait van plezier, maar is het volgende ogenblik een en al verwondering. 'Raar. Wat een kleine berg lijkt het nu. Hoe zou dat komen? Is hij gekrompen? Afgesleten door de regen? Of door al de meisjes die ertegenop gerend zijn om hun wens te kunnen doen. Of misschien ben ik zelf wel te Amerikaans geworden en oogt alles kleiner voor me, armzaliger, niet zo goed meer.'

Plotseling gilt ze tegen Rocky dat hij een smal landweggetje op had moeten draaien. Hij maakt een draai met piepende banden. Ik val tegen Simon aan en de katuil roept iets verontwaardigds. Even later hotsebotsen we over het weggetje, langs modderige akkers. 'Linksaf! Hier linksaf!' roept Kwan. Ze zit handenwringend om zich heen te kijken. 'Te veel jaren. Te veel jaren,' prevelt ze.

We rijden door een klein bos, en net als Kwan 'Changmian' zegt, zie ik het liggen: ingeklemd tussen twee spitse bergen, begroeid met fluwelig mos. In de plooien van de grillige hellingen krijgt het mosgroen een smaragden gloed. Dan zien we de huizen. Helderwit gekalkt, met schuine daken waarvan de pannen in het traditionele drakestaartpatroon zijn gelegd. Het dorp wordt omgeven door een netwerk van irrigatiekanaaltjes en stenen muren, waarbinnen tal van welige akkers en spiegelgladde vijvers liggen. Als Rocky stopt, weten we niet hoe snel we moeten uitstappen.

Changmian heeft zich glansrijk teweergesteld tegen de ontsierende invloeden van de moderne tijd. Nergens zie ik afdakjes van golfplaat of bungelende elektriciteitskabels. In tegenstelling tot de andere dorpen waar we langskwamen, zijn de landjes en grasvelden hier niet volgegooid met vuilnis en afval. De steegjes zijn niet bekleed met lege sigarettenpakjes en plastic zakken. Propere, keurig geplaveide paadjes slingeren zich tussen de huizen door en voegen zich voorbij het dorp samen tot één enkel weggetje dat omhoogklimt naar een muur tussen de bergen en door een tunnel in die muur uit zicht verdwijnt. In de verte, achter de beide pieken, torenen twee andere bergen, donkergroen van kleur, en daar weer achter zien we de purperen omtrekken van een derde koppel. Simon en ik staren elkaar bedremmeld aan.

Hij grijpt mijn hand, knijpt erin en fluistert dat hij deze plek *fucking unbelievable* vindt. Ik herinner me de vorige gelegenheden waarbij hij dit oordeel velde: toen we trouwden en toen we ons tienkamer-appartement betrokken. Momenten van intens geluk, dat niet blijven zou.

Ik haal mijn fototoestel te voorschijn, en terwijl ik door de zoeker tuur, krijg ik het gevoel te zijn terechtgekomen in een toverachtig, niet werkelijk bestaand oord; half herinnering, half illusie. Is dit het rijk van de oude Chinese goden? Changmian is het China dat veel reisbureaus met brochures vol opgedofte foto's beloven, een 'sprookjeswereld waarin u als bezoeker het verre verleden betreedt'. Changmian biedt de ontroerende vreemdheid waar alle toeristen naar snakken, maar die niemand ooit te zien krijgt. Dit kan niet kloppen, waarschuw ik mezelf. Straks lopen we een straatje in waar we de plaatselijke supermarkt ontdekken, of een autokerkhof, of een teken dat dit helemaal geen dorp is, maar een speciaal voor westerse romantici opgetrokken pretpark. Komt dat zien! Het China van uw dromen!

'Ik heb het gevoel dat ik hier eerder geweest ben,' fluister ik Simon toe.

'Ik ook. Het is zo griezelig volmaakt. Misschien hebben we er ooit een documentaire over gezien.' Hij schiet in de lach. 'Of komt het voor in een reclamespot voor een of andere auto.'

Ik staar naar de bergen in de verte en opeens snap ik waarom Changmian me zo bekend voorkomt. Natuurlijk, het is de achtergrond bij alle verhalen die Kwan me ooit verteld heeft, de verhalen die zich door mijn eigen dromen mengden. Daar heb je ze: de stenen poortjes, de cassiabomen, de hoge muren van het huis van het Koopmansspook, de heuvels vanwaar je de Distelberg kunt zien liggen. Nu ik hier ben, krijg ik het gevoel alsof het membraan dat mijn leven altijd in tweeën deelde zich oplost.

Plotseling horen we gejoel en gejuich, en zien we een horde schoolkinderen naar de omheining van hun speelplaats komen rennen. Als we op hen toelopen, beginnen ze te gillen, maken rechtsomkeert en rennen terug naar hun schoolgebouwtje. Maar even later stuiven ze alweer in onze richting, nu achtervolgd door hun glimlachende meester. Ze gaan in gelid staan, en dan, alsof ze een onzichtbaar teken hebben gekregen, roepen ze in koor: '*A-B-C! One-Two-Three! How are you! Hello good-bye!*' Heeft iemand ze verteld dat er Amerikaans bezoek zou komen? Hebben ze dit speciaal voor ons geoefend?

De kinderen zwaaien naar ons en wij zwaaien terug. '*Hello good-bye! Hello good-bye!*' We lopen verder het pad af. Twee jongemannen trappen op de rem van hun fietsen en gapen ons aan. We blijven doorlopen en slaan een hoek om. Kwans mond valt open. Verderop staat voor een stenen muur een groepje mensen, allemaal met een brede grijns op hun gezicht. Kwan slaat haar handen voor haar mond en rent op hen af. Als ze bij hen is, grijpt ze hen stuk voor stuk bij de handen. Als laatste begroet ze een dikke vrouw, die ze omhelst en uitvoerig op de rug slaat. Als Simon en ik ons bij hen voegen, hoor ik hoe ze elkaar kameraadschappelijk staan te jennen.

'Dik! Wat ben jij ongelofelijk dik geworden, zeg!'

'En jij dan! Wat is er met je haar gebeurd? Heb je dat met opzet verpest?'

'Dit is de mode! Maar dat weet zo'n domme boerin als jij natuurlijk niet.'

'O, moet je haar horen. Nog altijd verbeelding.'

'Jij was altijd degene met verbeelding, niet...' Midden in haar zin valt Kwan stil en staart naar de muur achter hen – volkomen gebiologeerd, alsof ze nog nooit zoiets fascinerends heeft gezien.

'Grote Ma,' stamelt ze. 'Wat is er gebeurd? Hoe kan dit?'

Een man in het groepje waarmee ze heeft staan dollen zegt: 'Ha! Ze was zo nieuwsgierig naar je dat ze vanochtend vroeg is opgestaan en de bus naar Guilin heeft genomen om je te begroeten. En nu ben jij hier en zij is daar! Wat zal ze de pest in hebben!'

Iedereen lacht, behalve Kwan. Ze schuifelt naar de muur en zegt steeds opnieuw, met schorre stem: 'Grote Ma, Grote Ma.' De mensen fluisteren en deinzen geschrokken achteruit.

'O jee,' zeg ik.

'Waarom huilt ze?' fluistert Simon.

'Grote Ma, o, Grote Ma.' De tranen stromen Kwan nu over de wangen. 'Geloof me, dit heb ik niet gewild. Wat jammer dat je sterven moest op de dag van mijn terugkeer.' Enkele vrouwen slaan hun handen voor hun gezicht.

Ik loop op Kwan toe. 'Wat zeg je nou? Waarom denk je dat ze dood is?'

'Waarom doet iedereen zo raar?' Simon kijkt verwilderd om zich heen.

Ik gebaar hem te zwijgen. 'Kwan?' zeg ik zachtjes. 'Kwan?' Maar ze lijkt me niet te horen. Ze kijkt vertederd naar de muur, lachend en huilend tegelijk.

'Ja, dit wist ik,' zegt ze. 'Natuurlijk wist ik dit. Diep vanbinnen heb ik het altijd geweten.'

Die middag is er een ongemakkelijk welkomstfeest voor Kwan in de dorpshal. Het gerucht heeft zich door heel Changmian verspreid dat Kwan de geest van Grote Ma heeft gezien. Maar zelf heeft ze niets gezegd, en omdat er evenmin een officieel bericht gekomen is, heeft men het feest toch maar door laten gaan. Er is dagenlang gewerkt aan alle lekkernijen.

Kwan schept niet op over haar auto, haar tweezitsbank of haar Engels. Ze zit stilletjes te luisteren naar wat haar jeugdvrienden over de voorbije dertig jaar te vertellen hebben – verhalen over de geboorte van een tweeling (twee jongens!), een treinreis naar een grote stad en de tijd dat een groep studentikoze jongelingen in Changmian was gedetacheerd om de mensen de beginselen van de Culturele Revolutie bij te brengen.

'Ze dachten dat ze slimmer waren dan wij,' vertelt een oude vrouw met handen die krom staan van de reumatiek. 'Ze wilden dat we een snelgroeiende rijstsoort gingen verbouwen. Drie oogsten per jaar in plaats van twee. Ze gaven ons speciale zaden en hadden zakken vol insektengif meegenomen. En toen werden die vergiftigde insekten opgegeten door de kikkertjes die in de rijstvelden zwommen, zodat die ook stierven. En daarna stierven de vogels die de kikkertjes aten. En toen stierf de rijst.'

Een man met een woeste haardos schreeuwt: 'Dus wij zeiden: "Laat ons maar weer tweemaal per jaar onze oude rijst oogsten. Daar hebben we meer aan dan alleen maar driemaal per jaar rijst te zaaien!"'

De vrouw met de kromme handen vertelt verder. 'Toen kwamen die bollebozen op het idee te gaan fokken... met onze muilezels! Echt waar! Twee jaar lang vroegen we ze elke week: "En, kameraad, al succes?" "Nog niet, nog niet," zeiden ze dan. En dan wij weer met een stalen gezicht: "Volhouden maar, kameraad. Niet opgeven!"'

Midden in het massale gelach komt een jongetje de hal binnenrennen. Hij schreeuwt dat er een overheidsfunctionaris uit Guilin is aangekomen, in een glimmende, zwarte auto. Stilte. Als de man de hal binnenkomt, staat iedereen op. Hij houdt plechtig de identiteitskaart van Li Bin-bin omhoog en vraagt of zij in dit dorp woonachtig was. Alle gezichten draaien naar Kwan. Ze loopt langzaam op de man af, kijkt naar de kaart en knikt. Daarop doet de functionaris een openbare mededeling en stijgt er gemompel uit de menigte op, en vervolgens gehuil.

Simon buigt zich naar me toe: 'Wat is er aan de hand?'

'Grote Ma is dood. Ze kwam om het leven bij het ongeluk met die bus, dat we vanochtend hebben gezien.'

We lopen naar Kwan toe en leggen ieder een hand op een van haar schouders. Wat voelt ze klein aan.

'Wat erg voor je,' hakkelt Simon. 'Ik... het spijt me dat je haar niet hebt mogen terugzien. Het spijt me dat wij geen kennis met haar hebben kunnen maken.'

Kwan schenkt hem een betraande glimlach. Als Li Bin-bins naaste familielid heeft ze het bureaucratische ritueel op zich genomen het stoffelijk overschot naar het dorp over te brengen. Daartoe keren we terug naar Guilin.

Zodra Rocky ons ziet, drukt hij zijn sigaret uit en legt zijn radio het zwijgen op. Hij heeft het nieuws kennelijk ook gehoord. 'Wat een tragedie,' zegt hij. 'Het spijt me, Grote Zuster, ik had moeten stoppen. Het is mijn schuld…'

Kwan wuift zijn verontschuldigingen weg. 'Niemand kan er wat aan doen. Trouwens, spijt is nutteloos, altijd te laat.'

Als Rocky de deuren van zijn auto voor ons opent, zien we dat de kooi met de katuil nog altijd op de achterbank staat. Kwan pakt de kooi voorzichtig op en kijkt naar de vogel. 'Het is niet langer nodig de berg op te gaan,' zegt ze. Ze zet de kooi op de grond en maakt het deurtje open. De uil steekt eerst zijn kop naar buiten en hipt dan de kooi uit. Hij kijkt even om zich heen en dan is hij met een paar machtige vleugelslagen op weg naar de bergen. Kwan kijkt hem na tot hij uit zicht verdwijnt. 'Geen berouw meer,' zegt ze. En dan stapt ze in.

Als Rocky de auto start, vraag ik Kwan: 'Toen we vanochtend langs die bus reden, heb je toen iemand zien liggen die op Grote Ma leek? Wist je daarom dat ze gestorven was?'

'Waar heb je het over? Ik wist pas dat ze dood was toen ik haar yinzelf bij de muur zag staan.'

'Maar waarom zei je haar dan dat je het al wist?'

Kwan kijkt me verward aan. 'Dat ik wát wist?'

'Toen je tegen haar sprak bij de muur zei je dat je het al geweten had, dat je diep vanbinnen al wist dat het waar was. Had je het toen niet over het ongeluk?'

'Ah,' nu begrijpt ze me. 'Nee, niet het ongeluk.' Ze slaakt een zucht. 'Ik zei tegen Grote Ma dat ik wist dat ze de waarheid sprak.'

'Wat zei ze dan?'

Kwan kijkt naar buiten. Ik zie haar bedroefde gezicht weerspiegeld in het raam. 'Ze zei dat ze zich vergist had over dat verhaal van de Meisjeswens. Ze zei dat al mijn wensen al waren uitgekomen. Ze had altijd al spijt gehad dat ze me had weggestuurd. Ze had het zelfs vreselijk gevonden om afscheid van me te moeten nemen. Maar dat kon ze me niet zeggen, want dan had ik omwille van haar de kans op een beter leven laten schieten.'

Ik pijnig mijn hersens om een paar troostende woorden. 'Nou, je kunt haar tenminste nog zien.'

'Ah?'

'Als yin-mens, bedoel ik. Zo kan ze je nog bezoeken.'

Ze kijkt nog steeds naar buiten. 'Maar dat is niet hetzelfde. Nu kunnen we geen nieuwe herinneringen maken, samen. We kunnen het verleden niet meer een ander aanzien geven. Niet totdat we aan een nieuw leven samen beginnen.' Ze slaakt opnieuw een diepe zucht, waarmee ze haar ongezegde woorden prijsgeeft.

We rijden langs de speelplaats en de kinderen komen weer op ons afrennen en kijken naar ons tussen de latten van de omheining door.

'*Hello good-bye!*' schreeuwen ze. '*Hello good-bye!*'

15

De zevende dag

K wan huilt niet, maar het is duidelijk dat ze totaal ontredderd is. Ze was het onmiddellijk eens met mijn voorstel de roomservice te bellen in plaats van buiten ons avondeten op te scharrelen.

Simon heeft nog wat onbeholpen woorden van troost gesproken, haar op beide wangen gezoend en ons toen alleen gelaten. We eten lasagne. Twaalf dollar per portie; volstrekt buitenissig voor Chinese begrippen. Kwan staart er lusteloos naar. Haar gezicht is een roerloze vlakte in afwachting van een orkaan. Voor mij is lasagne altijd een bron van inspiratie geweest – hopelijk kan ik er genoeg kracht uit putten om Kwan bij te kunnen staan.

Wat moet ik zeggen? 'Grote Ma was een fantastisch mens' zou stompzinnig zijn. Simon en ik hebben haar nooit ontmoet. Bovendien hebben Kwans verhalen over haar mij altijd nogal Dickensiaans in de oren geklonken – een hardvochtige, brute vrouw die letterlijk littekens bij Kwan heeft nagelaten. En toch zit Kwan nu om haar te rouwen. Hoe komt het toch dat we de moederfiguren in ons leven hoe dan ook liefhebben, al hebben ze ons nog zo rot behandeld? Komen we ter wereld met een hart dat zo argeloos is dat het door elke willekeurige bejegening met dankbaarheid vervuld raakt?

Ik denk aan mijn eigen moeder. Zou ik ontroostbaar zijn als zij stierf? Dat ik mezelf die vraag durf te stellen, geeft me al rillingen van schuld. Maar toch: zou ik me bij het ophalen van jeugdherinneringen nog steeds voelen als iemand die naar bramen zoekt in een leeggeplukte struik? Zou ik me nog steeds alleen maar aan dorens prikken en uiteindelijk een wespennest verstoren en op de vlucht moeten slaan? Zou ik mijn dode moeder vergiffenis schenken en haar vervolgens met een zucht van verlichting achter me laten? Of zou ik haar in mijn fantasie omtoveren tot iemand die oprecht genoeg bleek om me van gene zijde te bekennen: 'Het spijt me, Olivia, ik ben een waardeloze moeder geweest, een egoïstisch kreng, en ik kan alleen maar hopen dat je me ooit vergeven zal.' Ja, dat zou ik willen horen. Maar het valt te bezien of ze zelfs onder die omstandigheden zoiets zou kunnen zeggen.

'Lasagne,' zegt Kwan opeens.

'Wat?'

'Grote Ma vragen wat dit. Nu zeggen veel-veel spijt nooit Amerikaanse eten geprobeerd.'

'Maar lasagne is Italiaans.'

'Shhh! Shhh! Weet, maar jij zeggen zij ook spijt niet Italië gezien. Toch al veel spijt.'

Ik buig me over de tafel naar Kwan toe en fluister: 'Praat je daarom Engels? Verstaat Grote Ma dat niet?'

'Alleen Changmian-dialect en beetje taal hart. Zij langer dood leren meer taal hart, misschien beetje Engels ook...'

Dit gespreksonderwerp maakt een eind aan Kwans zwijgzaamheid. Ze komt op toeren en ik ben blij toe. Ik zou niet geweten hebben hoe haar te redden als ze in haar verdriet was weggezonken.

'... Na tijdje yin-mensen alleen taal hart. Makkelijk snel, geen vergissing van woorden.'

'Die taal van het hart, wat moet ik me daarbij voorstellen?'

'Ik verteld allang.'

'O?'

'Veel keren. Is taal niet gebruiken tong lippen tanden. Gebruiken honderd geheime zintuigen.'

'Ah, bedoel je dát.' Daar staat me inderdaad wel iets van bij. Zintuigen die te maken zouden hebben met de primitieve instincten waarop de mens zich verliet voor onze hersenen het vermogen tot taal ontwikkelden, en daarmee de hogere functies van het intellect: draaien, veinzen en liegen. Rillingen over je rug, kippevel, blozende wangen – zo neem je de wereld waar met je honderd geheime zintuigen. Geloof ik.

'Met die geheime zintuigen,' zeg ik tegen Kwan, 'dan weet je bijvoorbeeld dat je bang bent als je haren overeind gaan staan, nietwaar?'

'Nee, dan jij weet iemand jij van houden bang.'

'Iemand waar je van houdt?'

'Ja. Geheime zintuigen altijd jij ander. Geheim altijd tussen mensen, ah?'

'Ik dacht dat die zintuigen geheim waren omdat de mensen niet meer wisten dat ze ze hadden.'

'Ja-ja. Veel mensen vergeten tot na dood.'

'Dus het is de taal van de geesten, eigenlijk.'

'Taal liefde! Niet alleen schatje-lieveling liefde. Alle liefde. Moeder baby, tante nicht, vriend vriend, vreemde vreemde.'

'Vreemde? Hoe kun je nou liefde voelen voor een vreemde?'

Kwan grijnst. 'Jij zien eerste keer Simon hij vreemde! Ik zie jou eerste keer jij vreemde ook. En Georgie! Ik zie eerste keer Georgie, denk Kwan waar jij kennen deze man? Weet je waar? Georgie lieveling vorige leven!'

'Echt? Yiban?'

'Nee-nee, Zeng!'

Zeng? Dat zegt me niets.

Kwan schakelt over op het Chinees: 'Dat weet je toch wel? De man van de oliekruiken!'

'O ja, nu weet ik het weer.'

'Ik vertel Libby-ah over mijn man,' zegt Kwan tegen het bed. 'Ja, jij kent hem ook. Nee, niet in dit leven. Het vorige, toen jij Ermei was en ik jou eendeëieren gaf en jij mij zout.'

Ik prik mijn vork in een lasagnelapje. Kwan zit nu op haar praatstoel, helemaal opgefleurd. Haar verdriet is verdrongen door de fantasieher-inneringen aan haar vorige leven.

•

De laatste keer dat ik Zeng zag voor hij Georgie werd, dat was... ah, ja, de dag voor mijn dood.

Zeng kwam een zak gedroogde gerst brengen, en slecht nieuws. Ik stond bij mijn stomende wasketels. Toen ik hem zijn schone kleren gaf, gaf hij me geen vuile terug.

'Schoon of vuil, dat maakt niet meer uit,' zei hij. Hij keek niet naar mij, maar naar de bergen in de verte. Ah, dacht ik, hij gaat me zeggen dat hij me niet meer wil. Maar toen zei hij: 'De Hemelse Koning is dood.'

Wah! Dit was alsof de donder rommelde terwijl de hemel blauw was. 'Hoe is dat mogelijk? De Hemelse Koning kan niet doodgaan, hij is onsterfelijk!'

'Niet meer,' zei Zeng.

'Wie heeft hem gedood?'

'Hij stierf door zijn eigen hand, zeggen ze.' ·

Dit nieuws was nog schokkender dan het eerste. De Hemelse Koning had zijn onderdanen altijd verboden zelfmoord te plegen. En nu had hij zichzelf gedood? Daarmee liet hij toch blijken dat hij niet het jongere broertje van Jezus was? Hoe kon een Hakka-man zijn eigen volk zo te schande maken? Ik keek naar het sombere gezicht van Zeng. Zo te zien had hij dezelfde gevoelens als ik. Geen wonder, hij was ook een Hakka.

Ik trok het zware, natte wasgoed uit de ketels en overdacht dit slechte nieuws. 'Nu zal er tenminste wel een eind komen aan de gevechten,' zei ik. 'De rivieren zullen binnenkort weer vol boten zijn.'

En toen vertelde Zeng me het derde slechte bericht, nog slechter dan de vorige twee. 'De rivieren zijn al vol, maar niet met boten. Met bloed.'

Als iemand zegt dat de rivieren vol bloed zijn, dan zeg jij niet 'zo zo' om dan weer verder met je werk te gaan. Dan wil je alles weten. Maar Zeng was gierig met woorden, ik moest ze stuk voor stuk uit hem trekken. Het was alsof ik om een kom rijst bedelde en voor elke korrel smeken moest. Stukje bij beetje vertelde hij wat er aan de hand was.

Tien jaar eerder had de Hemelse Koning een vloedgolf van geweld over het land gestuurd, van de bergen naar de zee. Nu was het tij gekeerd. In de havensteden hadden de Mantsjoes alle Godaanbidders al afgeslacht. Nu trokken ze landinwaarts en brandden er alle huizen plat, schonden alle graven, vernielden er hemel en aarde.

'Niemand wordt gespaard,' zei Zeng. 'Zelfs pasgeborenen niet.'

Toen hij dat zei, zag ik al die huilende babies voor me. 'Wanneer zullen ze onze streek bereiken?' fluisterde ik. 'Volgende maand?'

'O nee. De boodschapper die ons dorp het nieuws bracht, vertelde dat hij de dood maar een paar passen vooruit was.'

'Ai-ya! Twee weken? Eén? Hoe lang nog?'

'Morgen zullen de soldaten Jintian verwoesten,' zei hij. 'De dag daarna zal Changmian volgen.'

Alle gevoel stroomde uit mijn lichaam weg. Ik moest tegen de maalsteen geleund gaan staan. In mijn geest zag ik die soldaten al over de weg marcheren. En terwijl ik het bloed van hun zwaarden zag druipen, vroeg Zeng of ik met hem wilde trouwen. Al gebruikte hij niet het woord 'trouwen'. Hij zei met zijn barse stem: 'Hé, vannacht ga ik de bergen in om me te verstoppen in de grotten. Ga je mee, of niet?'

Misschien vind jij dit grof klinken, niet zo romantisch. Maar als iemand zegt je leven te willen redden, is dat niet evenveel waard als naar een kerk te gaan in mooie kleren en dan 'ja, ik wil' te zeggen? Als mijn omstandigheden anders waren geweest, zou ik dat graag gezegd hebben: 'Ja, ik wil, laten we gaan.' Maar er was in mijn hoofd geen ruimte om aan trouwen te denken. Want ik vroeg me af wat er dan met Juffrouw Banner zou gebeuren, en met Lao Lu, Yiban, ja zelfs met de Jezusaanbidders – die witte gezichten van Dominee en Mevrouw Amen, Juffrouw Muis en Dokter Te Laat. Wat raar, eigenlijk, dacht ik. Waarom maak ik me druk over wat hun te wachten staat? We hebben niets met elkaar gemeen. We praten anders, we denken anders, we geloven in een andere wereld en een andere hemel. Maar aan de andere kant: hun bedoelingen waren oprecht. Sommige van die bedoelingen waren niet erg goed, omdat er slechte dingen uit voortkwamen. Maar ze deden altijd hun best. En als je dit van iemand zeggen kan, moet je toch íets met hem gemeen hebben.

Zeng haalde me uit mijn overpeinzing. 'Kom je, of niet?'

'Laat me hier even over denken,' zei ik. 'Mijn geest is niet zo snel als de jouwe.'

'Wat valt er te denken?' zei Zeng. 'Wil je in leven blijven of sterven? Je moet niet zoveel denken. Als je te veel denkt, ga je in keuzen geloven die je helemaal niet hebt. Dan raak je alleen maar in de war.' Hij ging op een houten bank liggen met zijn handen achter zijn hoofd gevouwen.

Ik kwakte het natte wasgoed op de molensteen en rolde die over de vloer om het water weg te persen. Zeng had gelijk, ik was in de war. In één hoek van mijn geest dacht ik: Zeng is een goede man; ik zal mijn hele leven niet meer zo'n kans krijgen, helemaal niet als ik binnenkort al doodga. Maar als ik naar een andere hoek van mijn geest ging, dacht ik: als ik met hem meega, zal ik geen eigen vragen en antwoorden meer hebben. Dan kan ik me niet meer afvragen of ik een trouwe vriendin ben, en of ik Juffrouw Banner moet bijstaan, en de Jezusaanbidders. Die vragen zullen niet meer mogen bestaan, want dan gaat Zeng uitmaken wat mij aangaat en wat niet. Zo gaat het immers tussen man en vrouw.

Mijn gedachten gingen heen en weer, op en neer. Een nieuw bestaan met Zeng? Oude vriendschap behouden? Als ik me in de bergen verstop, zal ik dan allerlei angsten moeten uitstaan en ten slotte toch doodgaan? Als ik blijf, zal mijn dood dan snel en simpel zijn? Wat voor leven, wat voor dood, wat voor beslissing? Het was alsof ik achter een kip aanjaagde en opeens merkte dat ik zelf de kip was. Daarom hield ik op met denken en liet gewoon het sterkste gevoel komen bovendrijven. En dat volgde ik.

Ik keek naar Zeng, die met gesloten ogen op de bank lag. Hij was een goede man. Niet al te slim, maar heel eerlijk. Ik besloot onze omgang te beëindigen op dezelfde manier als ik hem had laten beginnen – door diplomatiek te zijn en Zeng te laten denken dat het zijn idee was om ermee te stoppen.

'Zeng-ah,' zei ik.

Hij opende zijn ogen en ging rechtop zitten.

Ik begon de uitgeperste was op te hangen. 'Waarom zouden we vluchten?' zei ik. 'Wij zijn toch geen Taiping-volgelingen?'

Hij legde zijn handen op zijn knieën. 'Luister,' zei hij geduldig. 'Als de Mantsjoes ook maar een flauw vermoeden hebben dat je iets met de Godaanbidders te maken hebt maken ze je af. En zie eens waar je woont... Dat is hetzelfde als een doodvonnis.'

Ik wist dat hij gelijk had, maar ik ging toch tegen hem in. 'Hoe bedoel je?' zei ik. 'De buitenlanders aanbidden de Hemelse Koning toch niet? Ze zeggen zelfs dat Jezus helemaal geen Chinese broers heeft.'

Zeng schudde vertwijfeld zijn hoofd, alsof hij zich afvroeg hoe iemand zo dom kon zijn. 'Ga dat maar eens aan een Mantsjoe-soldaat uitleggen. Voor je een woord gezegd hebt rolt je kop al over de grond.' Hij sprong overeind. 'En nu geen geklets meer. Ik trek vanavond de bergen in. Ga je mee?'

Maar ik bleef doorgaan met mijn domme geklets. 'Waarom niet nog wat wachten? Laten we eerst zien wat er gebeurt. Het kan nooit zo erg worden als jij denkt. De Mantsjoes zullen hier en daar wat mensen afmaken om een voorbeeld te stellen. Maar de buitenlanders zullen ze zeker met rust laten. Daar hebben ze een verdrag mee. Ja, nu ik het zeg... het is juist verstandiger om hier te blijven. Zeng-ah, neem hier je intrek. Ruimte genoeg.'

'Hier intrekken?' schreeuwde hij. 'Wah! Dan kan ik net zo goed meteen mijn strot afsnijden!' Hij liet zich op zijn hurken zakken en ik kon zien dat zijn geest even hard borrelde als het water in mijn wasketels. Hij ging in zichzelf allerlei onbeleefde dingen zitten mompelen, net hard genoeg om ze mij te laten horen. 'Wat een idioot! Tja, ze heeft ook maar één oog. Geen wonder dat ze niet ziet wat het beste voor haar is!'

'Hé, wie denk je dat je bent om zo op mij af te geven?' zei ik. 'Heb je ineens de sprinkhanenkoorts? Is er een vlieg je ene oor binnengevlogen, die nu je hele kop laat gonzen? "Zzz-zzz" hoor je, en je denkt dat er wolken vol rampspoed op je af komen. Bang om niks.'

'Om niks?' schreeuwde Zeng. 'Wat mankeert jou? Heb jij hier zoveel van die buitenlandse heilige lucht ingesnoven dat je denkt onsterfelijk te zijn?' Hij ging weer rechtop staan, keek me vol minachting aan en riep: 'Pah!' Daarna draaide hij zich om en liep boos weg. Ik voelde de pijn in mijn hart opkomen terwijl ik naar zijn wegstervende stem luisterde: 'Wat een stommeling, die meid. Ze heeft geen verstand... en straks ook geen kop meer!'

Ik ging door met het ophangen van de was, maar mijn vingers beefden. Wat kon je goede gevoelens toch snel in slechte doen omslaan. Wat was het makkelijk geweest hem voor de gek te houden. Er brandde een traan in mijn oog. Ik duwde hem terug. Nu geen zelfmedelijden! Huilen was een luxe die alleen zwakkelingen zich konden veroorloven. Ik begon een van mijn oude bergliedjes te zingen. Ik weet niet meer welke, maar mijn stem was vast en helder, jong en droevig.

'Goed dan, goed dan, nu geen geruzie meer.' Ik keek om en daar stond Zeng weer! Hij keek me vermoeid aan. 'Laten we die buitenlanders dan maar met ons meenemen de bergen in,' zei hij.

Hen meenemen! Ik knikte sprakeloos. Toen hij voor de tweede keer wegliep, zong hij het antwoord op mijn bergliedje. Ik keek hem na. Deze man was heel wat slimmer dan ik gedacht had... Wat een wijze echtgenoot zou je daaraan hebben. En hij had nog een goeie zangstem ook. Hij bleef staan en riep: 'Nunumu?'

'Ah!'

'Twee uur nadat de zon is ondergegaan, dan zal ik komen. Zeg iedereen dat ze klaarstaan op de grote binnenplaats. Begrepen?'

'Begrepen!' riep ik.

Hij deed een paar stappen en bleef opnieuw staan. 'Nunumu?'

'Ah!'

'Houd op met kleren wassen. Die kunnen straks alleen nog door lijken worden gedragen.'

Zie je? Hij begon nu al de baas te spelen, mijn beslissingen voor me te nemen. Daaruit kon ik opmaken dat we al getrouwd waren. Dat was zijn manier om 'ja, ik wil' te zeggen.

•

Toen Zeng weg was, liep ik naar de tuin van het Koopmansspook en ging vanuit het paviljoen de omgeving staan bekijken; de daken van de huizen, het weggetje dat de bergen inliep. Wie voor het eerst in Changmian was en dit uitzicht zag, had kunnen denken: ah, wat een mooi en rustig oord, heel geschikt voor je wittebroodsweken.

Maar ik wist wat de stilte betekende – het seizoen van de dreiging was ten einde, nu ging het seizoen van het grote onheil aanbreken. De lucht was zwaar en vochtig, moeilijk te ademen.

Ik zag nergens een vogel. Geen wolken. De lucht was oranje en rood gekleurd, alsof in de hemelen het bloedvergieten al begonnen was. Ik was zenuwachtig. Het voelde alsof er iets over mijn huid kroop. En toen ik keek, kroop er inderdaad iets over mijn arm: een duizendpoot, een der Vijf Euvele Dieren! Zijn poten golfden als die van marcherende soldaten. Wah! Ik sloeg mijn arm uit om hem eraf te laten vallen, en toen hij op de grond lag, stampte ik hem zo plat als een blaadje. Hij was al dood, maar mijn voet bleef op hem neerkomen, dreun, dreun, tot er nog maar een donkere veeg op de stenen vloer van over was. En nog was ik het gevoel niet kwijt dat er iets over mijn huid kroop.

Ik kwam pas weer bij zinnen toen ik Lao Lu de bel voor het avondeten hoorde luiden. In de eetkamer ging ik naast Juffrouw Banner zitten. Nadat ik mijn eendeëieren met hen was gaan delen, zaten de buitenlanders niet meer apart van de Chinezen. Zoals altijd zei Mevrouw

Amen het maaltijdgebed. En zoals altijd kwam Lao Lu de kamer binnen met een schaal gebakken sprinkhanen, waarvan hij beweerde dat het stukjes konijn waren. Ik had willen wachten tot na het eten, maar mijn gedachten lieten zich niet langer vasthouden. 'Hoe kan ik iets eten als we morgen misschien wel sterven!' riep ik uit.

Juffrouw Banner vertaalde mijn slechte nieuws en iedereen was eventjes heel stil. Toen sprong Dominee Amen op, spreidde zijn armen en riep iets vrolijks tegen God. Mevrouw Amen duwde hem weer terug op zijn stoel en sprak een paar woorden, die Juffrouw Banner voor ons vertaalde: 'Dominee kan niet mee de bergen in. Hij is nog steeds koortsig, dat zien jullie zelf ook wel. Hij zou daar alleen maar veel lawaai maken en de aandacht op ons vestigen. Dus blijven mijn man en ik hier. Ik weet zeker dat de Mantsjoes ons geen kwaad zullen doen. Wij zijn toch buitenlanders?'

Was dit heldenmoed of domheid? Misschien had ze gelijk en zouden de Mantsjoes inderdaad geen buitenlanders willen doden. Maar wie kon daar nu zeker van zijn?

Juffrouw Muis was de volgende die sprak. 'Waar is die grot? Weten jullie hem wel te vinden? Misschien verdwalen we! Wie is deze Zeng? Waarom zouden we hem vertrouwen?' Ze was erg ongerust. 'Het is al zo donker buiten! Laten we hier blijven. De Mantsjoes zullen ons niets doen. Wij zijn onderdanen van Hare Majesteit...'

Dokter Te Laat kwam bij Juffrouw Muis staan en nam haar pols tussen zijn vingers. Juffrouw Banner fluisterde me toe wat hij zei: 'Haar hart slaat veel te snel... Een tocht de bergen in zal haar fataal worden... Dominee en Juffrouw Muis zijn patiënten van hem... Hij zal hen niet verlaten... En nu begint Juffrouw Muis te huilen en streelt Dokter Te Laat haar hand...' Juffrouw Banner was zo van streek dat ze dingen voor me vertaalde, die ik zelf kon zien.

Nu nam Lao Lu het woord: 'Ik blijf hier niet. Kijk naar me. Waar zijn mijn lange neus en bleke ogen? Ik kan me niet achter mijn gezicht verstoppen. In de bergen zijn duizenden grotten, dus duizenden kansen. Hier ben ik kansloos.'

Juffrouw Banner staarde met angstige ogen naar Yiban. Ik wist wat Lao Lu's woorden haar deden denken: dat de man waarvan ze hield meer Chinees leek dan Johnson. Nu ik het erover heb, Yibans gezicht was net dat van Simon: soms Chinees, soms buitenlands, soms allebei tegelijk. Maar voor Juffrouw Banner zag hij er die avond heel erg Chinees uit. Dat weet ik, want ze keerde zich naar mij toe en zei: 'Hoe laat komt Zeng ons halen?'

In die dagen hadden we nog geen pólshorloges, dus zei ik: 'Als de maan halverwege de hemel staat.' Zo rond tien uur, betekende dat. Juffrouw Banner knikte en ging naar haar kamer. Toen ze terugkwam, droeg ze haar mooiste dingen: de zondagse jurk met de afgescheurde zoom; de halsketting met de oranje steen waar een vrouwengezicht in uitgesneden was; handschoenen van heel dun leer; haar favoriete haarspelden – van schildpad, net als die zeepdoos die ik van jou heb gehad voor mijn verjaardag. Dus nu weet je waarom ik daar zo blij mee was. Ze droeg dit alles voor het geval de Mantsjoes haar te pakken zouden krijgen. Ze wilde sterven met deze dingen aan. Ik maakte me niet zo druk over wat ik droeg, ook al zou de komende nacht mijn huwelijksnacht worden. Trouwens, mijn andere broek en hemd hingen nog nat aan de lijn, en waren zeker niet mooier dan het hemd en de broek die ik nu aanhad.

•

De zon ging onder. De halve maan kwam op en klom omhoog door de hemel. Heel onrustig stonden we op de binnenplaats te wachten tot Zeng kwam. Om je de waarheid te zeggen: we hadden helemaal niet op hem hoeven wachten, want in de bergen kende ik de weg net zo goed als hij. Misschien nog wel beter. Maar dat zei ik niet tegen de anderen.

Eindelijk hoorden we een vuist op de poort bonzen. Bom! Bom! Bom! Daar had je Zeng! Voor Lao Lu de poort had bereikt, was het geluid er weer. Bom! Bom! Dus schreeuwde die driftkop van een Lao Lu: 'Je hebt ons uren laten wachten, nu kan jij mooi wachten tot ik klaar ben met pissen!' Hij maakte één poortdeur open, en meteen drongen twee Mantsjoe-soldaten met getrokken zwaard naar binnen. Ze duwden hem opzij en hij viel op de grond. Juffrouw Muis slaakte een lange kreet, aaaaahhhhh!, gevolgd door een heleboel korte, aahh aahh aahh! Dokter Te laat klemde zijn hand om haar lawaaiige mond. Juffrouw Banner gaf Yiban een duw en hij kroop weg achter een struik. Ik deed niets. Maar vanbinnen huilde ik. Waar is Zeng? Waar is mijn man?

Een derde man betrad de binnenplaats. Ook een soldaat, maar met een hoge rang en van buitenlandse afkomst. Hij had kortgeknipt haar, geen baard en geen cape. Maar toen hij 'Nelly!' schreeuwde en met zijn wandelstok op de grond stampte, wisten we dat hij een verraderlijke dief was. Daar was hij, Generaal Cape, met zijn ogen de binnenplaats afspeurend naar Juffrouw Banner. Zag hij eruit alsof hij spijt had? Renden de Jezusaanbidders op hem af om hem met hun vuisten te slaan? Hij stak zijn arm uit naar Juffrouw Banner. 'Nelly!' blafte hij weer. Ze kwam niet in beweging.

En toen ging er heel snel heel veel mis. Yiban kwam achter die struik vandaan en liep met een boos gezicht op Cape af. Maar Juffrouw Banner rende snel langs hem heen en wierp zich in Cape's armen. 'Wa-ren!' zei ze smachtend. Dominee Amen begon te lachen. Lao Lu schreeuwde: 'De teef smeekt de reu om een beurt!' Een zwaard flitste door de lucht, krakk, en opnieuw, whukk! En nog voor we goed en wel doorhadden wat er gebeurde, rolde er een hoofd voor mijn voeten, de mond nog altijd geopend in een uitroep. Ik staarde naar Lao Lu's hoofd en wachtte af wat voor vloek er nu weer uit zou komen. Waarom zei hij niets? Achter me hoorde ik de buitenlanders kreunen en jammeren. En toen steeg er een kreet van verdriet op in mijn eigen borst en liet ik me op de grond vallen. Ik duwde de twee stukken tegen elkaar aan om er weer één Lao Lu van te maken. Zinloos! Ik sprong overeind en keek vol haat naar Cape, klaar om te doden en gedood te worden. Maar na één stap in zijn richting werden mijn benen slap alsof de botten eruit verdwenen waren. De nacht werd donkerder, de lucht nog zwaarder, de grond zwiepte omhoog en sloeg tegen mijn gezicht.

Toen ik mijn oog opende, zag ik mijn handen, die ik naar mijn hals bracht. Mijn hoofd was er nog, met een grote buil aan de zijkant. Had iemand me neergeslagen? Of was ik flauwgevallen? Ik keek om me heen. Lao Lu was weg, maar de grond was nog nat van zijn bloed. Plotseling hoorde ik van de andere kant van het huis geschreeuw komen. Ik sloop er voorzichtig heen en ging vanachter een boom door de geopende deur en vensters van de eetkamer staan kijken. Wat ik zag, leken wel beelden uit de nachtmerrie van een gek. De lampen brandden. Waar hadden de buitenlanders die olie vandaan? Aan de kleine tafel, waar vroeger de Chinezen hadden moeten zitten, zaten de twee Mantsjoe-soldaten en Yiban thee te drinken. Midden op de tafel van de buitenlanders lag een groot stuk schenkelvlees. De damp sloeg er nog af. Wie had voor dit heerlijke eten gezorgd? Generaal Cape had in elke hand een pistool. Hij richtte er een op Dominee Amen, die naast hem zat. Het pistool gaf een luide klik, maar geen knal. Iedereen lachte. Dominee Amen ging met zijn blote handen stukken vlees van het schenkelbot zitten trekken.

Even later blafte Cape iets tegen de soldaten. Ze pakten hun zwaarden op en liepen de eetkamer uit, de binnenplaats over, de poort door naar buiten. Cape stond op en maakte een buiging naar de Jezusaanbidders, alsof hij ze bedankte dat ze zijn gasten hadden willen zijn. Hij stak zijn hand uit naar Juffrouw Banner, en als een keizer en keizerin liepen ze de gang in, naar haar kamer. Het duurde niet lang voor ik die vreselijke speeldoos kon horen.

Mijn oog flitste terug naar de eetkamer. De buitenlanders waren opgehouden met lachen. Juffrouw Muis drukte haar gezicht tegen haar handpalmen. Dokter Te Laat zat haar te troosten. Alleen Dominee Amen glimlachte nog, tegen het schenkelbot. Yiban was er niet meer.

Er vlogen allerlei slechte gedachten door mijn hoofd. Geen wonder dat buitenlanders witte duivels genoemd werden! Ze hadden geen geweten. Je kon ze nooit vertrouwen. Als ze spraken over het toekeren van de andere wang, dan bedoelden ze eigenlijk dat ze twee gezichten hadden. Een verraderlijk gezicht en een doortrapt gezicht. Wat een stommeling was ik geweest om te denken dat het mijn vrienden waren! En waar was Zeng nu? Zeng, die ik zijn leven had laten wagen om de levens van de buitenlanders te redden.

Er ging ergens een deur open en Juffrouw Banner kwam naar buiten met een lantaren in haar hand. Ze keek over haar schouder naar binnen, zei iets plagerigs tegen Cape en liep de binnenplaats op. 'Nuli!' riep ze met een scherpe stem. 'Nuli, hier komen! Vooruit!' O, wat was ik kwaad – wat een lef van haar, om mij voor slavin uit te maken! Want ze zocht mij. In kringetjes liep ze rond over de binnenplaats. Mijn hand streek over de grond, op zoek naar een kei, maar al wat ik vond was een kiezelsteentje. Ik klemde mijn vuist om dit nietige wapen en zei tegen mezelf: ditmaal sla ik haar echt de schedel in.

Ik kwam achter de boom vandaan en riep: 'Nuwu!'

Het was duidelijk dat ze gehoord had dat ik haar een heks noemde, want ze keerde zich meteen om in mijn richting. Maar ze zag me nog niet. Het licht van de lantaren scheen in haar ogen. 'Zo,' zei ik, 'je weet dus dat je een heks bent.' Een van de soldaten stak zijn hoofd om de rand van de poort en vroeg wat er loos was. Sla haar de kop af, dacht ik dat ze tegen hem zeggen zou. Maar met een kalme stem zei ze: 'Ik zocht mijn slavin.'

'Wilt u dat wij haar gaan zoeken?'

'Ah! Nee, ik heb haar al gevonden. Daar staat ze, zie je?' Ze wees naar een donkere hoek aan de andere kant van de binnenplaats. 'Nuli!' schreeuwde ze tegen die lege hoek. 'Schiet op en ga de sleutel van mijn speeldoos halen!'

Wat zei ze nu toch? Ik stond daar helemaal niet. De soldaat ging weer buiten op wacht staan en trok de poortdeur achter zich dicht. Juffrouw Banner draaide zich om en rende naar me toe. In een oogwenk was haar gezicht dicht bij het mijne. Ik zag dat haar ogen vol angst waren. 'Ben je nog steeds mijn trouwe vriendin?' vroeg ze met een zachte, droevige stem. Ze hield de sleutel van de speeldoos naar me op en fluisterde: 'Jij en Yiban moeten vluchten vanavond. Zorg ervoor dat hij me veracht, anders gaat hij niet weg. Pas goed op hem, beloof me dat.' Ze kneep in mijn hand. 'Beloof het,' zei ze opnieuw. Ik knikte. Toen ze mijn vuist open wrong, zag ze het kiezelsteentje. Ze pakte het en legde er de sleutel voor in de plaats. 'Wát!' schreeuwde ze. 'Heb je de sleutel in het paviljoen laten liggen? Stom wicht! Hier, neem deze lantaren en ga naar het paviljoen. En waag het niet zonder die sleutel terug te komen!'

Wat was ik blij toen ik haar deze onzin hoorde uitkramen. 'Juffrouw Banner,' fluisterde ik, 'ga met ons mee... nu.'

Ze schudde haar hoofd. 'Dan maakt hij ons allemaal af. Als hij eenmaal weg is, zullen we elkaar wel weer vinden.' Ze liet mijn hand los en liep door het donker terug naar haar kamer.

•

Ik trof Yiban in de tuin van het Koopmansspook, waar hij Lao Lu aan het begraven was.

'Je bent een goed mens, Yiban.' Toen hij het graf had dichtgegooid, strooide ik er dode bladeren overheen, zodat de soldaten het niet konden ontdekken. Yiban zei: 'Lao Lu was een goede poortwachter, maar zijn eigen mond bewaakte hij slecht.'

Ik knikte en dacht aan de belofte die ik zojuist had afgelegd. Dus zei ik met een boze stem: 'Het is de schuld van Juffrouw Banner dat hij dood is. Wat een schande, zoals ze zich in de armen van die verrader stortte!' Yiban staarde naar zijn vuisten. Ik kneep hem in een arm. 'Hé, Yiban, we moeten weg hier. Waarom zouden wij sterven voor de zonden van de buitenlanders? Ze deugen geen van allen.'

'Je vergist je,' zei Yiban. 'Juffrouw Banner doet alleen maar alsof ze Cape haar hart schenkt, om ons te kunnen redden.' Zie je hoe goed hij haar kende? Dus je begrijpt wel dat ik keihard moest liegen.

'Pff! Doen alsof,' zei ik. 'Het spijt me, maar nu moet ik je toch de waarheid vertellen. Ze heeft mij heel vaak gezegd hoe erg ze ernaar verlangde dat hij haar weer kwam halen. Natuurlijk was ze ook wel op jou gesteld, maar toch maar half zoveel als op Cape. En weet je waarom? Omdat jij maar een halve buitenlander bent! Zo zijn die Amerikanen. Ze houdt van Cape omdat hij haar eigen soort is. Karresporen die eenmaal diep in de grond staan, verander je niet meer.'

Yiban balde nog steeds zijn vuisten, en zijn gezicht werd verdrietig. Heel verdrietig. Ik was blij dat ik geen verdere leugens meer over Juffrouw Banner hoefde te vertellen. Hij zei dat hij met me meeging.

Voor we vertrokken, ging ik nog even naar de noordwestelijke hoek van de tuin en haalde er de laatste twee eendeëieren uit een al geopende kruik. Tijd om een nieuwe kruik op te graven was er niet. 'We gaan naar de Honderdgrottenberg,' zei ik. 'Ik weet hoe we moeten lopen.' Ik doofde de lantaren en gaf hem aan Yiban. Door een klein poortje aan de zijkant glipten we de tuin uit.

We slopen door de stekelige struiken langs het pad dat naar de bergen voerde. Toen we de eerste helling beklommen, bonsde mijn hart van angst dat de soldaten ons zouden zien. Ik klom sneller dan Yiban. Want ik was dan wel een meisje en hij een man, maar ik had bergbenen en hij niet. Toen ik bij de tunnel in de muur tussen de bergen aankwam, moest ik zelfs blijven staan en wachten tot hij me zou inhalen. Ondertussen speurde mijn oog naar het huis van het Koopmansspook. Maar het was te donker. Ik stelde me voor hoe Juffrouw Banner in dezelfde duisternis lag te staren, hopend dat Yiban en ik veilig waren. Toen moest ik aan Zeng denken. Had hij Cape en diens soldaten gezien? Was hij daarom alleen de bergen ingevlucht? En net op dat moment hoorde ik zijn stem achter me.

'Nunumu?'

'Ah!' Ik draaide me om, en daar zag ik zijn donkere omtrek aan het andere eind van de tunnel. Wat was ik blij. 'Zeng, daar ben je! Ik heb me heel erg zorgen om je gemaakt. We stonden op je te wachten en toen kwamen die soldaten...'

Hij onderbrak me. 'Nunumu, schiet op. Verspil geen tijd met kletsen. Deze kant op.' Nog steeds de baas spelen. Denk maar niet dat hij de moeite nam om te zeggen: 'O, hartje van me, eindelijk heb ik je dan gevonden.' Terwijl ik door de tunnel liep, liet ik hem weten hoe blij ik was door plagerig tegen hem te klagen: 'Hé, waar bleef je nou? Ik dacht al dat je van gedachten veranderd was. Dat je liever een andere vrouw wilde. Eentje met twee ogen.' Toen ik uit de tunnel kwam, liep hij al voor me uit langs de helling. Hij gebaarde me hem te volgen.

'Niet door het dal trekken,' gebood hij, 'maar zo hoog mogelijk langs de helling blijven lopen.'

'Wacht even!' riep ik. 'Er komt nog iemand aan!' Zeng bleef staan en toen ik me omdraaide om te kijken waar Yiban bleef, zei hij: 'Nunumu, ik zal voor altijd op je wachten. Want vanavond hebben de soldaten me gedood.'

'Ai-ya!' zei ik boos. 'Wat een misselijke grap. Een paar uur geleden heb ik echt iemand gedood zien worden. Lao Lu. Nog nooit zoiets vreselijks gezien...'

Daar kwam Yiban eindelijk uit de tunnel. 'Tegen wie sta je te praten?' vroeg hij.

'Zeng,' zei ik. 'Daar staat hij, zie je?' Ik draaide me om. 'Zeng? Waar ben je? Zwaai eens met je hand, het is zo donker... Hé, waar ben je? Wacht!'

'Ik zal voor altijd op je wachten,' hoorde ik hem in mijn oor fluisteren. Ai-ya! Toen wist ik dat hij geen grap maakte. Hij was dood.

Yiban kwam bij me staan. 'Wat is er? Waar is hij?' Ik beet op mijn onderlip om het niet uit te schreeuwen van verdriet. 'Ik heb me vergist, het was maar een schaduw.' Er welde een traan op in mijn oog. Wat maakte het nog uit of ik nu stierf, of later? Als ik die belofte aan Juffrouw Banner niet gedaan had, was ik teruggekeerd naar het huis van het Koopmansspook. Maar hier stond Yiban, te wachten tot ik hem weer voor zou gaan op onze vlucht.

'Hoog langs de helling blijven lopen,' zei ik.

Zonder nog tegen elkaar te spreken, baanden we ons een weg door het struikgewas op de berghelling, zwoegend en struikelend over de losse stenen. Ik denk dat Yiban hetzelfde doormaakte als ik: verdriet over de mensen die we verloren hadden. Alleen, hij zou ooit weer met Juffrouw Banner verenigd worden. Voor mij en Zeng was dat uitgesloten. Maar toen ik dit dacht, hoorde ik opeens de stem van Zeng weer: 'Nunumu, hoe kun je weten wat de toekomst brengen zal? Wat zou je denken van ons volgende leven... dan kunnen we toch alsnog trouwen?' Wah! Toen ik dat hoorde, gleed ik zowat van de helling af. Hij had het woord 'trouwen' gezegd!

'Nunumu,' ging hij verder. 'Voor ik je verlaat, zal ik je naar een grot leiden waar je je veilig kunt verstoppen. Gebruik mijn ogen maar in het donker.'

En onmiddellijk kon ik dwars door mijn ooglap heen kijken. Ik zag dat zich een smal bergpaadje voor me uitstrekte. Er viel een flauw licht op, terwijl het overal om ons heen aardedonker was. Ik keek over mijn schouder naar Yiban, die moeizaam voortstrompelde. 'Vooruit!' zei ik ferm, en ik zette er de pas in als een heuse soldaat.

Na een paar uur kwamen we bij een hoge struik. Ik duwde de takken opzij en zag een opening die juist groot genoeg was om je doorheen te wurmen. Yiban ging voor. Hij riep: 'Het is veel te nauw!' En een paar tellen later was hij terug. 'Het loopt dood!'

Ik was verbaasd. Waarom had Zeng ons naar zo'n miserabel grotje gevoerd? Mijn twijfel beledigde hem, want ik hoorde zijn stem weer. 'Het is niet te nauw en het houdt ook niet op. Als je naar binnen kruipt, zie je links van je twee grote rotsblokken. Tast daar maar tussen.' Ik kroop naar binnen en vond links een naar beneden lopend gat waar koele lucht uit kwam.

'Dit is de juiste grot!' riep ik naar Yiban. 'Je hebt niet goed genoeg rondgekeken. Steek die lantaren aan en volg me.'

Soms spleet de grot zich in twee richtingen. 'Waar de ene omhoog gaat en de andere omlaag,' zei Zeng, 'daal je af. Waar de ene nat is en de andere droog, volg je het water. Waar de ene nauw is en de ander wijd, maak je je klein en smal.' Hoe verder we kwamen, des te koeler werd de lucht. Heel verfrissend. De grot maakte de grilligste kronkelingen, zodat we nooit ver vooruit konden kijken – maar na de zoveelste bocht scheen ons plotseling een gloedvol licht tegemoet. Wat was dit? We bereikten een reusachtige ruimte, een enorme zaal waar wel duizend mensen in konden samenkomen, en die gevuld was met een stralend licht afkomstig uit een meertje in het midden van de ruimte. Het licht was groenachtig-goud van kleur en heel anders dan het licht van kaarsen, olielampen of de zon. Het leek nog het meest op maneschijn. Ja, het was alsof al het licht van de volle maan hier in het binnenste van deze berg gevangen was.

Yiban zei dat er misschien een vulkaan onder het meertje borrelde. Of dat er zeemonsters met lichtgevende ogen in zwommen. Of misschien was er in de hemel een ster in stukken gebroken en was een van de brokken hier in het water geplonsd. Ik hoorde Zeng zeggen: 'Nu vind je verder zelf je weg wel. Wees maar niet bang dat je verdwaalt.' Hij ging me verlaten. 'Ga niet weg!' schreeuwde ik.

'Ik heb geen stap verzet,' antwoordde Yiban.

Opeens kon ik niets meer zien met mijn blinde oog. Ik wachtte op een laatste woord van Zeng. Er kwam niks. Geen 'tot weerziens in het hiernamaals, liefde van mijn hart en lever'. Niks. Dat heb je met die yin-lui, zo onberekenbaar! Ze komen als ze willen, ze gaan als ze willen. Na mijn dood hadden Zeng en ik daar nog een fikse ruzie over. En ik zei hem wat ik nu tegen jou wil zeggen, Grote Ma: nu je dood bent, en het te laat is, weet ik pas echt wat je voor me betekende.

16

Een portretfoto van Grote Ma

Kwans gebabbel tegen Grote Ma heeft me de halve nacht uit mijn slaap gehouden. Ik ben doodop. Zij is zo vief als wat.

Rocky rijdt ons naar Changmian in een bestelbusje dat betere tijden heeft gekend. Het in een doek gewikkelde lichaam van Grote Ma ligt op een houten bank in de laadruimte. Bij elke kruising komt het busje hoestend en proestend tot stilstand, laat een harde boer en geeft dan geen kik meer. Elke keer springt Rocky eruit en gaat onder het schreeuwen van 'naai je voorouders, luie aardworm!' staan rammen op al wat zich onder de motorkap bevindt. Dit ritueel levert telkens het gewenste resultaat op; tot onze opluchting en die van de toeterende chauffeurs achter ons. Het is steenkoud in het busje – met het oog op Grote Ma's toestand, althans die van haar lichaam, heeft Rocky de verwarming uit laten staan. Ik tuur mistroostig naar het landschap en zie de kille grondmist uit de irrigatiesloten opstijgen. Dit gaat geen stralende dag worden.

Kwan zit achterin bij Grote Ma, druk pratend, als een meisje dat door haar moeder naar school wordt gebracht. Ik zit op de bank achter Rocky, Simon heeft naast hem plaatsgenomen; ogenschijnlijk voor de gezelligheid van mannen onder elkaar, maar volgens mij ook om al te doldrieste manoeuvres in de kiem te kunnen smoren. Toen we vanochtend het Sheraton verlieten en onze bagage in het busje laadden, zei ik tegen Simon: 'Godzijdank. Dit wordt onze laatste rit met Rocky.' Kwan keek me ontzet aan. 'Wah! Niet "laatste" zeggen, is noodlot tarten!'

Noodlot of niet, we hoeven tenminste niet tussen Guilin en Changmian te blijven pendelen. De volgende twee weken wonen we in het dorp. Gratis, met de complimenten van Grote Ma die volgens Kwan 'wil wij logeren, ook toen nog leven'.

Kwans opschepperij overstemt het metalige geratel van het busje. 'Kijk deze trui eens. Lijkt net wol, niet? Maar het is acryl en daarom kan ze in de machine gewassen worden, mm-hmm.' Ze slaat een nadere uitleg van acryl en wasmachines over om zich aan de juridische aspecten van Amerikaans wasgoed te kunnen wijden. 'In Californië kun je de was niet aan je balkon of venster te drogen hangen. Oh, nee. Dan bellen je buren de politie omdat je hen in verlegenheid brengt. Amerika heeft niet zo veel vrijheid als je denkt, hoor. Er is zóveel verboden, dat geloof je gewoon niet. Al vind ik sommige regels wel goed. Je mag nergens roken, behalve in de gevangenis. Je mag geen schillen op straat gooien, of er je baby laten poepen. Maar sommige regels zijn belachelijk. Zo mag je niet praten in de bioscoop! En vet eten is ook verboden...'

Rocky geeft gas en jaagt het busje over de hobbelige weg. Mijn zorg om Kwans geestestoestand krijgt nu gezelschap van de vrees dat Grote Ma zo meteen door de laadruimte geslingerd wordt.

'Ook mag je je kinderen niet laten werken,' zegt Kwan op stellige toon. 'Echt waar! Weet je nog hoe je mij 's winters twijgjes en takken liet rapen? Ik liep me een ongeluk, zocht de wijde omgeving af met vingers die helemaal dik waren van de kou. En vervolgens verkocht jij mijn bundels aan de mensen in het dorp en hield al het geld voor jezelf. Nee, ik neem je niets kwalijk. Nu niet meer. Ik weet nu ook wel dat iedereen toen hard werken moest. Maar in Amerika hadden ze je in de gevangenis gegooid hoor, als ze gezien hadden dat je mij zo liet zwoegen. Of anders wel omdat je me in mijn gezicht sloeg, en in mijn wangen kneep met je scherpe nagels. Wat, weet je daar niks meer van? Kijk die littekens dan, op elke wang één. Net rattebeten. En trouwens, over straf gesproken, ik heb toen die beschimmelde rijstekoeken echt niet aan de varkens gevoerd! Waarom zou ik daar nu nog om liegen? Ik zeg je nu nóg eens wat ik je toen ook al zei: Derde Nicht Wu had ze gestolen. Ik heb zelf gezien hoe ze de schimmel eraf krabde voor ze ze oppeuzelde. Vraag het haar zelf maar. Ze zal nu ook wel dood zijn, dunkt me. En vraag haar gelijk waarom ze mij zo nodig de schuld moest geven!'

De volgende tien minuten is Kwan opvallend stil. Ik denk dat zij en Grote Ma boos zijn en elkaar de Chinese stiltebehandeling geven. Maar dan roept ze ineens in het Engels: 'Libby-ah! Grote Ma vragen jij foto nemen haar. Zij nooit goeie foto toen nog leven.' Voor ik antwoorden kan, gaat ze verder met haar simultaanvertaling van Grote Ma's yin-wensen: 'Zij zeggen vanmiddag beste tijd foto nemen. Ik haar dan beste kleren mooie schoenen aangetrokken.' Ze glimlacht even naar Grote Ma en richt zich weer tot mij: 'Grote Ma trots beroemde fotografe familie.'

'Ik ben niet beroemd.'

'Niet ingaan Grote Ma! Voor haar jij beroemd. Dat tellen.'

Simon klimt over de leuning van zijn stoel en komt naast me zitten. 'Je gaat toch zeker geen lijk fotograferen?' fluistert hij.

'Wat moet ik dan? Zeggen dat dode mensen niet echt mijn stiel zijn, maar dat ik wel een collega kan aanbevelen?'

'Ze is misschien niet al te fotogeniek meer.'

'Nee maar, daar had ik nog niet bij stilgestaan.'

'Je beseft hopelijk wel dat het alleen maar Kwan is die zo'n foto wil, en niet Grote Ma.'

'Vanwaar deze volmaakt overbodige opmerkingen?'

'Uit voorzorg. Ik ben nu twee dagen in China en heb al heel wat meegemaakt. *Weird stuff.*'

Als we in Changmian zijn uitgestapt, rukken vier oude vrouwen onze bagage uit onze handen. Ze bedelven ons verlegen protest onder luid gelach en de bewering dat elk van hen sterker is dan wij drieën bij elkaar. Onbelast wandelen we door een doolhof van straatjes naar het huis van Grote Ma. Het is identiek aan alle andere huizen in het dorp – een leemstenen bouwsel van één verdieping, met een hoge muur rond het erf. Kwan duwt de houten poort open en Simon en ik stappen het erf op. Daar ontdekken we een nietig oud vrouwtje dat aan de waterput een emmer staat te vullen met behulp van een handpomp. Zij kijkt op, eerst verrast, dan verrukt omdat ze Kwan ziet. 'Haaaa!' krijst ze, en er stijgt een grote dampwolk op uit haar mond. Eén oog zit stijf dicht, het andere staat naar buiten gedraaid als het oog van een kikker die op vliegen loert. Kwan en het vrouwtje grijpen elkaar bij de armen, priemen in elkaars buik en barsten los in het Changmian-dialect. Het vrouwtje gebaart naar een afgebrokkelde muur en knikt misprijzend naar een uitgedoofde stookplaats. Ze lijkt zich te verontschuldigen voor de matige toestand van het huis en voor het feit dat ze ons niet ontvangt met een groots banket en een orkest van veertig man.

'Dit Du Lili ouwe liefste vriendin,' verklaart Kwan in het Engels. 'Gisteren zij gaan bergen plukken paddestoelen. Komen terug horen ik gekomen gegaan.'

Du Lili verfrommelt haar gezichtje in een uitdrukking van ondraaglijk lijden. Ze begrijpt kennelijk dat wij verteld krijgen wat een pech ze gisteren had. We knikken vol medeleven.

Kwan zegt: 'Vroeger wij wonen samen dit huis. Jij Mandarijns praten zij verstaan.' Ze keert zich om en legt haar oude vriendin in het Chinees uit: 'Mijn zusje Libby-ah spreekt een vreemd soort Mandarijns, de Amerikaanse stijl, al haar gedachten en zinnen lopen van achter naar voor. En deze hier, haar man Simon, is als een doofstomme. Hij spreekt alleen maar Engels. Maar goed, ze zijn ook maar halve Chinezen.'

'Ahhhhh!' Du Lili's kreet kan op ontsteltenis wijzen, maar ook op afschuw. 'Halve maar! Wat spreken ze dan tegen elkaar?'

'Amerikaans,' zegt Kwan.

'Ahhhhh!' Dit lijkt me toch vooral walging. Du Lili kijkt me aan alsof het Chinese gedeelte van mijn gezicht elk moment los kan laten.

'Kun je mij een beetje verstaan?' vraagt ze me heel langzaam in het Mandarijns. En als ik knik, begint ze te ratelen. 'Zo mager! Waarom ben jij zo mager? Tst! Tst! Ik dacht dat Amerikaanse mensen heel veel aten. Ben je ziekelijk? Kwan! Waarom geef je je zusje niet beter te eten?'

'Dat probeer ik heus wel,' verweert Kwan zich, 'maar ze lust niks! Amerikaanse meisjes willen allemaal mager zijn.'

Du Lili verlegt haar aandacht naar Simon. 'O! Net een filmster, deze hier.' Ze gaat op haar tenen staan om hem beter te kunnen bekijken.

Simon kijkt naar mij met opgetrokken wenkbrauwen. 'Vertaling, alstublieft.'

'Ze zegt dat je misschien wel een geschikte echtgenoot voor haar dochter bent.' Ik knipoog naar Kwan en probeer mijn gezicht in de plooi te houden.

Simon spert verbaasd zijn ogen open – een teken dat hij het spelletje herkent waarmee we ons in onze beginjaren vermaakten: ik gaf hem kant noch wal rakende vertalingen en hij deed alsof hij die serieus nam, en dan bleven we ons er net zolang naar gedragen tot een van beiden in de lach schoot en zich daarmee gewonnen gaf. Du Lili pakt Simon bij een hand en troont hem mee naar binnen. 'Kom, ik wil je wat laten zien,' zegt ze.

Kwan en ik volgen hen. 'Ze wil eerst je gebit nakijken,' zeg ik. 'Dat maakt deel uit van de huwelijksrite.' We betreden een vierkante ruimte van zo'n zeven bij zeven meter – de middelste kamer, zegt Du Lili. Het is er donker en de inrichting moet sober worden genoemd: enkele houten banken rond een tafel en voor de rest alleen maar kruiken, manden en dozen. Aan de spanten van het schuine dak hangen stukken gedroogd vlees, pepers, nog meer manden, maar geen lampen. De vloer bestaat uit aangestampte aarde. Du Lili loopt naar een ruwhouten offertafel tegen de achterwand. Simon moet naast haar komen staan.

'Ze wil zien of je goed valt bij de goden,' zeg ik. Kwan kijkt me fronsend aan en ik geef haar opnieuw een knipoog.

Aan de muur boven de tafel zijn linten van roze papier opgeprikt waarop leuzen staan in vervaagde inkt. Midden tussen de linten hangt een foto van Mao, met vergeeld plakband over een scheur in zijn voorhoofd. Links daarvan hangt een verguld lijstje met een afbeelding van Jezus die zijn hand ophoudt naar een gouden lichtstraal. En rechts hangt het plaatje waar het Du Lili om te doen is: een oude kalenderfoto van een Bruce Lee-evenbeeld in een historisch krijgerskostuum dat een groen limonadeflesje aan zijn lippen zet. 'Zie je deze filmster?' zegt Du Lili tegen Simon. 'Daar lijk je precies op. Dik haar, felle ogen, krachtige mond, net eender, o, heel knap.'

Ik kijk naar de foto, en dan naar Simon die op mijn vertaling wacht. 'Ze zegt dat je bij nader inzien te veel op deze man lijkt, die een van de meest gezochte misdadigers van heel China is. Dus dat huwelijk kun je vergeten. In plaats daarvan gaat ze je bij de politie aangeven om de beloning van duizend yuan te kunnen opstrijken.'

Hij wijst op de foto en dan op zichzelf. 'Ik?' Hij schudt heftig zijn hoofd en brult: 'Nee, nee! Verkeerde man. Ik *American nice guy*. Hij slecht. Iemand anders!'

Ik hou het niet meer en begin te lachen.

'Gewonnen!' zegt hij glunderend. Terwijl Kwan ons flauwe spelletje uitlegt aan de bedremmelde Du Lili, kijken Simon en ik elkaar nagenietend aan. Het is lang geleden dat we zo'n moment van warmte hadden, samen. Ik probeer me te herinneren wanneer onze plagerijtjes in wederzijds sarcasme overgingen.

'Wat ze werkelijk zei, was dat je sprekend op deze filmster lijkt.'

Simon drukt zijn handen tegen elkaar en maakt een diepe buiging voor Du Lili. Ze buigt gretig terug, blij dat haar compliment eindelijk tot hem doorgedrongen is.

'Weet je,' zeg ik tegen hem, 'op de een of andere manier zie je er in dit licht inderdaad, eh... anders uit.'

'Hmm. Hoezo?' Hij beweegt zijn wenkbrauwen flirtend op en neer.

Ik voel me prompt opgelaten. 'Ehh, ik weet niet.' Ik mompel nog wat en mijn wangen beginnen te gloeien. 'Misschien lijk je meer Chinees of zo.' Ik wend mijn blik af en ga me staan verdiepen in de foto van Mao.

'Tja, ze zeggen wel dat je als getrouwde man door de jaren heen steeds meer op je vrouw gaat lijken.'

Ik houd mijn blik star op de muur gericht en vraag me ondertussen af wat hij werkelijk denkt, nu. 'Moet je zien,' zeg ik. 'Jezus naast Mao. Mag dat wel in China?'

'Misschien weet Du Lili niet wie Jezus is. Misschien houdt ze hem voor een filmster die gloeilampen aanprijst.'

Net als ik Du Lili iets over het plaatje wil vragen roept Kwan naar een paar duistere gestalten in de deuropening: 'Kom binnen! Kom binnen!' Onze bejaarde piccolo's blijken gearriveerd. Tegen ons roept ze: 'Simon, Libby-ah, vooruit! Helpen jullie de tantetjes met onze koffers en tassen.' Maar de tantetjes duwen ons opzij en slepen puffend en hijgend onze modderige bagage tot midden in de kamer.

'Doe je handtas eens open,' zegt Kwan tegen mij, en voor ik haar kan gehoorzamen, heeft ze hem zelf al geopend en rommelt er doorheen. Ik denk dat ze geld zoekt, voor een fooi, maar in plaats daarvan diept ze mijn Marlboro Lights op en geeft het pakje aan een van de vrouwen, die haar mededraagsters elk een sigaret geeft en de rest in haar broekzak stopt. Mijn laatste pakje! Ze steken meteen op en lopen in een dikke rookwolk de deur uit.

Kwan sleept haar koffer naar een donker zijkamertje. Ze wenkt me haar te volgen. 'Hier slapen we.' Ik verwacht een naargeestig slaaphok, overeenkomstig de communistische soberheid van het hoofdvertrek. Maar als Kwan de gordijnen opent, valt het late ochtendlicht op een weelderig hemelbed met sierlijk besneden pilaren en een sluier van vergrijsd muskietengaas. Het is een schitterend stuk antiek, dat sterk doet denken aan het bed in een antiekhandel in Union Street, waar ik al jarenlang een oogje op heb. Het is opgemaakt als de bedden bij Kwan thuis: het laken is strak over het matras gespannen en op het voeteind liggen het kussen en een opgevouwen deken. 'Hoe is Grote Ma hier ooit aan gekomen?' vraag ik verbluft.

'En aan dit?' vraagt Simon. Hij streelt vol ontzag het marmeren blad van een toilettafel, waarop een spiegel staat met een zilveren lijst die breder is dan het glas zelf. 'Hoe kan zulke imperialistische luxe de revolutie overleefd hebben?'

'O, die ouwe spul.' Kwans wegwerpgebaar stemt niet overeen met de trotse blik in haar ogen. 'Heel lang van familie. Culturele Revolutie tijd Grote Ma verstoppen berg stro schuur. Zo gered.'

'Maar waar had de familie het oorspronkelijk vandaan?'

'Oorsprong zendelingvrouw geven grootvader moeder, betaling grote schuld.'

'Wat voor schuld?'

'Ah, heel lang verhaal. Gebeuren, o, honderd jaar...'

Simon valt haar in de rede. 'Zou je me eerst even mijn kamer kunnen wijzen?'

Kwan snuift minachtend.

'O.' Simon kijkt beteuterd. 'Ik neem aan dat er geen andere kamer is.'

'Andere kamer Du Lili kleine bedje.'

'Maar, eh, waar moeten we dan slapen?' Ik kijk rond of ik nog een matras zie liggen, of een stapel kussens.

Kwan wijst naar het hemelbed. Simon kijkt naar mij en haalt zijn schouders op met een blik die moet uitdrukken dat hij het ook een tegenvaller vindt. Hij kan me er niet mee overtuigen.

'Dat bed is amper groot genoeg voor twee,' zeg ik tegen Kwan. 'Jij en ik kunnen erin slapen, maar voor Simon moeten we een reservebed zoeken.'

'Waar reservebed? Uit lucht pakken?'

Ik voel de paniek in mijn keel opwellen. 'Ja, maar... iemand zal toch wel een extra matras voor ons hebben, of weet ik veel wat?'

Kwan vertaalt dit in het Changmian-dialect voor Du Lili, die haar armen opheft in een gebaar van onmacht.

'Zie je?' zegt Kwan. 'Niets.'

'Het is al goed, ik slaap wel op de grond,' oppert Simon.

Ook dit vertaalt Kwan voor Du Lili, waarna ze beiden moeten giechelen. 'Jij slapen vies beesten?' vraagt Kwan. 'Bijtspinnen? Grote ratten? O ja, veel ratten hier, happen vinger eraf.' Ze maakt woeste kauwbewegingen. 'Jij leuk vinden dat, ah? Nee. Wij drie moet zelfde bed. Is maar twee weken.'

'Dat is toch geen oplossing,' jammer ik.

Du Lili kijkt bezorgd en fluistert Kwan iets in het oor. Kwan fluistert iets terug, waarbij ze een hoofdbeweging naar mij maakt en dan naar Simon. *'Bu bu bu bu bu!'* roept Du Lili, en zet deze serie nee's kracht bij door opmerkelijk kwiek met haar hoofd te schudden. Ze pakt mij bij een arm en dan Simon, en duwt ons tegen elkaar aan als waren we een paar ruziënde peuters. 'Luister, stelletje heethoofden,' zegt ze in het Mandarijns. 'Wij zijn niet berekend op dit soort Amerikaanse aanstellerij. Luister naar jullie tante, ah. Slaap in één bed, dan zijn jullie morgenochtend lekker warm en is alles weer goed.'

'Maar Simon en ik...'

'Bu bu bu!' Du Lili duldt geen Amerikaanse onzin meer.

Simon slaakt een zucht. 'Weet je wat? Ik ga een blokje om en dan zoeken jullie maar uit wat we doen. Met z'n drieën in dat bed gepropt vind ik best, en tussen de ratten vind ik ook best. Ik hoor het wel.'

Vindt hij dat ik onnodige stennis maak? Als hij de kamer uitloopt, wil ik hem naroepen dat het mijn schuld niet is, verdomme, maar Du Lili is me voor. In het Mandarijns roept ze: 'Als jullie problemen hebben, moet jij ze oplossen. Jij bent de man. Ze zal heus wel naar je luisteren, als je maar oprecht bent en haar om vergiffenis vraagt. Een echtpaar dat niet samen slapen wil... onnatuurlijk is het!'

Als ik even later met Kwan alleen ben, kijk ik haar vuil aan. 'Dit heb jij van A tot Z gepland, hè?'

Kwan zegt verontwaardigd: 'Dit geen plan. Dit China.'

Na een paar minuten stilte zeg ik narrig: 'Ik moet naar het toilet, waar kan ik dat vinden?'

'Straatje uit, links, kleine schuur naast berg zwarte as.'

'Eh, dus hier in huis is geen toilet?'

'Wat ik zeg jou?' antwoordt ze triomfantelijk. 'Dit China!'

De lunch bestaat uit rijst en gele sojabonen. Kwan stond erop dat Du Lili gewoon wat kliekjes bij elkaar zou gooien en opbakken. Na het eten gaat Kwan naar de dorpshal om voorbereidingen te treffen voor de fotosessie met Grote Ma. Simon en ik gaan, afzonderlijk van elkaar, het dorp verkennen. Ik beland daarbij op een verhoogd stenen paadje dat dwars door de rijstvelden voert. Verderop zie ik een kaarsrechte rij eenden zwemmen. Zijn Chinese eenden ordelijker dan Amerikaanse? Zouden ze ook anders kwaken? Ik neem een stuk of vijf snapshots om er zeker van te zijn dat ik het tafereel heb vastgelegd en me later zal kunnen herinneren wat ik nu denk.

Als ik het huisje weer binnenkom, zegt Du Lili dat Grote Ma al meer dan een half uur ligt te wachten tot haar foto genomen wordt. Terwijl we samen naar de dorpshal lopen, grijpt Du Lili mijn hand en zegt: 'Jouw grote zus en ik hebben samen nog in dat rijstveld daar gespeeld.'

Ik stel me Du Lili voor als een jonge vrouw die met de kleuter Kwan tussen de rijsthalmen rondplast.

'Soms vingen we kikkervisjes,' zegt ze met een meisjesachtig stemmetje. 'Met onze hoofddoeken. Kijk, zo...' Ze gaat lopen alsof ze door water waadt en maakt schepbewegingen. 'De dorpsleiding had namelijk gezegd dat het eten van levende kikkervisjes een goede anticonceptiemethode was. We wisten wel niet wat dat inhield, maar jouw zuster zei: "Du Lili, laten we goede communisten zijn." En ze beval me die kikkervisjes levend en wel door te slikken.'

'Maar dat deed je toch zeker niet?'

'Hoe kon ik haar niet gehoorzamen? Ze was twee maanden ouder dan ik!'

Oúder? Mijn mond valt open. Hoe kan Kwan in vredesnaam ouder zijn dan Du Lili? Du Lili moet zowat honderd zijn! Haar handen zijn ruw en eeltig, haar gezicht is zwaar doorgroefd en ze heeft amper nog tanden in haar mond. Tja, zo ga je er blijkbaar uitzien als je de hele dag in de rijstvelden werkt en zonder Oil of Olay naar bed gaat.

'Ik slikte er elke keer wel meer dan tien tegelijk.' Ze smakt met haar lippen bij de herinnering. 'En ik voelde ze spartelen in mijn keel en zwemmen in mijn maag, en door mijn aderen kruipen. Door mijn hele lichaam kronkelden ze, tot ik op een dag hoge koorts kreeg en de dokter vroeg: "Hé, kameraad Du Lili, heb jij soms rauwe kikkervisjes gegeten? Je hebt een worminfectie!"'

Ze lacht, maar een seconde later kijkt ze mistroostig. 'Ik vraag me wel eens af of dit de reden is geweest waarom niemand me ooit ten huwelijk heeft gevraagd. Toen ze wisten dat ik zo veel kikkervisjes gegeten had, moeten ze gedacht hebben dat ik nooit een zoon kon baren.'

Ik werp een steelse blik op Du Lili's stuurloze oog, haar door de zon gelooide huid. Wat heeft het leven haar oneerlijk behandeld. 'Maar maak je geen zorgen.' Ze pakt mijn hand en geeft er een klopje op. 'Ik neem je zuster niets kwalijk. Ik ben heel vaak blij dat ik nooit getrouwd ben. O ja... wat een moeite, een man te moeten verzorgen. Ik heb me laten vertellen dat de helft van een man zijn hersenen tussen zijn benen hangt, hah!' Ze grijpt zichzelf in het kruis en gaat waggelen als een dronkeman. Maar al snel wordt ze weer ernstig. 'Toch zijn er ook wel dagen dat ik denk: Du Lili, je zou een goede moeder zijn geweest. Waakzaam en vol plichtsbesef.'

'Maar kinderen zijn vaak ook heel lastig, hoor,' zeg ik stilletjes.

Ze is het met me eens. 'Heel veel hartepijn.'

We lopen zwijgend verder. Du Lili verschilt enorm van Kwan, denk ik bij mezelf – verstandig, nuchter, iemand die je in vertrouwen kunt nemen. Deze vrouw voert geen gesprekken met de Yin-Wereld. Of zou ik me vergissen?

'Du Lili,' zeg ik. 'Kun jij geesten zien?'

'Ah, je bedoelt zoals Kwan? Nee, ik heb geen yin-ogen.'

'Hebben andere mensen in het dorp yin-ogen?'

Ze schudt haar hoofd. 'Alleen jouw grote zuster.'

'En als Kwan zegt dat ze een geest ziet, gelooft iedereen haar dan?'

Du Lili krijgt een ietwat ongemakkelijke gelaatsuitdrukking.

Ik besluit open kaart met haar te spelen: 'Ik geloof er niet in. En ik denk dat mensen met yin-ogen alleen maar zien wat ze graag wíllen zien. De geesten komen uit hun eigen fantasie en verlangen. Wat vind jij?'

'Ah! Wat maakt het uit wat ik denk?' Ze mijdt mijn blik, bukt en veegt een kluit modder van haar schoenpunt. 'Vele, vele jaren is ons verteld geworden wat we moesten geloven. Geloof in goden! Geloof in je voorouders! Geloof in Mao, in de Partij, in dode helden... Ik geloof alleen maar in wat praktisch is, in wat me de minste problemen oplevert. De meeste mensen hier denken er net zo over.'

'Dus jij gelooft ook niet echt dat de geest van Grote Ma hier nog is?' Ik wil haar tot een uitspraak dwingen.

Du Lili legt een hand op mijn arm. 'Grote Ma is mijn trouwe vriendin. Je zuster is ook een trouwe vriendin. Die vriendschappen zijn me dierbaar, ik zou ze nooit willen beschadigen. Misschien is de geest van Grote Ma hier, misschien ook niet. Wat maakt het uit? Begrijp je me nu? Ah?'

'Hmmm.' We lopen weer verder. Zal het Chinese denken ooit bij mij kunnen postvatten? Du Lili begint te grinniken en ik weet wat ze denkt: ik ben net als die bollebozen die ooit naar Changmian werden uitgezonden. O zo zelfverzekerd waren ze. En ondertussen maakten ze ezels van zichzelf door met muildieren te willen fokken.

Als we bij de dorpshal aankomen, barst er een hevige regenbui los. De grond dreunt ervan. Angstaanjagend. We rennen de voorplaats over, naar de dubbele deuren die toegang geven tot de hoofdzaal. Daar is het ijskoud. Er hangt een muffe atmosfeer die de indruk wekt dat hier door de eeuwen heen de botten van dode dorpelingen zijn opgespaard. Het milde herfstweer waar Guilin beroemd om is, heeft dit jaar verraderlijk vroeg de aftocht geblazen, en hoewel ik zoveel mogelijk kleren heb aangetrokken, klapperen mijn tanden en zijn mijn vingers stijf en gevoelloos. Hoe kan ik onder deze omstandigheden foto's maken?

Een stuk of tien mensen zijn bezig witte begrafenislinten te beschilderen en de muren en tafels te versieren met kaarsen en witte kleden. Hun drukke gepraat overstemt de regen. Kwan staat naast de doodkist. Ik loop naar haar toe en met elke pas stijgt de weerzin om mijn onderwerp van zo meteen in ogenschouw te nemen. Grote Ma zal er behoorlijk gehavend uitzien. Als Kwan me ziet, knik ik haar zwijgend toe.

Als ik een blik in de kist werp, blijkt het gezicht van Grote Ma met een stuk papier te zijn afgedekt... Ik vraag Kwan zo kalm mogelijk: 'Is ze erg verminkt door het ongeluk?'

Na me eventjes onbegrijpend te hebben aangekeken, zegt ze in het Chinees: 'O, je bedoelt dit papier! Nee, nee, het is traditie om het gezicht met papier te bedekken.'

'Waarom?'

'Ah?' Ze houdt haar hoofd scheef, alsof het antwoord op mijn vraag vanuit de hemelen in haar oor moet vallen. 'Als het papier beweegt,' zegt ze na een poosje, 'dan ademt de persoon in de kist nog en is het te vroeg voor een begrafenis. Maar Grote Ma is heus wel dood, hoor. Dat heeft ze me net zelf nog gezegd.' Voor ik me erop in kan stellen, trekt Kwan het vel papier weg.

Ja... Grote Ma is beslist niet meer in leven. Maar verminkt is ze gelukkig ook niet. Wel heeft ze een bezorgde frons op haar gezicht en is haar mond in een scheve grijns vertrokken. Vreemd. Ik dacht dat doden altijd een blik van kalme voldaanheid hadden, omdat de aangezichtsspieren zich bij het sterven ontspannen.

'Haar mond,' zeg ik in het Chinees. 'Daaraan kun je wel zien dat haar dood erg pijnlijk is geweest.'

Kwan en Du Lili buigen zich over Grote Ma. 'Misschien wel,' zegt Du Lili, 'maar zoals ze nu kijkt, heeft ze ook altijd gekeken toen ze nog leefde. Die draai in haar mond, dat hoort zo.'

Kwan is het hiermee eens. 'Veertig jaar geleden, toen ik nog in China woonde, zag haar gezicht er al zo uit. Bezorgd en boos tegelijk.'

'Ze was nogal dik, hè.'

'Nee-nee,' zegt Kwan. 'Dat lijkt maar zo, omdat ze gekleed is voor haar reis naar de volgende wereld. Zeven lagen kleding voor de bovenste helft van het lichaam, vijf voor de onderste.'

Ik wijs op het nylon skijack dat Kwan als zevende laag heeft uitgekozen. Het is lichtgevend paars, met allerlei wilde strepen; Kwan kocht het in de uitverkoop bij *Macy's*, in de hoop dat Grote Ma ervan onder de indruk zou zijn. Het prijskaartje had ze eraan laten zitten, ten bewijze dat het niet tweedehands was.

'Erg mooi,' zeg ik.

Kwam glimt van trots. 'Handig ook. Helemaal waterdicht.'

'Regent het dan zo vaak in de volgende wereld?'

'Tst! Natuurlijk niet. Het weer is er altijd gelijk. Niet te heet, niet te koud.'

'Waarom zei je dan dat dit jack waterdicht is?'

Ze kijkt me verbaasd aan. 'Omdat het dat is.'

Ik houd mijn handen voor mijn mond om mijn verstijfde vingers aan mijn adem te warmen. 'Als het zulk gelijkmatig weer is in de volgende wereld, waarom krijgen de doden dan zo veel kleren aan?'

Kwan buigt zich over Grote Ma en vertaalt mijn vraag in het Chang-mian-dialect. Vervolgens gaat ze staan knikken alsof ze iemand aan de telefoon heeft. 'Ah... Ah. Ah... Ah, ha, ha!' Waarna ze het antwoord voor mijn sterfelijke oren vertaalt: 'Grote Ma zegt dat ze het niet weet. Geesten en yin-mensen zijn zo lang verboden geweest door de overheid, dat zelfs zij de betekenis van de oude gebruiken niet meer weten.'

'Laat de overheid tegenwoordig weer geesten toe?'

'Nee-nee, maar je krijgt er ook geen boete meer voor als je met hen omgaat. Hoe dan ook, dit is wel zoals het hoort: zeven lagen boven en vijf onder. Grote Ma denkt dat zeven te maken heeft met de dagen van de week. Eén laag voor elke dag. In de oude tijd moesten de mensen ook zeven weken rouwen om hun doden. Zeven maal zeven dagen. Maar tegenwoordig zijn we net zo slecht als jullie buitenlanders, hoor. Een paar dagen vinden we genoeg.'

'Maar waarom dan vijf lagen voor de onderste helft?'

Du Lili krijgt een snaakse glimlach op haar gezicht. 'Dat betekent dat Grote Ma twee dagen per week in haar blote kont moet rondlopen.' Hierop krijgen Kwan en zij een lachbui die alle aanwezigen hun werk doet neerleggen. 'Stop! Stop!' huilt Kwan, en ze probeert uit alle macht tot bedaren te komen. 'Grote Ma gaat tegen ons tekeer. Ze zegt dat ze nog veel te kort dood is om al bespot te mogen worden.' Als ze weer op adem is, zegt ze: 'Grote Ma weet het niet zeker, maar ze denkt dat de vijf lagen duiden op onze vijfvoudige bindingen met het aardse bestaan: de vijf kleuren, de vijf smaken, de vijf zintuigen, de vijf emoties...' Ze valt stil, luistert even en vervolgt: 'Grote Ma zegt dat dat laatste niet klopt. Er zijn zeven emoties, niet vijf. Eens kijken welke het zijn,' en ze gaat voor zichzelf de menselijke emoties op haar vingers staan aftellen. 'Vreugde, woede, angst, liefde, haat, begeerte... nog één. Welke is dat? Ah, ja-ja! Verdriet! Nee, Grote Ma, die was ik heus niet vergeten. Hoe zou ik die kunnen vergeten! Ik heb nu toch heel veel verdriet, nu dat jij deze wereld verlaten gaat? Vannacht heb ik gehuild, en echt niet om me aan te stellen. Je hebt het zelf gezien. Mijn verdriet was echt, niet gespeeld. Waarom denk je toch altijd het slechtste van me?'

'Ai-ya!' valt Du Lili uit tegen het lijk in de doodkist. 'Geen ruzie meer maken nu je dood bent!' Ze geeft me een stiekeme knipoog.

'Nee-nee, ik zal het heus niet vergeten,' zegt Kwan tegen de geest van

Grote Ma. 'Een haan, een pittige haan. Geen kip of eend. Dat weet ik toch!'

'Wat zegt ze?' vraag ik.

'Ze wil dat we een haantje aan het deksel van haar kist vastbinden.'

'Waarom?'

'Libby-ah wil weten waarom.' Kwan luistert een minuut of wat en legt uit: 'Grote Ma weet het niet precies, maar volgens haar is het de bedoeling dat haar geest-lichaam die haan binnendringt om weg te kunnen vliegen.'

'En, geloof jij dat?'

Kwan grijnst. 'Natuurlijk niet! Grote Ma gelooft het zelf niet eens! Dit is alleen maar bijgeloof.'

'Maar waarom zou je het dan doen?'

'Tst! Het is traditie! En bovendien kun je zo de kleintjes in iets grie-zeligs laten geloven. Dat doen Amerikanen toch ook?'

'Hoe kom je daarbij!'

Kwan geeft me een superieur glimlachje, grote zusters eigen. 'Weet je dat niet meer? Toen ik pas bij jullie woonde, vertelde jij me zelf dat konijnen eens per jaar een ei legden en dat de doden dan opstonden uit hun graf om daarnaar te zoeken.'

'Dat heb ik nooit gezegd.'

'Jazeker. En je zei ook dat als ik jou niet gehoorzaamde, de kerstman door de schoorsteen zou komen en me in een grote zak zou stoppen, om me naar een heel koude plaats te brengen. Kouder nog dan de diepvries.'

'Ach, welnee, dat soort dingen heb ik nooit gezegd.' Maar terwijl ik me verweer, bekruipt me de vage herinnering aan een kerstgrap die ik ooit met Kwan heb uitgehaald. 'Je zult me wel verkeerd begrepen heb-ben.'

Kwan steekt haar onderlip naar voren. 'Hé, ik ben je grote zuster. Hoe zou ik je ooit verkeerd kunnen begrijpen? Pfff! Ah, laat maar zit-ten. Grote Ma zegt dat het afgelopen moet zijn met dat gekissebis. Het wordt tijd dat je een foto van haar maakt.'

Door de vertrouwde handelingen met mijn belichtingsmeter kom ik weer een beetje tot mezelf. Het wordt me al snel duidelijk dat ik met een statief zal moeten werken. Het enige licht in de zaal komt van de kaarsen op de offertafel en van buiten, door vuile ramen – er zijn geen lampen aan de muren of het plafond en geen stopcontact om mijn eigen lichtkast op aan te sluiten. Gebruik ik de flitser, dan wordt het gezicht van Grote Ma in een zee van hard licht gedrenkt en zal het er op de foto doodser dan dood uitzien. Zuivere horror. Ik moet het *chiaroscuro*-effect zien te creëren: een combinatie van scherpte en duisterheid. Met een volle seconde sluitertijd op f/8 krijg ik voldoende detail in de ene helft van Grote Ma's gezicht, terwijl de andere helft in de schaduw blijft.

Ik klap het statief uit en monteer mijn Hasselblad, plus mijn Polaroidcamera voor een snelle proefopname. 'Oké, Grote Ma,' zeg ik. 'Niet bewegen!' Wat is dit voor onzin? Nu begin ik zelf ook al tegen Grote Ma te praten alsof ze me kan horen. En waarom sloof ik me trouwens zo uit op een foto die ik niet eens zal kunnen gebruiken voor het artikel? Maar aan de andere kant: alles wat ik fotografeer, hoor ik de moeite waard te vinden. Elke foto moet de best mogelijke zijn. Of is dit een van de mythen die door succesvolle mensen de wereld in worden geholpen opdat de rest zich mislukt en waardeloos zal voelen?

Voor ik mezelf in deze overpeinzing verliezen kan, staan alle aanwezigen zich om me te verdringen. Iedereen kijkt nieuwsgierig naar de print die uit de camera is komen schuiven. Zo te zien kennen ze het polaroidsysteem; misschien komt er wel eens zo'n rondtrekkende fotograaf op de markten in deze streek, die de mensen tegen een schandalig bedrag zo'n direct-klaar foto in de maag splitst.

'Even wachten, even wachten,' zeg ik, en druk de print tegen mijn borst om de ontwikkeling te bespoedigen. Iedereen valt stil. Misschien denken ze dat rumoer de foto kan laten mislukken. Ik trek de ontwikkellaag weg en bekijk het resultaat. Het contrast is te sterk, maar ik zal hem toch maar laten rondgaan.

'Heel realistisch!' roept de eerste uit.

'Prima kwaliteit,' zegt de volgende. 'Kijk eens hoe Grote Ma eruitziet. Alsof ze elk moment op kan staan om haar varkens te gaan voeren.'

'Wah!' roept een ander. 'Wat zal ze schrikken als er zo veel mensen om haar bed staan.'

Du Lili dringt zich naar voren. 'Libby-ah, nu eentje van mij.' Ze drukt een onwillige piek plat tegen haar voorhoofd, trekt aan de mouwen van haar jas om er de vouwen uit te krijgen en gaat met haar loense oog naar boven gedraaid stram in de houding staan, als een soldaat op wacht. Zodra de print uit mijn camera schuift, grist ze hem weg en drukt hem tegen haar borst. Ze is verrukt. 'De laatste keer dat ik een foto van mezelf zag, was heel, heel lang geleden,' kraait ze. 'Toen ik nog erg jong was.' Als ik zeg dat de foto klaar is, trekt ze er haastig de ontwikkellaag af en houdt hem vlak voor haar gretige gezicht. Ze knijpt met haar loense oog. 'Dus zo zie ik eruit,' zegt ze ademloos, duidelijk onder de indruk van het wonder der fotografie. Ik ben trots en ontroerd tegelijk.

Voorzichtig, als was het een pasgeboren kuikentje, reikt ze Kwan haar foto aan. 'Heel goed,' zegt Kwan. 'Ik zei toch al dat mijn zusje heel goed foto's kan maken?' Ze laat de foto rondgaan en iedereen is enthousiast.

'Een exacte gelijkenis.'

'Prachtig scherp.'

'Levensecht.'

Als de foto weer bij Du Lili komt, zegt ze sip: 'Dan zie ik er dus niet zo goed uit. Wat ben ik oud. Ik had nooit kunnen denken dat ik zó oud was, zo lelijk. Ben ik echt zo lelijk? Zie ik er werkelijk zo dom uit?'

Een paar mensen lachen, maar Kwan en ik zien dat ze geen grapje maakt. Ze is oprecht geschokt. Ze heeft de blik van iemand die zich verraden voelt en ik ben degene die haar dat gevoel gegeven heeft. Ze zal heus wel eens in de spiegel kijken. Maar een spiegel laat je de mogelijkheid om jezelf vanuit de meest gunstige hoek te bekijken. Een fototoestel is veel hardvochtiger, ongevoelig voor wat wij van onszelf aan kunnen zien en wat niet.

Du Lili keert zich om en schuifelt weg. Ik wil haar achterna lopen en haar troosten, zeggen dat ze vele goede kwaliteiten heeft die geen camera ooit kan vastleggen. Maar Kwan pakt me bij een arm en schudt haar hoofd. 'Laat mij straks maar met haar praten.' En voor ze nog iets kan zeggen, word ik bestormd door de andere mensen, die allemaal op de foto willen.

'Ik eerst!'

'Ik wil samen met mijn kleinzoon!'

'Wah!' zegt Kwan boos. 'Mijn zuster gaat jullie niet allemaal gratis fotograferen.' Maar ze blijven aandringen. 'Eentje maar!' 'Ik ook!' Kwan heft haar armen op en gilt: 'Stilte! Grote Ma zegt dat jullie allemaal weg moeten.' Het geschreeuw verstomt. 'Grote Ma zegt dat ze rusten moet voor ze op reis gaat naar de volgende wereld. Anders wordt ze misschien wel gek van verdriet en blijft ze voor altijd hier rondwaren, in Changmian.' Het dreigement wordt in stilte aangehoord, waarna iedereen opgewekt mopperend vertrekt.

Als we met z'n tweeën zijn, grijns ik dankbaar naar Kwan. 'Heeft Grote Ma dat echt gezegd?' Kwan kijkt me guitig aan en begint te lachen. Ik lach met haar mee. Dan zegt ze: 'Wat Grote Ma echt zei, was dat ze meer foto's wil, maar nu vanuit een andere hoek. Op de foto die je van haar maakte, leek ze haast net zo oud als Du Lili, zei ze.'

Ik sta paf. 'Wat een rotopmerking is dat, zeg!'

Kwan begrijpt er niets van. 'Hoe bedoel je?'

'Zeggen dat Du Lili ouder oogt dan Grote Ma.'

'Maar dat is ze ook. Minstens vijf of zes jaar.'

'Hoe kan je dat nou zeggen? Ze is jonger dan jij.'

Kwan kijkt me aandachtig aan. 'Waarom denk je dat?'

'Dat heeft ze me zelf gezegd.'

Kwan gaat in conclaaf met het dode gezicht van Grote Ma. 'Ik weet het, ik weet het. Maar Du Lili heeft het zelf gezegd. Nu zijn we Libby-ah de waarheid verschuldigd.' Ze komt vlak bij me staan. 'Libby-ah, ik moet je een geheim vertellen.'

Een geheim... het zal niet.

'Bijna vijftig jaar geleden adopteerde Du Lili een klein meisje dat ze tijdens de burgeroorlog op straat had gevonden. Later stierf dat aangenomen kind en Du Lili werd gek van verdriet. Ze begon te geloven dat ze in haar dochtertje veranderd was. Ik weet dit nog heel goed, want dat meisje was mijn vriendinnetje. En ja, ze zou inderdaad twee maanden jonger zijn dan ik, als ze nog leefde. Maar Du Lili is in feite 78. En nu ik je dit verteld heb...' ze breekt haar zin af om weer met Grote Ma te overleggen. 'Nee-nee, dat kan ik haar niet zeggen. Dat zou te veel zijn.'

Ik staar naar Kwan, ik staar naar Grote Ma. Ik denk aan wat Du Lili me vertelde. Wie en wat moet ik geloven? Mijn hoofd loopt om. Dit lijkt wel zo'n droom waarin elk beeld en elke gedachte desintegreert voor je beseffen kan wat er gaande is. Misschien is Du Lili jonger dan Kwan. Misschien is ze 78. Misschien houdt de geest van Grote Ma ons hier gezelschap. Misschien niet. Al deze dingen zijn waar en onwaar, yin en yang. Wat maakt het uit?

Wees praktisch, houd ik mezelf voor. Als de kikkers in deze wereld de insekten eten, en de vogels eten de kikkers, en de rijst bloeit twee-maal per jaar, waarom zou je dan nog piekeren over die wereld?

17

Het jaar zonder overstroming

Waarom piekeren over deze wereld? Welnu, omdat ik geen Chinese ben zoals Kwan. Voor mij is yin geen yang, en yang geen yin. Ik kan niet geloven in verhalen die onderling tegenstrijdig zijn. Als Kwan en ik teruglopen naar het huis van Grote Ma vraag ik bedeesd: 'Hoe stierf dat dochtertje van Du Lili?'

'O, dat is een heel droevig verhaal,' antwoordt Kwan. 'Ik weet niet of je dat wel horen wilt.'

We lopen zwijgend verder en ik weet dat ze wacht tot ik aandring. Dus zeg ik na een poosje: 'Vertel het me.'

Kwan blijft staan en kijkt me aan. 'Zul je niet bang worden?'

Ik schud van nee, en denk: hoe kan ik verdomme weten of ik bang word of niet? Als Kwan van wal steekt, loopt er een rilling over mijn rug. Niet van de kou, weet ik.

•

Ze werd Broodje genoemd. We waren allebei vijf toen ze verdronk. Ze was even lang als ik. Haar ogen waren op gelijke hoogte met de mijne, haar stille mond met mijn lawaaiige mond. Dat zei mijn tantetje altijd: dat ik te veel praatte. 'Als ik nu nog één woord van je hoor,' zei Grote Ma vaak, 'dan stuur ik je weg. Ik heb nooit beloofd dat ik je hier zou houden, hoor!'

Ik was toen heel mager en daarom noemde Grote Ma mij Flensje, *bao-bing*, omdat ik net een dun lapje deeg was. Ik had altijd korsten op mijn knieën en ellebogen, omdat ik zo vaak viel. Zij had vetplooien bij haar ellebogen en knieën. Ze was heel mollig, rond als een gestoomd broodje, *bao-zi*. Daarom werd zij Broodje genoemd. Du Yun had haar langs de kant van de weg gevonden.

Du Yun, zo heette Du Lili toen nog.

De naam Lili was eerst aan Broodje gegeven. Door Grote Ma. Omdat dat het enige geluid was dat ze voortbracht: lili-lili-lili, net een kwetterende merel. Lili-lili-lili, iets anders kwam niet uit haar mondje, dat altijd samengeknepen was alsof ze iets heel bitters gegeten had. Ze keek de wereld in met zwarte, ronde ogen, als een bang vogeltje. Op mij na wist niemand waarom, want ze zei nooit iets – nooit met woorden. Maar 's avonds, als het schijnsel van de lamp over de muren en het plafond danste, begon ze met haar kleine witte handjes te spreken. Ze liet haar handjes stijgen en dalen met de schaduwen in de kamer, duiken en zweven als witte vogels tussen de wolken. Grote Ma schudde dan haar hoofd; ai-ya, wat een vreemd kind is het toch, heel vreemd. Maar Du Yun zat verrukt te lachen, als een idioot bij de poppenkast. Ik was de enige die Broodjes schaduwtaal begreep. Want ik wist dat haar handen niet van deze wereld waren. Ik was immers ook nog maar een klein kind, nog maar kort in dit leven, en niet vergeten wat daarvoor was geweest. Ik wist nog dat ik ook ooit een geest was geweest, die deze wereld in het lichaam van een vogel verlaten had.

Tegen Du Yun deden de mensen van het dorp altijd vrolijk over Broodje. 'Dat kleine ding van jou, dat is toch maar iets raars, ah?' Maar ik kon ze buiten de muur van ons huis gemene woorden horen fluisteren. 'Dat kind is zo verwend, dat het gek is geworden,' hoorde ik buurman Wu zeggen. 'Ze komt vast uit een bourgeoisfamilie. Du Yun zou haar regelmatig een pak rammel moeten geven. Minstens drie keer per dag.'

'Ze is bezeten,' zei een ander. 'Een dode Japanse piloot is uit de lucht gevallen en in haar lichaam geploft. Daarom kan ze geen Chinees praten. Alleen maar kakelen en met haar armen wieken als een zelfmoordvliegtuig.'

'Ach, ze is gewoon hartstikke stom,' wist een derde buur. 'Haar kop is zo leeg als een uitgeholde kalebas.'

Maar Du Yun vond het geen probleem dat Broodje nooit iets zei. Du Yun kon immers wel voor haar spreken. 'Een moeder voelt precies aan wat haar dochter wil en denkt,' zei ze altijd. En wat die dansende handjes betrof, die vormden volgens Du Yun het bewijs, boven elke twijfel verheven, dat de voorouders van Broodje keizerlijke hofdames waren geweest. 'Wah!' zei Grote Ma toen ze dit hoorde, 'dan heeft ze dus contrarevolutionaire handen, die op een kwade dag afgehakt zullen worden. Zorg dat ze die sierlijke gebaartjes snel afleert, en leer haar in plaats daarvan een vinger tegen haar neus te duwen en haar handpalm vol te snuiten.'

In de ogen van Du Yun was er maar één ding mis met Broodje: dat ze geen kikkers lustte. Van die lekkere, groene lentekikkertjes die bij het vallen van de avond tekeergingen als roestige scharnieren: ahh-wah, ahh-wah, ahh-wah. Op zulke avonden in het voorjaar trokken Grote Ma en Du Yun met hun netten en emmers de rijstvelden in. Als die kikkers de plonzende voetstappen hoorden, hielden ze hun adem in, om zich in de stilte te verschuilen. Maar het duurde niet lang of ze moesten toegeven aan hun verlangen, en dan klonk hun geroep om liefde luider en klaaglijker dan ooit: ahh-wah, ahh-wah, ahh-wah.

'Wie zou er nu ooit van zo'n schreeuwlelijk kunnen houden?' zei Du Yun altijd. En het vaste antwoord van Grote Ma was: 'Ik! Als hij gaar in mijn etenskom ligt.' Het was heel makkelijk om die minzieke beesten te vangen en weldra vulden ze acht emmers. Ze glansden in het maanlicht alsof ze met olie waren ingesmeerd. De ochtend na zo'n kikkerjacht stonden Grote Ma en Du Yun langs de kant van de weg te schreeuwen: 'Kikkers! Malse kikkertjes! Tien voor één yuan.' En lang voor de middag konden ze alweer naar huis; met zeven lege emmers en één halfvolle. Als het avond werd, maakte Grote Ma een groot vuur in de stookplaats op het erf. En als Du Yun dan een greep in de emmer deed, naar het eerste kikkertje, dan rende Broodje gillend weg en verstopte zich achter mij. Ik voelde in mijn rug hoe ze stond te hijgen van angst, haar borst zwoegde even hard op en neer als de keel van die kronkelende kikker in Du Yuns hand.

'Goed opletten, ah,' zei Du Yun. 'Zo maak je een kikker schoon.' En dan draaide ze het dier op zijn rug en stak de scherpe punt van een schaar in zijn anus. 'Szzzzz' ging die schaar, helemaal omhoog tot aan de keel van de kikker. Ze duwde haar duim in de opengekerfde buik en wipte met een snelle beweging alle ingewanden eruit, die stijf gevuld waren met muggen en zilverblauwe vliegen. Daarna nam ze het andere uiteinde van de kerf tussen duim en wijsvinger en trok in één keer het vel van de kikker, via zijn kop tot aan het puntje van zijn rug. Zo'n vel hing aan haar vingers als het verschrompelde kostuum van een krijger uit lang vervlogen tijden. En dan: hak hak hak en daar lagen drie stukken kikker. Het lijf en de beide poten. De kop had ze weggesmeten.

De hele tijd dat Du Yun de kikkertjes schoonmaakte, stond Broodje op haar vuist te bijten om het niet uit te schreeuwen van angst. Af en toe keek Du Yun om en zag de gepijnigde uitdrukking op het gezicht van haar dochtertje. 'O, mijn kindje,' zei ze dan met een liefhebbende stem, 'nog even wachten. Je moeder geeft je zo te eten.'

Ik was de enige die wist welke woorden er in Broodjes afgesnoerde keel staken. Want in haar ogen kon ik zien wat zij ooit zelf had gezien – heel duidelijk, alsof haar herinneringen ook de mijne waren. Ooit was deze aanblik van vlees waarvan de huid werd afgescheurd, dit villen van kronkelende lichamen, de aanblik geweest die haar eigen vader en moeder boden toen ze om het leven werden gebracht. Dit had ze gadegeslagen vanaf een tak in een hoge, dichtbegroeide boom, waarin ze even tevoren door haar vader verstopt was. Vlak bij haar had een merel gezeten, die haar met luid gekwetter bij zijn nest vandaan wilde jagen. Maar Broodje had geen kik gegeven, geen snik of zucht, want ze had haar moeder beloofd dat ze stil zou zijn. Daarom zei Broodje nooit iets. Dat had ze haar moeder beloofd.

In twaalf minuten tijd vlogen twaalf gehakte kikkers en twaalf kikkervellen in de pan en lieten de olie sissen. Zo vers was dit maaltje kikkers, dat er af en toe nog een pootje uit de pan sprong. Wah! Maar Du Yun ving het met haar ene hand terwijl haar andere hand de pollepel door de pan bleef duwen. Zo bedreven was ze in het bakken van kikkertjes.

Aan Broodje was dit gerecht niet besteed. Vol weerzin keek ze bij het zwakke schijnsel van de lamp toe hoe Grote Ma, Du Yun en ik zaten te schransen; hoe we het gare vlees van botjes zo dun als borduurnaalden zogen. Het lekkerst waren de vellen; zacht en pittig van smaak. Bijna even lekker vond ik de knapperige botjes, die dunne, van vlak boven de voeten van zo'n kikkertje.

Du Yun keek voortdurend naar haar dochtertje en zei: 'Niet meer spelen, lieveling, eet nu eens wat.' Maar haar bleke handjes hielden niet op te wapperen en met de schaduwen op de muren mee te vliegen. Du Yun was altijd verdrietig als haar dochter weigerde om iets te eten van het gerecht dat zij juist als geen ander bereiden kon. Je had Du Yuns gezicht eens moeten zien op die momenten. Vol liefde voor een kind dat anderen langs de kant van de weg hadden laten liggen. En ik wist dat Broodje heel erg haar best deed om ook van Du Yun te houden; dat ze Du Yun maar al te graag het schamele restje liefde wilde schenken dat nog in haar hart over was. Ze liep Du Yun door het hele dorp achterna en stak dan haar handje omhoog opdat haar nieuwe moeder het pakken zou. Maar op de nachten dat de kikkers zongen, de nachten dat Du Yun haar emmers pakte en de rijstvelden introk, rende Broodje een hoek van de kamer in en kwetterde uit alle macht: 'Lili-lili-lili.'

Zo herinner ik me Broodje. We waren trouwe vriendinnetjes. We woonden in hetzelfde huis. We sliepen in hetzelfde bed. Als zusjes waren we. Zonder dat we hoefden te praten, wist de één altijd precies wat de ander voelde. En zo jong als we waren, wisten we alles af van verdriet. We kenden het verdriet van de wereld zelf. Ik was mijn ouders kwijt, zij de hare.

Het jaar dat Du Yun Broodje langs de weg vond, was een vreemd jaar, het jaar zonder overstroming. Tot dan toe had ons dorp altijd veel regen gehad, en elke lente minstens één overstroming – plotse rivieren die dwars door de huizen stroomden, de ratten en insekten van de vloer veegden, de schoenen, de krukken, en dat alles weer in de velden uitbraakten. Maar in het jaar dat Broodje kwam… geen overstromingen. Wel regen, maar juist genoeg voor de gewassen en de kikkers, genoeg voor de mensen om te zeggen: 'Geen overstroming, waaraan danken we dit grote geluk? Misschien komt het wel door het kind dat Du Yun langs de kant van de weg gevonden heeft. Ja, dat moet de reden zijn.'

Het jaar daarop was er geen regen. Alle dorpen in de omgeving kregen wél hun deel: grote regen, kleine regen, lange regen, korte regen. Maar in ons dorp viel niets. Geen regen om in het voorjaar de gewassen te kunnen verzorgen. Geen regen om in de zomer een goede oogst te kunnen hebben. Geen regen om in de herfst te kunnen zaaien. Geen regen, geen oogst. Geen water om de rijst te koken, die niet meer groeien wilde. Geen kaf om de varkens te voeren. De rijstvelden lagen erbij als opgedroogde pap, met de kikkers erbovenop als dorre twijgjes. De insekten kropen uit de scheuren in de grond en wuifden smekend hun voelsprieten naar de hemel. De eenden verkwijnden en we aten ze op. Vel over been. Als we te lang naar de bergtoppen staarden, veranderden die voor onze hongerige ogen in gepofte aardappelen met opengebarsten schillen. Wat een verschrikkelijk jaar was dat. Zo verschrikkelijk, dat de mensen in het dorp gingen beweren dat het aan Broodje, dat idiote kind, moest liggen.

Op een hete dag zaten Broodje en ik in een uitgedroogde sloot achter ons huis. We speelden dat die sloot een boot was die ons naar het elfenland zou brengen. Plotseling hoorden we de hemel boven ons kreunen, en nog eens, toen een enorm gekraak, kwaahhh!, en het begon te regenen in druppels zo groot als rijstkorrels. Ik was zo blij en zo bang! Nog meer bliksem zagen we en nog meer donder hoorden we. 'De boot gaat vertrekken!' schreeuwde ik. En Broodje lachte. Het was voor de eerste keer dat ik haar lach hoorde. Ze hief haar handjes op naar de flitsen in de lucht.

Gugu-gugu-gugu. De regen liep gorgelend door de scheuren en plooien in de berghellingen, en dan het land op. Het water zonk niet weg in de grond. Er was te veel. In een oogwenk veranderde onze vertrouwde sloot-boot in een bruine rivier. Het vuile water duwde tegen onze onderbenen en wit schuimend water greep ons bij onze polsen. We tuimelden omver, het wilde water in. Om en om buitelden we door de sloot, tot het water ons ergens in een akker neergooide.

Veel later pas kon ik uit gefluisterde gesprekken opmaken wat er gebeurd was. Toen Grote Ma en Du Yun ons vonden, waren we bleek en stil, omwikkeld met natte slierten onkruid. Twee doorweekte cocons waar geen adem uitkwam. Ze peuterden de modder uit onze neusgaten en monden, en trokken de groene slierten uit ons haar. Mijn dunne lichaampje was overal geknakt en gebroken, haar stevige lichaampje was nog heel. Ze trokken ons afscheidskleren aan. Daarna boenden ze twee varkenstroggen uit, die toch geen nut meer hadden, en gebruikten de zittingen van twee houten banken als deksels. In deze armzalige doodkisten legden ze ons neer, en ze gingen ernaast zitten huilen.

Twee dagen lang lagen we in die doodkisten. Grote Ma en Du Yun wachtten tot het ophield met regenen en ze ons konden begraven in de rotsige, kale bodem van de bergvallei. Op de derde ochtend stak een sterke wind op die de regenwolken verjoeg. De zon kwam op en Grote Ma en Du Yun besloten de deksels van de kisten te halen om ons nog één keer te kunnen zien.

Ik voelde vingertoppen op mijn wang. En toen ik mijn ogen opsloeg, zag ik het gezicht van Du Yun, haar ene oog wijd open van verrassing, en toen van geluk. 'Ze leeft!' gilde ze. 'Ze leeft!' Ze greep mijn handen en duwde ze tegen haar gezicht. En toen boog ook Grote Ma zich over me heen, met een wantrouwende blik.

Ik was heel erg verward. Mijn hoofd leek wel gevuld met ochtendmist.

'Ik wil opstaan.' Dat was het eerste wat ik zei. Grote Ma sprong geschrokken achteruit. Du Yun liet mijn handen vallen. Ik hoorde hen brullen: 'Hoe kan dit nou? Dit kan niet waar zijn!'

Ik ging overeind zitten. 'Grote Ma,' zei ik, 'wat is er?' En ze begonnen allebei te gillen, heel hard te gillen. Zo hard dat ik bang was dat mijn hoofd ervan zou barsten. Ik zag Grote Ma naar de andere doodkist rennen. Ze trok het deksel eraf. Ik zag mezelf. Daar lag mijn arme, geknakte lijfje! En toen ging alles tollen voor mijn ogen en viel ik achterover en zag niets meer.

Het was avond toen ik weer wakker werd. Ik lag op het bed dat ik altijd met Broodje had gedeeld. Grote Ma en Du Yun stonden in de deuropening van de kamer. 'Grote Ma,' zei ik gapend, 'ik heb een nachtmerrie gehad.'

Grote Ma zei: 'Ai-ya, kijk, ze zegt iets.' Ik liet me van het bed glijden en Grote Ma riep: 'Ai-ya, kijk, ze beweegt!' Ik ging voor ze staan en zei dat ik honger had en moest plassen. Ze deinsden achteruit. 'Ga weg of ik ransel je af met perziktakken!' schreeuwde Grote Ma tegen me.

En ik zei: 'Grote Ma, we hebben hier geen perzikbomen.' Ze sloeg haar handen voor haar mond. Ik kende toen de volkswijsheid nog niet, dat geesten bang zouden zijn voor takken van de perzikboom. En later kwam ik erachter dat dit maar bijgeloof is. Ik heb het aan menige geest gevraagd en altijd lachten ze en zeiden: 'Bang voor perziktakken? Wat een onzin!'

Maar goed, mijn blaas stond dus op knappen. Ik stond te wiebelen en te springen, zo nodig moest ik plassen. 'Grote Ma,' zei ik smekend, 'ik wil de varkens bezoeken.' Dat zeiden we altijd omdat er naast het varkenskot een kuil was, met planken aan de zijkanten om je voeten op te zetten, waarin je je behoeften kon doen. Allebei de soorten. Want het was nog voor de tijd van de heropvoeding, toen ons dorp te horen kreeg dat de uitwerpselen van iedereen collectief verzameld moesten worden. Van toen af aan was het niet meer genoeg om je geest, lichaam en bloed over te hebben voor het algemeen belang – je moest ook je stront inleveren. Net als bij de Amerikaanse belastingen.

Maar Grote Ma verbood me naar de varkens te gaan. Ze liep op me af en spuugde me in mijn gezicht. Dat was weer een andere volkswijsheid, dat je geesten kon verjagen door ze in het gezicht te spugen. Maar ik bleef waar ik was en pieste in mijn broek. Een warme stroom liep langs mijn benen en maakte een donkere plas op de vloer. Ik dacht dat Grote Ma me nu een pak slaag ging geven, maar ze deed niets, zei alleen maar: 'Kijk, ze staat te pissen.'

En Du Yun zei: 'Hoe kan dat nou? Een geest kan niet pissen!'

'Kijk dan zelf, idioot! Ze staat te pissen.'

'Is het nou een geest of niet?'

En ze kletsten en kletsten maar, over de kleur, de stank, de grootte van de plas op de vloer. Uiteindelijk besloten ze me iets te eten aan te bieden, want ze dachten dat als ik een geest was, ik dit offer aan zou nemen en zou verdwijnen. En als ik een klein meisje was, zou ik alleen maar ophouden met klagen en weer gaan slapen. En dat laatste was precies wat ik deed toen ik het muffe rijstballetje verorberd had. Ik sliep en droomde dat al het gebeurde deel uitmaakte van dezelfde lange droom.

Toen ik de volgende ochtend wakker werd, zei ik opnieuw tegen Grote Ma dat ik een nachtmerrie had gehad. 'Je slaapt nog steeds,' zei ze. 'Sta op, dan brengen we je naar iemand die je uit deze droom zal halen.'

We liepen naar een dorp met de naam Terugkeer Van De Eend, zes *li* ten zuiden van Changmian. In dat dorp woonde een blinde, oude vrouw die Derde Tante genoemd werd. Maar ze was geen echte tante van mij of van wie dan ook. Het was zomaar een naam, Derde Tante, die je gebruiken kon als men het woord 'geestenspreekster' niet wilde gebruiken. In haar jeugd was ze daar heel beroemd mee geworden; met het vermogen om met geesten te kunnen spreken. Toen ze middelbaar van leeftijd was, werd ze door een zendeling bekeerd en sprak ze alleen nog maar met de Heilige Geest. En toen ze een heel oude vrouw was geworden, wist ze niet meer of ze bekeerd of heropgevoed was. Ze was eindelijk oud genoeg om te vergeten hoe ze over zichzelf denken moest.

We gingen het huis van Derde Tante binnen, en daar zat ze, op een kruk midden in haar middelste kamer. Grote Ma duwde me naar haar toe. 'Kunt u ons zeggen wat haar scheelt?' vroeg Du Yun met een beverig stemmetje. Derde Tante nam mijn handjes in haar ruwe handen. Ze had ogen waar witte wolken in ronddreven. De kamer was helemaal stil, op mijn ademhaling na. Na een tijdje zei Derde Tante: 'Er zit een geest in dit kind.' Grote Ma en Du Yun hapten naar lucht. En ik sprong op en neer en trapte naar alle kanten, om die geest uit me te schudden.

'Wat moeten we doen?' huilde Du Yun.

En Derde Tante zei: 'Je kan niets doen. Het meisje dat eerst in dit lichaam woonde, wil er niet meer naar terug. En het meisje dat er nu in woont, kan niet weg tot ze dat eerste meisje gevonden heeft.' En toen zag ik haar, Broodje. Ze stond naar me te kijken door het raam aan de andere kant van de kamer. Ik wees naar haar en riep: 'Kijk, daar is ze!' Maar toen ik haar naar me terug zag wijzen en haar mond dezelfde woorden zag vormen, wist ik dat ik alleen maar mijn weerspiegeling in het glas had gezien.

Op weg naar huis liepen Grote Ma en Du Yun te bekvechten en zeiden ze dingen die een klein meisje nooit zou mogen horen.

'We moet haar begraven. In de grond stoppen, waar ze thuishoort,' zei Grote Ma.

'Nee! Nee!' jammerde Du Yun. 'Dan zal ze terugkomen en nog steeds dezelfde geest zijn, maar nu heel boos, en ons meenemen naar de onderwereld.'

'Noem haar geen geest! We mogen haar geen geest of spook noemen, zelfs al is ze het... anders komen ze ons halen voor een heropvoeding. Wah, wat een last, wat een narigheid!'

'Maar als de mensen dit meisje zien en de stem van het andere meisje horen...'

Toen we Changmian bereikten, hadden Grote Ma en Du Yun besloten dat ze zouden doen alsof er niets met mij aan de hand was. Die houding namen mensen zo vaak aan als ze door een probleem gekweld werden. Meestal zat er niets anders op dan dat wat eerst slecht was nu goed te noemen. Als iemand zou zeggen: 'Wah, dit kind is een geest,' dan zou Grote Ma antwoorden: 'Kameraad, je vergist je. Alleen reactionairen geloven in geesten.'

Bij de begrafenis van Broodje staarde ik naar mijn eigen lichaam in de kist, het lichaam van Flensje. Ik huilde voor mijn vriendinnetje en voor mezelf. De andere mensen waren ook in verwarring over wie nu eigenlijk dood was. Ze huilden en riepen: 'Och, arm Flensje!' En dan wees Grote Ma ze terecht, en huilden ze en riepen: 'Och, arm Broodje!' En dan begon Du Yun weer te jammeren.

Nog vele weken zag ik de mensen schrikken als ze mijn stem uit dat samengeknepen mondje hoorden komen. Niemand zei iets tegen me. Niemand raakte me aan. Niemand speelde met me. Ze keken naar me terwijl ik at. Ze keken naar me als ik door het dorp liep. Ze keken naar me als ik huilde. Op een nacht schrok ik wakker omdat Du Yun op de rand van mijn bed kwam zitten. 'Broodje, lieveling, kom terug naar je moeder,' snikte ze. Ze pakte mijn handen en hield ze in het schijnsel van de kaars. En toen ik mijn handen terugtrok, begon zij met de hare cirkels door de lucht te maken; heel stuntelig, wanhopig, verdrietig. Als een vogel met gebroken vleugels. Volgens mij moet ze op dat moment zijn gaan denken dat ze haar dochter was. Want zo gaat het als er een zware steen op je hart ligt en je kunt het niet uitschreeuwen en die steen niet kwijtraken. Veel mensen in ons dorp hadden ooit zo'n steen moeten slikken, en ze begrepen Du Yun heel goed. Ze gingen doen alsof ik geen geest was. Ze gingen doen alsof ik altijd al dat mollige kind was geweest, en dat Broodje die magere panlat was geweest. En ze deden alsof er niets mis was met een vrouw die zich opeens Du Lili noemde.

Na verloop van tijd kwamen de regens weer en de overstromingen, en toen de nieuwe leiders, die ons voorhielden dat we harder moesten werken om ons van de Vier Ouden te bevrijden en de Vier Nieuwen op te bouwen. De gewassen groeiden weer en de kikkers kwaakten. De seizoenen gingen voorbij, dag na doodgewone dag, tot alles weer helemaal veranderd en als vanouds geworden was.

Op een dag vroeg een vrouw uit een naburig dorp aan Grote Ma: 'Zeg, waarom noem jij die dikke meid Flensje?' Grote Ma keek me peinzend aan en zei na een poosje: 'Vroeger was ze heel dun, omdat ze geen kikkertjes wilde eten. Nu kan ze er niet vanaf blijven.'

Zie je, iedereen besloot zich niets meer te herinneren. En later vergaten ze het zelfs echt. Ze vergaten dat er een jaar zonder overstroming was geweest. Ze vergaten dat Du Lili ooit Du Yun had geheten. Ze vergaten welk meisje verdronken was. Grote Ma gaf me nog steeds pakken slaag, maar nu had ik meer vet dus deden haar vuisten me niet zo veel pijn meer.

Kijk eens naar deze vingers en handen. Soms geloof ik zelf dat die altijd van mij zijn geweest. Het lichaam waarin ik ooit huisde, misschien was dat wel een droom, denk ik dan. Maar dan herinner ik me een andere droom.

In deze droom ging ik naar de Yin-Wereld. Ik zag er vele dingen. Zwermen vogels die aankwamen, zwermen die vertrokken. Broodje verenigd met haar vader en moeder. Alle kikkertjes die ik ooit gegeten had, maar nu met hun groene jasjes weer aan. Ik wist dat ik dood was en ik verlangde naar het weerzien met mijn moeder. Maar voor ik haar vinden kon, zag ik iemand op me afkomen met een gezicht vol woede en ongerustheid.

'Je moet terug!' riep ze. 'Over zeven jaar zal ik geboren worden. Het ligt allemaal al vast. Je hebt beloofd op me te zullen wachten. Ben je dat soms vergeten?' Ze pakte me beet en schudde me heen en weer tot ik het me weer herinnerde.

Ik vloog terug naar de vergankelijke wereld. Ik probeerde mijn lichaam weer in te komen. Ik duwde uit alle macht en wrong mezelf in allerlei bochten. Maar het was veel te erg beschadigd, mijn dunne lijkje. En toen hield het op met regenen. De zon kwam op. Du Yun en Grote Ma haalden de deksels van onze doodkisten. 'Snel! Snel! Haast je!' Wat moest ik doen?

Dus zeg me, Libby-ah, heb ik er verkeerd aan gedaan? Ik had geen keus. Hoe kon ik anders mijn belofte aan jou houden?

18

Zesrols-piepkuiken

'**K** un je je hier iets van herinneren?' vraagt Kwan.
Ik staar ontsteld naar haar bolle wangen, haar ongewoon
kleine mond. Het is alsof ik naar een hologram kijk – onder het glanzende oppervlak bevindt zich het driedimensionale beeld
van een verdronken meisje.

'Nee,' zeg ik.

Is Kwan, is de vrouw die zegt dat ze mijn zuster is, in feite een krank-
zinnige die ooit is gaan gelóven dat ze Kwan was? Is de werkelijke
Kwan als klein meisje verdronken? Dat zou het verschil verklaren tussen de magere baby op de foto die mijn vader destijds in het ziekenhuis
liet zien, en het dikkertje dat we uiteindelijk van het vliegveld ophaal-
den. Het zou ook een verklaring kunnen zijn voor het feit dat Kwan in
geen enkel opzicht op mij of mijn broers lijkt.

Misschien is mijn kinderwens alsnog uitgekomen – de echte Kwan
stierf en het dorp zond ons een ander kind, in de gedachte dat het verschil ons toch niet zou opvallen. Het verschil tussen een overledene en
iemand die meende een overledene te zijn. Maar aan de andere kant:
hoe zou Kwan níet mijn zuster kunnen zijn? Het kan toch zijn dat een
of andere traumatische gebeurtenis haar als kind heeft doen geloven
dat ze van lichaam gewisseld was? En zelfs als we geen werkelijke bloedverwanten zijn, is ze dan niet evenzogoed mijn zuster? Natuurlijk wel.
Maar ik zou toch graag willen weten wat er eventueel waar is van haar
bizarre verhaal.

Ze glimlacht naar me en grijpt mijn hand. Met haar vrije hand wijst
ze naar een overvliegende zwerm vogels. Zei ze maar dat het een zwerm

olifanten was, dan hoefde ik niet meer te twijfelen of ze nu wel of niet krankzinnig is. Wie zou me ooit kunnen vertellen in welke opzichten haar verhaal waar is? Du Lili? Daar kun je al evenmin op afgaan. Grote Ma is dood. En alle andere dorpelingen die oud genoeg zijn om zich iets te kunnen herinneren, spreken alleen het Changmian-dialect. En zelfs al spraken ze Mandarijns, wat zou ik ze moeten vragen? 'Zeg, vertel eens, is mijn zuster wel echt mijn zuster? Is ze een geest? Of alleen maar gek?' Maar er is geen tijd meer om iets te bedenken; we zijn bij het huis van Grote Ma aangekomen.

In de middelste kamer treffen we Du Lili en Simon in een geanimeerd gesprek, gevoerd in gebarentaal. Simon draait een denkbeeldig autoraampje naar beneden en schreeuwt: 'Dus ik stak mijn hoofd naar buiten en zei: *"Come on, move your ass."* ' Hierna drukt hij op een denkbeeldige claxon, en imiteert vervolgens 'bbbbrr-ta-ta! bbbbrrr-ta-ta!' de woesteling die ooit met een Uzi zijn banden aan flarden schoot.

Du Lili zegt iets in het Changmian-dialect, dat zoveel betekenen zal als: 'Pfff, da's niks.' Zij begint op haar beurt een voetgangster uit te beelden die twee boodschappentassen draagt. Zware tassen, zo te zien; ze rekken haar armen uit als miedeeg. Opeens kijkt ze op, maakt een sprongetje achteruit, bijna op Simons tenen, en laat een tas vallen om met haar hand te gebaren hoe een auto haar als een razendsnelle slang voorbijsuist en zich verderop in een groepje mensen boort. Het kan ook een groepje bomen zijn, want het zijn ledematen of takken die ze nu door de lucht laat buitelen. Ter afsluiting van haar opvoering loopt ze naar de bestuurder en spuugt hem in zijn gezicht, oftewel de emmer vlak naast Simons schoen.

Kwan en ik juichen en klappen, maar Simon pruilt als de verliezer van een spelshowfinale. Hij gelooft dat Du Lili overdrijft – die auto kan nooit op een snel zigzaggende slang hebben geleken; hij zal wel meer weg hebben gehad van een manke buffel. 'Bu bu bu!' krijst ze schaterend, en ze stampt met haar voet. Ja, en misschien had zij wel lopen suffen en was zij de oorzaak van dat ongeluk. 'Bu bu bu!' Ze begint hem met haar vuistjes op zijn rug te trommelen en hij roept: 'Oké, jij wint. Jullie automobilisten zijn erger!'

Als je het leeftijdsverschil negeert, zijn het net twee jonge geliefden; plagend, provocerend, voortdurend aan elkaar zittend. Er roert zich iets in mijn binnenste, maar jaloezie kan het niet zijn; want hoe zouden die twee ooit… Hoe dan ook, of Kwans verhaal over Du Lili en haar dode dochtertje waar is of niet, één ding staat vast: Du Lili is de ouderdom voorbij.

Het spelletje Hints is over, en Du Lili troont Kwan mee het erf op om voor het eten te gaan zorgen. Ik vraag Simon: 'Hoe kwamen jullie nou over wegpiraten te spreken?'

'Ik vertelde haar over Rocky en de rit van gisteren, toen we de plaats van dat ongeluk voorbijreden.'

Ik geef op mijn beurt een weergave van Kwans verhaal en vraag Simon wat hij ervan denkt.

'Tja, ten eerste lijkt Du Lili mij geen krankzinnige, en Kwan trouwens ook niet. En ten tweede: je hoort dat soort verhalen je hele leven al.'

'Maar dit was anders. Begrijp je dat dan niet? Misschien is Kwan wel niet echt mijn zuster.'

'Hoe kan ze nou niet je zuster zijn? Zelfs als jullie geen echte bloedverwanten zijn, is ze nog altijd je zuster.'

'Ja, ja, maar dat betekent dan is het wel dat er nog een ander meisje was, dat óók mijn zuster was.'

'En wat dan nog? Wil je Kwan in dat geval verstoten?'

'Natuurlijk niet! Het is alleen… ik zou graag zeker willen weten hoe het echt zit.'

Hij haalt zijn schouders op. 'Waarom? Wat zou dat voor verschil maken? Ik heb genoeg aan wat ik met mijn eigen ogen zie. Voor mij is Du Lili een schattig vrouwtje. En Kwan is… Kwan. En het is een schitterend dorp. En ik ben blij dat ik hier ben.'

'Maar wat denk je dan van Du Lili? Geloof je haar als ze zegt dat ze vijftig is? Of geloof je Kwan, die zegt dat Du Lili…'

Hij valt me in de rede. 'Misschien heb je Du Lili niet helemaal goed begrepen. Je zegt zelf dat je Chinees niet al te best is.'

'Ik heb alleen maar gezegd dat ik het niet zo vloeiend spréék,' zeg ik gebelgd.

'Maar toch…' en zijn stem krijgt de zelfverzekerdheid van het mannelijk gelijk. 'Misschien gebruikte Du Lili wel een uitdrukking in de trant van "ik voel me nog piepjong" en heb jij dat letterlijk genomen, zodat ze volgens jou gelooft dat ze een piepkuiken is.'

'Ik heb niet gezegd dat ze een piepkuiken is.' Mijn slapen beginnen te kloppen van ergernis.

'Kijk! Nu neem je mij ook al letterlijk! Ik zei het alleen maar bij wijze van spreken...'

'Waarom wil jij toch altijd zo verschrikkelijk graag gelijk hebben?'

'*Hey, what is this?* Ik dacht dat we gewoon een gesprek voerden. Ik probeer echt niet...'

En dan horen we Kwan schreeuwen op het erf. 'Libby-ah! Simon! Snel kom! Wij nu koken. Foto maken, ja?'

Nog steeds geërgerd loop ik naar de slaapkamer om mijn spullen te pakken. Daar zie ik dat bed weer... Niet aan denken, Olivia. Ik kijk uit het raam en dan op mijn horloge. De avond gaat vallen, het gouden halfuur breekt aan. Als ik ooit in de gelegenheid ben geweest om op intuïtie en hartstocht te werken, dan is het wel hier en nu, in China. Waar ik nergens controle over heb, waar niets voorspelbaar en alles volstrekt waanzinnig is. Ik pak dit keer de Leica en vul mijn zakken met tien rolletjes van de snelste film die ik bij me heb.

Op het erf laad ik het eerste rolletje in het fototoestel. Na de zware regenbui lijkt de hemel uit lichtblauwe waterverf te bestaan, met achter de bergpieken enkele witte poederwolkjes. Als ik diep inadem, ruik ik de kookvuren van alle drieënvijftig huishoudens in Changmian. Een prikkelende geur, waaronder het zware aroma van mest schuilgaat.

Ik kijk om me heen. De leemstenen muur rond het erf zal het goed doen als achtergrond, met dat ruwe oppervlak waar een vaag oranje zweem in zit. Die boom midden op het erf zit beroerd in het blad. Vermijden. Het varkenskot heeft daarentegen grote voorgrond-moge-lijkheden. Fraai gelegen aan de zijkant van het erf, onder een afdak van gevlochten twijgen; rustiek en simpel, als een kerststal in een toneelop-voering van de lagere school. Alleen heb je hier geen Jezus, Jozef en Maria, maar lopen drie varkens door de drek te wroeten. En een stuk of zes kippen – eentje mist een poot en een ander heeft maar een halve snavel.

Ik maak een rondedans over het erf, langs onderwerpen die ik straks wil vastleggen. Hierbij ontdek ik een toiletemmer met varkensvoer waaraan zich nu ontelbare vliegen te goed doen. En een kuil vol zwarte blubber. Ik kijk erin en zie iets drijven wat ooit een rat was, overdekt met krioelende rijstkorrels. Maden.

Van de weeromstuit komt het bestaan in Changmian ineens bar en armzalig op me over. Ik zou me nu moeten concentreren op de setting die het erf biedt, opdat ik straks alleen nog maar oog hoef te hebben voor de handelingen van Kwan en Du Lili. Maar al wat ik voor me zie, zijn welgestelde Amerikanen die door een chic tijdschrift bladeren en geen stuitende Derde-Wereldtaferelen willen tegenkomen. Ik houd altijd veel te veel rekening met die mensen, met als resultaat dat mijn foto's doorgaans veel te braaf zijn. Ik ben zelden tevreden over mijn werk. Maar aan de andere kant, waarom met opzet schokkende foto's maken? Daar is geen markt voor, en ik zou er in dit geval nog een verkeerd beeld mee geven óók. Keihard realisme zou de indruk kunnen wekken dat héél China achterlijk, armetierig en smerig is. Wat vreselijk Amerikaans, trouwens, om de wereld uitsluitend in termen van rijkdom en armoede te beoordelen. Waarom de werkelijkheid altijd maar door die mangel halen? Wie is daarmee gediend?

Wat kunnen mij die tijdschriftlezers eigenlijk schelen? Naar de hel met goede en foute indrukken! Ik ga me gewoon overgeven aan wat hier en nu gebeurt – spontaan plaatjes schieten, klaar uit. Ik zie Du Lili neerhurken bij de handpomp om een grote pan met water te vullen. Door mijn zoeker turend loop ik op haar toe. Maar voor ik af kan drukken, krijgt ze me in de gaten en springt overeind. Ze trekt aan de panden van haar groene jasje en gaat stram in de houding staan. Reuze spontaan.

'Je hoeft niet stil te staan,' zeg ik. 'Ga gewoon je gang en let niet op mij.'

Hierop begint ze gehoorzaam over het erf te drentelen. Met haar blik krampachtig van de lens afgewend gaat ze een gammele kruk staan bewonderen, wijst quasi verbaasd naar de manden die aan de takken van de boom hangen en bekijkt een met modder besmeurde bijl alsof ze een unieke oudheidkundige vondst heeft gedaan. Vooruit dan maar. 'Een, twee, drie,' tel ik af in het Chinees en ik maak een paar opnamen. 'Goed, heel goed,' zeg ik. 'Dank je wel.'

Ze kijkt sip. 'Niet goed?' vraagt ze met een kinderstemmetje. Ah, ik begrijp het – ze verwachtte natuurlijk een flits of een klik; maar een Leica produceert het één noch het ander. Ik zal mijn toevlucht moeten nemen tot een leugentje.

'Ik neem nog niet echt foto's,' leg ik uit. 'Ik kijk alleen maar door de lens, om te oefenen.' Opgelucht loopt ze naar het varkenskot. Zodra ze het hek opent, komen de varkens met gretig opgeheven snuiten op haar afgerend, gevolgd door de kippen die kennelijk ook denken dat ze gevoerd gaan worden. 'Een lekkere dikke,' mompelt Du Lili, terwijl ze speurend rondkijkt. Ik sluip steels achter haar langs en probeer haar optimaal in beeld te krijgen. Het rossige licht van de ondergaande zon valt door het gevlochten afdak op haar gezicht, dat plotseling warm opgloeit. Dit magische toeval geeft de doorslag. Mijn instincten behalen de definitieve overwinning op mijn gedachten, en in een weldadige roes word ik één met mijn camera. Ik schiet er nu ontspannen en intuïtief op los – Du Lili die met een snelle greep een kip vangt, het geschrokken gefladder van de andere kippen en de varkens die teleurgesteld afdruipen. Simon loopt rond en noteert ideeën voor eventuele onderschriften. Het gaat als vanouds; zo hebben we altijd gewerkt op locatie, in moeiteloze harmonie met elkaar. Het enige verschil is zijn gezicht, waar in plaats van de normale professionele concentratie een intense beleving van afstraalt. Hij kijkt me aan en glimlacht.

Ik richt me weer op Du Lili, die met de nerveus tokkende kip naar een bankje kuiert waarop een witte, geëmailleerde schaal staat. Met één hand houdt ze haar prooi boven die schaal en met haar andere hand haalt ze een klein pennemesje uit haar broekzak. Gaat ze daar de kop van die kip mee afslaan? Onmogelijk. Door de zoeker zie ik dat ze het mesje in de nek van de kip zet en zagende bewegingen begint te maken. Even later spuit het bloed in een sierlijke boog uit de nek van de verbouwereerd kijkende kip. Ze pakt het beest bij de poten vast, zodat het met de kop omlaag komt te hangen en het bloed klaterend in de witte schaal loopt.

Op de achtergrond hoor ik de varkens gillen. Echt gillen, zoals mensen in doodsangst. Ik heb wel eens gehoord dat varkens in grote paniek raken als ze naar het slachthuis worden gevoerd, dat ze slim genoeg zijn om te weten wat ze te wachten staat. Zouden ze misschien ook snappen wat die kip doormaakt, en daar ontzetting en medelijden bij voelen? Wijst dat gegil op intelligentie? Een bewuste ziel? Ik heb openhartoperaties en niertransplantaties gefotografeerd, maar hier word ik onpasselijk van. Toch blijf ik schieten. Vanuit mijn ooghoek zie ik dat Simon gestopt is met schrijven.

Als de schaal halfvol bloed is, laat Du Lili de kip op de grond vallen. Het beest struikelt nog een paar minuten lang rond en zakt dan leeggebloed in elkaar. Als de geest van Broodje destijds echt in Du Lili gevaren is, dan toch met achterlating van die liefde voor vogels.

Simon komt bij me staan. *'That was fucking barbaric.* Ik snap niet hoe jij hebt kunnen doorgaan met fotograferen.'

Die opmerking irriteert me. 'Wat een etnocentrische onzin! Komen Amerikaanse kippen soms minder gruwelijk aan hun eind? In oude culturen worden slachtdieren altijd verbloed, zodat er geen toxinen in het vlees terechtkomen. Wat je net zag, was net zoiets als kosher slachten.'

'Kosher my ass! Dat gaat juist heel snel, om onnodig leed te vermijden. En het bloed wordt pas afgetapt als het dier dood is.'

'O... maar toch zal dit ook een hygiënische bedoeling hebben.' Ik vraag het na bij Du Lili.

'Bu bu,' zegt ze lachend. 'Meestal snijd ik snel de kop af als ik voldoende bloed heb. Maar nu heb ik die kip nog een beetje laten dansen.'

'Waarom?'

'Voor jou!' roept ze uit. 'Dat je mooie foto's kon maken!' Ze wacht glunderend op een complimentje. Meer dan een dun glimlachje weet ik niet op te brengen.

'En?' vraagt Simon.

'Het is, eh... Je had gelijk, het heeft niets met hygiëne te maken.' Maar als ik dan zijn zelfvoldane blik zie, kan ik me niet bedwingen: 'Het is een oeroud Chinees ritueel, een spirituele zuivering... van de kip.' En ik kijk haastig weer door de zoeker.

Du Lili doopt de dode kip in een pan met kokend water en haalt het beest op en neer alsof ze een trui op de hand wast. Het eelt op haar handen is blijkbaar dik genoeg om het effect van een asbesthandschoen te hebben. Vervolgens lijkt het alsof ze de kip troostend streelt, maar bij elke aai haalt ze een handvol veren weg en binnen de kortste keren tilt ze het beest rozig naakt uit de pan omhoog.

Simon en ik volgen haar naar de kookplaats aan de andere kant van het erf, waar Kwan al druk bezig is. Het afdak is zó laag, dat we ons moeten bukken. Op de lemen haardstede staat een enorme wok, gevuld met pruttelende soep. Kwan trekt een paar dunne takken uit een bundel en stookt het vuur nog wat hoger op. Ze kijkt me stralend aan. 'Goeie foto?'

Natuurlijk is dit mijn zuster. Mijn lieve, toegewijde zuster, die een regelmatig op hol slaande fantasie heeft, maar verder niets mankeert.

Kwan trekt de ingewanden uit de kip en hakt haar in stukken, die ze vervolgens allemaal, kop, poten en staart incluis, in de wok schuift. Daarna voegt ze een handvol vers gesneden bietenloof toe. 'Vers groenten altijd,' zegt ze in het Engels tegen de ijverig schrijvende Simon.

'Ben je naar de markt geweest, vandaag?'

'Markt? Geen markt Changmian zelf plukken.'

Du Lili komt met de witte schaal aanzetten. Het kippebloed is gestold tot een donkerrode drilmassa die in blokjes gesneden en dan door de soep geroerd wordt. Het doet me denken aan de heksen die in het begin van *Macbeth* rond hun dampende ketel zitten. Hoe gaat die tekst ook weer? 'Roer altoos de helse brij, voor een duist're toverij,' declameer ik.

Simon kijkt op van zijn notitieblok. 'Hé, ik dacht precies hetzelfde!' Hij buigt zich over de wok en snuift de geur op. 'Dit is schitterend materiaal voor het artikel.'

'Ja, en straks moeten we dat schitterende materiaal opeten.'

Het vuur dooft langzaam uit, en het daglicht ook. Ik laat de Leica in de zak van mijn jack glijden. God, wat heb ik een honger! Maar die zal ik wel moeten stillen met deze bloederige smurrie waar een aan stukken gehakte kip in ronddrijft. Er ligt hier geen ham en kaas in de koelkast. Er is niet eens een koelkast. Als ik ham zou willen, zou ik eerst zo'n gillend varken moeten slachten.

Kwan zakt door haar knieën, tilt de reuzenwok als een volleerde gewichthefster van de haardstede en draagt hem naar een ijzeren standaard midden op het erf, waaronder Du Lili een vuurtje heeft gestookt. 'Eten!' roept ze, en ze gaat voor de wok op de grond zitten. Simon en ik volgen haar voorbeeld en Du Lili deelt etenskommen, stokjes en theekopjes uit. Als zij zich ook op de grond heeft laten neerploffen en we met z'n vieren een kringetje rond de wok vormen, priemt ze haar eetstokjes naar Simon en mij. Wij moeten kennelijk als eersten opscheppen. Ik buig me over de wok en tuur in de brij, op zoek naar iets dat op de voorverpakte kipfilets uit mijn supermarkt lijkt. Het duurt Du Lili kennelijk te lang, want ze vist een van de afgehakte kippepoten uit de soep en gooit die in mijn kom.

'Nee, nee,' protesteer ik in het Chinees. 'Neem jij die maar, ik zoek wel iets anders.'

'Niet beleefd doen,' gebiedt ze. 'Eet op voor hij koud wordt.'

Ik zie dat Simon met veel moeite zijn lachen zit in te houden en straf hem af door het pootje in zijn kom te laten glijden. 'Eet smakelijk,' zeg ik met een minzaam glimlachje, en pak voor mezelf een dikke bout uit de wok.

Na een poosje wrokkig naar het ooit zo beweeglijke pootje te hebben gestaard, neemt Simon er een behoedzaam hapje van en gaat peinzend zitten kauwen. Vervolgens knikt hij naar Du Lili en zegt: 'Hmm-mmm. Lekker. Erg lekker.' Ze glimt alsof ze de eerste prijs van een kookwedstrijd heeft gewonnen.

'Wat lief van je, om dat te zeggen.'

'Niks lief. Het is écht lekker.'

Ik bijt aarzelend een stukje vlees van mijn bout en laat het over mijn tong rollen. Geen bloedsmaak. Het vlees is verbazingwekkend mals en inderdaad heerlijk van smaak. Binnen de kortste keren heb ik de bout afgekloven en mijn kom leeggeslorpt – ook de soep is verrukkelijk. Ik pak een vleugeltje uit de wok en eet verder. Het leven in een Chinees varkenskot maakt kippen blijkbaar lekkerder dan de luxe van een Amerikaanse scharrelboerderij. Zou het aan hun voer liggen? Of komt het doordat het bloed door die soep is geroerd?

'Hoeveel rolletjes heb je nu geschoten?' vraagt Simon.

'Zes.'

'Dan noemen we dit een zesrols-piepkuiken.'

'Het was allang geen kuiken meer, hoor.'

'Weet ik, maar zo noemen we het ter ere van Du Lili, die nog zo jeugdig is als een piepkuiken. Dat heb je haar zelf horen zeggen.' Beducht voor een tik heft hij zijn handen op en lispelt: 'Niet slaan, meesteres.'

Ik maak een zegenend gebaar voor zijn voorhoofd en zeg: 'Het zij je vergeven, eikel.'

Du Lili houdt een fles met een kleurloze vloeistof omhoog. 'Deze wijn kocht ik toen de Culturele Revolutie net voorbij was. Maar in de twintig jaar die verstreken, heb ik nooit een reden gehad hem open te maken. Vanavond heb ik drie redenen!' Ze schenkt mijn theekopje als eerste vol, een uitgerekte 'ahhhh' slakend alsof ze zit te plassen. Als ze ons allemaal bediend heeft, tilt ze haar kopje op, roept *'gan bei!'* en begint luidruchtig te slurpen. Ze beweegt haar hoofd steeds verder achterover, tot ze het hele kopje leeg heeft.

'Jullie zien?' zegt Kwan. 'Kopje moet scheef scheef scheef tot helemaal leeg!' Ze doet het zelf ook voor. 'Ahhhh!' Waarna Du Lili hen beiden nog eens inschenkt.

Ik kan me niet herinneren Kwan ooit alcohol te hebben zien drinken, dus dit kan onmogelijk zware wijn zijn. Simon en ik proosten en zetten de kopjes aan onze lippen, om een paar tellen later allebei naar adem te happen. Kwan en Du Lili slaan zich op hun knieën van pret en wijzen naar onze kopjes, die nog halfvol zijn.

'Wat is dít voor spul?' hijgt Simon. 'Ik geloof dat ik er zojuist mijn amandelen mee gepeld heb.'

'Lekker, ah?' Kwan schenkt zijn kopje weer vol.

'Het smaakt naar zoutzuur,' zegt hij.

'Zout? Zuur? Lekker zoet juist!' Ze neemt zelf weer een slokje en smakt verlekkerd met haar lippen.

Drie rondjes en twintig minuten later is mijn hoofd nog steeds helder, maar mijn voeten zijn door die lange kleermakerszit gaan slapen. Ik sta op en schud met een pijnlijk gezicht mijn tintelende benen. Simon doet hetzelfde.

'Wat een bocht.' Hij rekt zich uit. 'Maar weet je, ik voel me geweldig!' Kwan vertaalt dit voor Du Lili: 'Niet kwaad, zegt hij.'

'Hoe heet die wijn eigenlijk?' vraagt Simon. 'Misschien moeten we er wat van meenemen als we teruggaan.'

'Deze wij noemen muizewijn,' zegt Kwan, en ze werpt een eerbiedige blik in haar kopje. 'Heel beroemd Guilin. Lekker ook goed gezondheid. Duurt lang maken. Tien twintig jaar.' Ze vraagt Du Lili ons de fles met het rood-met-witte etiket aan te geven. Er zit bijna niets meer in.

'Wat is dit hier, op de bodem?' vraagt Simon.

'Ik al zeggen heet muizewijn,' zegt Kwan.

'Ja, ja, maar wat is dit hier, op de bodem?'

'Jij goed kijken. Is muis.'

We kijken goed en zien een vlokkige grijze massa... met een staart. Ergens diep van binnen weet ik dat ik nu kotsmisselijk zou moeten worden. Maar in plaats daarvan kijken Simon en ik elkaar aan en beginnen te lachen. We komen niet meer bij van het lachen. We stikken zowat van het lachen.

'Waarom lachen we zo?' snikt Simon.

267

'We zijn dronken.'

'Maar ik voel me helemaal niet dronken. Ik ben... blij dat ik leef.'

'Ik ook. Hé, moet je die sterren zien. Lijken ze jou ook niet groter? Niet alleen feller, maar ook groter? Het lijkt wel alsof ik krimp en al het andere groter wordt.'

'Jij dingen zien als kleine muisje,' zegt Kwan.

Simon wijst naar de bergen. 'Immens!' roept hij uit.

Ademloos kijken we naar de twee schemerige bergpieken van Changmian, en het koppel pieken daarachter, en het derde koppel dáár weer achter. Kwan stoot me aan. 'Nu misschien jij draken zien,' zegt ze. 'Twee zij aan zij. Ja?'

Ze grijpt me bij mijn schouders en duwt me opzij tot ik de pieken in elkaars verlengde zie liggen. 'Ogen dicht,' beveelt ze. 'Amerikaans denken wegdoen, nu Chinees denken. Maak geest als dromen. Denk twee draken, man vrouw. Ja? Nu weer kijken.'

Ik open mijn ogen en het is alsof het verre verleden de plaats van het heden heeft ingenomen. 'De pieken gaan op en neer, achter elkaar,' zeg ik. 'Dat zijn hun ruggen, nietwaar? En zoals die twee voorste overgaan in de heuvels, dat zijn hun koppen. Ze klemmen de vallei tussen hun snuiten.'

Kwan geeft me een waarderend klopje op mijn arm, als was ik een scholiere die haar aardrijkskundelesje goed heeft opgezegd. 'Sommige mensen zeggen dorp vlak naast drakemuil is slechte *feng shui*; geen harmonie. Maar ik zeg hangt af soort draak. Deze draken heel trouw, goeie *chi*... hoe zeggen Engels goeie *chi*?'

'Goeie vibraties.'

'Ja-ja, goeie vibraties!' Ze vertaalt voor Du Lili waar we het over hebben.

Du Lili krijgt een reusachtige grijns op haar gezichtje, kwebbelt wat in het Changmian-dialect en begint te neuriën, daaa didada.

Kwan neuriet terug, di dadada, en zegt tegen ons: 'Oké-oké. Simon, Libby-ah, zitten weer. Du Lili zeggen ik liefdesverhaal draken vertellen moet.' Even later zitten we als welpjes rond het kampvuur; ook Du Lili zit aandachtig voorovergebogen.

'Hier komt verhaal,' zegt Kwan. Du Lili grijnst verheugd, alsof ze Kwans Engels verstaan kan. 'Lang geleden twee zwarte draken, man vrouw, leven onder grond Changmian. Elke lente wakker worden en opstaan van grond als bergen. Opgestaan deze draken lijken net mensen, huid zwart heel-heel sterk. In één dag zij tweeën graven sloot om Changmian. Water van bergen komt in sloot. Nu niet erg meer als geen regen vallen. Altijd genoeg water voor gewassen. Libby-ah, hoe noemen deze water opvangen voor land?'

'Irrigatie.'

'Ja-ja. Irritatie.'

'Irrigatie.'

'Ja-ja, indigatie. Zij maken dit voor dorp. Iedereen daarom houden twee zwarte drakenmensen. Elke jaar groot feest voor hun. Maar op dag, watergod, echte klootzak, hij kwaad... zeggen: "Hé, iemand water uit mijn rivier niks gevraagd!"'

'*Darn.*' Simon knipt met zijn vingers. 'Altijd dat gelazer met die monopoliehouders.'

'Ja-ja, dus grote ruzie heen en weer. Watergod huren wilde mensen andere stam van ver weg, misschien Hawaï.' Ze geeft Simon een por. 'Hé, grapje, is maar grapje! Niet Hawaï, weet niet waar vandaan. Oké, wilde mensen hebben pijl en boog schieten drakenman en vrouw dood. Lichamen vol pijlen. Voor sterven kruipen terug onder grond, worden weer echte draak. Zie daar! Ruggen zijn zes bergen. Waar pijlen geraakt nu tienduizend grotten, allemaal door elkaar. Nu regen komen water stroomt door bergen, net tranen kan niet ophouden. Komt hier overstroming! Elke jaar gebeuren.'

Simon fronst. 'Ik snap iets niet. Als hier ieder jaar een overstroming is, waarom spreek je dan van goede *chi*?'

'Tst! Overstroming niet grote overstroming. Kleintje maar. Vloer huis schoonspoelen, niks stukmaken. In mijn hele leven één slechte overstroming meemaken, één lange droogte. Geluk gehad!'

Ik krijg even de neiging haar erop te wijzen dat ze slechts achttien jaar in China heeft gewoond, en dus bepaald niet haar hele leven. Maar waarom zou ik haar verhaal verpesten?

'Hoe liep het met die watergod af?' vraag ik.

'O, die rivier... niet meer. Overstroming hem weggespoeld!'

Simon klapt en fluit op zijn vingers. 'Maar goed ook!' Het doet Du Lili uit haar dommelslaapje opschrikken. Ze staat op en begint de restanten van ons kipfestijn op te ruimen. Als ik overeind wil komen om haar te helpen, duwt ze me terug op de grond.

'Van wie heb je dat verhaal eigenlijk?' vraag ik Kwan.

Ze legt nog wat twijgen op het vuur. 'Alle Changmian mensen kennen. Vijfduizend jaar elke moeder zingen lied Twee Draken voor kleintjes.'

'Vijfduizend jaar? Hoe weet je dat? Dat zou nergens opgeschreven kunnen staan.'

'Ik weet omdat... ik jou geheim zeggen. Voorbij twee draken in kleine vallei is kleine grot. En deze kleine grot gaan naar andere grot is zo groot niet te geloven. In die hele grote grot is meer, groot genoeg voor te varen! Water zo mooi jij nooit gezien, blauw en goud, geeft licht ook! Jij lamp vergeten geeft niet. Licht water jij kan toch zien dorp aan meer...'

'Een dorp?' Simon komt bij ons staan. 'Ligt er een echt dorp in die grot?'

Ik wil hem toefluisteren dat dit gewoon weer een van Kwans fantasieverhalen is, maar slaag er niet in zijn aandacht te trekken.

Kwan is ingenomen met zijn opwinding. 'Ja-ja, hele ouwe dorpje. Hoe oud weet niet precies. Maar stenen huizen nog staan. Geen dak meer wel muren, kleine opening voor naar binnen kruipen. En binnen...'

'*Wait a second*,' valt Simon haar in de rede. 'Wil je soms beweren dat jij zelf in die grot bent geweest? En dat dorp gezien hebt?'

Kwan kijkt hem verwaand aan. 'Tuurlijk. In stenen huis veel dingen, stenen stoel, stenen tafel, stenen emmer met handvat twee draken gesneden. Zie je? Twee draken van verhaal. Verhaal net zo oud stenen dorp. Misschien ouder, misschien vijfduizend jaar niet goed. Misschien tienduizend jaar. Wie weet hoe oud?'

Ik krijg kippevel. Over zo'n grot met een lichtgevend meer heeft ze het eerder gehad. 'Hoeveel mensen zijn er naar die grot geweest?' vraag ik.

'Hoeveel? O, weet niet. Huis heel klein, kan niet veel mensen tegelijk in gewoond hebben.'

'Nee, ik bedoel: hoeveel mensen hebben recentelijk die grot bezocht?'

'Nu? Niemand. Veel te bang.'

'Waarom?'

'Ach, jij niet willen weten.'

'Kom op, Kwan.'

'Oké-oké, maar jij bang niet mijn schuld.'

'Vooruit, Kwan,' zegt Simon.

Ze haalt diep adem. 'Mensen zeggen jij naar binnen, niet alleen deze grot maar alle grotten van vallei, jij nooit meer terug.' Ze aarzelt even, en voegt dan toe: 'Alleen als geest.' Ze kijkt ons aan, benieuwd naar onze reacties. Ik glimlach. Simon staart gebiologeerd voor zich uit.

'O, maar nu begrijp ik het.' Ik probeer opnieuw Simons aandacht te trekken. 'Dit is de vloek van Changmian, waar die marktventer het over had.'

Zonder me te horen ijsbeert Simon over het erf. 'God! Als dit waar is...'

Kwan glimlacht. 'Jij denken waar, ik geest?'

'Geest?' Hij grinnikt. 'Nee, nee! Ik bedoel dat van die grot, als dát waar is.'

'Natuurlijk waar! Ik al gezegd zelf gezien.'

'Ik vraag het, omdat ik ergens las... waar stond het nou... ah ja, in de reisgids. Iets over een grot met tekenen van bewoning in het stenen tijdperk. Olivia, heb jij dat ook gelezen?'

Ik schud mijn hoofd. Zou er dan toch iets van waarheid in dat verhaal over de vluchtgrot van Nunumu en Yiban steken? 'Denk je dat ze het daarover heeft?' vraag ik Simon.

'Nee, de grot die in de reisgids beschreven staat, is een toeristische trekpleister vlakbij Guilin. Maar er stond ook dat deze bergstreek zo vol grotten is, dat er duizenden moeten zijn waar niemand iets van weet.'

'Dus in die grot van Kwan zou een andere onderaardse...'

'Zou dat niet fantastisch zijn?' Hij richt zich weer tot Kwan: 'Dus jij denkt dat niemand ooit in die grot geweest is?'

'Nee-nee. Ik niet zeggen dit. Heel veel mensen geweest.'

De teleurstelling druipt van zijn gezicht.

'Maar nu allemaal dood,' voegt ze toe.

'Whoa.' Simon heft zijn hand op in een stop-teken. 'Even voor de goede orde,' en hij begint weer te ijsberen. 'Jij beweert dus dat niemand die nu in leven is iets van die grot weet. Behalve jij dan.' Hij blijft stilstaan en wacht af tot Kwan zijn resumé bevestigt.

'Nee-nee, Changmianmensen weten grot is er. Weten alleen niet waar.'

'Ah!' Hij begint om ons heen te lopen. 'Dus niemand weet wáár die grot is, maar iedereen weet wel dát hij bestaat.'

'Natuurlijk. Veel Changmianverhalen hierover. Heel veel.'

'Geef eens een voorbeeld.'

Er verschijnen rimpeltjes boven haar neus terwijl ze haar keuze bepaalt uit de talloze bizarre spookverhalen in haar hoofd, die alleen verteld mogen worden bij de belofte van geheimhouding. 'Bekendste verhalen,' zegt ze uiteindelijk, 'gaan altijd over buitenlander. Want die dood grote ellende geven.'

Simon knikt instemmend.

'Oké. Een verhaal gaan zo. Dit gebeurd misschien honderd jaar geleden. Dus ik zelf niet gezien, alleen horen vertellen. Gaat over vier zendelingen komen van Engeland, in twee kleine koetsen met parasolletje. Twee ezeltjes voor vier dikke mensen. Hete dag. Komen in ons dorp springen uit koets. Twee bijbelmevrouwen. Eén jong en nerveus, één oud en bazig. Twee mannen. Eén baard, één zo dik niemand kan ogen geloven. Deze buitenlanders zij dragen Chinese kleren, jawel, zien toch vreemd uit. Dikke man spreekt Chinees beetje, maar toch bijna niemand verstaan. Zegt: "Kunnen wij picknick doen hier?" Iedereen zeggen welkom-welkom, dus zij eten, eten, eten, eten, eten, zo veel eten.'

Ik onderbreek Kwan. 'Was dat soms Dominee Amen?'

'Nee-nee, hele andere mensen. Ik al zeggen hen nooit gezien, alleen vertellen horen. Oké, zij klaar eten dikke man vraagt: "Hé, wij horen jullie hier beroemde grot, ouwe stad erin. Jullie laten zien?" Iedereen smoesjes: te ver, te druk, niks te zien. Dan ouwe bijbelmevrouw houdt potlood omhoog zeggen: "Wie dit willen? Laat grot zien jij dit krijgen." Die tijd onze mensen nooit potlood gezien. Schrijfpenseel wel, potlood nee. Alleen mensen dit dorp niet. Want potlood wel uitgevonden China. Wij zoveel uitgevonden. Buskruit, maar niet voor doden. En deegslierten. Italiaanse mensen zeggen deegslierten uitgevonden is niet waar, nagemaakt Chinees in Marco Polo tijd. Chinese mensen ook cijfer nul uitgevonden. Daarvoor iemand niets hebben dit niet kunnen weten. Nu iedereen niets hebben.' Ze lacht gul om haar eigen spitsvondigheid. 'Wat ik eerst zeggen?'

'Je had het over de bijbelmevrouw met het potlood.'

'Ah, ja-ja. In onze arme dorpje niemand potlood gezien. Bijbelmevrouw doet voor, zomaar iets opschrijven hoeft niet eerst inkt te maken. Eén jonge man, familienaam Hong, hij altijd denken beter dan rest, neemt potlood aan. Familie Hong nog steeds dat potlood bezit, op altaar. Potlood kostte zijn leven.' Ze gaat met haar armen over elkaar staan knikken, alsof ze het zeer terecht vindt dat begeerte naar potloden met de dood wordt afgestraft.

Simon raapt een twijgje op van de grond. 'Wacht even. Je gaat te snel. Wat gebeurde er met die zendelingen?'

'Komen nooit terug.'

'Misschien zijn ze wel gewoon naar huis gegaan zonder dat iemand ze zag vertrekken,' opper ik.

'Jonge man ook nooit terug.'

'Misschien hebben ze hem bekeerd en is hij met ze meegegaan.'

'Waarom iemand dat nou doen?' zegt ze vol onbegrip. 'Ook, koetsen en muilezels bleven hier, waarom niet meegenomen? Waarom bijbelkerk sturen soldaten hen zoeken? Veel problemen, soldaten kloppen op deur zeggen: "Wat gebeurd zendelingen? Jij niet zeggen wij jouw huis platbranden." Mensen zo bang gaan leugen vertellen, zeggen bandieten bijbelmensen ontvoerd verder ook niet weten. Dit verhaal nog steeds bekend in Changmian. Als iemand doet hij beter dan jou jij zeggen: "Hé, pas maar op jij niet potloodman worden!"'

Ik stoot Simon aan. 'Hoor je dat geluid?'

Kwan spitst haar oren. 'Ah ja, dat geluid. Van bergen.'

'Wat is het?' vragen Simon en ik tegelijk.

'Zingen. Yin-mensen zingen in bergen.'

We luisteren nog even zwijgend, en dan zeg ik: 'Het is gewoon de wind, volgens mij.'

'Ja-ja, meeste mensen zeggen alleen maar wind, wu wu, waait door grot. Maar als jij grote spijt jij horen yin-mensen zingen: "Kom hier! Kom hier!" Jij nog bedroefder zij nog harder zingen: "Haast je! Haast je!" Jij erheen gaan naar binnen zij heel blij. Nu jij innemen plaats iemand kan gaan Yin-Wereld eindelijk rust.'

'Diefje met verlos,' zegt Simon.

Ik doe alsof ik lach, maar het hindert me dat Kwan altijd maar verhalen heeft over mensen die met overledenen van plaats wisselen.

Ze kijkt naar mij. 'Dus nu jij weten waarom dorp naam Changmian. *Chang* is "zingen", *mian* is "zijde", iets heel zacht maar ook heel lang als draad. Zacht Zingen Zonder Eind. Zijn ook mensen zeggen "Changmian" anders, toon omhoog in plaats omlaag. Dan *chang* is "lang" en *mian* is "slaap". Changmian, Lange Slaap. Jullie begrijpen?'

'Een lied waarvan je in slaap valt,' zegt Simon.

'Nee-nee-nee-nee-nee. Lange slaap is dood. Daarom mensen zeggen niet naar Changmian gaan, is poort Yin-Wereld.'

Mijn hoofdhuid begint te kriebelen. 'En dat geloof jij ook?'

'Hoef niet geloven. Ik al in grot geweest. Weten. Veel-veel yin-mensen daar vast, wachten wachten.'

'Maar hoe kon jij dan terugkomen?' Ik betreur de vraag meteen en voeg haastig toe: 'Ach, dat weet ik ook eigenlijk wel. Laat maar zitten.' Het laatste wat ik wil is een verhaal over Broodje of Zeng. Het is laat. Ik wil naar bed, en dan niet de hele nacht naast iemand moeten liggen die ooit het lichaam van een dood meisje betrokken heeft.

Simon hurkt naast me neer. 'Weet je, ik vind dat we die grot moeten gaan bezichtigen.'

'Ben je gek geworden?'

'Waarom niet?'

'Omdat mensen er de pijp uitgaan!'

'Ach, kom, geloof jij die spookverhalen?'

'Natuurlijk niet. Maar het is er niet pluis. Giftige gassen, instortingen, weet ik veel wat nog meer.'

'Verdrinken,' vult Kwan aan. 'Droevige mensen daar gaan voor zich verdrinken in meer, laten naar bodem zakken, omlaag omlaag omlaag.'

'Hoor je dat, Simon? Omlaag, omlaag, omlaag.'

'Begrijp het dan, Olivia. Dit zou een schitterende vondst zijn. Een prehistorische grot. Een onderaards dorp uit de steentijd. Gereedschappen, aardewerk...'

'En stenen lichamen!' vult Kwan andermaal aan.

'En stenen lichamen... eh, stenen lichamen?'

'Meestal buitenlanders. Zij verdwalen gek worden, toch niet dood willen. Niet in meer springen maar gaan ernaast liggen tot lichaam steen.'

Simon staat weer op en tuurt naar de pieken.

'Mensen worden er krankzinnig,' zeg ik tegen hem, 'en als ze eenmaal gekrepeerd zijn, verstenen ze.'

Maar hij luistert niet meer. Ik weet dat hij in gedachten al door die grot kruipt, op weg naar roem en vette contracten. 'Kun je je voorstellen wat dit voor artikel kan opleveren? Shit! Van kippesoep naar archeo-

logische vondst van de eeuw. En we zijn *Lands Unknown* niets verplicht, hoor. Het staat ons vrij de *National Geographic* te bellen. We moeten vooral niet vergeten wat aardewerk mee te nemen, als bewijs.'
'Ik ga er niet in,' zeg ik kortaf.
'Oké, dan ga ik wel alleen.'
Ik wil schreeuwen dat ik het hem verbied. Maar hoe zou ik dat kunnen? Ik kan geen rechten meer op hem doen gelden. Kwan kijkt me aan en ik wil haar ook toeschreeuwen – dat het haar schuld is, met die stomme verhalen altijd. Ze krijgt die irritante zusterlijke blik in haar ogen en klopt me kalmerend op mijn arm, die ik nijdig wegtrek.
Ze wendt zich tot Simon: 'Nee, Simon jij niet alleen kan.'
'Hoe bedoel je?'
'Jij niet weten hoe grot vinden.'
'Nee, maar jij wijst me toch de weg?'
'Nee-nee. Libby-ah gelijk veel te gevaarlijk.'
Hij krabt zich peinzend in de nek, staat argumenten te bedenken waarmee hij Kwan en mij onderuit kan halen, maar na een poosje haalt hij slechts zijn schouders op en zegt: 'Misschien wel. Maar laten we er nog maar eens een nachtje over slapen.'

•

Ik lig in het midden van het drukbevolkte hemelbed, even stijf als Grote Ma in haar kist. Mijn armen en benen doen pijn van mijn krampachtige pogingen Simon niet aan te raken. Het is voor het eerst in bijna tien maanden dat we in hetzelfde bed liggen. Hij draagt zijn thermische ondergoed. Telkens als ik zijn schenen of kont tegen mijn benen voel, schuif ik voorzichtig opzij, om onmiddellijk op Kwans knieën of puntige tenen te stuiten. Het lijkt wel of ze me voortdurend in Simons richting probeert te drijven.
Opeens klinkt buiten een klaaglijk geluid. 'Wat is dat?' fluister ik.
'Ik heb niks gehoord,' zegt Simon, die blijkbaar ook nog wakker ligt.
Kwan gaapt. 'Zingen van grot, ik dit al verteld.'
'Maar het klinkt anders, nu. Alsof iemand jammert.'
Ze gaat op haar andere zij liggen en even later snurkt ze. Simons ademhaling wordt ook dieper en regelmatiger. Dus daar lig ik, tussen twee lichamen ingeklemd en o zo alleen. In het donker starend zie ik

alle indrukken van de afgelopen vierentwintig uur aan me voorbijtrek-ken: de onderkoelde rit met het lijk van Grote Ma; het oogverblinden-de skijack waarin ze lag opgebaard; Flensje en Broodje in hun primitie-ve doodkisten; de stervensdans van die kip; de dode muis in de wijn-fles; de dode zendelingen in de grot. En Simons opgewonden gezicht terwijl hij naar de drakenpieken tuurde. Al met al heb ik een goede dag met hem gehad. Misschien kunnen we weer vrienden worden. Maar misschien betekende dat ouderwetse saamhorigheidsgevoel ook wel niets, was het niets anders dan de muizewijn.

Ik draai op mijn zij en Simon volgt me. En opnieuw strek ik mezelf zo recht mogelijk uit om een aanraking te vermijden. Maar het mense-lijk lichaam is niet op onbeweeglijke rechtheid gebouwd en het duurt niet lang voor ik ernaar snak mijn lichaam naar het zijne te voegen. Het gevaar is alleen dat hij daar de verkeerde conclusies uit trekt – dat ik hem vergeven heb, of dat ik hem nodig heb. Hij smakt met zijn lip-pen en snuffelt; de geluiden die hij altijd maakt als hij dieper in slaap raakt. Ik voel zijn warme ademtocht in golven over mijn nek rollen.

Ik ben altijd al jaloers geweest op de onverstoorbaarheid van zijn slaap. Aardschokken, auto-alarms, het deed hem nooit iets. En nu gaan de krassende, krabbende geluidjes onder het bed aan hem voorbij. Of lijkt het meer op zagen? Het moet een rat zijn, die aan een poot van het bed knaagt. Om zijn tanden nog eens goed te slijpen voor hij omhoog kruipt en onder onze dekens glipt. 'Simon,' fluister ik. 'Simon, hoor je dat?' En net als vroeger legt hij een hand op mijn heup en drukt zijn gezicht tegen mijn schouder. Ik verkramp. Slaapt hij wel echt? Deed hij dat zuiver uit gewoonte? Ik wiebel lichtjes met mijn heup, opdat hij zijn hand terugtrekt. Hij kreunt. Misschien ligt hij me uit te proberen.

Ik til zijn hand van mijn heup af. Hij roert zich en bromt: 'Mmm, sorry,' waarna hij zich ronkend omdraait. Aha, hij deed het dus puur werktuiglijk, in volle slaap. Hij bedoelde er niets mee. Mijn hart klopt pijnlijk in mijn keel.

Ik herinner me de nachten die volgden op avonden die we ruziënd hadden doorgebracht. Hoe hij dan altijd tegen me aankroop en wilde vrijen. Alsof hij de tweedracht tussen ons kon wegnemen door zijn lichaam één te laten worden met het mijne. Wat had ik altijd een hekel aan dat eind-goed-al-goed ritueel. En toch bood ik amper weerstand als hij mijn kin optilde en zijn lippen de mijne zochten; hield mijn woede en adem in als zijn mond over mijn neus en ogen gleed. Hoe bozer ik op hem was, des te meer plekjes knuffelde hij: mijn hals, mijn tepels, mijn knieën. En ik liet hem begaan – niet omdat ik week werd, maar omdat het al te wreed en hardvochtig was om hem af te wijzen en ons daarmee de hoop op een betere relatie te ontzeggen.

Ik heb altijd het voornemen gehad onze problemen grondig uit te praten. Hem te zeggen dat ik me zorgen maakte om de vervlakking die hij als normaal ervoer. Dat we niet meer konden praten, ons steeds verder in onszelf terugtrokken. Ik wilde hem waarschuwen. Voor het te laat zou zijn. Dat de liefde die ons bij elkaar had gebracht uitgeput dreigde te raken en aan verversing toe was. Soms bekroop me de angst dat onze liefde nooit een onuitputtelijke bron zou kunnen blijken, nooit meer geweest was dan een beperkt reservoir van gevoelens, bestemd voor eenmalig gebruik. Dat we een hapje tussendoor voor de hoorn des overvloeds hadden aangezien. We waren twee mensen die al zo lang naar een rijke liefde snakten, dat we te moe en verzwakt waren om dat nog kenbaar te kunnen maken – met zware voetboeien aan elkaar geketend tot onze tijd zou verstrijken en we deze wereld verlaten moesten. Twee toevallige levens die zomaar tot stand waren gekomen en zomaar weer zouden verdwijnen.

Dat soort gedachten ging door me heen terwijl hij me ontkleedde. Tot mijn afkeer verwarde hij naaktheid altijd met intimiteit. Ik liet hem mijn lichaam aanraken in de droevige hoop dat hij ooit weer zou leren mijn hart aan te raken. En als ik hem dan zijn best zag doen mijn ritme te vinden, hield ik op met piekeren en gaf me over aan dat ritme, zijn ritme, ons ritme. De liefde die we bedreven was zuiver lichamelijk – uit gewoonte, routine, zonder besef.

Maar na afloop voelde ik me toch altijd beter, minder gespannen en verdrietig. En als ik die gedachten over uitgeputte bronnen en vluchtige levens weer wilde opvatten, bleek de emotionele lading eruit verdwenen. Het waren droge, ietwat belachelijke denkbeelden geworden.

Nu ons huwelijk voorbij is, weet ik wat liefde is. Het is een proces in de hersenen dat je bloed verzadigt met endorfinen – stoffen die je vrees en je gezonde verstand blokkeren en je overspoelen met stompzinnig geluk. Maar zo ontluisterend als die ware gedaante van liefde ook mag zijn, het verlangen ernaar blijft even hevig. De verlokking blijft even sterk als die van een diepe, heilzame slaap.

19

De tunnel

En snerpend gegil rukt me uit mijn slaap – buiten worden een paar meisjes verkracht, of vermoord, of allebei! Maar dan hoor ik de stem van Du Lili: 'Kalm aan, stelletje hongerlappen! Hier, eet je maar vol, dan worden jullie lekkere dikke varkens.'

Voor ik van mijn schrik bekomen ben, schrik ik opnieuw. In mijn slaap heeft mijn lichaam kennelijk de dichtstbijzijnde warmtebron opgezocht, want ik lig met mijn kont tegen Simons kruis aangevlijd, waar zich een onmiskenbare ochtenderectie aan het ontwikkelen is; een verschijnsel dat we vroeger altijd *the alarm cock* noemden. Kwan is al uit bed. Al lang, zo te voelen, want de kuil die ze in het matras heeft achtergelaten, is koud. Het kost me weinig moeite te bedenken waarom ze zo vroeg is opgestaan, die ouwe koppelaarster! En Simon, slaapt hij wel echt? Of ligt hij stiekem te lachen?

Ik geef het niet graag toe... maar ik ben opgewonden. Ondanks alles wat ik de voorbije nacht heb liggen denken, is mijn onderbuik doortrokken van een kloppende, gulzige wrijvingshunkering. En de rest van mijn lichaam wil op z'n minst gekoesterd worden. Ik vervloek mezelf: je bent een hersenloos gleufdier, een teef zonder een greintje verstand! Ik glijd uit de gevarenzone weg en stap aan Kwans kant uit het bed. Simon roert zich. Bibberend in mijn dunne nachthemd haast ik me naar het voeteind van het bed, waar ik gisteren mijn bagage heb neergekwakt. De temperatuur in de slaapkamer moet zo rond het vriespunt liggen. Ik ga graaiend op zoek naar warme kleren.

Simon gaapt, gaat rechtop zitten en rekt zich uit. Hij trekt het muskietengaas opzij. 'Heerlijk geslapen, zeg. En jij?'

Ik negeer zijn dubbelzinnig klinkende vraag en sla mijn parka over mijn schouders. Klappertandend vraag ik: 'Waar zou je hier een douche of bad kunnen nemen?' Hij kijkt me snaaks aan. Zou hij iets in de gaten hebben?

'Er is een openbaar bad naast de toiletkeet,' zegt hij. 'Heb ik gisteren bekeken toen ik het dorp verkende. Heel romantisch, op een primitieve manier. Voor mannen en vrouwen, één kuip, geen wachttijd. Ik denk trouwens niet dat er druk gebruik van wordt gemaakt; het water leek tenminste niet al te vers meer. En als je een warm bad wenst, raad ik je aan zelf een emmer heet water mee te nemen.'

Ik had me weliswaar op het ergste voorbereid, maar dit is erger dan het ergste. 'Gebruikt iedereen hier hetzelfde badwater, de hele dag?'

'De hele week, zou ik denken. Ja, ja, daar kunnen spilzieke Amerikanen als wij heel wat van leren.'

'Waar zit je zo om te grijnzen?' vraag ik.

'Om jou. Omdat ik je overdreven hang naar properheid ken.'

'Daar ben ik helemaal niet overdreven in!'

'O nee? Waarom trek jij in hotels dan altijd meteen het beddegoed van het matras?'

'Omdat ik weet dat het zelden regelmatig verschoond wordt.'

'Dus wat zegt dat over jou?'

'Dat zegt over mij dat ik er niet van houd op andermans huidschilfers en opgedroogde lichaamsvloeistoffen te liggen.'

'*Aha! I rest my case.* En nu tart ik je naar dat openbare bad te gaan.'

Ik overweeg wat erger is, mezelf in een kuip mensenbouillon te laten zakken of de komende twee weken langzaam te vervuilen.

'Je kunt natuurlijk ook hier in een teil gaan zitten en je afsponzen terwijl ik je met warm water overgiet. Ik wil voor één keer wel je badknechtje zijn.'

Ik doe alsof ik hem niet hoor, maar mijn wangen doen pijn van de inspanning mijn gezicht in de plooi te houden. Ik trek twee paar leggings uit mijn koffer, gooi die van dun katoen terug en verkies de *Polarfleece.* Stom, dat ik er daar niet meer van heb meegenomen. Natuurlijk is het een goed voorstel, zo'n sponsbad. Maar dat hij mijn badknechtje mag spelen, kan hij mooi vergeten. Ik zie het al voor me: Simon als Egyptische slaaf, met zo'n lendendoek om en een uitdrukking van martelende begeerte op zijn gezicht, en dan met een grote soeplepel water over mijn borsten, buik en benen gieten. En ik heel harteloos bevelen geven: Meer warm! En nu koud! Opschieten!

Hij onderbreekt mijn fantasie: 'Je hebt vannacht trouwens weer in je slaap liggen praten.'

Ik mijd zijn blik. Sommige mensen snurken, ik praat in mijn slaap – en niet zomaar wat los gemompel, maar complete en goed gearticuleerde volzinnen. Bijna elke nacht. Zeer luid. Soms word ik wakker van mijn eigen gepraat. Simon heeft me in het verleden moppen horen tappen, diners horen bestellen met drie gangen desserts en Kwan horen toeroepen dat ze moest ophoepelen met haar stomme spoken.

Hij trekt een wenkbrauw op. 'Wat je vannacht zei, was heel onthullend, trouwens.'

Shit. Wat zou ik in vredesnaam gedroomd hebben? Altijd kan ik me mijn dromen herinneren en nu niet! Kwam Simon erin voor? Deden we het? 'Dromen hebben niks te betekenen,' zeg ik, en ik haal een thermisch onderhemd en een wollen truitje te voorschijn. 'Dromen zijn zomaar los drijfhout.'

'Wil je niet weten wat je gezegd hebt?'

'Niet echt, nee.'

'Het had te maken met iets wat je héél graag doet.'

Ik smijt de kleren op het bed en bijt hem toe: 'Ik ben er lang niet zo dol op als jij denkt!'

Hij knippert met zijn ogen en begint te schateren. 'Jazeker wel! Ik hoorde je roepen: "Simon, wacht, ik moet hier nog mee naar de kassa."'

Hij gunt me vijf seconden om dit tot me door te laten dringen. 'Je was aan het winkelen. Waar dacht jij dan dat ik op doelde?'

'*Shut up.*' Ik voel mezelf blozen, steek mijn hand diep tussen mijn kleren en trek nijdig een paar wollen sokken omhoog. 'Draai je om. Ik wil me aankleden.'

'Ach kom, ik heb je al duizend keer naakt gezien.'

'Maar er komt geen duizend-en-eerste keer. Draai je om.'

Ik keer hem op mijn beurt mijn rug toe en trek mijn parka en nachthemd uit, nog altijd woedend op mezelf omdat ik me heb laten beetnemen. Hij wist precies wat ik denken zou! En wat een idioot was ik weer eens om er zo grandioos in te tuinen. Opeens krijg ik een nare gewaarwording en draai me om. Hij heeft het muskietengaas boven zijn hoofd getild en zit doodgemoedereerd naar me te kijken. 'Je hoeft je buik niet in te houden, hoor. Echt, je ziet er nog altijd fantastisch uit. Ik krijg er nooit genoeg van je te zien.'

'*You shithead!*'

'Wat nou? We zijn nog steeds getrouwd, weet je.'

Ik rol een sok op tot een bol en gooi die naar zijn hoofd. Hij laat het gaas vallen, dat zo oud en vergaan is dat de sok er met een ploffend geluidje dwars doorheen gaat.

We staren naar het gat. Ik voel de verheerlijkte schrik van een kind dat het raam van de buurman aan diggelen heeft gegooid, en sla giechelend mijn handen voor mijn mond.

Simon schudt zijn hoofd. 'Stoute meid.'

'Het was jouw schuld.'

'Wat krijgen we nou? Jij gooit die sok.'

'Jij zat te kijken!'

'Dat doe ik nog steeds.'

Daar sta ik, poedelnaakt, te schokken van de kou.

Ik gooi de andere sok ook, en dan mijn leggings, het truitje, mijn nachthemd. Ik gris een slipper van de vloer en loop dreigend op hem af. Hij grijpt mijn pols en voor we het weten rollen we stoeiend over het bed, oh zo dankbaar voor dit excuus om elkaar weer eens aan te raken. Even later liggen we buiten adem in elkaars ogen te kijken. Geen gelach of gegiechel meer. Niets te zeggen. En vervolgens bespringen we elkaar als hongerige wolven, op zoek naar de oude tekens dat we elkaar toebehoren – de geur van onze huid, de smaak van onze tongen, de zachtheid van ons haar, ons ziltige zweet, de harde ruggewervels, alle plekjes waarmee we door en door vertrouwd zijn, maar die tegelijkertijd volstrekt nieuw aanvoelen. Hij is teder. Ik ben wild; besnuffel en bijt hem. We rollen om en om, tot we niet meer weten wie we tot aan dit moment waren, omdat we nu een en dezelfde zijn.

Als we samen het erf op lopen, schenkt Kwan me haar bekende guitige glimlach. 'Libby-ah, waarom jij blij kijken?'

'Lekker weertje, geen regen.' Of ze nu mijn zuster is of niet, ik heb het aan haar te danken dat we hier in China zijn.

Vóór haar ligt een opengeslagen koffer vol cadeaus. Volgens Kwan wil Grote Ma al deze voor haar bestemde geschenken aan Du Lili nalaten, behalve een houten speeldoos die 'Home on the Range' tinkelt. Ik haal mijn camera te voorschijn om de uitreiking vast te leggen.

Kwan pakt het eerste cadeau uit de koffer. Simon en ik buigen ons naar voren om te kunnen zien wat het is – een val voor kakkerlakken. 'In Amerika,' legt Kwan uit aan Du Lili, 'noemen ze dit een hotel voor kakkerlakken.'

'Wah!' roept Du Lili boos. 'Amerikanen zijn zo rijk dat ze hun onge-dierte ook nog huisjes geven! Tst! Tst!' Ze vertrekt haar gezichtje in een uitdrukking van proletarische verontwaardiging.

'Ja-ja, en ze geven ze nog te eten ook,' zegt Kwan. 'En dat eten is zo lekker, dat de kakkerlakken nooit meer naar buiten willen. Ze blijven voor altijd in het huisje.'

Du Lili geeft Kwan een klap op haar arm. 'Nu ophouden! Denk je nu echt dat ik niet weet wat dit is?' Ze wendt zich tot mij. 'Chinese mensen hebben dit ook, hoor. Wij gebruiken holle bamboestengels, die we met zoete hars vullen. Vroeger hielden ze in dit dorp zelfs wedstrij-den wie het meeste ongedierte kon vangen. Vliegen, ratten, kakkerlak-ken. Jouw grote zuster won heel vaak met kakkerlakken vangen. En nu denkt ze mij in de maling te kunnen nemen!'

Kwan gaat verder met uitpakken en blijkt vooral winkels in sport- en vrijetijdsartikelen te hebben afgestroopt. Ze tilt een rugzak omhoog. 'Sterk genoeg om stenen in te dragen, met allemaal aparte vakken, op-zij, van onderen, zie je? Zo gaat de rits open... Wah, wat hebben we daar!' Ze haalt een draagbaar waterfilter uit een vak, en uit andere vak-ken een primus, een verbandtrommel, een luchtbed, een ruimtevaart-deken van isolerende folie, plastic zakken en – 'Wah! Nóg meer!' – een waterdichte luciferdoos, een zaklantaren, een zakmes met allerlei extra attributen, zoals een plastic tandenstoker. 'Erg handig!' vindt ze alles zelf.

'*Amazing*,' zegt Simon terwijl hij de uitgestalde buit in ogenschouw neemt. 'Hoe heb je dat allemaal kunnen bedenken?'

'Krant,' zegt Kwan. 'Heb artikel over aardbeving, als grote komen wat jij nodig voor overleven. In Changmian niet hoeven wachten aard-beving. Nu al geen elektriciteit, gas, waterleiding.'

Hierna haalt ze een opvouwbare plastic kledingdoos uit de koffer, en tuinhandschoenen, inlegzooltjes, leggings, handdoeken, t-shirts.

En bij alles kreunt en zucht Du Lili, en roept ze hoe jammer ze het vindt dat Grote Ma niet van deze luxe spullen heeft mogen genieten.

Ik neem een foto van haar te midden van haar bonte nalatenschap. Ze zet er een zonnebril met reflecterende glazen voor op, en een petje van de *49ers* met het woord 'Champs' in plastic edelstenen.

Na een eenvoudig ontbijt van rijstepap en gepekelde groenten komt Kwan met een enorme stapel foto's aanzetten, waarop haar tweeëndertig Amerikaanse jaren te zien zijn. Ze gaat ze samen met Du Lili zitten bekijken. 'Kijk hier,' zegt ze. 'Dit is Libby-ah toen ze nog maar zes jaar was. Lief, hè? Zie je die trui die ze aanheeft? Die had ik nog hier in China voor haar gebreid.'

'Wie zijn al die buitenlandse meisjes?' vraagt Du Lili.

'Haar klasgenootjes.'

'Waarom worden ze gestraft?'

'Gestraft? Ze worden niet gestraft.'

'Waarom hebben ze dan allemaal een suffertjesmuts op?'

'Ah-ha-ha-ha! Ja, ja, puntige papieren mutsen. Hier krijgen de kinderen van contrarevolutionairen die opgezet, maar in Amerika worden ze gedragen als een van de kinderen jarig is, of met nieuwjaar. Op deze foto is het Libby-ah's verjaardagsfeestje. Een heel normale gewoonte in Amerika. Al je vriendjes van school moeten je dan iets geven. Niets nuttigs, alleen maar leuke dingetjes. En de moeder van het kind bakt een taart en zet er brandende kaarsjes op. Het kind bedenkt een wens en als het alle kaarsjes in één keer uitblaast, zal die wens uitkomen. Daarna eten alle kinderen de taart op, drinken zoete prikdrank en krijgen nog meer te snoepen, net zo lang tot ze niets meer door hun keel kunnen krijgen.'

Du Lili is verbijsterd. 'Tst! Tst! Een feest voor elke verjaardag. En dan ook nog heel gemakkelijk een wens mogen doen. Waarom wensen de Amerikanen nog zoveel? Ze zijn al zo rijk! Ik zou nooit een feestje hoeven. Eens in de twintig jaar een wens doen, dat is meer dan genoeg...'

Simon neemt me apart. 'Laten we een wandeling gaan maken.'

'Waarheen?'

Hij troont me mee het erf af en wijst naar de tunnel tussen de bergpieken van Changmian, de doorgang naar de volgende vallei.

Ik hef een bestraffende vinger naar hem op. 'Simon, je loopt toch niet meer aan die grot te denken, hè?'

Hij trekt een quasi-onthutst gezicht. 'Ik? Natuurlijk niet. Het leek me gewoon lekker even op sjouw te gaan. We hebben een aantal dingen te bepraten, lijkt me.'

'O ja? Wat dan zoal?'

'Dat weet je best.' Hij pakt mijn hand en ik roep over de muur van het erf: 'Kwan! Simon en ik gaan wandelen.'

'Waar?' roept ze terug.

'O, hier en daar.'

'Wanneer jullie terug?'

'Weet ik nog niet.'

'Hoe laat ik zorgen maken?'

'Je moet je helemaal geen zorgen maken.' Maar dan bedenk ik dat we niet weten waar we heen gaan, dus zeg ik: 'Als we over twee uur niet terug zijn, moet je de politie bellen.'

Ik hoor haar vrolijk mopperen tegen Du Lili: 'Ze zeggen dat we de politie moeten bellen als ze verdwaald zijn. Hoezo bellen? Denken ze soms dat we hier telefoon hebben?'

We lopen zwijgend door het dorp, hand in hand. Ik breek me het hoofd over wat ik nu zou moeten zeggen, en ik stel me zo voor dat Simon hetzelfde doet. Als hij maar niet denkt dat ik zomaar met een schone lei zal willen beginnen. Ik wens harde afspraken, dat we nader tot elkaar zullen komen, niet alleen lichamelijk maar ook geestelijk intiem zullen moeten worden. Zo naderen we elk met onze eigen, nog uit te spreken gedachten langzaam de stenen muur die Changmian van de volgende vallei scheidt.

De kronkelpaadjes door het dorp gaan hier en daar over in privé-steegjes die de huisjes van verwante gezinnen met elkaar verbinden. Soms belanden we pardoes op een binnenplaats waar we verbaasd aan-gestaard worden. Eén man rent zijn huisje in en komt weer terug met wat oude, groen uitgeslagen muntjes die we kennelijk voor kostbare antiquiteiten moeten aanzien en van hem kunnen kopen. We slaan de aanbieding beleefd af. Ik schiet links en rechts wat plaatjes en bedenk een toepasselijk onderschrift: 'Inwoners oog in oog met indringers.' We gluren door openstaande deuren en hekken, en zien hoestende oude mannetjes minuscule peuken roken, en jonge vrouwen met babies op de arm, hun bolle wangetjes roze van de snijdende kou. We passeren een stokoud vrouwtje met een enorme bundel brandhout op haar schouders. We zwaaien naar de spelende kinderen, die niet zelden hazelippen of horrelvoeten hebben, en vragen ons af of dit het gevolg is van inteelt.

We zijn als twee bezoekers van een andere planeet. Maar we blijken niet dezelfde wereld te zien. Ik huiver bij de aanblik van dit keiharde leven, het leven dat Kwan als kind had, maar Simon zegt: 'Weet je, dit zijn eigenlijk heel gelukkige mensen.'

'Hoe bedoel je?'

'Een kleine gemeenschap, met families die al vele generaties met elkaar te maken hebben. Waar alles draait om de fundamentele aspecten van het leven. Heb je een huis nodig, dan komen je vrienden je helpen metselen. Geen *bullshit* over hypotheken. Geboorte en dood, liefde en kinderen, voedsel en slaap, een dak boven je hoofd en een prachtig uitzicht. Ik bedoel maar, wat heb je nog meer nodig?'

'Centrale verwarming.'

'Nee, zonder gekheid, Olivia. Dit is... dit is léven.'

'Dat is me te sentimenteel. Dit is geen leven maar overleven, keihard knokken voor je bestaan.'

'En toch zijn het volgens mij geluksvogels.'

'Zelfs als ze zichzelf beslist niet zo zien?'

Hij denkt even na, met zijn onderlip over zijn bovenlip gekruld, als een bulldog, en zegt kortaf: 'Jazeker.' Het heeft die bijdehante toon die gewoon smeekt om een fel weerwoord. Maar dan denk ik: wat is er toch met jou? Waarom moet jij elk gesprek laten escaleren in een moreel duel? Het zal de mensen hier trouwens wat kunnen schelen of wij hen betreuren of benijden.

'Misschien heb je wel gelijk,' zeg ik. En ik probeer me niet te ergeren aan zijn overwinnaarsgrijns.

Het pad gaat gaandeweg steiler omhoog, om kort voor de tunnel af te ronden. Als we de klim voltooien, zien we twee meisjes en een jongetje, rond de vijf, zes jaar, voor ons in de modder zitten spelen. Een meter of tien achter hen ligt de hoge muur tussen de tweelingpieken van Changmian, met de donkere tunnelopening die nog niets prijsgeeft van de achterliggende vallei. De kinderen kijken naar ons op, hun waakzame gezichtjes besmeurd met modder.

'*Ni hao?*' vraagt Simon met een onmuzikaal Amerikaans accent. Het Chinees voor 'Hoe maakt u het?' is een van de weinige zinnetjes die hij kent. Voor de kinderen doorhebben wat er gebeurt heb ik vijf of zes opnamen van hen gemaakt met de Leica. Ze giechelen en gaan verder met spelen. Het jongetje geeft de laatste klopjes op de wanden van een modderkasteel. Een van de meisjes zit met lenige vingertjes grashalmen tot een matje te vlechten. Als ze er klaar mee is, legt haar vriendinnetje het behoedzaam als afdak op een modderhutje binnen de muren van het kasteel. Op de binnenplaats van het miniatuurfort lopen bruine sprinkhanen heen en weer. 'Slim hè, die kinderen,' zeg ik. 'Ze maken speelgoed uit niets.'

'Slim en smerig,' zegt Simon. 'En hartveroverend.' Hij wijst op het kleinste meisje. 'Die lijkt wel wat op jou, zoals je op die foto van dat verjaardagsfeestje staat.'

Als we doorlopen naar de tunnel springen de kinderen overeind. 'Waar gaan jullie heen?' vraagt het jongetje in kinderlijk Mandarijns.

Ik wijs naar de tunnel. 'We gaan kijken wat daarachter ligt. Willen jullie mee?' Ze rennen voor ons uit, maar bij de ingang van de tunnel houden ze halt en draaien zich naar ons om. 'Toe maar,' zeg ik. 'Gaan jullie maar voor.' Maar ze komen niet in beweging en schudden plechtig hun hoofd. 'Dan gaan we samen,' zeg ik en ik steek mijn hand uit naar het kleinste meisje. Ze deinst achteruit en gaat achter het jongetje staan, dat zegt: 'Mogen wij niet.' En het andere meisje voegt toe: 'We zijn bang.' Ze gaan dicht tegen elkaar aan staan, met z'n drieën, hun grote reeëogen op de tunnel gericht.

Ik vertaal hun woorden voor Simon. 'Oké, maar ik ga nu die tunnel in,' zegt hij. En op het moment dat hij naar binnen stapt, beginnen de kinderen te gillen en rennen ze zo snel als ze kunnen het pad af naar beneden. 'Wat was er met ze?' Simons stem galmt in het ronde tunnelgewelf.

'Geen idee.' Ik kijk de kinderen na. 'Misschien mogen ze niet met vreemdelingen spreken.'

'Nou, kom op,' zegt hij ongeduldig.

Ik bekijk de hoge muur tussen de steile berghellingen. In tegenstelling tot de lemen bakstenen waaruit alle huisjes van het dorp bestaan, is deze muur opgebouwd uit geslepen rotsblokken en keien. Ik stel me de werklieden uit lang vervlogen tijden voor, die de kolossale stenen op elkaar moesten hijsen. Hoevelen zullen van uitputting gestorven zijn? Werden hun lijken vermalen en door het cement voor de muur gemengd, net als die van de mannen die ooit de Grote Muur bouwden?

Deze muur lijkt trouwens wel een kleinere versie van de Grote Muur. Maar waarom is hier ooit zo'n muur gebouwd? Om bescherming te bieden tegen vijandige krijgsheren en Mongoolse horden? Zodra ik de tunnel betreed, gaat mijn hart jagen. Ik voel het kloppen in mijn hals. In het midden van de tunnel, die niet meer dan een paar meter lang is en ongeveer even hoog, word ik duizelig en moet ik met mijn hand tegen de wand geleund gaan staan. Het gevoel bekruipt me dat ik aan de uitgang word opgewacht door een leger spooksoldaten.

Maar als ik weer buiten kom, zie ik een kleine, vlakke vallei. Er loopt een recht pad doorheen, met een drassige weide aan de rechterkant en links een lappendeken van akkers. Aan het eind van het pad doemen de volgende twee pieken op, terwijl de zijkanten van de vallei omzoomd worden door lagere, afgeronde bergen. Het zou een ideale omgeving zijn voor romantische fantasieën, ware het niet dat ik die angstige kindergezichtjes niet uit mijn geest kan bannen. Simon loopt al voor me uit de heuvel af.

'Mogen we hier wel komen?' roep ik. 'Misschien is dit wel eigen grond.'

Hij kijkt om. '*Are you kidding?* Ze noemen dit land niet voor niets Communistisch China, weet je. Alle grond is publiek bezit.'

'Dat is geloof ik niet meer zo. De mensen mogen tegenwoordig ook een eigen huis of bedrijf bezitten.'

'Maak je niet druk. Als we op verboden terrein lopen, zullen ze ons heus niet als dolle honden neerschieten. Dan komen ze ons gewoon zeggen dat we op moeten lazeren, en dan lazeren we op. Kom op, ik ben nieuwsgierig naar de vallei na deze.'

Ik blijf een boze boer verwachten, die met opgeheven schoffel op ons af komt rennen, maar de weide is even leeg als welig en ook op de akkers is het stil. Is dit soms geen werkdag? Waarom is hier niemand? Waarom is het zo dodelijk stil? Er is geen enkel teken van leven, nog geen vogeltje hoor je zingen. 'Simon,' begin ik, 'vind jij het hier ook niet, eh...'

'Ja, schitterend, nietwaar? Net het landgoed van een Engelse edelman. Een scène uit *Howard's End.*'

Na een uur zijn we door de vallei heen gelopen en staan we voor de klim naar de tweede doorgang. Deze heuvel is steiler en rotsiger dan de vorige en het pad slingert zich in nauwe bochten omhoog. Daarboven zie ik de volgende muur, met aan weerszijden de kalkstenen pieken die oprijzen als scherp koraal. Er schuiven onrustige, donkere wolken voor de zon en de lucht wordt plotsklaps kil. 'Misschien kunnen we beter teruggaan,' opper ik. 'Het gaat regenen, volgens mij.'

'Eerst zien hoe het er daarboven uitziet.' Zonder mijn instemming af te wachten, begint Simon aan de klim. Terwijl we naar boven zwoegen, moet ik aan Kwans verhaal over de zendelingen denken – dat de dorpelingen beweerden dat die door rovers ontvoerd waren. Misschien zat er meer waarheid in dat verzinsel dan ze zelf konden weten. Vlak voor we het hotel in Guilin verlieten (Wanneer was dat ook weer? Gisterochtend pas!) las ik in de Engelstalige krant *China Daily* dat geweldsdelicten, ooit volstrekt onbekend in dit land, steeds meer toenamen. Vooral in toeristische oorden als Guilin. In een dorp van slechts 273 zielen waren onlangs vijf mannen voor een vuurpeloton geleid. Vijf executies; één voor verkrachting, twee voor beroving, twee voor moord. Allemaal in één jaar gepleegd, in één nietig dorpje! De krant meldde verder dat deze misdaadgolf het gevolg was van de 'westerse vervuiling van het denken'. Voor hij de kogel kreeg, had een van de boeven gezegd dat hij last van euvele neigingen had gekregen na het zien van een illegale video van de Amerikaanse film *Naked Gun 33 1/3*. Hij had echter gezworen dat hij onschuldig was aan de moord op de Japanse toeriste, die naar zijn zeggen door struikrovers te grazen was genomen. Hij had slechts het van haar dode pols gerukte Seiko horloge gekocht. Maar in China neemt het recht nu eenmaal snel zijn loop – gepakt, schuldig bevonden, de kogel. Ik ga voor mezelf na wat Simon en ik aan roofbare spullen bij ons dragen. Mijn horloge is een goedkope plastic Casio. Maar wie weet, misschien zijn struikrovers in de bergen wel verzot op horloges met ingebouwde rekenapparaatjes. Mijn paspoort heb ik godzijdank in het huis van Grote Ma achtergelaten. Ik heb gehoord dat paspoorten vijfduizend Amerikaanse dollars waard zijn op de zwarte markt. Genoeg om een roofmoord voor te plegen.

'Waar is jouw paspoort?' vraag ik Simon.

'Hier.' En hij klopt op zijn achterzak. 'Hoezo? Denk je dat we straks de douane tegen het lijf lopen?'

'Shit, Simon! Je moet niet met je paspoort op zak rondlopen!'

'Waarom niet?'

Voor ik kan antwoorden, horen we geritsel in de bosjes boven ons, gevolgd door een klopperdeklop-geluid. Rovers te paard. Simon blijft doorlopen. 'Simon! Kom terug!'

'Ja, zo.' En hij gaat een bocht om en verdwijnt uit zicht achter het struikgewas.

En dan hoor ik hem een gil slaken. *Hey, there. Whoa!* Wacht even... wacht nou!' Hij komt hals over kop het pad afgerend, schreeuwt: 'Olivia, maak dat je...' en botst zo hard tegen me aan dat al mijn adem uit me wordt weggeslagen. Als ik op de grond lig, lijkt het alsof mijn geest zich van mijn lichaam losmaakt. Vreemd, wat ben ik helder en kalm. Ik betast in alle rust mijn scheenbeen en de knie waarmee ik op een steen ben gevallen. Ze doen geen pijn. Geen pijn! Wat kan dit anders betekenen dan dat de dood onmiddellijk nabij is? Ik heb wel eens gelezen dat mensen op een bovenverstandelijke manier het moment herkennen waarop ze sterven gaan. Ik voel de tijd vertragen – daar komt die flashback waarin mensen in doodsnood hun leven zien voorbijtrekken. Wat duurt die ene seconde vol herinneringen lang! Ik kan in alle rust voor mezelf opsommen wat belangrijk is geweest in mijn leven... lachen, onverwachte vreugde, Simon... ja, zelfs Simon. En liefde, oh ja, en vergeving... een weldadige rust daalt over me neer met het besef dat ik geen grote conflicten en diep berouw nalaat. Ik kan zelfs lachen bij de gedachte dat ik gelukkig schoon ondergoed aanheb. En ik dank God dat Simon bij me is, dat ik niet alleen ben in dit verschrikkelijke en toch wonderbaarlijke moment. Simon zal bij me zijn, straks, als er tenminste een hemel of Yin-Wereld of weet ik veel wat is. Maar als er een weet ik veel wat is, zal Elza daar dan óók niet zijn? Om Simon in haar engelachtige armen te sluiten? Opeens zijn mijn gedachten niet zo onnatuurlijk helder meer, en heeft de tijd zijn normale gangetje weer hernomen. Laat ik maar weer opstaan. *Fuck this shit.*

En daar komen ze de bocht om, onze aanstaande moordenaars: een buffelkoe en haar kalf. Mijn gegil doet ze hun draf abrupt afbreken en de modderspatten vliegen me om de oren. 'Waarom gil je zo?' vraagt Simon, en ook de buffel loeit me verontwaardigd toe. Als je kon sterven aan het gevoel voor schut te staan, was ik nu dood. Ik kan niet eens lachen om mijn verheven stervenservaring van daarstraks. Wat een afgang. Mijn zintuiglijke waarnemingen kan ik blijkbaar ook niet meer vertrouwen. Nu weet ik hoe schizofrenen zich moeten voelen, bij hun poging de chaos in en rondom hen met schijnredenaties en waanideeën te beteugelen.

De buffel en haar kalf hervatten hun afdaling. Maar net als Simon en ik het pad weer op willen stappen, zien we een volgende tegenligger: een jongeman met een grijze pullover op een wit hemd, nieuwe jeans en helderwitte sportschoenen. Hij draagt een lange stok. 'Dat zal de veeboer zijn,' zegt Simon.

Maar ik heb het afgeleerd dingen zomaar aan te nemen. 'Voor hetzelfde geld is het een struikrover,' zeg ik.

We blijven naast het pad staan opdat hij kan passeren, maar hij blijft voor ons stilstaan. Hij zegt niets. Zijn gezicht is ontspannen, maar zijn blik is intens, waakzaam, kritisch zelfs.

'Ni hao,' zegt Simon, en hij wuift erbij alsof die jongen mijlenver van ons af staat.

De veeboer blijft zwijgen en ons van top tot teen opnemen. Ik begin in het Chinees tegen hem te babbelen. 'Zijn dat uw koeien? Ik schrok ervan... U zult me wel hebben horen gillen. Mijn man en ik komen uit Amerika, uit San Francisco. Kent u die stad? Ja? Nee?... Eh, nu verblijven we in Changmian, bij de tante van mijn zuster, Li Bin-bin.'

Nog steeds geen asem.

'Kent u haar? Ze is dood, eerlijk gezegd. Gisteren is ze overleden, voor we haar konden ontmoeten. Heel erg jammer. Dus nu willen we een... een...' Ik kan niet op het Chinese woord voor 'begrafenis' komen, dus zeg ik: 'Nu willen we een feest voor haar houden, een droevig feest.' Ik giechel uit schaamte voor mijn slechte Chinees en Amerikaanse accent.

Hij kijkt me recht in de ogen en ik denk: oké, jochie, dat spelletje kan ik ook spelen. Maar na tien seconden sla ik mijn blik neer.

'What's with this guy?' wil Simon weten. Ik haal mijn schouders op. Hij oogt in elk geval volstrekt anders dan de mannen die we in Changmian hebben gezien, met hun vuile, eeltige handen en hun ruwweg afgeknipte haar. Hij ziet er goed verzorgd uit, tot zijn nagels aan toe. En hij maakt een intelligente indruk, op het arrogante af zelfs. In San Francisco kon hij doorgaan voor een ouderejaars student, of een jonge docent, of een neerslachtige dichter-activist. Maar hij is dus een veeboer. Een veeboer die ons niet erg gunstig gezind is, al heb ik geen flauw idee waarom. En daarom wil ik hem koste wat kost voor me innemen, een glimlach ontlokken.

'We maken een wandeling,' vervolg ik in het Mandarijns. 'Kijken rond. Het is erg mooi hier. We willen zien wat daar tussen die bergen ligt.' Ik wijs naar de tunnel boven ons, voor het geval hij me niet begrijpt.

Hij kijkt omhoog en dan weer minachtend naar ons. Simon knikt naar hem en zegt: 'Hij begrijpt zo te zien geen jota van wat je zegt. Kom op, we gaan weer.'

Maar ik wil nog niet opgeven. 'Mag dat wel?' vraag ik de veeboer. 'Of hebben we toestemming van iemand nodig? Is het veilig daar? Kunt u ons advies geven?' Ik vraag me af hoe het is om een intelligente jongeman te zijn maar je leven als veeboer in Changmian te moeten slijten. Misschien is hij wel gewoon jaloers op ons.

Alsof hij mijn gedachten raadt, begint hij vuil te grijnzen. *Assholes* zegt hij in perfect Engels, en loopt verder het pad af.

We blijven even bedremmeld staan, en dan komt Simon als eerste weer in beweging. 'Raar knulletje. Wat zei je tegen hem?'

'Niets!'

'Ik beweer niet dat je iets miszegt hebt. Ik wil alleen maar weten wat je tegen hem zei.'

'Dat we gingen wandelen. En of we daar misschien toestemming voor nodig hadden.'

We vervolgen onze klim, zij het niet meer hand in hand. Die twee vreemde ontmoetingen, eerst de kinderen en nu die veeboer, hebben me de lust tot een romantisch gesprek benomen. Ik probeer het van me af te zetten, maar omdat het zo volmaakt onbegrijpelijk is, ga ik toch lopen piekeren. Dit zijn waarschuwingen geweest, denk ik. Zoals een rottingsgeur je doet weten dat je op weg bent naar iets dat giftig, kwalijk en dood is.

Simon slaat zijn arm om mijn middel. 'Wat is er?'

'Niets.' Maar ik snak ernaar hem in vertrouwen te nemen. Als ik hem mijn hoop niet kan vertellen, dan moet ik hem toch in elk geval kunnen zeggen wat ik vrees. Ik blijf staan. 'Je zult het wel aanstellerij vinden, maar ik vraag me af of dit soort dingen geen voortekens kunnen zijn.'

'Welke dingen.'

'De kinderen die zeiden dat we die tunnel niet in mochten...'

'Hola, ze zeiden dat *zíj* die tunnel niet in mochten. Dat is wat anders.'

'En toen die knul. Met zo'n gemene grijns, alsof hij wist dat het niet pluis is in die volgende vallei, maar het ons lekker niet wilde zeggen.'

'Dat was geen gemene grijns. Hij grinnikte gewoon. Nu ben je net Kwan, twee toevallige dingen met elkaar in verband brengen en daar een bijgelovig idee op baseren.'

Ik ontplof. 'Je vroeg me wat ik dacht en dat heb ik je verteld! Moet je dan echt alles wat ik zeg tegenspreken! En me altijd maar uitlachen?'

'*Hey, hey, easy.* Het spijt me... ik probeerde je alleen maar gerust te stellen. Wil je liever terug? Ben je echt zo nerveus?'

'God! Wat heb ik daar toch de pest aan!'

'Wat nou weer?'

'Ben je écht zo nerveus?' bouw ik hem na. 'Die neerbuigende toon waarmee jij vrouwen toespreekt alsof het keffende hondjes zijn.'

'Zo bedoel ik het niet.'

'O nee? Een man zul je nooit vragen of hij "nerveus" is.'

'Oké, oké! Ik ben schuldig. En jij bent niet nerveus, je bent alleen maar... hysterisch. Zo beter?' Hij grinnikt. 'Kom op, Olivia, doe niet zo moeilijk. Wat is er toch met je?'

'Ik ben... ik maak me zorgen. Ik ben bang dat we hier op verboden terrein zijn, en ik wil niet dat we als eigengereide Amerikanen overkomen, die alles doen waar ze zin in hebben.'

Hij slaat opnieuw zijn arm om me heen. 'Weet je wat. We zijn bijna boven. Daar nemen we even een kijkje en dan gaan we direct weer terug. Als we iemand tegenkomen, bieden we netjes onze excuses aan. Maar als je écht zo nerveus bent, o pardon, ik bedoel bezórgd...'

'Ja, ja, houd je mond maar.' Ik geef hem een duw. 'Ga maar vast. Ik haal je wel in.'

Hij schokschoudert en begint met grote passen het pad op te lopen. Ik blijf even staan, mezelf vervloekend omdat ik niet gezegd heb wat ik werkelijk voel. Maar aan de andere kant: waarom kan Simon nooit eens aanvoelen wat me echt dwarszit? Dat dwingt me mijn toevlucht te nemen tot woedeuitbarstingen en zeurverhalen, wat mij de eeuwige kankerpit en hem de immer geduldige lieveling maakt.

Als ik boven aankom, is hij al door de tunnel heen, die dezelfde afmetingen heeft als de eerste, maar ouder en verweerder lijkt. Misschien is deze muur ooit bestormd. Een deel ervan is ingestort en de schade lijkt niet het gevolg van langzaam verval, maar van een kanonskogel of stormram.

'Olivia!' roept Simon van de andere kant. 'Kom hier. Je gelooft je ogen niet!'

Ik haast me naar hem toe, en als ik uit de tunnel stap word ik getroffen door een uitzicht dat tegelijkertijd betoverend mooi en ijzingwekkend is. Een sprookjesachtig landschap dat ik me uit nachtmerries lijk te herinneren. Het verschilt totaal van de zacht glooiende vallei waar we eerder doorheen trokken. Dit is een diep en nauw ravijn, grillig en onregelmatig als een onopgemaakt bed. De rotswanden vormen een contrastrijk mozaïek van lichte, mosbegroeide plekken en diepe groeven waarin het zonlicht nooit zal doordringen.

Simons ogen zijn glazig van opwinding. *Isn't this great?*

Op tal van plaatsen, op de hellingen zowel als op de bodem van het ravijn, steken groepjes langwerpige, manshoge rotsblokken omhoog. Het lijken net gedenkstenen. Of vormen ze een leger van versteende soldaten? Of misschien is dit de Chinese versie van de vrouw van Lot – pilaren van menselijke zwakte, de gefossiliseerde restanten van hen die deze verboden plaats betraden en de verleiding niet konden weerstaan om te kijken.

Simon wijst. 'Moet je die spelonken zien! Honderden!'

Inderdaad, van de bodem van het ravijn tot aan de scherpe pieken zijn de hellingen bezaaid met grotten, scheuren en gaten. Een immens prehistorisch columbarium.

'Onvoorstelbaar!' roept Simon uit. Ik weet dat hij staat te denken aan Kwans grot. Hij begint een soort paadje af te lopen, dat weinig meer is dan een in de rotswand uitgehouwen greppel, met losse stenen die onder zijn schoenen vandaan rollen.

'Simon, ik ben moe. Mijn voeten doen pijn.'

Hij draait zich om. 'Wacht daar dan. Ik kijk vijf minuten rond en dan gaan we samen terug. Oké?'

'Vijf minuten hooguit!' schreeuw ik. 'En geen grotten binnengaan!' Glijdend en struikelend beweegt hij zich voort over het paadje dat kronkelend naar de bodem van het ravijn voert. Waarom trekt hij zich zo weinig aan van het gevaar? Waarschijnlijk door een van die biologische verschillen tussen mannen en vrouwen. Vrouwen zijn zorgelijker, gevoeliger en menselijker omdat ze hogere, verder geëvolueerde hersenfuncties hebben. Mannenhersenen zijn primitiever. Berg zien, klimmen. Gevaar ruiken, opzoeken. Na afloop lekker sigaartje. Ik verfoei

Simons zorgeloosheid. Maar... het heeft ook iets aantrekkelijks, die jongensachtige onbekommerdheid, plezier willen en maling hebben aan de gevolgen. Ik moet toegeven dat dit het soort man is dat ik sexy vind: kerels die de Himalaya beklimmen, door rivieren vol krokodillen waden. Niet omdat dit moedig zou zijn. Ze zijn roekeloos, onvoorspelbaar, vreselijk onbetrouwbaar. Maar als zodanig zijn het net vallende sterren – ze schenken levendigheid aan een bestaan dat anders even saai zou zijn als een roerloze nachtelijke hemel.

Ik kijk op mijn horloge. Vijf tergend langzame minuten zijn verstreken. En dan tien. Vijftien. Twintig. Waar blijft hij verdomme toch? Het laatste wat ik van hem zag, was dat hij zich een weg baande naar zo'n groep gedenksteenrotsen. Hij verdween achter een struik en daarna zag ik niet meer waar hij heen ging. Ik voel een regendruppel op mijn wang, dan spat er een op mijn parka. En in een oogwenk hoost het. 'Simon!' schreeuw ik. 'Simon!' Ik had gedacht dat mijn stem door de vallei zou galmen, maar hij wordt gedempt door de stortbui. Ik duik weg in de tunnel. De regen vormt een wazig gordijn voor de opening. Er komt een metalige geur in de lucht te hangen; mineralen die van de rotsen worden gespoeld. De kalkstenen hellingen gaan donker glimmen en het regenwater loopt er in stroompjes overheen – riviertjes die losse stenen meesleuren. Noem je dit een wolkbreuk? Zou die vallei kunnen vollopen? Ik vervloek Simon, om wie ik me nu zorgen moet gaan zitten maken. Maar het duurt niet lang of mijn bezorgdheid slaat om in regelrechte paniek. Ik zal naar hem op zoek moeten. Ik trek de capuchon van de parka over mijn hoofd, stap mijn schuilplaats uit, de stortregen in, en begin langs de helling te strompelen.

Ik reken erop dat mijn angst me de moed zal schenken het pad te blijven volgen. Maar de eerste de beste blik opzij, het ravijn in, doet me verlamd van angst stilstaan. Ik begin hardop te smeken: 'Alstublieft, God, of Boeddha, wie er ook luistert. Laat hem nu terugkomen. Ik kan er niet meer tegen. Laat hem terugkomen en ik beloof...'

Simons gezicht duikt voor me op. Zijn haar, zijn jack, zijn jeans, alles is kleddernat. Daar staat hij, hijgend als een hond die nog één keer zijn bal uit het water wil halen. Ik ben één seconde opgelucht, en dan woedend.

We rennen terug naar de tunnel. Simon laat zijn gewatteerde jack van zijn schouders vallen en wringt de mouwen uit. 'Zo, en wat gaan we nu doen?' vraag ik narrig.

'Elkaar warm houden.' Zijn tanden klapperen. Hij gaat met zijn rug tegen de wand van de tunnel geleund staan en trekt me naar zich toe; mijn rug tegen zijn borst, zijn armen om me heen. Hij heeft ijskoude handen. 'Ontspan je.' Hij wiegt me lichtjes. 'Zo, dat is al beter.'

Ik probeer me onze vrijpartij van vanochtend voor de geest te halen. Het plotse genot, de emoties die in ons opwelden. Maar al mijn spieren verkrampen – mijn kaken, borst, voorhoofd, alles doet pijn. Ik sta zo gespannen als een veer. Hoe kan ik ontspannen? Hoe kan ik alles van daarnet van me af laten glijden? Daar heb je een gevoel van vertrouwen voor nodig.

Vertrouwen. Opeens duikt er een onaangename gedachte in mijn hoofd op: is Simon in de tussentijd met andere vrouwen naar bed geweest? Wat een vraag! Deze man kan nog geen drie dagen zonder seks. Ik herinner me zo'n test uit een tijdschrift, een paar jaar terug: 'Het innerlijke seksleven van uw partner' of zoiets debiels. Ik las de eerste vraag aan Simon voor: 'Hoe vaak masturbeert uw partner?' En ik wilde het hokje met 'zelden of nooit' al aankruisen, toen hij zei: 'Drie of vier keer per week. Hangt ervan af.'

'Hangt ervan af?' riep ik onthutst. 'Waarvan hangt het af? Of het zonnetje schijnt?'

'Eh... vooral van de verveling.'

Zo, dacht ik, dus tweemaal per week met mij is vervelend.

En nu vraag ik me af met hoeveel vrouwen hij zich verveeld heeft sinds wij uit elkaar zijn.

Hij staat mijn nek te masseren. 'God, wat ben je verkrampt, hier. Voel je het zelf ook?'

'Simon, over vanochtend...'

'Hmmm, dat was lekker.'

'Maar hadden we geen condoom moeten gebruiken?' Tegen beter weten in hoop ik dat hij zoiets onschuldigs zeggen zal als: Hoezo, ik schiet toch met losse flodders? Maar in plaats daarvan hoor ik zijn ademhaling haperen en houden zijn vingers op te kneden. Hij begint me over een arm te wrijven.

'Ehh... Ja. Vergeten.'

Ik sluit mijn ogen en probeer kalm te blijven. Ik moet het vragen. Maar wat hij ook antwoordt, ik kan het hebben. Trouwens, ik ben zelf ook geen heilig boontje geweest. Ik ben per slot van rekening met die engerd van een *marketing director* naar bed geweest, zij het in de meest letterlijke zin: we hebben samen in bed liggen frutselen zonder ooit aan het condoom toe te komen, dat al klaar voor gebruik op het nachtkastje lag. Omdat de pitbull, zoals mijn vriend van één nacht zijn penis noemde, slap in zijn mand bleef liggen – iets wat hij nog nooit had gedaan, echt nog nooit, verzekerde het baasje. Zodat ik me dubbel vernederd kon voelen, omdat ik ook al met overdreven gehijg en gezucht had liggen doen alsof ik opgewonden was.

Simons mond is vlak bij mijn oor. Zijn ademhaling doet me denken aan het geruis in een zeeschelp; een herinnering voor eeuwig in een spiraal gevangen.

'Simon... wat dat condoom betreft. Wil dat zeggen dat je in de tussentijd met een ander naar bed bent geweest?'

Zijn ademhaling hapert opnieuw. Hij laat zijn hoofd achterover zakken. 'Tja... eh, er staat me niet zoveel meer van bij... Hoe dan ook, die anderen hadden niets te betekenen.' Hij kneedt mijn armen. 'Jij bent de enige...' Hij streelt mijn haar.

'Die anderen? Hoeveel anderen?'

'O... er staat me werkelijk niet zoveel meer van bij...'

'Tien? Twaalf?'

Hij lacht. *'Gimme a break.'*

'Drie? Vier?'

Hij zwijgt. Ik zwijg. Hij ademt uit. 'Hmmm, ja, dat is dichter in de buurt.'

'Hoeveel precies? Drie of vier?'

'Olivia, laten we het daar niet over hebben. Dat maakt je alleen maar overstuur.'

Ik ga van hem af staan. 'Ik bén al overstuur. Jij bent met vier andere vrouwen naar bed geweest en je hebt vanochtend niet eens de moeite genomen een condoom te gebruiken!' Ik ga tegenover hem staan, tegen de andere wand van de tunnel, en kijk hem aan met de doordringende blik die hij nog kent als het signaal dat het tijd wordt de waarheid op te biechten.

'Drie.' Hij staart naar zijn schoenpunten. 'En ik ben steeds voorzichtig geweest. Ik heb niets opgelopen. Echt, ik heb elke keer een condoom gebruikt.'

'Élke keer! Dozenvol condooms! Wat attent van je.'

'Hè toe, Olivia, nu ophouden.'

'Wie waren het? Ken ik ze? Vertel.' En voor hij iets zeggen kan, denk ik aan een vrouw die ik hartstochtelijk veracht. Verona, een free-lance typografe die we vorig jaar voor een los project inhuurden. Alles aan dat mens was nep. Haar naam, haar wimpers, haar nagels, haar borsten. Op een keer zei ik tegen Simon dat haar borsten veel te symmetrisch waren om echt te kunnen zijn. En toen lachte hij en zei: 'Nou, ze voelen anders echt genoeg aan, hoor!' Toen ik vroeg hoe hij dat wist, vertelde hij dat elke keer als ze samen de lay-out bekeken, ze achter hem kwam staan en dan haar tieten in zijn rug duwde. 'Waarom zeg je daar niets van?' vroeg ik. En hij antwoordde dat je zulk geflirt het best kon negeren, zeker als je niet van plan was er ooit op in te gaan.

'Was een van hen Verona?' vraag ik hem nu, en ik sla mijn armen over elkaar in een poging mijn gebibber te bedwingen. Hij opent zijn mond en sluit hem weer, gelaten.

'Ja, hè? Je hebt haar geneukt, die trut!'

'Dat hoor je mij niet zeggen.'

Ik ben door het dolle. 'En, waren ze echt, die veerkrachtige tieten?'

'*Come on, Olivia. Quit.* Waarom maak je hier zo'n punt van? Het zou niets voor je mogen betekenen.'

'Het betekent dat je nooit van plan bent geweest bij me terug te komen! Het betekent dat ik je niet vertrouwen kan!' Ik kook van woede, verdrink erin, en wil hem alleen nog maar met me meesleuren. 'Ik ben nooit belangrijk voor je geweest! Dat heb ik mezelf alleen maar wijsgemaakt. Zoals Kwan jou toen heeft wijsgemaakt, met die stomme seance, dat je Elza los moest laten! Jazeker! Weet je nog wat Elza toen zei? Dat je haar vergeten moest en door moest gaan met je eigen leven? Nou, dat verzon Kwan allemaal maar. Ze loog. Zoals ik haar gevraagd had te doen.'

Er komt een dun lachje over zijn lippen. 'Olivia, meisje toch. Geloof je nou werkelijk dat ik die poppenkast toen serieus heb genomen? Ik dacht dat we gewoon met Kwan zaten mee te spelen.'

Ik begin te snikken. 'O, ja, reuzeleuk. Maar het was geen spelletje, Simon. Ze was er echt! Ik bezweer je dat ze er was. Ik heb haar zelf gezien. En wat dacht je dat ze zei? Dat je haar vergeten moest? *Fuck no!* Ze smeekte je op haar te wachten…'

Hij slaat een hand tegen zijn voorhoofd. 'Je weet echt niet van opgeven, hè?'

'Ik opgeven? Jij hebt háár nooit opgegeven!'

Zijn ogen vernauwen zich. 'Weet je wat het ware probleem is? Dat jij Elza als zondebok gebruikt voor je eigen onzekerheden. Jij hebt haar voor jezelf tot iets veel belangrijkers gemaakt dan ze ooit voor mij geweest is. Je hebt haar nooit gekend, maar je projecteert al je eigen twijfeltjes op haar...'

Ik duw mijn handen tegen mijn oren. En terwijl hij zijn psychoanalytische lariekoek over me uit staat te storten, pijnig ik mijn hersens om een laatste wapen te vinden. De kogel die zijn hart moet verwonden. Dan herinner ik me de brieven van Elza aan Simon, die ik ooit stiekem gelezen heb. Brieven vol koosnaampjes en jeugdige toekomstplannen. Ik val hem in de rede: 'Dus je denkt dat ik gek ben? Nou, misschien heb je wel gelijk, want ik kan haar nu weer zien. Ja, hier en nu... Elza. Ze staat recht voor je neus. "Maar koekie," zegt ze, "hoe kun je zeggen dat ik niet belangrijk was?"' Ik zie Simons gezicht verstarren. 'En weet je wat ze nog meer zegt? "Je zou op me wachten. Je zou die bomen planten, één voor elk jaar."'

Hij probeert zijn hand over mijn mond te slaan, maar ik spring van hem weg. 'Zie je haar dan niet?' huil ik. 'Ze is hier! In je hoofd. In je hart! Ze is altijd bij je, ook nu, in deze stomme, vieze tunnel. Met haar stomme, vieze voortekens dat jij en ik gedoemd zijn, Simon. We zijn gedoemd!'

Het is gelukt. Simon heeft een gepijnigde uitdrukking op zijn gezicht. Zo heb ik hem nog nooit gezien. Ik word er bang van. Hij staat te trillen op zijn benen. Er lopen druppels over zijn wangen... regen, of tranen?

'Waarom doe je dit?' brult hij.

Ik keer me om en hol de tunnel uit, de regen in. Ik ren in één keer door de vallei, hijgend, mijn hart bonkend. Het houdt pas op met regenen als ik bij het huis van Grote Ma aankom. Ik loop over het erf en Kwan komt me tegemoet.

'Libby-ah, o, Libby-ah. Waarom huil je?'

20

Het beeldenravijn

Simon is nog steeds niet terug. Ik kijk op mijn horloge. Een uur is verstreken. Hij zal wel woedend zitten te mokken in die tunnel. Prima, laat hem maar flink kou lijden. Het is nog voor de middag. Ik kruip in bed met een paperback. Onze gezamenlijke reis naar China is nu dus geflopt. En Simon zal moeten gaan. Dat ligt het meest voor de hand, want hij spreekt geen Chinees. Bovendien is Changmian Kwans dorp, en Kwan is mïjn zuster. En wat het artikel betreft: ik zal zoveel mogelijk aantekeningen maken, die ik bij mijn terugkeer dan wel laat uitwerken door een tekstschrijver.

Kwan roept dat het middageten klaar is – tijd om voor de Chinese inquisitie te verschijnen. 'Waar Simon?' zal ze vragen. 'Ai-ya, jullie te veel ruzie.' Er is geen ontkomen aan; laat ik het maar zo kalm mogelijk proberen te doorstaan.

Als ik de middelste kamer binnenkom, zet Kwan een dampende schaal op tafel. 'Zie? Tofu, maïs, pekelgroente. Foto?' Ik heb geen trek en al helemaal geen zin om foto's te nemen. Du Lili komt binnen met een pan rijst en drie eetkommen. We gaan aan tafel en zij tweeën beginnen gretig te eten. Gretig en kritisch.

'Eerst was het niet zout genoeg,' zegt Kwan tegen Du Lili, 'maar nu is het weer té zout.' Is dit een toespeling op Simon en mij? Even later zegt ze tegen mij: 'Vanmorgen grote zon, nu zien, regen terug.' Ook dat zou een toespeling kunnen zijn. Maar nee, gedurende de rest van de maaltijd valt Simons naam niet eens. In plaats daarvan roddelen ze naar hartelust over de mensen van het dorp; dertig jaar van huwelijken en ziekten, onverwachte tragedies en hilarische verwikkelingen – die mij geen van alle interesseren. Mijn oren zijn uitsluitend op het erf gericht, wachten op het piepen en dichtslaan van de poortdeur, op Simons terugkeer. Maar al wat ik hoor, is het betekenisloze geruis van de regen.

Na het eten zegt Kwan dat ze met Du Lili naar de dorpshal gaat om Grote Ma te bezoeken. Ze vraagt of ik meega. Maar stel je voor dat Simon straks thuiskomt en me niet aantreft, en dan bezorgd of misschien wel radeloos van angst wordt. Ach, schei uit – hij zich zorgen maken? *Ik* ben degene die zich altijd zorgen maakt. 'Ik denk dat ik hier blijf,' zeg ik tegen Kwan. 'Ik moet mijn apparatuur nalopen en wat aantekeningen uitwerken.'

'Oké, jij komen later. Laatste kans Grote Ma zien morgen begraven.'

Als ze eindelijk vertrokken zijn, controleer ik mijn filmvoorraad op vocht. Wat een rotweer! Het is zo nat en kil dat mijn huid ondanks vier lagen kleding klam is, en mijn tenen zowat gevoelloos. Waarom moest ik nou weer zo stom zijn om mijn warme kleren op te offeren aan mijn trots?

Kort voor ons vertrek kregen Simon en ik het aan de stok over de bagage die we zouden meenemen. Ik had al een grote koffer, een plunjezak en mijn fototas gepakt. Simon zei dat hij het met twee vliegtuigkoffertjes zou doen en waarschuwde me: 'Reken er niet op dat ik me alsnog een breuk ga sjouwen aan jouw overbodige troep.'

'Heb ik je dat gevraagd, dan?'

'Dat soort dingen vraag jij nooit, je verwacht ze gewoon.'

Na die laatste plaagstoot nam ik me voor dat hij niet eens meer iets zo mógen dragen, al smeekte hij erom. Ik bekeek mijn bagage met de ogen van een pionier die midden in de woestijn zijn muildier had zien bezwijken – alleen het meest hoognodige mocht nog mee, in één reiskoffer op wieltjes en mijn fototas. Dus daar gingen mijn cd's en de walkman, mijn collectie huidcrèmes, de föhn en de pot conditioner, de twee paar leggings en bijpassende topjes, mijn halve voorraad ondergoed en sokken, de romans die ik al een jaar of tien wilde gaan lezen, een zak gedroogde pruimen tegen de constipatie, twee van de drie rollen toiletpapier, mijn gevoerde laarzen en het gewatteerde paarse jack. Bij de afweging wat wél mee mocht, gokte ik op tropische weersomstandigheden, hoopte ik op een avondje naar de Chinese opera en ging ik voetstoots uit van de aanwezigheid van elektriciteit.

Dus pakte ik dingen in die ik nu tot mijn afschuw in mijn koffer zie liggen: twee zijden haltertruitjes, een korte broek, een reisstrijkijzer, een paar sandalen, een badpak en een lichtgevend-roze zijden blazer. De enige opera die ik daarin te zien zal krijgen, is de *soap-opera* waarin ik zelf verwikkeld ben. Ik snak naar het gewatteerde jack zoals een drenkeling in volle zee naar zoet water snakt. Warmte... wat ik daar niet voor over zou hebben! Ik vervloek dit weer. En ik vervloek Simon, die wel zo'n lekker warm jack heeft meegenomen...

Maar wacht eens even, dat gewatteerde jack van hem ligt nu doorweekt op de vloer van die tunnel. Toen ik hem achterliet, stond hij te beven. Van woede, dacht ik. Maar nu ben ik daar niet zo zeker meer van. Wat zijn ook weer de symptomen van onderkoeling? Een vage herinnering dringt zich aan me op. Vijf of zes jaar geleden moet het geweest zijn.

Ik stond foto's te nemen op de Eerste-Hulpafdeling van een ziekenhuis – spectaculaire plaatjes voor in hun jaarverslag. Een paar ziekenbroeders reden een haveloze, naar urine stinkende vrouw binnen op een brancard. Ze lag onsamenhangend te lallen over hoe heet ze het had, en wilden de broeders alsjeblieft haar bontjas uittrekken – die ze niet droeg. Dronken of stoned. Toen begon ze te stuiptrekken. 'Defibrillator!' schreeuwde iemand. Later vroeg ik aan een van de broeders wat voor onderschrift er bij de foto's van dit drama moest komen. 'Schrijf maar dat ze aan januari gestorven is,' zei hij mismoedig. En toen hij zag dat ik hem niet begreep: 'Het is januari. Koud. Ze is gestorven aan onderkoeling. De zesde dakloze al, deze maand.'

Maar dat zal Simon niet gebeuren. Hij is sterk en gezond. Hij heeft het altijd warm. Draait altijd het raampje van zijn auto omlaag, ook in jaargetijden dat andere inzittenden blauwbekken van de kou. Zonder toestemming te vragen. Want zo is hij, onattent. Hij laat mensen wachten. Staat er niet eens bij stil dat ze wel eens ongerust zouden kunnen zijn. Hij kan nu elk moment komen. Met die irritante grijns op zijn gezicht. En ik zal vreselijk de smoor in hebben, omdat ik me weer eens voor niks zorgen heb gemaakt.

Nog een minuut of vijf houd ik deze gemoedstoestand vol. Dan ren ik naar de dorpshal om Kwan te gaan halen.

•

In de tweede tunnel vinden we het gewatteerde jack, nat en verkreukeld op de tunnelvloer als een verminkte drenkeling. Niet janken, houd ik mezelf voor. Huilen is toegeven dat je van het ergste uitgaat.

Ik sta in de opening en tuur in het ravijn, speurend naar beweging. Verscheidene scenario's spelen door mijn hoofd. Simon, malende van de kou, dwaalt half gekleed rond in de diepte. Er tuimelen rotsblokken naar beneden. De jongeman die een veeboer leek, blijkt toch een rover te zijn en is op Simons paspoort uit. Ik stamel tegen Kwan: 'We kwamen kinderen tegen, die het uitgilden van angst. En later die gozer met zijn koeien, die ons voor klootzakken uitmaakte... Ik was overstuur. Ik sloeg een beetje door, en Simon... hij wilde lief zijn, maar uiteindelijk werd hij kwaad. En wat ik zei... ik meende het niet.' De galm in het tunnelgewelf doet mijn bekentenis zowel plechtig als kunstmatig klinken.

Kwan luistert met een droevige blik. Ze zegt niets om mijn wroeging weg te nemen, of me te laten geloven dat alles wel weer goed komt. Op aandringen van Du Lili heeft ze de rugzak met trekkersartikelen meegenomen. Ze pakt het luchtbed eruit en blaast het op, spreidt er de foliedeken over uit. Dan haalt ze de primus te voorschijn en een extra brandstofpatroon.

'Als Simon terugkomt in het huis van Grote Ma, zal Du Lili iemand sturen om ons op de hoogte te stellen. Als hij hier komt, kun jij hem met deze spullen warm helpen worden.' Ze klapt haar paraplu open.

'Waar ga je heen?'

'Even rondkijken.'

'Maar als jij dan ook verdwaalt?'

'*Meiyou wenti.* Maak je geen zorgen. Hier ben ik als kind zo vaak geweest, dat ik alle hoeken en gaten ken. Alle stenen zijn oude vrienden van me.' Ze stapt naar buiten, in de regen die inmiddels druilerig is geworden.

'Hoe lang blijf je weg?'

'Niet zo lang. Een uur misschien, niet meer.'

Ik kijk op mijn horloge. Het is bijna half vijf. Om half zes zal het gouden halfuur aanbreken, maar de gedachte aan schemering maakt me nu alleen maar bang. Tegen zessen zal het te donker zijn om in dat ravijn te kunnen rondlopen.

Als Kwan weg is, ga ik tussen de beide tunnelopeningen heen en weer lopen. Ik kijk aan de ene kant naar buiten, zie niets, loop weer naar de andere kant, ook niets. Jij gaat heus niet dood, Simon. Ik ga me geen pessimistische flauwekul in mijn hoofd halen. Denk liever aan mensen die de meest barre omstandigheden overleefd hebben. Die verdwaalde skiër in Squaw Valley, die voor zichzelf een hol uitgroef in de sneeuw en drie dagen later gered werd. En die ontdekkingsreiziger die op een afgebroken ijsschots zat, John Muir heette hij geloof ik, die zichzelf een hele poolnacht met gymnastiekoefeningen in leven wist te houden. En dan heb je nog dat verhaal van Jack London, over een man die in een sneeuwstorm verzeild raakt en er met veel kunst en vliegwerk in slaagt een vuurtje aan te leggen van natte twijgen. Oh... het eind van dat verhaal is dat er een lading sneeuw van de takken van een boom glijdt, precies op zijn vuurtje. En deze tegenvaller doet me aan andere jammerlijke aflopen denken. De snowboarder die in een mijnschacht viel en de volgende ochtend dood gevonden werd. De jager op een gletsjer aan de Italiaans-Oostenrijkse grens, die even ging zitten uitrusten en op een voorjaarsdag, duizenden jaren later, ontdekt werd.

Misschien kan ik met meditatie deze negatieve gedachten verdrijven – zitten met open handpalmen en een open geest. Maar een paar tellen later laat de kou in mijn vingers zich al niet meer loochenen. Zou Simon het overal zo koud hebben?

Ik stel me hem voor, hier in deze tunnel na onze ruzie. Zijn spieren gespannen, de impuls om in welke gevaarlijke richting dan ook weg te benen. Dat heb ik hem vaker zien doen. Toen hij vernam dat onze vriend Eric in Vietnam was omgekomen, maakte hij zich woedend uit de voeten en verdwaalde in het eucalyptusbos bij het oude Spaanse fort. Of die keer dat we bij vrienden van vrienden op bezoek waren en iemand een racistische mop vertelde – Simon vloog overeind, beet die kerel toe dat hij niet goed bij z'n hoofd was en liep weg. Op het moment zelf kon ik het niet zo waarderen dat hij een scène maakte en mij vervolgens tussen die ontredderde mensen liet zitten, maar nu voel ik alsnog een treurige bewondering voor hem.

Het is opgehouden te regenen. Dat moet hij ook zien. 'Zo,' hoor ik in gedachten zijn opgetogen stem, 'tijd om die rotsen weer eens te gaan bekijken.' Ik loop naar buiten en ga aan de rand van het paadje in de diepte staan turen. Hem zou deze aanblik niet draaierig maken. Hij zou geen honderden manieren zien om een verbrijzelde schedel op te lopen. Hij zou gewoon dat paadje af beginnen te lopen, dat niet meer is dan een in de rotswand uitgehouwen greppel. En dat doe ik nu ook. Ongeveer halverwege de afdaling bekruipt me de vraag of hij dezelfde weg genomen heeft. Ik sta stil, kijk om me heen en zie dat er geen andere manier is om de bodem van het ravijn te bereiken. Of hij moet van de rand van het paadje zijn gesprongen, zo'n vijfentwintig meter de diepte in. Maar nee, Simon is niet het suïcidale type. Trouwens, zelfmoordenaars praten toch altijd over hun daad voor ze die begaan? Ja, toch? Als ik hierover nadenk, herinner ik me een artikel in de *Chronicle* over een man die midden op de Golden Gate Bridge, in het spitsuur, zijn gloednieuwe Range Rover stilzette, uitstapte en over de reling sprong. Zijn vrienden hadden achteraf de gebruikelijke ongelovige ontzetting getoond. 'Ik sprak hem vorige week nog in de fitnessclub,' had een van hen gezegd, 'en toen vertelde hij dat hij tweeduizend aandelen *Intel* had gekocht tegen twaalf, die nu achtenzeventig deden. En wat hij met de winst zou gaan doen. Hij had het over de toekomst!'

Als ik de bodem van het ravijn nader, kijk ik omhoog. Hoeveel daglicht is er nog over? Verderop zie ik donkere vogels fladderen. Het zijn net grote motten; ze laten zich vallen en klapwieken dan weer opwaarts. Maken er hoge, schrille geluidjes bij, alsof ze hevig geschrokken zijn. Niks vogels, vleermuizen! Ze moeten uit een van de grotten zijn gekomen om aan hun avondlijke jacht naar insekten te beginnen. Ik heb al eens eerder vleermuizen gezien, in Mexico. *Mariposa's* noemden de obers ze, vlinders, om de toeristen niet bang te maken. Maar ik was niet bang voor ze, en dat ben ik nu weer niet. Het zijn boodschappers van de hoop, net als de duif die Noach de groene twijg bracht. De verlossing is nabij. Simon is nabij. Misschien zijn de vleermuizen wel door hem opgeschrikt, heeft hij de grot betreden waar ze hun omgekeerde rust genoten.

Terwijl ik het onregelmatige pad blijf aflopen, kijk ik naar de vleermuizen, uit welke spelonk ze komen, in welke ze weer terugkeren. Mijn voet glijdt weg en ik zwik door mijn enkel. Ik strompel naar een rotsblok en ga zitten.

'Simon!' Ik verwacht dat mijn schreeuw rond zal galmen als in een leeg theater. Maar in plaats daarvan lijkt het geluid door de holte van het ravijn te worden opgeslokt.

Ik heb het tenminste niet koud meer. Het waait hierbeneden amper. De lucht is stil, zwaar, drukkend bijna. En dat is vreemd, want het hoort hier toch juist hárder te waaien? Hoe heette het ook weer in de brochure die Simon en ik maakten voor dat comité tegen de Manhattanisering van San Francisco? Het Bernoulli-effect: lange rijen wolkenkrabbers zouden het effect van windtunnels hebben, omdat de lucht aan de grond zou worden samengeperst en dan sneller moest gaan stromen.

Ik kijk naar de wolken. Die jagen voort, dus daarboven waait het nog steeds. Hoe langer ik omhoog kijk, hoe onvaster de grond onder me voelt, alsof ik op een draaimolen zit. En zie, de bergpieken, de bomen, de rotsen, ze worden groter en groter, wel tien keer zo groot als ze een minuut geleden waren. Ik sta op en begin weer te lopen, ditmaal goed oplettend waar ik mijn voeten neerzet. De grond is nagenoeg vlak, maar ik heb het gevoel alsof ik een steile helling beklim. Het lijkt wel alsof een of andere kracht me achteruit wil duwen. Is dit een van die plekken op de wereld waar de normale waarden van dichtheid en zwaartekracht verstoord zijn? Ik grijp me vast aan het ruwe oppervlak van een rotsblok en trek mezelf vooruit. Het kost zo veel moeite, dat ik vrees dat er een bloedvat in mijn hoofd zal knappen.

En dan hap ik naar adem van schrik. Ik sta aan de rand van een abrupte inzinking van een meter of zeven, alsof de aarde hier is ingeklapt als een mislukte soufflé. Voor me strekt zich, tot aan de andere wand van het ravijn, een brokkelig maanlandschap uit, bezaaid met die rare, langwerpige steenklompen die me boven ook al waren opgevallen – groepjes gedenkstenen, hunebedden of wat het ook mogen zijn. Nu ik er op vrijwel gelijke hoogte tegenaan kijk, lijkt het afwisselend een versteend woud van kaalgebrande bomen, en de bodem van een voormalige grot vol stalagmieten. Is hier ooit een meteoor gevallen? De Vallei van de Schaduw des Doods, hoe zou je dit anders kunnen noemen?

Ik weet zo'n steenformatie te bereiken en loop er als een nieuwsgierige hond omheen. En nog eens, me het hoofd brekend over wat dit zou kunnen zijn. Eén ding is zeker: het is geen natuurverschijnsel. Die stenen zijn hier met een of andere bedoeling neergezet. Schots en scheef staan ze bij elkaar. Waarom vallen ze niet om? Sommige staan als omgekeerde peren of kegels op een basis die veel smaller is dan de bovenkant. Andere staan zich in onwaarschijnlijke hoeken te verdringen op een klein stukje grond, zoals ijzervijlsel rechtop aan een magneet kleeft. Het doet denken aan moderne kunst; aan het soort sculpturen van staande schemerlampen en hoedeplanken die door de kunstenaar in schijnbaar onmogelijke balans zijn gebracht. Boven op zo'n steen ligt een losse kei, in de vorm van een mislukte bowlingbal waarvan de vingergaten lijken op de holle ogen en schreeuwende mond van dat schilderij van Edvard Munch. Ik ontdek dat al die stenengroepen dezelfde kenmerken hebben. Wanneer zijn ze gemaakt? Door wie, en waarom? Geen wonder dat Simon hier met alle geweld heen wilde, dit nader wilde bekijken. Terwijl ik tussen de stenen rondloop, lijken ze meer en meer op de slachtoffers van Pompeii, Hiroshima, de Apocalyps. Een leger van lugubere standbeelden omgeeft me, de verkalkte resten van prehistorische zeemonsters.

Opeens vult mijn neus zich met een bedompte, muffe geur, en de paniek welt op in mijn keel. Ik kijk om me heen of ik tekenen van verrotting of ontbinding kan zien. Ik heb deze stank eerder geroken, maar waar? Wanneer? Het is zo overweldigend vertrouwd... een geurversie van déjà vu – déjà senti. Of misschien is dit een instinctieve gewaarwording, zoals dieren automatisch weten dat rook bij vuur en dus bij gevaar hoort. De geur manifesteert zich als een lichamelijke herinnering, de lijfelijke neerslag van een immense angst en verdriet, maar de reden ervan blijft me volstrekt duister.

Als ik me langs een volgende groep rotsblokken haast, stoot ik met mijn schouder tegen een scherpe rand en gil het uit als de hele boel in elkaar stort. Ik staar naar de puinhoop en vraag me beteuterd af wiens magie ik zojuist vernietigd heb. Ik krijg het akelige gevoel dat ik een bezwering verbroken heb, en dat al die stenen wezens zo meteen zwiepend en zwaaiend zullen gaan marcheren. Waar is de tunnel? Ik versnel mijn pas. Het schijnt me toe dat er steeds meer van die rotsgroepen komen; zijn ze zich aan het vermenigvuldigen? Ze beginnen een waar doolhof te vormen, waar ik lukraak doorheen loop. Mijn voeten slaan voortdurend de richting in die mijn hersens juist willen vermijden. Wat zou Simon doen? Telkens als ik me in de voorbije jaren onzeker voelde over het volbrengen van een lichamelijke prestatie, was hij de rustgevende stem op de achtergrond – dat ik heus nog wel een kilometer kon joggen, die volgende heuvel ook nog wel over kon, of makkelijk naar de steiger zou kunnen zwemmen. Op die momenten kostte het me nooit moeite hem te geloven, en was ik intens dankbaar dat hij in mij wilde geloven.

Ik fantaseer hoe hij me nu zou opzwepen: 'Kom op, Olivia, *move your ass.*' Ik speur de hoogte af naar de tunnelopening, om me daarop te kunnen oriënteren. Maar ik kan niets ontwaren, zie alleen nog maar vlakken die in verschillende gradaties van schaduw gedompeld zijn. En dan herinner ik me hoe kwaad ik was in de gevallen dat ik weliswaar zijn aansporingen geloofd had, maar het toch niet redde; hoe ik hem uitfoeterde toen rolschaatsen toch veel moeilijker bleek dan hij gezegd had, en ik er een beurse kont aan overhield; hoe ik huilde toen bleek dat die rugzak wel degelijk te zwaar voor me was.

Ik ga wanhopig op de grond zitten uithijgen. *Fuck this, I'm calling a taxi.* Ik sta versteld van mijn eigen onzin. Dacht ik nu werkelijk eventjes dat ik mijn hand kon opsteken en me door een taxi kon laten wegvoeren uit deze ellende? Is dat alles wat ik door de jaren heen aan vindingrijkheid voor noodgevallen heb ontwikkeld – dat je altijd nog je portemonnee kunt trekken en je door een taxichauffeur uit de nesten kunt laten halen? Waarom niet meteen een limousine besteld? Ik ben gek aan het worden.

'Simon! Kwan!' Als ik de paniek in mijn stem hoor, raak ik nog erger in paniek. Ik sta op en ga weer lopen, maar hoe sneller ik wil, des te harder voel ik de zwaartekracht aan mijn lichaam trekken. Ik bots tegen zo'n steenbeeld aan en de kei die erop ligt valt naar beneden en raakt me aan mijn schouder. Het is genoeg om alle angst die ik in me voel door mijn mond naar buiten te laten komen – ik begin te huilen als een klein kind. Ik kan niet meer lopen. Ik kan niet meer denken. Ik laat me op mijn knieën vallen. Ik ben verdwaald! En zij ook! Alle drie zijn we gevangen in dit vreselijke oord. We zullen hier sterven, wegrotten en langzaam verstenen tot een gezichtsloos beeld. Schrille stemmen begeleiden mijn gejammer – de grotten zijn hun gezang vol rouw en misère begonnen.

Ik houd mijn handen tegen mijn oren en knijp mijn ogen dicht, om de waanzin van deze wereld, en die in mezelf, uit te bannen. Je kunt hier een eind aan maken, hoor ik een innerlijke stem zeggen. Ik probeer het uit alle macht te geloven en voel dan hoe ergens in mijn hersenen een koord strak gaat staan en knapt, waarop ik wegzweef uit mijn doodsbange lichaam. Licht en duizelig word ik. Dus zo worden mensen psychotisch. Ze zweven gewoon weg. Ik weet dat ik lijk op een figuur uit zo'n langdradige Zweedse film; zo iemand die onwaarschijnlijk slecht in de gaten heeft hoe noodlottig de dingen verlopen, en uiteindelijk ten onder gaat op de manier die iedereen allang heeft zien aankomen. Ik lach als een waanzinnige om mijn eigen belachelijkheid. Hoe stompzinnig het is dat ik hier zal moeten sterven. En Simon zal nooit weten hoe nerveus ik nog geworden ben. Nee, niet nerveus... hysterisch!

Ik voel een paar handen op mijn schouders en slaak een gil.

Het is Kwan, met een zeer ongeruste blik in haar ogen. 'Wat gebeurd? Wie jij praten tegen?'

'O, god!' Ik spring overeind. 'Ik was verdwaald en ik dacht dat jij dat ook was.' Ik babbel en snik afwisselend tussen het staccato van mijn ademhaling door. 'We zijn toch niet... zijn we..? Zijn we verdwaald?'

'Nee-nee,' zegt ze. Ik zie dat ze een houten doos onder haar arm geklemd houdt, de onderkant rust op haar heup. Het lijkt een antieke kist voor tafelzilver.

'Wat... is dat?'

'Doos.'

'Ja... dat zie ik ook nog wel!'

'Hierheen.' Ze pakt me met haar vrije hand bij een elleboog en voert me met zich mee. Ze zegt niets over Simon, is ongewoon kalm, plechtig bijna. Het doet me vrezen dat ze me slecht nieuws te vertellen heeft. Mijn borst krampt samen.

'Heb je Simon...' Ze snijdt mijn vraag af door haar hoofd te schudden. Ik ben opgelucht, en een ogenblik later teleurgesteld. Ik weet niet meer hoe ik me voelen moet. We lopen in slalom tussen de steengroepen door. 'Hoe kom je aan die doos?'

'Vinden.'

'Ach, werkelijk? Ik dacht dat je hem bij *Macy's* gekocht had.'

'Dit mijn doos verstop lang geleden. Ik al verteld dit. Doos altijd jou laten zien willen.'

'Neem me niet kwalijk. Ik ben mezelf niet. Wat zit erin?'

'Wij boven ik laat zien.'

Zwijgend lopen we door. Met het wegebben van mijn angst wordt het landschap minder onheilspellend. De wind koestert mijn gezicht weer. Het zweet op mijn voorhoofd verdampt en ik krijg het koud. De ondergrond is nog even brokkelig en verraderlijk, maar ik voel geen extreme zwaartekracht meer. In gedachten spreek ik mezelf toe: meisje, het enige extreme hier is jouw geest. Al wat je hebt meegemaakt, was dat je een paniekaanval kreeg. Rotsen, je bent bang geweest voor rotsen.

'Kwan, wat zijn dit voor dingen?'

Ze blijft staan en draait zich naar me om. 'Welk dingen?'

Ik wijs naar een stenengroep.

'Stenen.' Ze keert zich weer om.

'Ja, dat weet ik. Maar hoe kwamen ze hier. Wat moeten ze voorstellen. Wat zijn het?'

Ze blijft weer staan en kijkt over haar schouder het ravijn in. 'Dit geheim.'

De haartjes in mijn nek gaan overeind staan. Ik probeer onverschillig te klinken. 'Vooruit nou, Kwan. Zijn het grafstenen? Is dit ravijn een groot soort kerkhof? Dat kun je rustig zeggen, hoor.'

Ze opent haar mond, lijkt te willen antwoorden, maar krijgt opeens een koppige uitdrukking op haar gezicht. 'Ik later vertel. Niet nu.'

'Kwan!'

'Na wij terug.' Ze wijst omhoog. 'Snel donker. Zie? Geen tijd weg kletsen.' En dan voegt ze zachtjes toe: 'Misschien Simon al terug.'

Mijn borst zwelt van hoop. Zij weet iets dat ik niet weet, ik weet het zeker. Aan deze overtuiging houd ik me vast terwijl we er de pas in zetten, we verlaten het beeldenwoud, lopen door een groeve, langs een diepe spleet in de rotsbodem, en bereiken dan het paadje terug naar de tunnel.

Zodra ik de muur met de tunnelopening ontwaar, wring ik me langs Kwan en snel voor haar uit naar boven. Ik ben er zeker van dat Simon daar op ons wacht – de wetten van chaos en onzekerheid zullen me nog eenmaal de kans geven het weer goed te maken met hem. Als ik boven kom, barsten mijn longen bijna. Ik duizel van vreugde, snik van opluchting, want ik voel nu reeds de helderheid van de vrede die we zullen tekenen, de eenvoud van het vertrouwen dat we elkaar zullen schenken, de zuiverheid van onze liefde.

Daar ligt de rugzak en daar het gewatteerde jack, de primus. Alles precies zoals ik het achterliet. De angst knaagt weer aan mijn hart, maar de kracht van geloof en liefde is voorlopig nog ongebroken. Ik loop naar de andere tunnelopening, want daar zal Simon zijn. Het kan niet anders.

Niets. Behalve de wind die me in mijn gezicht slaat. Ik ga ruggelings tegen de tunnelwand geleund staan en laat me op de grond zakken, sla mijn armen om mijn knieën. Als Kwan voor me komt staan, kijk ik op en zeg: 'Ik ga hier niet weg voor ik hem vind.'

'Ik dit weten.' Ze gaat op haar houten kist zitten en haalt een glazen pot met koude thee uit de rugzak, en een blikje met geroosterde pinda's. Ze biedt me een handje aan, ik schud mijn hoofd.

'Jij hoeft hier niet te blijven,' zeg ik. 'Ik weet dat je nog van alles te regelen hebt voor de begrafenis van morgen. Ik red me wel. Hij zal nu wel snel komen.'

'Ik blijf jou. Grote Ma al zeggen begrafenis twee drie dagen uitstel geeft niks. Meer tijd eten koken.'

Ik krijg een idee. 'Kwan! Laten we Grote Ma vragen waar Simon is.' Ik heb het nog niet uitgesproken of ik besef hoe radeloos ik moet zijn om zoiets te zeggen. Dit zie je ouders van ongeneeslijk zieke kinderen wel doen – elke handoplegger of NewAge-heelmeester in de arm nemen die ook maar een schim van hoop te bieden heeft.

Er verschijnt een tederheid in Kwans ogen die me doet inzien dat mijn hoop misplaatst was. 'Grote Ma weet het ook niet,' zegt ze zachtjes in het Chinees. Ze steekt de primus aan. Ik zie de sissende blauwe vlammetjes omhoogschieten. 'Yin-mensen,' gaat ze verder in het Engels, 'niet alles weten. Ook mensen. Zelf vaak verdwaald weten niet waarheen. Daarom sommige yin-mensen steeds terugkomen kijken vragen: "Waar ik verloren mezelf?" '

In ieder geval voelt ze aan hoe ontmoedigd ik ben. Dat is iets om dankbaar voor te zijn. De vlammetjes van de primus geven net genoeg licht om ons als silhouetten zichtbaar te maken voor elkaar. 'Jij wil,' fluistert ze, 'ik vraag Grote Ma help zoeken. Wij samen FBI-team. Oké, Libby-ah?'

Haar hulpvaardigheid ontroert me. Alleen al omdat het zowat het enige begrijpelijke is in deze absurde situatie.

'Als geen begrafenis morgen Grote Ma toch niets te doen.' Ze giet wat koude thee in een aluminium mok en zet die op de primus. In het Chinees zegt ze: 'Maar ik kan het haar nu niet meer vragen. Het is al

donker, en ze kwam na donker nooit buiten. Ze is erg bang voor geesten...'

Ik staar afwezig naar de vlammetjes die aan de bodem van de mok
likken.

Kwan houdt haar handen voor het vuurtje. 'Als je eenmaal bang voor
geesten bent, is dat moeilijk af te leren, ook al ben je zelf een geest geworden. Ik heb die slechte gewoonte nooit opgevat, gelukkig. Als ik
een geest zie, praten we gewoon als vrienden...'

Ik denk opeens aan een gruwelijke mogelijkheid. 'Kwan, als jij nu
Simon zou zien, als yin-mens bedoel ik, dan zou je me dat toch wel
zeggen, hè? Je zou nooit doen alsof...'

'Ik zie hem niet,' zegt ze direct. Ze streelt mijn arm. 'Heus, ik vertel
je de waarheid.'

Ik sta mezelf toe haar te geloven, te geloven dat ze niets voor me verborgen zou houden en dat hij niet dood is. Ik laat mijn hoofd op mijn
armen zakken. Wat staat ons nu te doen? Welk rationeel, efficiënt plan
moeten we morgen trekken? En als we hem morgen rond de middag
nog niet gevonden hebben, wat dan? De politie waarschuwen? O, nee,
geen telefoons hier, geen auto's. Misschien moet ik liftend het Amerikaanse consulaat zien te bereiken. Hebben die een vestiging in Guilin?
Of anders een kantoor van *American Express*. Als dat er wel is, lieg ik
dat ik een *Platinum Card* bij ze heb, en dat ze een uitgebreide reddingsoperatie voor me moeten regelen. Geld speelt geen rol.

Ik hoor een schrapend geluid en kijk met een ruk op. Kwan zit met
het zakmes aan het slot van de houten kist te morrelen. 'Wat doe je
daar?'

'Sleutel weg.' Ze houdt het mes voor zich op, kijkt of er een attribuut
aan zit dat beter geschikt is voor dit karwei. Ze kiest de plastic tandenstoker. 'Lang geleden ik veel dingen ingestopt.' Ze steekt de tandenstoker in het slot. 'Libby-ah, zaklantaren in zak, jij pakken, oké?'

In het schijnsel van de zaklantaren zie ik dat de kist van donkerrood
hout is en met koper is afgezet. Op het deksel is een tafereel met weel-
derige bomen en een Beierse jager uitgesneden. De jager heeft een dode
ree over zijn schouder geslagen, en voor zijn voeten springt een hond
op.

'Wat zit erin?'

Ik hoor een klik en Kwan richt zich op. 'Jij opendoen zelf zien.'

Ik til het deksel op aan een koperen handvat. Plotseling is de tunnel gevuld met een tinkelend geluid. Ik laat van schrik het deksel vallen. Stilte. Het is een speeldoos.

Kwan giechelt. 'Hah! Jij denken zit spook in?'

Ik til het deksel opnieuw op en daar is het vrolijk knarsende getingel weer. Een militaire mars, voor mannen in protserige uniformen en paraderende paarden. Kwan zit te neuriën; ze kent de melodie blijkbaar goed. Ik richt de zaklantaren op het binnenste van de doos. In een hoek zie ik het mechanisme onder een glazen afdekplaatje; de pennetjes op een draairol tokkelen langs de tanden van een metalen kam. 'Het klinkt niet erg Chinees,' zeg ik tegen Kwan.

'Niet Chinees. Duits. Jij muziek leuk vinden?'

'Eh, ja, erg leuk.' Dus hierop heeft ze de speeldoos van Juffrouw Banner gebaseerd. Op een speeldoos die ze zelf als kind in de vallei verstopte. Ik ben blij dat er tenminste iets van waarheid in haar fanta-sieverhalen schuilt. Ik neurie ook mee.

'Ah, jij kennen liedje.'

Ik schud van nee.

'Ik jou speeldoos huwelijkscadeau geven. Weet nog?'

De speeldoos valt plotseling stil en het melodietje lost zich op in de lucht. Nu is er alleen nog het nijdige gesis van de primus om me te herinneren aan de regen en de kou, en aan het gevaar waarin Simon verkeert. Kwan verschuift een houten paneeltje in de kist en haalt de opwindsleutel te voorschijn. Even later laaf ik me opnieuw aan het troostrijke getingel. Ik kijk in het vakje dat Kwan zojuist openschoof. Er ligt van alles; knopen, een stuk lint, een leeg medicijnflesje. Ooit gekoesterde maar dan vergeten dingen, voorgenomen maar nooit uitge-voerde karweitjes.

Als de doos weer uitgespeeld is, wind ik hem zelf op. Kwan pakt er iets uit – een geiteleren handschoentje met broze, voor eeuwig dichtge-klemde vingers. Ze keert het om en om in haar handen en snuift eraan.

Ik haal een stokoud boekje uit de doos, met bladzijden van geschept papier. *Een reis naar India, China en Japan* heet het, van ene Bayard Taylor. Er steekt een opengescheurde envelop tussen de bladzijden. Daar sla ik het open en zie een onderstreepte zin: 'Aan hun gemene spleetogen kan men hun gemene inborst afzien.' Wie heeft deze racisti-sche troep ooit gekocht? Ik pak de envelop en kijk wie de geadresseerde was – Russell and Company, Acropolis Road, Route 2, Cold Spring, New York. 'Was die speeldoos oorspronkelijk van iemand met de naam Russell?' vraag ik.

'Ah!' Kwan spert verheugd haar ogen open. 'Russo. Jij herinneren!'

'Ik herinner me niks. Die naam staat op deze envelop. Kijk zelf maar: Russell and Company.'

Ze lijkt teleurgesteld. 'Ik kende toen geen Engels,' zegt ze in het Chinees. 'Ik kon dat niet lezen.'

'Dus deze speeldoos was van ene meneer Russell?'

'Bu-bu.' Ze pakt de envelop en gaat ernaar zitten staren. 'Ah! Russell. Ik dacht dat het "Russo" of "Russia" was. Dit was de maatschappij waar haar vader bij in dienst was. Maar zijn eigen naam was...' Ze kijkt me recht in de ogen. '... Banner.'

Ik schiet in de lach – het is weer zover. 'Ach, natuurlijk. De vader van Juffrouw Banner werkte voor een scheepvaartmaatschappij, was het niet?'

'Opiumboot.'

'Ja, ja... nu weet ik het weer.' Maar dan besef ik opeens dat we het niet meer over louter fantasievoorstellingen hebben. Deze speeldoos, zo nadrukkelijk aanwezig in Kwans spookverhalen, is echt. 'Was dit de speeldoos van Juffrouw Banner?' breng ik uit.

Kwan knikt. 'Haar voornaam... ai-ya, die is me ontschoten.' Ze begint door het vak met losse rommel te zoeken en pakt er een blikken doosje uit. 'Tst! Haar naam,' mompelt ze in zichzelf. 'Hoe kon ik haar naam vergeten?' Ze haalt iets uit het blikje, zwart en rechthoekig. Een inktsteen? Nee, ze breekt ze er een stukje af en gooit dat bij de thee die nu op de primus staat te koken.

'Wat is dat?'

'Kruid.' Ze is weer op Engels overgestapt. 'Van speciale boom alleen jonge blaadjes. Heel kleverig. Ik zelf maak voor Juffrouw Banner dit. Lekker voor drinken ook ruiken. Maakt hoofd los voel rust. Geef misschien herinnering terug.'

'Is dit van die heilige boom? Op de binnenplaats van het huis van het Koopmansspook?'

'Ah! Jij weten weer!'

'Nou.. ik weet weer dat je me erover verteld hebt.' Ik merk dat mijn handen beginnen te beven. Ik snak naar een sigaret. Wat is hier gaande?

Ben ik nu net zo gek aan het worden als Kwan? Misschien zit er een hallucinogene stof in het drinkwater van Changmian. Of ben ik gestoken door een Chinese muskiet die de hersenen met krankzinnigheid infecteert. Misschien is Simon wel helemaal niet zoek. Misschien liggen er helemaal geen dingen in mijn schoot die ooit toebehoorden aan een vrouw uit de dromen van een kind.

Kwan schenkt een mok vol thee. De damp slaat ervanaf en ik ruik een scherpe geur. Ik houd de mok onder mijn neus; de damp slaat neer op mijn huid. Ik sluit mijn ogen en adem de geur in, die onmiddellijk een kalmerend effect heeft. Misschien slaap ik wel en is dit een droom. Als dat zo is, kan ik mezelf eruit...

'Libby-ah, kijk.'

Ik sla mijn ogen op. Kwan geeft me een handgebonden boekje. Het vaalwitte omslag is van zacht, buigzaam suède. *Onze Steun* is de titel, in gotische reliëfletters met hier en daar een restje goudstof aan de randen. Als ik het omslag tussen mijn vingers neem, laat het schutblad aan de binnenkant los en kan ik zien dat de oorspronkelijke kleur dofpaars was. Een kleur die me om de een of andere reden doet denken aan een bijbelplaatje uit mijn jeugd: een hevig ontstemde Mozes staat op een hoge rots, tegen een paarse hemel, de stenen tafelen met Gods wetten stuk te smijten voor een publiek van getulbande heidenen.

Ik sla het boekje open. Op de linkerpagina staan twee met de hand gezette regels: 'Vertrouw op de Here en Hij zal u vrijwaren van de verzoekingen van de Boze. Wie vervuld wordt door de Heilige Geest, kan niet voller zijn.' Op de tegenoverliggende pagina staat in dezelfde wiebelige druk het woord 'Beamingen', en daaronder een hoogst merkwaardige, handgeschreven opsomming: 'Ranzige bonen, rotte radijsjes, opiumbladeren, papegaaiekruid, herderstasje, alsem, stinkende kool, verdroogde zaden, taaie peulen en houterige bamboe. Rauw geserveerd, of in wonderolie. Here, sta mij bij.' De rest van het boekje biedt dezelfde aanblik – links christelijke bemoedigingen aangaande dorst en lafenis, honger en vervulling; en rechts, bij wijze van beaming, telkens een lijstje van eetwaren die de bezitter van dit boekje blijkbaar zo verfoeide, dat ze hem of haar tot blasfemische humor brachten. Simon is verzot op dit soort dingen. Hij zal het vast voor ons artikel willen gebruiken.

Ik lees een lijstje voor aan Kwan: 'Konijnevlees, fricassee van vogels, stoofpot van zeekomkommers, wormen en slangen.' Ik leg het boekje neer. 'Ik vraag me af hoe ze aan zeekomkommer kwamen.'

'Nelly.'

'Nelly? Had die een handeltje in zeekomkommers?'

Ze lacht en geeft me een pets op mijn bovenarm. 'Nee-nee! Juffrouw Banner voornaam Nelly. Maar ik noem altijd Juffrouw Banner, vergeet hele naam. Ah! Slechte geheugen! Nelly Banner.' Ze grinnikt nog wat na.

Ik pak het boekje weer op. Mijn oren suizen. 'In welke jaren was jij nu precies bevriend met Juffrouw Banner?'

Ze schudt peinzend haar hoofd. 'Precies jaar, denken…'

Dan schieten me de Chinese woorden uit haar nachtelijke verhaaltjes te binnen: '*Yi-ba-liu-si*, geef de hoop op en daal af in de dood, één acht zes vier.'

'Ja-ja. Jij goed geheugen. Zelfde tijd Hemelse Koning verliezen Revolutie Grote Vrede.'

De Hemelse Koning. Die term ken ik ook nog van haar. Maar was er ooit een leider of vorst die zo heette? Ik wou dat ik meer van de Chinese geschiedenis afwist. Ik veeg over het zachte suède van het omslag. Waarom kunnen ze tegenwoordig niet meer zulke boeken maken? Boeken die warm en vriendelijk aanvoelen. Nog maar een bladzij: 'De koppen van lucifers afbijten (traag en afschuwelijk). Bladgoud slikken (extravagant). Magnesiumchloride (vies). Opium eten (pijnloos). Ongekookt water drinken (mijn voorstel).' Verder wist Juffrouw Moo mij nog te vertellen dat zelfmoord ten strengste verboden is onder Taiping-volgelingen, tenzij men daarmee een offer brengt in de strijd voor God.

Taiping. *Tai* betekent 'groot' en *Ping* 'vrede'. Taiping, Grote Vrede. Dat was de naam van een opstand die plaatsvond in… ergens halverwege de negentiende eeuw. Ik voel dat er aan mijn geest getrokken wordt en bied zoveel mogelijk weerstand, maar ik wankel. Vroeger kon ik altijd genoeg scepsis opbrengen om me tegen Kwans fantasieën te wapenen. Maar nu staar ik naar verbleekte inkt op vergeeld papier, naar het koperen sluitwerk van een antieke speeldoos, naar een halfvergaan dameshandschoentje, naar 'Onze Steun' in gotische letters. Onder de vrolijke tonen van ouderwetse marsmuziek. Ik doorzoek de speeldoos op aanwijzingen voor de exacte ouderdom. Tevergeefs. Dan valt me in dat het christelijke boekje een datum van uitgave moet hebben.

Daar staat het, achter op het titelblad: Glad Tidings Publishers, MDCCCLIX. Romeinse cijfers, *damn it!* Maar met veel geprakkizeer weet ik ze tot Arabische cijfers te herleiden: 1859. Vervolgens pak ik het boekje van Bayard Taylor: G.P. Putnam, 1855. Maar wat bewijzen deze data? Niets. En zeker niet dat Kwan een juffrouw Nelly Banner heeft gekend in de jaren van de Taiping-opstand. Het is allemaal toeval; het verhaal, de speeldoos, de data.

Maar mijn logica en twijfel zijn niet opgewassen tegen iets wat ik heel zeker weet omtrent Kwan – dat het niet in haar aard ligt te liegen. Wat ze ook beweert, ze zal zelf oprecht denken dat het waar is. Zo kan ik er gerust op zijn dat ze Simon niet als yin-man gezien heeft, en voor zover dat betekent dat hij nog leeft, aanvaard ik dat graag. Ik moet wel. Maar aan de andere kant: haar oprechtheid maakt de dingen die ze zegt nog niet waar. Als ik wil vertrouwen op wat ze over Simon zegt, wens ik dan ook te geloven dat ze yin-ogen heeft? Geloof ik echt dat ze met Grote Ma praat? En dat ergens in de grotten hier een voorhistorisch dorp ligt? Dat Juffrouw Banner, Generaal Cape en Halveman Johnson echt bestaan hebben? Dat zij Nunumu was?

En stel nu eens dat ze me al die jaren waar gebeurde verhalen heeft verteld... dan heeft ze dat dus niet ter bevrediging van een ziekelijke fantasie gedaan, maar met een welbewuste reden.

Ik ken die reden. Al heel lang, eigenlijk. Al vanaf mijn kindertijd. Maar ik gaf er de voorkeur aan die diepere bedoeling van Kwans verhalen te negeren, weg te stoppen; zoals zijzelf die speeldoos heeft begraven. Het schuldgevoel dat ik daarover had, dwong me haar verhalen telkens weer aan te horen, maar steeds weer klampte ik me vast aan de twijfels die mijn gezonde verstand me voorhield. Telkens weer weigerde ik haar te geven wat ze het liefst wilde. 'Libby-ah? Jij herinneren?' zei ze altijd. En dan schudde ik van niet, terwijl ik donders goed wist wat ze hoopte – dat ik zeggen zou: 'Ja, Kwan. Nu weet ik het weer. Ik was Juffrouw Banner...'

'Libby-ah,' hoor ik haar nu zeggen, 'wat jij denken?'

Mijn lippen zijn gevoelloos. 'O, eh... Simon, natuurlijk. Ik blijf er maar aan denken, en het wordt hoe langer hoe angstiger.'

Ze komt naast me zitten en neemt mijn ijskoude vingers tussen haar handen. Er vloeit onmiddellijk een weldadige warmte door mijn aderen.

'Praten? Niets te zeggen dan daarover praten. Oké? Praten film ge-zien boek gelezen. Praten weer... nee-nee, niet weer jij zorgen maken. Oké-oké, praten politiek dingen, ik stem jij stem ruzie maken. Jij niet piekeren hoeven.'

Ik schenk haar een week glimlachje.

'Ah! Oké. Niet praten samen ik alleen. Ja, ik praat jij luisteren. Eens zien... Ah! ik weet. Ik vertel waarom Juffrouw Banner zij geeft mij speeldoos.'

Ik zucht. 'Vooruit maar.'

'Maar ik moet je dit verhaal wel in het Mandarijns vertellen. Zo kan ik me alles beter herinneren. Want toen het gebeurde sprak ik geen Engels. Mandarijns sprak ik ook wel niet, alleen Hakka en een beetje Cantonees, maar in het Mandarijns kan ik denken als een Chinees mens. Als je iets niet begrijpt, moet je dat zeggen. Dan zal ik proberen het juiste Engelse woord te bedenken. Eens kijken, waar zal ik begin-nen...'

'Ah, goed. Je weet al dat Juffrouw Banner anders was dan de andere buitenlanders. Zij kon haar geest openstellen voor andere meningen. Maar soms bracht ze zichzelf daarmee in verwarring. Misschien weet jijzelf ook wel hoe dat gaat. De ene dag geloof je dit, de volgende dag precies het omgekeerde. Je redetwist met andere mensen, en dan met jezelf. Libby-ah, heb jij dat ook wel?'

Ze kijkt me onderzoekend aan. Ik haal mijn schouders op en daar-mee stelt ze zich tevreden. 'Misschien is het wel een typisch Amerikaan-se gewoonte om een heleboel verschillende meningen tegelijk te heb-ben. Chinese mensen houden daar niet van. Wij geloven iets en hou-den daar aan vast. Honderd jaar. Vijfhonderd jaar. Zo krijg je minder misverstanden en verwarring. Ik beweer natuurlijk niet dat Chinese mensen nooit van opvatting kunnen veranderen. Als er een goede re-den voor is, doen we dat heus wel. Maar we springen niet van de ene mening op de andere en weer terug. Links en rechts, heen en weer, wanneer we maar willen, om ieders aandacht op ons gevestigd te hou-den. Hoewel, misschien vergis ik me. In één opzicht zijn Chinese men-sen anders, vandaag de dag. Ze letten heel goed op uit welke hoek de geldwind waait, en met die wind waaien ze mee.'

Ze geeft me een por. 'Libby-ah, denk je ook niet? In China zijn de mensen zo langzamerhand kapitalistischer dan waar ook. Ze kunnen zich de tijd al niet meer heugen dat het kapitalisme onze grootste vijand was. Slecht geheugen, gezonde winsten.'

Ik reageer met een beleefd lachje.

'Amerikanen zijn doorgaans ook heel kort van memorie. Geen respect voor de geschiedenis, alleen maar oog voor wat nu populair is. Maar Juffrouw Banner had wél een goed geheugen. Heel ongebruikelijk. Daarom leerde ze onze taal ook zo snel spreken. De ene dag hoorde ze een woord, en de volgende dag gebruikte ze het zelf. Libby-ah, jij hebt ook zo'n geheugen, nietwaar? Alleen dan met je ogen en niet met je oren. Hoe noem je zoiets ook weer..? Libby-ah, slaap je? Hoorde je wat ik vroeg?'

'Een fotografisch geheugen,' antwoord ik. Ja, ja, ze gaat voluit nu. Deze keer wil ze me niet laten glippen.

'Fotografisch. Juffrouw Banner had geen camera, dus zij was niet fotografisch. Maar ze kon zich altijd herinneren wat mensen onder het eten gezegd hadden. En dat het iets totaal anders was dan ze een week eerder gezegd hadden. Ze herinnerde zich dingen die haar dwarszaten. Die kon ze zelfs niet uit haar hoofd zetten. Ze herinnerde zich waar ze mensen om had horen bidden, en wat ze in plaats daarvan gekregen hadden. Ook was ze heel goed in het onthouden van beloften. Als je haar iets beloofde, o, dan zorgde ze er wel voor dat je het niet vergat. Dit was eigenlijk wel de specialiteit van haar geheugen. Ze vergat ook nooit wat ze zelf beloofd had. Voor sommige mensen is het doen van een belofte iets heel anders dan het nakomen ervan. Maar niet voor Juffrouw Banner. Wat zij beloofde, gold voor altijd, langer nog dan een leven. Zoals die plechtige belofte aan mij, nadat ze me die speeldoos gegeven had, toen de dood op ons toe kwam marcheren... Libby-ah, waar ga je heen?'

'Frisse lucht.' Ik loop naar de tunnelopening, wanhopig trachtend Kwans woorden uit te drijven. Mijn handen beven erger dan ooit. Dit is de belofte waar Kwan al zo vaak over begonnen is, en waarover ik nooit iets wilde horen, omdat ik bang was. Waarom moet ze me dit juist nu vertellen?

Maar dan denk ik: waar ben ik nou eigenlijk bang voor? Dat ik misschien wel geloof dat haar verhaal waar is? Dat het leven zichzelf herhaalt? Dat onze hoop blijft voortleven? Dat we altijd weer een nieuwe kans krijgen? Wat is daar zo verschrikkelijk aan?

Ik kijk naar de donkere hemel, waaruit alle regenwolken zijn weggetrokken. En ik herinner me een andere avond, lang geleden, met Simon; toen ik iets stompzinnigs zei over de sterren, die reeds door de eerste geliefden waren gezien. Ik hoopte toen met hart en ziel dat hij van mij zou gaan houden als van niemand anders. Maar die hoop duurde slechts kort, want ze was te groots om te behouden, groots als de hemel zelf, en het was makkelijker om toe te geven aan de angst dat die wijdse hemel me omhoog zou zuigen en verzwelgen. En nu staar ik opnieuw naar de hemel; dezelfde die Simon op dit moment ziet, die we ons hele leven al gezien hebben, met en zonder elkaar. Dezelfde hemel die Kwan ziet, en die al haar spoken en geesten hebben gezien. Juffrouw Banner. Alleen zie ik nu niet meer een immens, beangstigend vacuüm. Ik zie datgene wat zo eenvoudig is, zo evident. Het is de eeuwige verblijfplaats van de sterren, de planeten, de manen, het leven. Voor eeuwig. Ik zal het altijd kunnen vinden, het zal mij altijd vinden. Het is onveranderlijk en constant; licht in de duisternis, duisternis in het licht. Het belooft slechts dit: dat het altijd geheimzinnig, ontzagwekkend en wonderbaarlijk zal zijn. En als ik nu maar niet vergeet dat dit altijd mogelijk is, dat ik mijn ogen kan opslaan naar de hemel en me kan verliezen in mijn verwondering erover, dan zal dat mijn kompas zijn en kan ik mijn weg vinden in de chaos, wat er ook gebeuren mag. Ik mag hopen met hart en ziel, en de hemel zal er altijd zijn om me te verheffen...

'Libby-ah, ben je weer aan het piekeren? Zal ik doorgaan met vertellen?'

'O, ik vroeg me alleen maar iets af.'

'Wat dan?'

Ik houd mijn rug naar haar toegekeerd en blijf naar de hemel turen, van ster naar ster. Hun schittering is miljoenen lichtjaren onderweg geweest. Wat ik zie, is een verre herinnering, en toch zo krachtig als het leven maar zijn kan.

'Jij en Juffrouw Banner. Keken jullie ook wel eens samen naar de hemel op een avond als deze?'

'O, ja, heel vaak.' Ze staat op en komt bij me staan. 'Er was toen nog geen tv, dus de sterren waren het enige waar je 's avonds naar kijken kon.'

'Maar wat ik bedoel is: hebben jullie wel eens een avond als deze beleefd, dat jullie allebei bang waren en niet wisten wat er ging gebeuren?'

'Ah... ja, dat is gebeurd. Ze was bang dat ze ging sterven en ook bang omdat ze de man kwijt was van wie ze hield.'

'Yiban.'

Kwan knikt. 'Ik was ook bang...' Het duurt even voor ze met een schorre stem verdergaat: 'Want het was door mijn toedoen dat hij er niet was.'

'Hoezo? Wat was er dan gebeurd?'

'Wat er gebeurd was... ah, misschien wil je dat liever niet weten.'

'Is het... is het verdrietig?'

'Verdrietig, ja. Blij ook. Het ligt er maar aan hoe je het je herinnert.'

'Dan wil ik het me herinneren.'

Kwans ogen worden vochtig. 'O, Libby-ah... ik wist wel dat je het je op een dag samen met mij zou willen herinneren. Ik heb je altijd willen tonen dat ik echt je trouwe vriendin was.' Ze wendt even haar gezicht af, komt tot zichzelf en geeft me een kneepje in mijn hand. Ze glimlacht. 'Oké-oké. Maar dit is geheim. Je mag het niemand vertellen. Beloof je dat, Libby-ah..? Ah, ja, ik weet nog dat de hemel erg donker was en ons verborg. Maar tussen die twee bergen daar werd het lichter en lichter. Er brandde een groot oranje vuur...'

Ik luister kalm, niet langer bang voor Kwans geheimen. Ze reikt me haar hand en ik leg er de mijne in. En samen vliegen we de Yin-Wereld tegemoet.

21

Toen de hemel brandde

Laat me je eerst vertellen wat er gebeurde toen ik met Yiban in de grot was, van het lichtgevende meer en het stenen dorp. Ik maakte er een vreselijke fout, Libby-ah, die weer tot andere fouten leidde. Ik maakte de laatste dag van mijn leven tot een dag vol leugens.

Om te beginnen brak ik mijn belofte aan Juffrouw Banner. Met de beste bedoelingen, dat wel. Ik onthulde de waarheid aan Yiban: 'Je had gelijk. Juffrouw Banner deed inderdaad maar alsof met Generaal Cape. Ze wilde je beschermen, zorgen dat je jezelf in veiligheid zou brengen. En zie, nu ben je hier!'

Je had zijn gezicht moeten zien! Opluchting, vreugde, woede, ontsteltenis. Als een blad aan een boom, dat in één keer alle seizoenen doormaakt. 'Wat heb ik aan overleven als zij niet bij me is?' schreeuwde hij. 'Ik maak hem af, die schoft!' Hij sprong overeind.

'Wah! Waar ga je heen?'

'Haar halen.'

'Nee, nee, dat moet je niet doen.' En toen vertelde ik mijn eerste leugen van de dag: 'Ze weet hoe ze hier komen moet. We zijn hier samen heel vaak geweest.' Toen ik dit gezegd had, begon ik me direct zorgen te maken om Juffrouw Banner. Dus vertelde ik mijn tweede leugen. Ik zei dat ik me even terug moest trekken om te plassen. Ik nam de lantaren mee, want dan zou Yiban nooit weg kunnen komen uit die grot, en haastte me door alle bochten en kronkelingen naar buiten. Om Juffrouw Banner te gaan halen.

Toen ik de opening van de grot uitkroop, voelde ik me alsof ik opnieuw geboren werd. Het was dag geworden, maar de lucht was wit in plaats van blauw; alle kleur was eruit verdwenen, behalve een kring van bleke tinten rond de zon. Was de wereld nu al veranderd? Wat zou ik achter de bergen aantreffen, leven of dood?

Toen ik uit de tunnel boven Changmian kwam, voelde ik grote opluchting. Ik zag iedereen zijn dagelijkse gang gaan. Leven! Iedereen leefde! Op het pad naar beneden stuitte ik op een man die zijn buffel leidde. Ik vertelde hem het nieuws van de komende invasie en vroeg hem zijn familie en vrienden te waarschuwen: 'Laat hen alle tekens van God en Jezus verwijderen, zoals *Het Goede Nieuws*. Laat ze zachtjes spreken en kalm blijven. Anders zullen Cape en zijn soldaten lont ruiken en begint de slachting vandaag al in plaats van morgen.'

Ik rende op andere mensen af en zei tegen hen hetzelfde. Ik bonkte op de poorten van de uitgebouwde huizen waar de Hakka woonden, soms wel met tien gezinnen onder één dak. Van huishouden naar huishouden snelde ik. Hah! Ik vond mezelf reuzeslim, dat ik het dorp zo grondig op de hoogte stelde van het komende gevaar. Maar toen hoorde ik een man schreeuwen: 'Ik zal wel zorgen dat ze jou te pakken nemen, vuile strontworm!' En zijn buur schreeuwde terug: 'Mij verlinken? Ik zal de Mantsjoes zeggen dat jij de bastaardbroer van de Hemelse Koning bent!'

En precies op dat moment – krikkrakk – weerklonk een geluid als van knappend droog hout. Iedereen viel stil. Toen klonk opnieuw gekraak, maar nu alsof er een hele boomstam in tweeën werd gespleten. Een man die vlak naast me stond, riep: 'Geweren! Daar heb je de soldaten al!' En het volgende moment stroomden alle mensen hun huizen uit en hielden elkaar bij de mouwen vast terwijl ze door het dorp renden.

'Wie zijn dat?'

'Wát! Een executiebevel voor alle Hakka?'

'Vooruit! Ga je broertjes zoeken. We gaan ervandoor!'

Het geroep werd tot geschreeuw, het geschreeuw werd tot gegil, en daarboven hoorde je nog het gejammer van moeders die hun kind kwijtgeraakt waren in het rumoer. Ik stond midden op het pad en de radeloos rondrennende mensen botsten van alle kanten tegen me aan. Wat had ik aangericht! Nu kon het hele dorp met één salvo worden uitgeroeid. Ik zag mensen tegen de bergen omhoog klauteren; ze verspreidden zich over de hellingen als sterren aan de hemel.

Ik begaf me op weg naar het huis van het Koopmansspook. Toen ik het naderde, hoorde ik weer een knal. Maar die kwam van daarbinnen. Bij de achterpoort aangekomen hoorde ik opnieuw een schot; het daverde door de gangetjes. Ik glipte de achterste binnenplaats op en bleef stilstaan. Ik haalde adem en luisterde, en hoorde alleen nog mijn ademhaling. Stilte. Ik sloop de keuken binnen en legde mijn oor tegen de deur naar de eetkamer. Geen geluid. Ik duwde de deur open en snelde naar het raam dat uitzag op de grote binnenplaats. Ik zag de twee soldaten van Cape, die de wacht hielden bij de poort. Wat een geluk, ze sliepen! Maar toen keek ik nog eens. Van één soldaat lag een arm in een rare knik, van de ander een been. Ai! Ze waren dood! Wie had dat gedaan? Hadden ze Cape boos gemaakt? Was hij iedereen aan het vermoorden? En waar was Juffrouw Banner?

Ik liep de gang in die naar haar kamer leidde en zag het naakte lichaam van een man liggen, het gezicht tegen de grond, en honderden vliegen die smulden van de hersenmassa die uit zijn verbrijzelde schedel was gevloeid. Ai-ya! Wie was deze pechvogel? Dokter Te Laat? Dominee Amen? Ik sloop op mijn tenen langs het lijk, alsof ik het niet wakker wilde maken. Enkele passen later zag ik het schenkelbot liggen van het feestmaal waarop Cape de zendelingen had getrakteerd. Het zat vol met gestold bloed en in het bloed kleefden haren. Dit moest het werk van Generaal Cape zijn. Wie had hij nog meer vermoord? Ik schrok op uit mijn overpeinzing door geluiden die uit het Huis van God kwamen. De speeldoos tingelde en Dominee Amen zong, alsof het een gewone zevende dag was. Terwijl ik de binnenplaats naar het Huis van God overstak, ging het gezang van Dominee over in gesnik, en dat ging over in het gebrul van een wild dier. Maar ik kon nu ook Juffrouw Banner horen. Ze leefde dus nog! Ze sprak op een bestraffende toon, alsof ze een ondeugend kind een standje gaf. Maar toen veranderde haar toon ook. Ze jammerde 'nee nee nee nee' – en dan een schot. Ik bedacht me geen moment en rende het Huis van God binnen. Wat ik zag, maakte dat mijn lichaam van steen werd, en daarna van los zand. Bij het altaar lag Juffrouw Banner in haar mooie gele jurk. Naast haar lagen de Jezusaanbidders in glimmend zwart. Een vlinder en vier kevers, doodgetrapt op de vloer. Wah! Het was zo snel gegaan dat hun kreten nog door de ruimte galmden. Nee, wacht eens... dat was geen nagalm… 'Juffrouw Banner?' riep ik. Ze tilde haar hoofd op. Haar haren zaten los, haar mond was een stil zwart gat. Bloedspatten op haar boezem. Ai, misschien was ze toch wel dood.

'Juffrouw Banner, bent u een geest?'

Ze bracht een diep gekreun uit, dat mijn vrees leek te bevestigen, maar toen schudde ze haar hoofd en stak een hand naar me uit. 'Help mij, Juffrouw Moo. Mijn been is gebroken.'

Toen ik naar het altaar liep, dacht ik dat de zendelingen zich ook zouden oprichten, maar zij bleven roerloos liggen, hand in hand, in helrode bloedplassen. Ik knielde bij haar neer. 'Juffrouw Banner,' zei ik, terwijl ik vanuit mijn ooghoeken alle hoeken van Gods Huis afspeurde, 'waar is Cape?'

'Dood.'

'Dood? Maar wie heeft dan de zendelingen…'

'Ik ben niet in staat daar nu over te praten.' Haar stem was beverig en gejaagd, wat me deed denken dat zij misschien… Maar nee, ik kon me niet voorstellen dat Juffrouw Banner ooit iemand zou doden. Met een angstig gezicht vroeg ze: 'Vertel me, snel. Yiban. Waar is Yiban?'

Toen ik zei dat hij veilig in een grot zat, verslapte haar gezicht van opluchting. Ze begon te snikken. Ik probeerde haar te troosten. 'U zult weldra met hem verenigd zijn. Die grot is hier niet ver vandaan.'

'Ik kan geen stap doen. Mijn been…' Ze tilde haar jurk op en ik zag dat haar rechterbeen heel erg opgezet was. Er stak een stuk bot door haar huid. Nu vertelde ik mijn derde leugen: 'Dit is niet erg. Waar ik vandaan kom, lopen mensen met zulke verwondingen nog moeiteloos de bergen in. Van een buitenlandse dame als u valt dat natuurlijk niet te verwachten, maar als ik uw been eenmaal verbonden heb, kunnen we hier heus wel weg.'

Ze glimlachte. Het was mooi om te zien dat liefde iemand alles laat geloven wat ook maar een beetje hoop schenkt. 'Wacht hier,' zei ik. Ik rende naar haar kamer en doorzocht de lade met haar damesgoed. Ik vond wat ik zocht: het stijve kledingstuk dat ze gebruikte om haar middel in te snoeren en haar boezem op te duwen, en haar kousen met de gaten in de hielen. Nadat ik met deze spullen haar been had gespalkt, hielp ik haar opstaan en naar een bank achter in het Huis van God hinken. Daar was ze voldoende ver uit de buurt van de dode zendelingen om me te kunnen vertellen hoe ze gestorven waren.

Ze begon haar relaas met wat er gebeurd was nadat Lao Lu zijn hoofd verloor en ik van mijn stokje ging. De Jezusaanbidders waren hand in hand het lied van de speeldoos gaan zingen: 'Want na onze dood zal de Heer ons begroeten.'

'Hou op met zingen!' had Cape bevolen. En toen had Juffrouw Muis, je weet hoe nerveus die altijd was, hem toegeschreeuwd: 'Ik vrees u noch de dood. Alleen God. Want als ik sterf, zal ik naar de hemel gaan, net als deze arme man die u vermoord hebt. Maar u, duivelskind, zult roosteren in de hel!' Denk je eens in, Juffrouw Muis die zoiets durft te zeggen! Als ik erbij was geweest, had ik gejuicht.

Maar Cape werd niet bang van haar woorden. 'Roosteren?' zei hij. 'Ik zal je eens laten zien wat de duivel graag roostert.' En hij riep naar zijn soldaten: 'Hak deze dooie hier een been af en rooster het boven een vuurtje.' De soldaten gierden van de lach, want ze dachten dat hij een grap maakte. Maar hij blafte het bevel nogmaals, waarop ze haastig gehoorzaamden. De buitenlanders huilden en probeerden weg te komen. Hoe konden ze zo'n vreselijk schouwspel gadeslaan? Maar Cape snauwde hun toe dat als ze niet bleven kijken en daarbij lachten, hij vervolgens hun handen zou laten roosteren. Dus bleven ze kijken, lachend en brakend tegelijk.

Iedereen was als de dood voor Cape. Behalve Lao Lu, want die was al dood. En toen hij zijn been aan een spit zag draaien... Tja, hoeveel kan een geest verdragen voor hij besluit wraak te nemen?

De volgende ochtend in alle vroegte, nog voor de zon opkwam, hoorde Juffrouw Banner een klop op haar kamerdeur. Naast haar bleef Cape rustig doorslapen. Toen hoorde ze een stem, een boze stem, die haar bekend in de oren klonk en ook weer niet. Het was een man, schreeuwend in het ruwe Cantonees van werklui: 'Hé, Cape, nepgeneraaltje! Sta op, luie hond! Kom eens kijken... Broeder Jezus is gekomen om jouw smerige karkas naar de hel te slepen!' Wah! Wie kon dat zijn? Zeker niet een van zijn soldaten. Maar wie zou anders kunnen praten als een grove koelie?

Cape schreeuwde terug: 'Waar haal je de moed vandaan om mij wakker te maken! Ik maak je af!'

En de Chinese stem riep: 'Te laat, zoon van een zwerfhond. Ik ben al dood!'

Cape sprong uit bed en greep zijn pistool. Maar toen hij de deur opengooide, begon hij te lachen. Daar stond Dominee Amen, de krank-zinnige. Te vloeken als een rasechte koelie, het schenkelbot van het vorige avondmaal over zijn schouder geslagen. Wat vreemd, dacht Juf-frouw Banner bij zichzelf, dat Dominee opeens de taal der inlanders beheerst. Ze snelde naar de deur om de gek te zeggen dat hij zich maar beter uit de voeten kon maken. En toen Cape zich omdraaide om haar terug te duwen, haalde Dominee Amen uit met het bot en verpletterde de schedel van de namaakgeneraal. Hij bleef in het wilde weg op de neerzijgende Cape inslaan, met zo veel blinde woestheid dat een van de slagen Juffrouw Banner op haar scheenbeen trof. Uiteindelijk, toen zijn slachtoffer al lang dood was, gooide hij het bot weg en riep: 'Zo, schoft, en als we elkaar straks in de andere wereld tegenkomen, krijg je ook nog een trap onder je hol met mijn goede been!'

Dat deed Juffrouw Banner vermoeden dat Lao Lu in Dominees lege geest gevaren was. Vol afgrijzen keek ze naar deze man die zowel dood als levend was. Hij greep Cape's pistool en rende de binnenplaats op, naar de soldaten die bij de poort op wacht stonden. Vanwaar ze lag, kon Juffrouw Banner twee harde knallen horen, en dan Dominee Amen in zijn eigen, oude stem: 'Lieve God, wat heb ik gedaan?'

Dat geknal had hem uit zijn schemertoestand gewekt.

Met een lijkbleek gezicht strompelde Dominee terug naar zijn kamer, maar op weg daarheen ontdekte hij het lijk van Cape en toen Juffrouw Banner met haar gebroken been. Ze kromp ineen alsof ze weer een slag verwachtte.

Urenlang bespraken de Jezusaanbidders wat er gebeurd was en wat hun nu te doen stond. Juffrouw Banner hoorde de wanhoop in hun stemmen. Als de Mantsjoes zagen wat Dominee gedaan had, zei Juf-frouw Muis, dan werden ze allen doodgemarteld. Wie van hen had de kracht om de ontzielde lichamen weg te dragen en te begraven? Nie-mand. Moesten ze vluchten? Niemand wist waarheen. Toen opperde Dokter Te Laat dat ze een eind aan hun ellende konden maken door zichzelf het leven te benemen. Maar Mevrouw Amen zei: 'Zelfmoord is een grote zonde, net zo erg als het vermoorden van een ander.'

'Dan zal ik ons uit ons lijden helpen,' zei Dominee Amen. 'Ik ben al tot de hel gedoemd omdat ik drie levens genomen heb. Laat me dan ook degene zijn die jullie de vrede van het graf schenkt.'

Juffrouw Banner was de enige die zich tegen dit voorstel verzette. 'Er is altijd hoop,' zei ze. Maar daarop zeiden de zendelingen dat hun geen andere hoop resteerde dan die van het hiernamaals. Dus moest ze toekijken hoe ze nog eenmaal in gebed verzonken en het muffe brood van het Avondmaal aten, dat Mevrouw Amen in haar lade opgespaard had. Ze dronken er water bij en deden alsof het wijn was. En toen slikten ze de opiumpillen van Dokter Te Laat om hun pijn te kunnen vergeten.

Wat daarna gebeurde, weet je al.

Juffrouw Banner en ik waren niet in staat de Jezusaanbidders te begraven, maar we wilden hen ook niet achterlaten als voer voor hongerige vliegen. Ik ging naar de tuin en trok de witte kleren van de lijn, die ik de vorige dag nog gewassen had. Wat een vreselijke dingen waren er gebeurd in de tijd dat deze kleren van nat in droog waren veranderd. Terwijl ik onze vrienden in deze geïmproviseerde lijkwaden wikkelde, ging Juffrouw Banner naar hun kamers om van ieder een aandenken te pakken. Omdat Cape al hun waardevolle bezittingen al gestolen had, moest ze genoegen nemen met prullen. Van Dokter Te Laat nam ze een flesje dat ooit zijn pillen had bevat. Van Juffrouw Muis het handschoentje dat ze altijd tussen haar vingers verfrommelde als ze zenuwachtig was. Van Mevrouw Amen wat reserveknoopjes, waarvan ze er veel had omdat de knopen vaak van haar blouse sprongen als ze met te veel hartstocht zong. Van Dominee Amen een boekje over reizen. En van Lao Lu het blikje met de geperste blaadjes van de heilige boom. Ze legde alles in haar speeldoos, bij het boekje waarin ze haar gedachten neerschreef. Daarna staken we de stompjes kaars op het altaar aan. In mijn zak vond ik de opwindsleutel die Juffrouw Banner me de vorige avond gegeven had. We wonden de speeldoos op en Juffrouw Banner zong nog eenmaal het lied waar de zendelingen zo van hadden gehouden.

Na het lied baden we tot hun God. Ditmaal meende ik het oprecht. Ik boog mijn hoofd, sloot mijn ogen en zei hardop: 'Ik heb zes jaar met ze geleefd. Ze waren als familie, al kende ik ze niet erg goed. Maar ik kan U verzekeren dat ze trouwe vrienden waren van Uw zoon, en ook van ons. Heet hun welkom. Ook Dominee.'

•

Hoeveel tijd hadden we nog eer de Mantsjoes zouden komen? Ik wist het niet, toen, maar nu wel – niet genoeg.

Voor we vertrokken, scheurde ik de doordeweekse jurk van Juffrouw Banner tot een draagdoek voor de speeldoos. Met die draagdoek over mijn linkerschouder en Juffrouw Banner leunend op mijn rechter gingen we op weg. Toen we de deur van Gods Huis openden, blies ons een windvlaag in het gezicht. Ik keek om en zag de lijkwaden van de Jezusaanbidders opwaaien alsof er weer leven in hun lichamen kwam. De wind blies een stapel van *Het Goede Nieuws* omver en een aantal pamfletten vloog tegen de brandende kaarsen aan en vatte vlam. Vrijwel onmiddellijk kon ik het Koopmansspook ruiken. De geur van pepers en knoflook, heel sterk, alsof er een thuiskomstfeest werd voorbereid. En het kan uit angst geboren fantasie zijn geweest, maar ik zag hem. Juffrouw Banner niet, maar ik wel. Zijn lange gewaad, en daaronder twee nieuwe voeten in schoenen met dikke zolen. Hij liep voldaan knikkend rond, eindelijk terug in zijn rampzalige huis.

Hinkend en strompelend werkten Juffrouw Banner en ik ons omhoog, naar de tunnel tussen de bergpieken. Af en toe struikelde ze en zette haar gewonde been op de grond. En dan gilde ze van pijn en zei: 'Laat mij maar achter. Ik kan niet meer.'

'Hou op met die onzin,' antwoordde ik elke keer. 'Yiban wacht vol ongeduld.' En dat was steeds genoeg om haar weer op gang te krijgen.

Voor we de eerste tunnel binnengingen, keek ik om naar het dorp. Het lag er volstrekt verlaten bij. Het huis van het Koopmansspook stond voor de helft in brand. Er hing een grote zwarte wolk boven, als een signaal aan de Mantsjoes dat ze op moesten schieten.

Toen we de tweede tunnel bereikten, hoorden we de explosies. Het was al donker aan het worden. Onze kleren waren doorweekt van het zweet, zo veel moeite had het gekost om tot daar te komen. Nu moesten we nog langs het ravijn, waar één enkele misstap ons in de diepte zou doen storten. 'Vooruit, Juffrouw Banner,' zei ik. 'We zijn er nu bijna.' Ze keek naar haar been, dat nu opgezwollen was tot tweemaal de normale dikte.

Ik kreeg een idee. 'Wacht hier,' zei ik, 'dan ga ik vooruit, Yiban halen. Zodat we u met z'n tweeën de schuilgrot in kunnen dragen.' Ze greep mijn handen en ik kon zien dat ze bang was om alleen te worden gelaten.

'Neem de speeldoos mee,' zei ze, 'en verstop hem op een veilige plek.'
'Ik kom terug,' antwoordde ik. 'Dat weet u toch, nietwaar?'
'Ja, ja, natuurlijk. Ik zei het alleen maar zodat jullie die doos straks niet ook nog te dragen hebben.' Dus nam ik die houten doos vol herinneringen mee en begon over de wand van het ravijn te klauteren.

Bij elke spleet of grot die ik passeerde, hoorde ik mensen roepen: 'Bezet! Geen plaats meer!' Ah, dus daar waren alle dorpelingen. De grotten zaten volgestopt met angst, honderden bange monden die amper durfden te ademen. Ik zocht de grot waarvan de ingang achter een struik en een groot rotsblok schuilging. Meer explosies! De tijd drong en ik begon te vloeken als Lao Lu. Maar dan, eindelijk, vond ik het rotsblok en liet ik mezelf zakken in de opening erachter. De lantaren stond er nog, een goed teken: niemand was na mij de grot binnengegaan en Yiban was er niet uit. Ik zette de speeldoos neer, stak de lamp aan en begon weer aan de kronkelige afdaling, hopende dat mijn uitgeputte geest me geen verkeerde richting op zou sturen. Maar zie, daar was de gloed – als een zonsopgang in een wereld vrij van zorgen. Ik sprong de ruimte met het stralende meer in en riep: 'Yiban! Yiban! Ik ben er weer. Kom mee, dan gaan we Juffrouw Banner halen! Ze wacht buiten, tussen de veiligheid en de dood.'

Er kwam geen antwoord. Dus riep ik nog een keer, harder. Ik liep rond het meer en mijn hart werd bestormd door vele angsten. Had hij toch geprobeerd weg te komen en was hij nu verdwaald? Was hij in het meer gevallen en verdronken? Ik doorzocht het stenen dorp. Wat was dat? Een muur was omvergeduwd. En even verderop waren de stenen van die muur op elkaar gestapeld. Mijn oog draaide opwaarts en in mijn geest kon ik iemand van steen naar steen omhoog zien klimmen, helemaal tot bij een scheur in het dak van de grot. Een scheur die net wijd genoeg was om een volwassen man door te laten. Door die scheur was al onze hoop verdwenen.

Toen ik terugkwam, stak het hoofd van Juffrouw Banner verlangend uit de tunnelopening. 'Yiban, ben je daar?' riep ze. En toen ze zag dat ik alleen was: 'Owee! Is hij dood?'

Ik schudde mijn hoofd en vertelde haar hoe ik mijn belofte had gebroken. 'Hij heeft niet langer willen wachten en is naar u op zoek gegaan. Het is mijn schuld.' Maar in plaats van te zeggen wat ik dacht, dat we alle drie veilig waren geweest als Yiban de grot niet verlaten had, hinkte ze naar de andere opening van de tunnel en tuurde naar hem in de duisternis. Ik ging achter haar staan, mijn hart aan stukken gescheurd. In de verte kleurde de hemel oranje, en de wind geurde naar verse as. En toen zagen we een lint van kleine lichtjes door de vallei trekken; de lantarens van Mantsjoe-soldaten.

De dood kwam op ons af, wisten we.

Toch huilde Juffrouw Banner niet. Ze zei: 'Juffrouw Moo, waar gaat u heen, straks? Naar welke plaats? Uw hemel of de mijne?'

Wat een rare vraag. Alsof ik kiezen kon! De goden kozen toch zeker voor ons? Maar ik wilde van ons laatste gesprek geen twistgesprek maken, dus zei ik: 'Waar Zeng en Lao Lu zijn, daar zal ook ik heengaan.'

'Uw hemel, dus.' We zwegen even. 'Waar u heen gaat, Juffrouw Moo, moet je daar Chinees voor zijn? Of zouden ze mij ook toelaten?'

Deze vraag was nog gekker dan de vorige! 'Dat weet ik niet. Ik heb nog nooit iemand gesproken die een bezoek had gebracht. Maar ik denk dat als je Chinees kunt spreken... dat volstaat misschien wel. Ja, nu ik erover denk, daar ben ik zeker van.'

'En Yiban... aangezien hij half om half is, waar zou hij heen gaan? Als we elkaar mislopen...'

Ah, nu begreep ik haar rare vragen! Ik wilde haar troosten, dus vertelde ik mijn laatste leugen. 'Kom met mij mee, Juffrouw Banner. Yiban heeft het mij al gezegd. Als hij sterft, wil hij u weerzien in de Yin-Wereld.'

Ze geloofde me. Ik was immers haar trouwe vriendin. 'Neem mijn hand, alstublieft, Juffrouw Moo. En laat niet los voor we gearriveerd zijn.'

En zo wachtten we samen, blij en verdrietig tegelijk. Doodsbang tot aan het moment van onze dood.

22

Als licht en donker in evenwicht zijn

T egen het eind van Kwans verhaal begint de fonkelende sterrenhemel te verfletsen in het eerste zonlicht. Ik sta in de tunnelopening, de grillige schaduwen in het ravijn af te speuren.
'Weet jij nog hoe we gestorven zijn?' vraagt Kwan achter me.

Ik schud mijn hoofd, maar herinner me iets wat ik altijd voor een
terugkerende droom versleten heb: speerpunten die het licht van lantarens weerkaatsen, de korrelige stenen muur achter me. En dan zie ik
het weer, voel het weer: de wurgende angst. Ik hoor de briezende paarden ongeduldig met hun hoeven stampen, terwijl er een ruw touw om
mijn hals wordt gegooid en vastgesnoerd. Ik hap naar adem, de aders
in mijn hals bonken. Iemand knijpt in mijn hand... Kwan... maar dan
veel jonger, en ze draagt een ooglap. En net als ik 'Niet loslaten!' wil
roepen, worden de woorden uit mijn mond weggerukt en stijg ik met
duizelingwekkende snelheid omhoog, de lucht in. Ik voel iets knappen
en mijn angst valt terug naar de wereld, terwijl ikzelf steeds sneller opwaarts vlieg. Geen pijn! Wat zalig om vrij te zijn! Maar ik ben nog niet
helemáál vrij. Want Kwan houdt nog steeds mijn hand vast.

Ze knijpt er weer in. 'Je weet het weer, ah?'

'Ik geloof dat ze ons opgehangen hebben.' Mijn lippen bewegen zich
traag in de kille ochtendlucht.

Kwan fronst. 'Hang? Hmmm. Denk niet. Mantsjoe-soldaten toen
mensen niet ophangen. Te veel moeite. Geen boom ook.'

'Oké, zeg jij dan maar hoe het gebeurde.'

Ze haalt haar schouders op. 'Weet niet daarom jou vraag.'

'Wát! Weet jíj het ook niet?'

'Gaan zo snel! Ene minuut staan híer, volgende wakker worden dáár. Intussen lange tijd voorbij. Ik lang dood voor zelf weten. Zelfde als ziekenhuis elektroshocks, ik wakker denk hé waar ben ik? Wie weet vorig leven bliksem komen, jou mij snel andere wereld. Koopmansspook ook denken snel sterven. Pao! Weg! Alleen voeten blijven.'

Ik schater het uit. 'Niet te geloven... ben je eindelijk, eindelijk aan het eind van je verhaal, blijk je niet te weten hoe het afloopt!'

Ze knippert met haar ogen. 'Afloop? Jij dood dat niet eind jouw verhaal. Betekent juist verhaal geen eind... Hé, kijk! Zon bijna op.' Ze rekt zich uit. 'Wij nu Simon zoeken. Zaklantaren mee, dekentje.' En ze struint zonder nog iets te zeggen de tunnel uit. Ik volg haar, en weet waar we heen gaan – naar de grot, waar Yiban had moeten blijven, en waarin Simon hopelijk verzeild is geraakt.

We trekken omhoog langs de brokkelige ravijnwand, zetten bij elke stap onze voeten aarzelend neer voor we er ons volle gewicht op overbrengen. Mijn wangen tintelen. Eindelijk krijg ik dan die verdomde grot te zien, die zowel vervloeking als hoop is. En wat zullen we er aantreffen? Simon, rillend maar nog steeds in leven? Of Yiban, nog steeds wachtend op Juffrouw Banner? De gedachte maakt me onvoorzichtig; ik glijd uit over de losse steenslag en land op mijn achterste.

'Pas op!' roept Kwan.

'Waarom zeggen mensen altijd dat je op moet passen als het al te laat is?'

'Niet te laat. Volgende keer misschien niet vallen. Hier, neem hand.'

'Alles oké.' Ik buig mijn been. 'Zie je? Niks gebroken.' En we gaan weer verder, met Kwan die elke twee seconden bezorgd achterom kijkt. Als we op zeker moment langs de ingang van een grot komen, kijk ik naar binnen, benieuwd of ik tekens van prehistorisch leven zie, of van recenter leven. 'Zeg, Kwan, wat gebeurde er uiteindelijk met Yiban en met de dorpelingen?'

'Ik was al dood,' antwoordt ze in het Chinees, 'dus ik weet het niet zeker. Ik ken alleen de overlevering die ik in dit leven hoorde vertellen. En wie weet wat daarvan waar is? De mensen van de andere dorpen voegden er van jaar tot jaar hun eigen fantasieën aan toe, en hun verhalen sijpelden als stroompjes langs de bergen tot ze op de grond tot één groot spookverhaal samenvloeiden. En dat kwam erop neer dat Changmian een vervloekt dorp is.'

'En, hoe gaat dat verhaal?'

'Ah, wacht even. Laat me eerst op adem komen!' Ze gaat op een plat rotsblok zitten uitpuffen. 'Het verhaal gaat zo. De Mantsjoe-soldaten konden de vluchtelingen horen huilen in de grotten. "Kom naar buiten!" brulden ze. Maar dat deed natuurlijk niemand. Zou jij dat hebben gedaan? Dus verzamelden de soldaten dorre takken en struiken en legden die bij de ingangen van de grotten. Toen de eerste vuurtjes oplaaiden, begonnen de vluchtelingen te gillen, maar er kwam ook nog een ander geluid uit de grotten, een diep gerommel, en even later braakte zowat elke grot een zwarte rivier van vleermuizen uit. De lucht was er helemaal vol van. Met hun klapwiekende vleugels wakkerden ze het vuur aan; zo hoog, dat het hele ravijn vlam vatte! De tunnel, de wanden, alles werd tot een zee van vuur. Enkele soldaten te paard konden ontkomen, maar de rest niet. Toen de week daarop een volgend peloton soldaten in Changmian aankwam, vonden die niemand meer, dood of levend. Het dorp was helemaal leeg, ook het huis van het Koopmansspook. Zelfs geen lijken. En in het ravijn vonden ze alleen maar as, en honderden grafmonumenten uit opgestapelde stenen.'

Kwan staat op. 'We gaan weer.' En daar gaat ze.

Ik haast me achter haar aan. 'Waren de dorpelingen allemaal omgekomen?'

'Misschien wel, misschien niet. Een maand later trok een reiziger uit Jintian door Changmian en hij trof het dorp bruisend van leven aan. Honden rolden speels door het stof, mensen maakten ruzie, kleine kinderen waggelden achter hun moeders aan. Alsof het dorpsleven geen enkele onderbreking had gekend. De reiziger sprak de dorpsoudste aan. "Hé, is hier niets gebeurd toen de Mantsjoes kwamen?" De oudste trok zijn wenkbrauwen op en zei: "Soldaten? Ik kan me niet herinneren dat hier soldaten geweest zijn." Toen zei de reiziger: "Maar daar zie ik toch een groepje geblakerde gebouwen." En de dorpsoudste zei: "O, dat. Vorige maand kwam het Koopmansspook thuis en gaf een feest voor het hele dorp. En toen maakte een van de spookkippen zich van het spit los en vloog met zijn brandende vleugels tegen het dak aan, dat vlam vatte." Dus je begrijpt: toen die reiziger weer terug was in Jintian had hij in de hele streek rondverteld dat Changmian een dorp van geesten was... Wat? Waarom lach je?'

'Ik denk eerder dat Changmian een dorp van leugenaars was. Ze lieten de mensen geloven dat ze geesten waren. Dan hoefden ze bij een volgende oorlog niet meer naar die grotten te vluchten.'

Kwan klapt in haar handen. 'Gisse meid! Je hebt gelijk! Grote Ma vertelde me eens het volgende. In ongeveer dezelfde tijd vroeg een andere reiziger aan een jongeman uit ons dorp: "Hé, ben jij een geest?" Waarop die jongeman naar een stoffig veldje vol kale rotsen wees en zei: "Hoe zou een geest zo'n fraaie rijstakker kunnen onderhouden?" Die bezoeker had overigens moeten begrijpen dat de jongeman hem in de maling probeerde te nemen. Want een echte geest had natuurlijk niet staan opscheppen over rijst. Die zou minstens van een perzik-boomgaard hebben gesproken! Ah?'

Ze wacht tot ik met deze redenatie instem. 'Ja, da's nogal logisch,' lieg ik in de beste Changmian-traditie.

Dan gaat ze verder: 'Na een tijdje kregen de dorpelingen genoeg van hun eigen verzinsel. Niemand wilde meer handel drijven met Changmian. En niemand wilde dat hun zoon of dochter met een meisje of jongen uit Changmian trouwde. Dus werd dit hun volgende verhaal: "Nee, wij zijn geen geesten. Natuurlijk niet. Maar in een van de grotten in het ravijn voorbij de tweede bergkam woont een kluizenaar, en die zou wél eens een geest kunnen zijn. Of anders een onsterfelijke – hij heeft tenminste heel lang haar en een woeste baard. Ik heb hem zelf nooit gezien, maar het schijnt dat hij zijn grot alleen bij het ochtend-gloren en de avondschemering verlaat, als licht en donker in evenwicht zijn. Dan doolt hij rond tussen de graven, op zoek naar het graf van zijn geliefde. En omdat hij niet weet welk graf dat is, verzorgt hij ze allemaal." '

'Yiban?' Ik houd mijn adem in.

Ze knikt. 'Misschien begon dit verhaal zelfs al de ronde te doen toen Yiban nog leefde en nog op Juffrouw Banner wachtte. Maar toen ik zes jaar oud was, vlak na mijn verdrinkingsdood, heb ik hem met mijn yin-ogen gezien. Toen was hij zeker een geest. Ik liep in het ravijn brandhout te rapen, tegen zonsondergang was het, en opeens hoorde ik mannenstemmen. Ik liep tussen de graven door en trof twee oude mannen aan, één had een kaal hoofd en de ander lang haar en een lange baard. Ze stonden keien op elkaar te stapelen. "Dag Oudoompjes," zei ik beleefd, "wat doen jullie daar?"

De oudste van de twee, de kale, had een slecht humeur. "Schijt nog aan toe!" bromde hij. "Je hebt nu twee ogen, gebruik die dan! Je kunt toch zeker wel zien wat we aan het doen zijn?" De man met het lange haar was vriendelijker. "Kijk, lief kind," zei hij, en hij hield een steen met een scherpe rand omhoog. "Tussen leven en dood ligt een punt van evenwicht waarop je het onmogelijke tot stand kan brengen. Dat punt zoeken wij." Hij legde die steen voorzichtig op een andere. Maar ze vielen allebei van de stapel, precies op de voet van zijn metgezel. "Naai je ouwe moer, jij!" vloekte de kale man. "Je hakt mijn poot er zowat af! Je moet niet zo gehaast te werk gaan, idioot! Het juiste punt ligt niet in je handen alleen. Je moet je hele lichaam en geest gebruiken om het te vinden!" '

'Dat was dus Lao Lu.'

Ze grinnikt. 'Honderd jaar dood en nog altijd het vloeken niet afgeleerd! Achteraf begreep ik dat ze vastzaten, niet naar de volgende wereld konden overgaan, omdat ze te veel toekomstige spijt hadden.'

'Toekomstige spijt? Wat is dat nou weer?'

'Zal ik uitleggen. Je denkt: ik moet dit doen, want dan zal dat gebeuren, maar als dat gebeurt, zal ik me zo voelen, en zo wil ik me eigenlijk niet voelen, dus kan ik het toch maar beter niet doen. Op die manier kom je vast te zitten. Zoals Lao Lu. Hij vond het erg dat Dominee Amen was gestorven in de overtuiging dat hij Cape en zijn soldaten gedood had. En om het goed te maken, besliste hij dat hij in het volgende leven als de vrouw van Dominee Amen zou terugkomen. Maar telkens als hij aan de toekomst dacht die hij zichzelf in het verschiet had gesteld, zag hij in dat hij elke zondag naar dat gepreek zou moeten luisteren, amen-dit amen-dat, amen-zus amen-zo. En bij die gedachte moest hij vreselijk vloeken. En als je grof in de mond bent, kun je natuurlijk nooit als vrouw van een dominee ter wereld komen. Dus kwam hij vast te zitten.'

'En Yiban?'

'Toen hij Juffrouw Banner niet had kunnen vinden, dacht hij dat ze gestorven moest zijn. Dat maakte hem bedroefd. Maar dan dacht hij dat ze misschien wel bij Cape was gebleven. En die gedachte maakte hem nog droeviger. Toen hij stierf, vloog hij direct naar de Jezushemel om Juffrouw Banner te zoeken. En toen hij haar daar niet vond, geloofde hij dat ze samen met Cape naar de hel was gegaan.'

'Kwam het nooit bij hem op dat ze ook nog naar de Yin-Wereld kon zijn gegaan?'

'Kijk! Dat is nou de ellende als je vast komt te zitten! Komen er dan verstandige gedachten in je op? Vergeet het maar. Komen er slechte gedachten bij je op? Meer dan je lief is.'

'Dus hij zit nog steeds vast.'

'O, nee-nee-nee-nee-nee! Want ik heb hem over je verteld.'

'Wát heb je verteld?'

'Waar je was. Wanneer je weer geboren zou worden. En nu wacht hij hier opnieuw op je...'

'Simon?'

Er verschijnt een enorme grijns op haar gezicht en ze wijst op een rotsblok. Daarachter, amper zichtbaar, bevindt zich een nauwe opening.

'Is dat de grot met het meer?'

'Jazeker.'

Ik steek onmiddellijk mijn hoofd naar binnen en schreeuw: 'Simon! Simon! Ben je daar? Ben je in orde?'

Kwan grijpt me bij mijn schouders en trekt me voorzichtig achteruit. 'Ik binnen halen gaan hem. Waar zaklantaren?'

Ik vis de zaklantaren uit de rugzak en druk op het knopje. Geen licht. 'Verdomme! Hij moet de hele nacht gebrand hebben. De batterij is op.'

'Geef.' Ze neemt de zaklantaren in haar hand en hij begint direct te branden. 'Zie? Niet leeg oké!' Ze maakt aanstalten om de grot binnen te gaan. Ik wil haar volgen.

'Nee-nee, Libby-ah, uit blijven.'

'Waarom?'

'Voor geval...'

'Voor welk geval?'

'Voor geval! Niet zeuren!' Ze grijpt mijn hand en knijpt erin. Zo hard dat het pijn doet. 'Beloven, ah?'

'Ja, goed. Beloofd.'

Ze glimlacht. En het volgende ogenblik is haar gezicht verwrongen in een uitdrukking van diep verdriet. De tranen biggelen over haar wangen.

'Kwan? Wat is er?'

Ze knijpt nogmaals in mijn hand en snikt: 'O, Libby-ah, ik zo blij kan jou goedmaken. Nu jij weten alle mijn geheimen, geeft vrede.' Ze omhelst me.

Ik bloos. Ik heb het altijd al moeilijk gehad met haar emotionele uitbarstingen. 'Goedmaken? Wat goedmaken? Schei uit, Kwan, je bent me niets verschuldigd.'

'Ja-ja! Jij mijn trouwe vriendin.' Ze snift nog wat na. 'Jij gaan Yin-Wereld omdat ik zeg Yiban daarheen. Maar hij gaan Jezushemel jou mislopen... Zo zielig... Mijn fout jullie leed, daarom ik zo blij eerste keer zie Simon, dan weet: ah, eindelijk!'

Ik maak me los uit haar omhelzing. Mijn hoofd gonst. 'Kwan, die avond dat je Simon voor het eerst zag. Weet je nog dat je toen met zijn vriendin Elza gesproken hebt?'

Ze veegt met haar mouw langs haar ogen. 'Elza..? Ah! Ja-ja! Elsie ik weet. Leuke meisje. Pools joods. Verdronken volle maag.'

'Wat ze toen zei, dat Simon haar vergeten moest... heb jij dat toen verzonnen? Zei ze niet heel wat anders?'

Kwan fronst. 'Haar vergeten? Zij dat zeggen?'

'Volgens jou wel, toen.'

'Ah! Weet weer! Niet vergeten, *vergeven*. Zij wil hij haar vergeven. Zij iets doen hij zich schuldig voelen om. Hij denken zijn fout zij dood, zij zeggen nee eigen fout, geen punt geeft niks. Zoiets.'

'Maar zei ze niet ook dat hij op haar moest wachten? Dat ze terug zou komen voor hem?'

'Waarom jij denken dit?'

'Omdat ik haar zag! Ik zag haar met die geheime zintuigen waar jij het altijd over hebt. Ze smeekte Simon haar te zien, en te weten wat ze voelde. Ik zag...'

'Tst! Tst!' Ze legt een hand op mijn schouder. 'Libby-ah, Libby-ah. Dit niet geheime zintuigen. Dit jouw eigen twijfel. Dit onzin! Jij zien eigen geest smeken Simon: hoor me, zie me, hou van me... Elsie niet dwarsbomen jullie. Twee levens terug jij haar dochter. Waarom zij zou willen jij verdriet? Zij hélpen jou!'

Ik ben volkomen verbluft. Elza was ooit mijn moeder? Tja, of dat nu waar is of niet, ik voel een ongekende opluchting. Een pak van mijn hart. Een nodeloos zwaar pak, vol angsten en twijfels.

'Al deze tijd jij denken zij jou bedreigen? Jij zelf jou bedreigen! Simon weet ook dit.' Ze drukt een kus op mijn wang. 'Ik nu haal hem hij zelf zeggen.' Ik kijk toe terwijl ze zich de grot binnenwurmt.

'Kwan?'

Ze kijkt op. 'Ah!'

'Beloof me dat je niet verdwaalt. Dat je terugkomt.'

'Ja-ja, beloof.' In het schijnsel van de zaklantaren zie ik haar linksaf een omlaag lopende gang inkruipen. 'Jij geen zorgen maken.' Haar stemgeluid galmt al. 'Ik Simon haal snel terug, jij wachten...'

Ik wikkel me in de foliedeken en ga tegen het rotsblok geleund zitten. Hopen. Daar is niets verkeerds aan – aan hopen. Ik tuur naar de lucht. Nog altijd grijs. Zou het weer gaan regenen? En met die sombere gedachte neemt mijn gezonde verstand het heft weer in handen. Wat mankeert me? Ben ik soms in een roes geraakt tijdens Kwans verhaal? Ben ik nu net zo geschift als zij? Hoe kon ik in godsnaam mijn zuster alleen in die grot laten kruipen? Ik krabbel overeind en steek mijn hoofd in de opening. 'Kwan! Kom terug!' Ik klim naar binnen. 'Kwan! Kwan! *Goddamnit!* Kwan, geef antwoord!' Ik werk me verder de grot in, stoot mijn heup, vloek en roep haar naam nog een keer. Een paar kronkels later kruip ik door het aardedonker. Alsof ik een dikke blinddoek voor heb. Geen paniek – ik heb mijn halve leven in donkere kamers doorgebracht.

Maar even later moet ik toegeven dat het duister hier me voor problemen stelt die nieuw voor me zijn. Ik merk opeens dat het zwart me als een magneet omlaagtrekt, me de baas wordt. Dus werk ik me toch maar achteruit, terug naar de opening – om al snel te ontdekken dat ik mijn richtinggevoel kwijt ben. Beweeg ik me nu naar buiten of juist verder naar binnen? Omhoog of omlaag? Ik roep om Kwan. Mijn stem wordt schor. Ik krijg het benauwd. Wordt de lucht uit de tunnel weggezogen?

'Olivia?'

Ik slaak een vochtig gilletje.

'Alles goed met je?'

'O, god! Simon? Ben jij dat echt?...' Ik begin te huilen. 'Leef je nog?'

'Zou ik anders tegen je praten?'

Ik lach en huil tegelijk. 'Dat weet je maar nooit.'

'Hier, steek je hand uit.'

Ik zwaai wild heen en weer in het duister tot ik hem voel. Zijn vertrouwde handen. Hij trekt me naar zich toe en ik gooi mijn armen om hem heen, duw mezelf tegen zijn borst aan, streel zijn rug, overtuig mezelf ervan dat hij echt is. 'God, Simon, wat gisteren gebeurd is... ik was knettergek. En later, toen je niet terugkwam... heeft Kwan je verteld wat ik heb doorgemaakt?'

'Nee, ik ben nog niet in het huis van Grote Ma geweest.'

Ik verstijf. 'O, god!'

'Wat is er?'

'Waar is Kwan? Is ze daar niet achter je?'

'Ik weet niet waar ze is.'

'Maar... ze ging naar binnen om je te vinden. Ze is hier in deze grot! Ik roep haar al de hele tijd. God! Dit kan niet waar zijn. Ze heeft beloofd dat ze niet zou verdwalen. Ze zei dat ze terugkwam...' Ik blijf raaskallen terwijl Simon me naar buiten voert.

Als we de grot uitkomen, verblindt het daglicht me. Met dichtgeknepen ogen streel ik zijn gezicht. Als ik straks mijn ogen weer opsla, zal hij dan Yiban blijken te zijn? En zal ik een bebloede gele jurk aanhebben?

DEEL

IV

23

De begrafenis

Het is nu twee maanden geleden dat Kwan verdween. Ik zeg niet 'stierf', omdat ik mezelf nog niet toesta te denken dat ze dood is.

Ik zit in mijn keuken een kom muesli te eten en staar naar de foto's van vermiste kinderen op het melkpak. 'Beloning voor elke relevante informatie' staat eronder. Ik weet hoe de moeders van die kinderen zich voelen. Tot het tegendeel bewezen is, moet je blijven geloven dat ze zich nog ergens bevinden. Je moet ze nog één keer zien eer je bereid bent afscheid van ze te nemen. Zo wil ik ook blijven geloven dat ik Kwan nog éénmaal zal kunnen zeggen dat ik Juffrouw Banner was, en zij Nunumu, en dat we voor eeuwig elkaars trouwe vriendinnen zullen blijven.

Twee maanden terug zat ik bij de ingang van die grot op Kwan te wachten. Al wat me te doen stond, prentte ik mezelf in, was in haar verhaal te blijven geloven – omdat ze volgens dat verhaal in staat was de weg naar buiten te vinden. Simon zat naast me. Hij probeerde optimistisch te lijken, maar vergat jolig te doen, zodat ik wist dat hij ongerust was. 'Ze duikt heus wel weer op,' zei hij. 'Maar ik vind het rot voor je dat je zo in de rats moet zitten, eerst over mij en nu weer over Kwan.'

Simon was geen moment in gevaar geweest. Na mijn hysterische vlucht uit de tunnel had hij de wollen muts opgezet die hij in zijn achterzak had meegenomen, en was de kou uit zijn lijf gaan verdrijven door stenen in het ravijn te gooien. Toen hij voldoende opgewarmd was om aan de wandeling naar het huis van Grote Ma te beginnen, was hij de jonge veeboer weer tegen het lijf gelopen – die geen veeboer bleek te zijn. Hij heette Andy en was het Amerikaanse neefje van een vrouw uit een dorp aan de andere kant van het ravijn, bij wie hij vakantie vierde na te zijn afgestudeerd aan de universiteit van Boston. Hij had Simon meegenomen naar het huis van zijn tante, waar ze samen *maotai* hadden zitten slurpen tot hun tongen dienst weigerden en ze allebei laveloos onder de tafel waren gezakt.

'Je hebt je voor niets zorgen gemaakt,' zei hij schuldbewust.

En ik zei gul dat ik onterechte zorgen minder erg vond dan terechte. Ik hield mezelf voor dat als ik maar dankbaar genoeg was voor de goede afloop met Simon, het met Kwan ook wel goed zou komen. 'Sorry-sorry, Libby-ah,' hoorde ik haar al zeggen. 'Ik foute bocht grot, hele ochtend nodig weg terugvinden! Jij zorgen maken niets.' En toen de ochtend allang verstreken was, fantaseerde ik dat ze zeggen zou: 'Libby-ah, waar mijn hoofd gebleven? Ik bij onderaardse meer zitten dromen, denk één uurtje, ha! Waren tien uurtjes!'

Simon en ik bleven de hele nacht bij de grot. Du Lili voegde zich bij ons met eten, dekens en een stuk zeildoek. We rolden het rotsblok voor de grot vandaan en kropen bij elkaar in de nauwe opening. Ik staarde naar het hemelgewelf, een zwarte zeef waar glinsterend sterrenlicht doorheen viel, en overwoog Simon het verhaal van Juffrouw Banner, Nunumu en Yiban te vertellen. Maar een vage angst weerhield me. Ik zag dat verhaal als een talisman van hoop, en als Simon er ongelovig op reageerde... misschien werd dan wel ergens in het universum die ene kleine kans uitgewist waar al mijn hoop nu op gevestigd was.

Op de tweede ochtend van Kwans verdwijning organiseerden Andy en Du Lili een zoekactie. De reddingsploeg bestond uitsluitend uit jonge mannen; de ouderen dorsten voor geen prijs de grot binnen te gaan. Ze kwamen met olielampen en rollen touw. Ik probeerde me de aanwijzingen te herinneren voor het vinden van de ruimte met het meer. Wat had Zeng ook alweer gezegd? Volg het water, daal af, verkies de nauwe doorgang boven de wijde. Of was het de nauwe boven de diepe? Gelukkig hoefde ik Simon niet te verbieden de grot binnen te gaan. Hij bleef aan mijn zijde en we keken nerveus toe hoe de reddingsoperatie op gang kwam. De mannen werkten in koppels – één bond een touw om zijn middel en kroop de grot in, en een ander hield het touw strak terwijl het langzaam afrolde.

Bij het aanbreken van de derde dag liep er een netwerk van touwen door het inwendige van de berg, maar Kwan was in geen van de onderzochte gangen aangetroffen. Du Lili ging naar Guilin om de autoriteiten in te lichten. Ze verzond er ook een telegram aan George, waarvoor ik een zo voorzichtig mogelijke tekst geschreven had. Diezelfde middag kwamen vier busjes vol groen-geüniformeerde soldaten en in het zwart gestoken ambtenaren bij de grot aan. En de ochtend daarna verscheen een welbekende auto. Rocky stapte als eerste uit en opende de deur voor een deftige heer, die hij als professor Po aan ons voorstelde. Deze geleerde was ooit een assistent geweest van de paleontoloog die de Pekingmens ontdekte. Nadat de professor het gangenstelsel verkend had, vertelde hij ons dat dergelijke grotten vele dynastieën terug door streekbewoners waren uitgebouwd tot verraderlijke doolhoven vol doodlopende tunnels en geheime doorgangen. Volgens hem hadden de Changmianezen van eeuwen her deze grot benut om aan de Mongoolse horden te ontkomen. Eenieder die het gewaagd had hen hierin te achtervolgen, was als een rat in de val komen te zitten.

Vervolgens meldde zich een team van geologen, en de opwinding werd langzamerhand zo groot, dat bijna niemand meer aan Kwan dacht. De duizenden vleermuizen hadden geen moment rust meer in hun grot en vlogen krijsend door het verblindende zonlicht. Maar in plaats van mijn zuster vond men oeroude graanpotten, waterkruiken en, de belangrijkste vondst van allemaal, enkele menselijke drollen van minstens drieduizend jaar oud!

Op de vijfde dag arriveerden George en Virgie. Ze hadden mijn telegrammen met de steeds onrustbarender inhoud niet meer kunnen verdragen. Bij aankomst was George er nog zeker van dat Kwan niet écht zoek was, dat het alarmerende karakter van de telegrammen aan mijn gebrekkige Mandarijns toegeschreven moest worden. Maar tegen de avond was hij gesloopt. Hij greep een trui van Kwan uit de rugzak, begroef zijn gezicht erin en ging hartverscheurend zitten huilen.

Op de zevende dag werd het lichtgevende onderaardse meer gevonden, met het stenen dorp aan zijn oever. Maar ook daar geen Kwan. In Changmian krioelde het inmiddels van de ambtenaren en andersoortige functionarissen, en van wetenschappers die zich het hoofd braken over de vraag waarom het water van dat meer zo'n geheimzinnige gloed verspreidde.

Ikzelf had elke dag weer een andere bureaucraat te woord moeten staan, in detail moeten vertellen wat Kwan overkomen was. Wat was haar geboortedatum? Wanneer was ze een overzeese Chinese geworden? Waarom was ze teruggekomen? Was ze ziek? Had ik ruzie met haar gehad? Niet met haar, maar met uw echtgenoot? Was uw echtgenoot ook kwaad op haar? Is ze daarom gevlucht? Heeft u een foto van haar? Wat, heeft u deze foto zelf genomen? Wat voor toestel heeft u? Ah, bent u beroepsfotografe? Echt? Hoeveel verdient u daar nu mee, met zo'n foto als deze? Werkelijk? Zoveel? Kunt u een foto van mij maken?

's Nachts lagen Simon en ik in het hemelbed. We bedreven de liefde, niet uit wellust, maar om de krachten te bezweren die ons uit elkaar hadden gedreven. En elke nacht wist ik mijn hoop te behouden, probeerde hem zelfs verder op te bouwen. Ik haalde me Kwans verhalen weer voor de geest, dacht terug aan de keren dat ze pleisters op mijn kapotte knieën had gedaan, hoe ze me had leren fietsen, hoe ze haar hand op mijn koortsige meisjesvoorhoofd legde en fluisterde: 'Slaap, Libby-ah, slaap.' En ik gehoorzaamde haar dan.

Changmian veranderde ondertussen in een circus. Elke dag kwamen er meer nieuwsgierigen op de opgravingen af. De ondernemende dorpeling die Simon en mij zijn pseudo-antieke munten had willen verkopen, stond nu bij de eerste tunnel en vroeg tien yuan entree. Bij de tweede tunnel stond zijn broer, die twintig yuan rekende. De menigte veranderde het beeldenravijn binnen de kortste keren in een stoffige puinhoop. De dorpelingen hakten de restanten van de grafmonumenten in stukken, die ze als souvenirs verkochten. De dorpshoofden kregen ruzie met elkaar en met de overheidsfunctionarissen over de eigendomsrechten van de grotten en hun inhoud. Op dat moment waren er twee weken voorbij en konden Simon en ik er niet meer tegen. We besloten op de besproken dag het vliegtuig naar huis te nemen.

Voor we vertrokken, kreeg Grote Ma eindelijk haar begrafenis. Op een druilerige ochtend, met slechts elf aanwezigen – twee betaalde krachten voor het transport van de kist, vier bejaarde dorpelingen en George, Virgie, Du Lili, Simon en ik. Ik vroeg me af of Grote Ma de pest in had omdat ze door Kwan uit de aandacht verdrongen was. De twee knechten tilden Grote Ma's kist op een ezelwagen en Du Lili bond de voorgeschreven, hevig tegenspartelende haan aan het deksel. Bij de brug over het irrigatiekanaaltje werd ons de weg versperd door een televisieploeg die daar met opnamen bezig was.

'Donder op!' schreeuwde Du Lili. 'Kunnen jullie niet zien dat wij erdoor moeten met onze rouwstoet?' De televisiemensen mompelden iets over het recht op informatie over de schitterende ontdekking in Changmian.

'Een schitterende puinhoop zul je bedoelen!' zei Du Lili. 'Jullie verwoesten ons dorp!' Een elegante vrouw in strakke jeans nam Du Lili apart. Ik zag dat ze Du Lili geld aanbood, en dat Du Lili weigerde. Mijn hart sprong op van bewondering. De vrouw voegde nog wat biljetten aan haar bundeltje toe. Du Lili wees op de camera's en op de kist, en barstte weer in gemopper uit. En het bundeltje werd wederom dikker. Du Lili haalde haar schouders op. 'Goed dan,' hoorde ik haar zeggen, terwijl ze het geld in haar broekzak stak. 'Nu kan de overledene zich ten minste enige luxe veroorloven in de volgende wereld.' Mijn hart kwakte in mijn schoenen. Simon keek ook zuur. Via een lange omweg door allerlei kronkelige straatjes en gangetjes kwamen we uiteindelijk bij het gemeenschappelijke kerkhof, op een helling aan de voet van de westelijke bergen.

Du Lili boog zich over de kist en streek huilend over het perkamenten gezicht van Grote Ma. Ik verbaasde me over de goede staat waarin het stoffelijk overschot na die twee weken oponthoud verkeerde. 'Ai, Li Bin-bin,' jammerde Du Lili, 'je bent veel te jong om te sterven. Ik had je moeten voorgaan.'

Toen ik dit voor Simon vertaald had, keek hij naar Du Lili en zei: 'Beweert ze nu weer dat ze ouder is dan Grote Ma?'

'Ik weet het niet. Ik weet niet meer wat de woorden van deze mensen betekenen.'

Toen ik de begrafenisknechten de kist zag afsluiten, kreeg ik het gevoel dat vele vragen nu voor altijd onbeantwoord zouden blijven: waar Kwan was, wat de ware naam van mijn vader was geweest, of Kwan en een meisje met de naam Broodje werkelijk ooit verdronken waren.

'Wacht!' hoorde ik Du Lili tegen de knechten roepen. 'Ik vergat dit bijna!' Ze haalde het bundeltje bankbiljetten uit haar broek en frommelde het tussen de stijve vingers van Grote Ma. Vervolgens tastte ze in de binnenzak van haar jasje en haalde nog iets anders te voorschijn. Een ingemaakt eendeëi dat ze in de andere hand van Grote Ma duwde. 'Voor onderweg,' zei ze.

Eendeëieren! 'Had zoveel misschien nog over,' hoorde ik Kwan zeggen.

Ik draaide me om naar Simon. 'Ik moet weg hier,' zei ik. Ik trok een gepijnigd gezicht en drukte mijn hand tegen mijn maag.

'Zal ik met je meegaan?'

Ik schudde van nee en liep naar Du Lili. 'Pijn in mijn maag,' zei ik. Ze knikte begrijpend. Zodra ik uit zicht was, begon ik te rennen. Het laatste wat ik nu nog wilde, was nuchter en bedaard blijven – dit was het moment om me met hart en ziel over te geven aan mijn hoop. Ik was verrukt. Absoluut zeker dat ik zou vinden wat ik zocht.

Ik rende naar het huis van Grote Ma, pakte een roestige spade van het erf en rende verder naar de dorpshal. Pas toen ik de poort van de buitenmuur door was, hield ik mijn pas in en begon langzaam te speuren naar aanwijzingen. Daar! De onderste stenen van de muur van de grote zaal waren bedekt met zwarte schroeiplekken – zie je wel, de dorpshal was gebouwd op de ruïne van het huis van het Koopmansspook! Ik doorzocht het verlaten gebouw, intens dankbaar dat alle anderen op dit moment het ravijn op drieduizend jaar oude stront doorzochten. Achter de hal lag geen tuin, laat staan dat er een heuveltje was met een paviljoen erop. Alles was platgewalst voor een terrein waar openluchtbijeenkomsten werden gehouden. Maar de muur rond dat terrein vertoonde ook schroeiplekken; het was wel degelijk de oude tuinmuur. Ik liep naar de noordwestelijke hoek en telde mijn passen af – tien passen voor tien kruiken. Ik begon met de spade in de harde modder te hakken, hardop lachend. Als ze me nu konden zien, zouden ze denken dat ik minstens zo gek als Kwan was.

Ik groef een kuil van twee meter lang en een halve meter diep; je had er een lijk in kunnen leggen. Toen raakte de spade iets hards. Ik viel op mijn knieën en schepte met mijn blote handen de vochtige zwarte grond weg. En daar had je het: rond, lichter van kleur dan de aarde, met een glad oppervlak. Ik kon mijn ongeduld niet bedwingen en wrikte de kruik open met het handvat van de spade.

Ik pakte er een zwart eendeëi uit, en nog een, en nog een. Toen ik ze liefhebbend tegen mijn borst drukte, verpulverden ze onmiddellijk. Maar dat was niet erg. Ik wist toch wel hoe ze smaakten. Ik had ze vroeger al eens gegeten.

24

Nooit eindigende liederen

George en Virgie zijn terug van hun huwelijksreis naar Chang-mian. George vertelde dat alles er onherkenbaar veranderd is. 'Allemaal toeristische troep. Het dorp is steenrijk geworden van de verkoop van fluorescerende plastic zeemonstertjes. Daarom gloeide dat onderaardse meer namelijk – er leefden sinds de oertijd vissen in met een lichtgevende huid of zo. Nu leeft er trouwens niks meer in. De toeristen gingen er wensen staan doen en gooiden dan muntjes in het water. Dus het duurde niet lang of alle vissen en planten waren vergiftigd. De pijp uit. Daarna heeft de dorpsraad onderwaterschijnwerpers laten aanbrengen. Groen en geel. Mooi effect, hoor. Goeie show.'

Volgens mij zijn George en Virgie naar Changmian gegaan bij wijze van verontschuldiging aan Kwan. George moest haar wettig dood laten verklaren om te kunnen hertrouwen. Zou Kwan dat erg hebben gevonden? Ik denk wel eens dat ze er destijds juist met opzet op aandrong dat Virgie bij hen kwam wonen. Dat ze op de een of andere manier altijd al geweten heeft dat ze ooit naar China zou gaan en niet terug zou keren, en natuurlijk beslist niet wilde dat George als hongerige weduwnaar verder moest. Nee, volgens mij zou ze gnuivend hebben gezegd: 'Jammer Virgie niet beter koken.'

Ik heb nu zo'n jaar of twee de tijd gehad om over Kwan na te denken. Waarom ze in mijn leven kwam. Waarom ze eruit verdween. Over haar opmerking dat het lot geduldig wacht tot het voltrokken wordt. Twee jaar is lang genoeg, ik weet het, om herinneringen aan wat was te verwarren met gedachten aan wat had kunnen zijn. Maar ik weet ook dat de echte waarheid niet feitelijk of logisch is. De echte waarheid is gelegen in je hoop. En hoop doet je versteld staan. Ze kan tegen elke verwachting in alle mogelijke weerstanden en contradicties overwinnen. En voor scepsis, gezond verstand en feitenkennis is ze zelfs onaantastbaar.

Want hoe valt anders te verklaren dat ik een dochtertje van veertien maanden heb? Ik beviel exact negen maanden na mijn vrijpartij met Simon in het hemelbed van Grote Ma. Negen maanden, op de kop af, nadat Kwan verdween. Er zullen ongetwijfeld mensen zijn die denken dat de vader een al dan niet voor dit doel gekozen losse minnaar was. Maar Simon weet het even zeker als ik – dit kind is van ons.

Voor de liefhebbers van harde feiten hebben we trouwens een plausibel klinkende uitleg. Toen ik wist dat ik zwanger was, zijn we die fertiliteitsarts nog eens gaan raadplegen. Hij deed nog wat onderzoeken, en wat denk je? Simon was toch vruchtbaar. De eerdere uitslagen waren fout! Een laborant moet de namen van patiënten door elkaar hebben gehaald. Want onvruchtbaarheid bij de man is onomkeerbaar. Simon is nooit onvruchtbaar geweest. Dus vroeg ik die dokter waarom ik dan nooit zwanger was geworden. En hij zei: 'Waarschijnlijk omdat je te hard je best deed, te graag wilde. Het gebeurt vaak genoeg dat een echtpaar via adoptie de kinderwens vervult en dan alsnog een eigen kind krijgt.'

Maar zelf geloof ik alleen nog maar wat ik geloven wíl. Kwan heeft mij een geschenk gegeven. Een babymeisje met kuiltjes in haar bolle wangen.

En nee, ze heet geen Kwan of Nelly. Dat ik zo mijn twijfels heb gekregen over het gezonde verstand, wil nog niet zeggen dat ik een sentimentele dwaas ben geworden. Ze heet Samantha, roepnaam Sammy. Samantha Li – ik heb mijzelf en haar Kwans achternaam gegeven. Waarom niet? Wat is een geslachtsnaam anders dan het teken dat je voor altijd verbonden wilt zijn met iemand uit het verleden?

Sammy noemt mij 'mama'. Haar favoriete speelgoed is de 'ba' – de speeldoos die ik van Kwan gekregen heb. Sammy's derde woordje is 'da'. Daarmee spreekt ze Simon aan op de dagen dat hij bij ons is. We zijn nog steeds aan het uitzoeken hoe het precies zit tussen ons, wat belangrijk is en wat niet, en hoe we acht uur achtereen samen kunnen zijn zonder ruzie te krijgen over het kiezen van een radiozender. Hij komt op vrijdag en blijft het weekend. Dan liggen we gezellig in bed – Simon en ik, Sammy, en Bubba.

We oefenen ons in het gezinsleven en zijn al doende blij met elk moment dat we samen doorbrengen. De onbenullige kibbelarijtjes steken nog steeds de kop op. Maar het kost steeds minder moeite om in te zien hoe onbenullig ze zijn.

Ik denk dat het Kwans bedoeling is geweest mij te laten zien dat de wereld waarin je leeft geen afgeperkte plaats in ruimte en tijd is, maar samenvalt met de wijdsheid van je eigen ziel. En de ziel is niets anders dan liefde, ongelimiteerde, ongebreidelde liefde, de streving naar échte waarheid. Ooit dacht ik dat liefde een toestand van intens geluk was. Nu weet ik dat er ook zorg en verdriet, en vertrouwen, en hoop aan te pas komen. En geloven in geesten? Dat is geloven dat de liefde nooit sterft. Als mensen die we liefhebben sterven, dan raken ze alleen maar buiten het bereik van onze normale zintuigen. Maar we kunnen ze altijd nog vinden met onze honderd geheime zintuigen, zolang we maar niet vergeten dat we die hebben. 'Dit geheim,' hoor ik Kwan zeggen. 'Niemand zeggen, ah. Beloven, Libby-ah.'

Mijn kind roept me. Ze maakt een proestend geluidje en kijkt met grote ogen naar de haard. Wat ziet ze daar? Zou het Kwan kunnen zijn? Mijn hart begint te jagen.

'Ba,' lispelt Sammy. Ze houdt haar handjes nog altijd uitgestrekt naar de haard. Maar nu weet ik wat ze wil. Ik loop naar de speeldoos die op de schouw staat. Ik wind hem op en laat hem spelen. Dan pak ik mijn kind op. En dans met haar. En wat ooit verdriet was, stroomt weg in tranen van geluk.

Inhoud